KB196651

스페인어-한국어

법률용어사전

DICCIONARIO JURÍDICO ESPAÑOL-COREANO

"이 저서는 2008년 정부(교육과학기술부)의 재원으로 한국연구재단의
지원을 받아 수행된 연구임" (NRF-2008-362-A00003)

스페인어-한국어

법률용어사전

DICCIONARIO JURÍDICO ESPAÑOL-COREANO

박종탁 편저 · **하상욱** 감수

이담 Books

추천사

평소 존경하는 박종탁 교수로부터 『스페인어－한국어 법률용어사전』 감수를 부탁받고 만감이 교차했다. 칠레국립대학교 법과대학 입학 첫날이었던 1980년 4월 10일 이후 30여 년이 지난 오늘에 이르기까지 항상 개인적인 숙원사업으로 생각하였던 일을 박 교수가 완성했기 때문이었다. 방대한 자료수집 및 분석, 엄격한 표제어 선정, 정확한 번역, 체계적이고 논리적인 편집 등, 사전편찬 작업만큼 인간의 지적 중노동을 강요하는 일은 세상에 흔치 않으며, 또한 이렇게 힘든 노력에 비해 턱 없이 경제적 보상이 적은 일 또한 거의 없다는 생각이 든다.

본 사전 내용을 검토하면서 가장 인상적이었던 바는 저자가 법학전공자가 아닌 어문학 학자임에도 불구하고 일반 법률가를 능가하는 탄탄한 법적 사고(legal mind)를 갖추었다는 점이다. 저자가 보내준 『스페인어－한국어 법률용어사전』 초고는 그 논리성과 치밀함에 있어서 이미 높은 완성도를 갖추고 있어 손댈 곳이 거의 없었다. 따라서 사실 감수 작업을 했다기보다 법률 스페인어에 대한 훌륭한 마스터 클래스를 들은 기분이었다고 밝히고 싶다. 각 페이지에 마다 담겨 있는 저자의 뜨거운 열정과 순수한 사명의식을 접하면서 많은 감동과 존경심을 느꼈다. 어쩌면 수십 년 전부터 있었어야 할 『스페인어－한국어 법률용어사전』이 이제야 나오게 되어, 앞으로 '얼마나 많은 사람이 이 사전의 도움을 받을까' 생각하니 나도 모르게 가슴이 뿌듯해졌다.

오늘날 전 세계에서 스페인어를 국어로 사용하고 있는 나라는 약 20국, 인구는 5억 명에 달한다. 이 국가들의 세 가지 공통점은 바로 언어(스페인어), 종교(가톨릭), 그리고 법(스페인법)이다. 비록 역사도, 인종도, 피부색도, 문화도 많이 달라졌으나, 이 세 가지는 콜럼버스의 신대륙 발견 이후 500년이 지난 지금까지도 유효하다. 스페인은 물론, 중남미 스페인어권 국가와 사회를 움직이게 하고, 일 년 365일, 하루 24시간 그 국민들의 사고를 지배하는 법률 용어와 표현들이 이 사전에 고스란히 담겨 있다.

향후 본 『스페인어－한국어 법률용어사전』은 대 스페인 · 중남미 무역뿐만 아니라, 최근 활발해지고 있는 현지투자 · 공사 수주 · 컨설팅 수행 등에 있어 유용한 필수품이 될 것이다. 또한 법률 스페인어에 대하여 관심이 있는 공무원, 직장인, 학생 및 일반인에 이르기까지, 그 사용의 폭이 점차 확대되어 가기를 기대하며, 다시 한 번 박종탁 교수의 노고에 깊은 경의를 표하는 바이다.

2011년 5월

에콰도르 키토에서

하상욱

머리말

스페인어를 국어로 사용하는 나라는 스페인과 중남미 20여 국에 이르며, 언어만 같은 것이 아니라 문화와 제도 면에서도 공통점이 많다는 것이 특징이다. 최근에 중남미는 정치적 안정을 이루고 경제발전에 박차를 가하고 있다. 풍부한 자원을 보유한 중남미의 중요성은 앞으로 더욱 커질 것으로 전망된다. 우리나라는 외교 · 무역 · 투자 · 자원개발 · 이민 · 국제협력과 교류 등에 걸쳐 다양하고도 긴밀한 관계를 맺고 있다. 한국 최초의 자유무역협정(FTA)은 2003년 칠레와 맺은 것이며, 이 지역의 다른 여러 나라와도 협정체결을 추진하는 중이다. 이러한 때에, 스페인과 중남미에 진출한 십여 만 한국 교민과 사업가, 주재원들에게 현지의 법을 이해하는 작은 도구가 되고, 스페인어권 법률을 연구하고자 하는 법조인에게 하나의 징검다리가 되기를 바라는 마음으로 이 사전을 만들었다.

저자는 법학 전공자가 아니라 스페인어 어문학 교수이다. 법학은 학부 시절에 부전공으로 맛을 보았고, 멕시코 형법을 번역해 본 경험이 있는 정도였다. 그 후 오랜 세월이 지나도록 스페인어권 법률 분야가 덩그렇게 비어 있는 것을 보고, 근자에 몇 차례의 심포지엄을 통해 연구의 필요성을 주장하였다. 그러다가 부산외국어대학교 부설 중남미지역원의 김우성 원장과 이상현 박사의 권유로 이 사전을 편찬하게 되었다. 시작은 다소 막막하였으나, 다행히 온-오프라인 상의 좋은 참고사전들을 만날 수 있었고, 한국외국어대학교 법학전문대학원의 조희문 교수의 소개로 하상욱 변호사(칠레 및 스페인 변호사)를 알게 되었다. 이 분야에서 국내 최고 권위자인 하 변호사의 아낌없는 조언과 성실한 감수에 힘입어 이 사전은 완성될 수 있었다. 이 자리를 빌어 깊은 감사를 표한다. 출판을 위해 여러 모로 수고를 해주신 박종욱 박사와 한국학술정보(주)에도 감사를 드린다.

2011년 5월

박종탁

차 례

일러두기

1. 사전의 성격과 범위

(1) 스페인어 법률용어를 편저자가 광범위하게 수집하여 한국어 법률용어로 옮긴 사전이다.
(2) 2009~2010년도 부산외국어대학교 부설 중남미지역원의 학술총서 지원을 받은 저술이다.
(3) 총 항목 수는 표제항이 약 6,400개, 파생항이 약 11,600개로서 도합 18,000여 개이다.

2. 용어의 선정 및 배열

(1) 이 사전에서 선정한 법률용어는 현재 스페인 및 중남미 각국에서 사용하는 모든 법 분야의 용어들을 망라한 것이다.
(2) 용어의 배열은 영어 알파벳순에 따르고, 표제어·표제항에 따라 분류된 파생어·파생항은 역시 알파벳순으로 '~' 다음에 배열하였다.

3. 부가된 표기와 기호

(1) 우리말 용어의 성격을 분명히 할 필요가 있을 경우에는 번역된 표제어·표제어구 앞에 괄호( )를 두고 그 속에 간략한 정의를 담는다.

예: sentencia circunstancial (취소소송에서 공공복리를 감안한) 사정판결

(2) 이해를 돕기 위한 말은 번역된 표제어·표제어구 뒤에 괄호( )를 두어 한자어를 넣거나, 스페인어 동의어를 표기하고, 영어나 라틴어 등 기타 외국어일 경우에는 이탤릭체로 처리한다.

예: 사정판결(事情判決), 고용주(patrón), 자유무역협정(*FTA*)

(3) 스페인어 표제어·표제어구 다음에 괄호( ) 속에 표기된 것은 그렇게 붙여서 쓸 수 있다는 뜻이며, 대문자일 경우에는 약자표기를 나타낸다.

예: tratado (internacional) 조약, 협정

Tratado de Libre Comercio(TLC) 자유무역협정(*FTA*)

(4) 파생항은 표제어에 복합어가 붙은 것으로서 물결표(~)로 표제어 이하를 표기하고, 표제어구일 경우에는 두 배로 들여쓰기를 한다.

예: ~ de libre comercio(TLC) 자유무역협정

(5) 표제어 · 표제어구가 라틴어인 경우에는 이탤릭체를 사용한다.

예: *lex* 법

(6) 복수의 표현이 존재할 경우에 알파벳 'o'로 연결하면서 한 포인트 작은 활자를 사용한다. 단일한 표현인 경우에는 같은 크기의 글자를 사용한다.

예: imponer contribuciones o impuestos 세금을 부과하다

(7) 특정한 법 영역에서만 쓰는 용어이거나 약자를 넣는 것이 간편할 때는 다음과 같이 [ ] 속에 한 포인트 작은 글자로 약자를 넣는다.

[민]: 민법 · 민사소송법, [형]: 형법 · 형사소송법, [국]: 국제(공 · 사)법, [상]: 상법, [행]: 행정법, [노]: 노동법, [영미]: 영미법, [대륙]: 대륙법, [집합]: 집합명사, 영어=<영. 전에 쓰던 용어=(구), 약칭=(약)

(8) 독특한 나라별 표현은 다음과 같이 괄호( ) 속에 한 포인트 작은 글자로 약자를 넣는다.

(A): 아르헨티나, (Am): 중남미, (B): 볼리비아, (C): 쿠바, (CA): 중앙아메리카, (Ch): 칠레, (DR): 도미니카공화국, (Ec): 에콰도르, (GB): 영국, (M): 멕시코, (Pan): 파나마, (Pe): 페루, (PR): 푸에르토리코, (Sp): 스페인, (U): 우루과이, (US): 미국, (V): 베네수엘라

(9) 특정한 분야에서 사용하는 용어임을 구별할 필요가 있을 경우에도 괄호( ) 속에 한 포인트 작은 글자로 기입한다.

예: (세관), (부동산)

(10) 반대 · 대조가 되는 말은 괄호 속에 양쪽 화살표를 넣어 표시하였다.

예: autor 단독정범(↔ coautor)

(11) 어휘의 품사는 굳이 밝힐 필요가 없었으나, 형용사의 경우에는 혼동의 여지가 있어 ⓗ을 붙였다. 형용사의 성 구별이 존재할 경우에는 표기를 간략하게 하기 위해 남성형만을 적었다. 극히 예외적으로 명사와 부사를 같은 방식으로 처리한 경우도 있음을 밝혀 둔다.

예: fortuito ⓗ 뜻밖의, 우연한

(12) 한 용어의 뜻이 여러 가지 있을 경우, 비슷한 어의는 쉼표(,)로 연결하고, 개념의 차이가 비교적 크면 쌍반점(;) 다음에 표기하였다.

예: regulación 조정, 조절; 규정

(13) 가운데 점(·)은 '혹은'의 뜻이다.

예: improcedencia (시기 · 장소 · 정황상) 적절하지 못함

a

~ *contrario sensu* 반대(로)
~ distancia 원격지
~ la orden 기명식, 지시식
~ la vista 일람불
~ *posteriori* 귀납적인; 사후에
~ *priori* 연역적인, 선험적인; 사전에
~ puerta cerrada 비공개(로)
~ *quo* 시작점, 출발점; 근원이 되는

ab

~ *initio* 최초부터
~ *intestato* 유언이 없는
~ *irato* 화가 나서

abajo firmado 아래 기명자(記名者), 서명자(署名者)

abanderar (선박을) 등록하다

abandonante 포기(抛棄)자; 유기(遺棄)자; 위부(委付)자

abandonar 포기하다; 유기하다; 위부하다

abandono 유기; 포기; 위부(委付)

~ de apelación 상소(항소·상고) 포기
~ de buque (해상보험) 선박의 위부(委付)
~ de cadáveres 사체 유기(죄)
~ de un cónyuge 배우자 유기(죄)
~ de cosas 물품의 포기
~ de cosas aseguradas (해상보험) 보험물품의 위부
~ de derechos 권리 포기
~ de destino 식무 유기
~ de familia 가정 유기(죄)
~ de funciones públicas 직무 유기
~ del dominio 소유 포기
~ de la acción 소(訴)의 취하
~ de la instancia 소의 취하
~ de la nacionalidad 국적 이탈
~ de menores 미성년자 유기(죄)
~ de mercancía (해상보험) 화물의 위부(委付)
~ de niños 아동 유기(죄)
~ de recurso 상소권의 방기(放棄)
~ del hogar 가정 유기(죄)

abarcador 독점자, 매점자; ⓗ 독점하는, 매점하는

abarcar 독점하다, 매점하다; 포함하다, 포함시키다

abdicación 양위(讓位)

abigeato 가축 몰이 절도

abigeo 가축 몰이 절도범

abintestato 상속권의 판정

abjuración (국적・종교의) 포기 선서

abjurar 포기를 서약하다

abogable ⓗ 변명・해명・항변할 수 있는

abogacía 변호사의 직・업무
~ aduanera 세관 변호사의 직
~ de sociedades anónimas 법인 변호사의 직
~ procesal 소송 변호사의 직

abogada 여성 변호사

abogadil ⓗ (Ch) 변호질을 하는

abogado 변호사
~ acusador 원고측 변호사; 검찰측 변호사
~ *ad hoc* 특별 변호사
~ aduanero 세관 변호사
~ asociado 자문 변호사
~ auxiliar 변호사보
~ civilista 민사 변호사
~ consultor 자문 변호사
~ coordinador 주임 변호인
~ de libre designación 사선 변호사
~ de oficio 국선 변호사
~ de incorporaciones o de sociedades anónimas 기업 변호사
~ de patentes 특허 변호사
~ de pobres 국선 변호사
~ de record (PR) 공식 대리인; 담당 변호사
~ de secano 무자격 변호사
~ defensor 변호인
~ del estado 검사
~ designado por turno de oficio 당번 변호사
~ director 주임 변호인
~ en ejercicio 현직 변호사
~ extranjero habilitado para ejercer en Corea 외국법 사무 변호사
~ fiscal 검사
~ litigante 소송 변호사
~ mediador 법무관

~ notario 공증 변호사
~ penalista 형사 변호사
~ picapleitos 악덕 변호사
~ que actúa en sala 법정(法廷)변호사
~ que consta 공식 대리인; 담당 변호사
~ responsable 주임 변호인
~ secundario 변호사보

abogar 변호하다

abolengo 세습 재산; 선조, 조상; 문벌

abolición 폐지

abolicionismo (노예 · 사형) 폐지운동

abolir 폐지하다, 철폐하다

abonado 신용할 수 있는 사람; 납입자; 예약 · 예매 · 구독자; 고객

abonador 보증인; 보석(保釋) 보증인

abonamiento 보증; 불입, 납입; (일회적 · 정기적) 예약 · 예매 · 구독

abonar 보증인이 되다; (부기) 대변에 기입하다; 불입·납입하다; 보증하다; (일회적 · 정기적으로) 예약 · 예매 · 구독하다
~ de más 과다 지불하다

abonaré (Sp) 약속어음

abono 불입 · 납입; 분할납입; 예약 · 예매 · 구독; 보증; 경력 인정
~ de testigos 증인의 신원보증
~ de tiempo de prisión 미결구류일수 산입(算入)
~ parcial o a cuenta 일부 지불

abordaje, abordo 선박 충돌
~ culpable 과실 충돌
~ fortuito o casual 우연한 충돌
~ recíproco 쌍방과실 충돌

abortar 유산(流産)하다; 유산시키다

aborticidio 태아 살해; 낙태약(藥)

abortista 낙태시술자; 임신중절권 지지자

abortivo 낙태약(藥); ⓗ 낙태의; 조산(早産)의

aborto 낙태(죄)

abreviación 요약; 생략

abrir 개시하다; 개설하다
~ a pruebas 증거조사를 개시하다
~ el juicio (변호사가) 서두진술을 하다; 소송을 개시하다
~ los libros (회계) 장부를 열다

~ propuestas 입찰에 부치다
~ la sesión 개정 · 개회하다

abrogable ⓗ 폐지할 수 있는

abrogación (법의) 폐지(derogación total)

abrogar (법을) 폐지하다

absentismo 계획적 결근(노동쟁의); 직무 태만; 부재지주(不在地主) 제도

absentista 부재자; 결석자, 불참자; 부재지주(不在地主)

absolución [민] 기각; [형] 무죄
~ con reserva (M) 원고의 권리를 유보하는 소송 각하(却下)
~ condicionada 조건부 사면
~ de derecho 법적 효력에 의한 무죄
~ de hecho 선고나 평결에 의한 무죄방면
~ de la demanda 피고에게 전적으로 유리한 소송종결
~ de la instancia 소송의 기각 · 각하
~ de posiciones 당사자 심문
~ del juicio 소송의 기각 · 각하
~ libre 무죄 선고
~ perentoria 형사소송의 약식 기각 · 각하

absolutismo 절대주의, 절대왕정

absoluto ⓗ 절대의, 무조건의
~ dominio (부동산의) 자유 보유권, 무조건 토지 상속권

absolutorio ⓗ 기각 · 각하 · 면소의

absolvente (A) 질문서에 대한 답변자

absolver (민 · 형사상) 책임 · 죄가 없다고 인정하다
~ una consulta 답변하다
~ de la instancia 소를 기각하다
~ las posiciones o las preguntas 심문에 답하다

absolutismo 절대주의, 절대왕정

absuelto ⓗ 기각된 · 각하된

absurdidad 부조리

absurdo 부조리

abstención 기권; 제척

abstencionismo electoral (정치적 이유로 벌이는) 투표기권운동

abusar 남용하다

abusivo ⓗ 남용하는

abuso 남용

~ de autoridad 직권 남용, 월권
~ de confianza 배임(背任); 신탁 위반
~ de derecho 권리 남용
~ de discreción 재량권 남용
~ de las facultades discrecionales 재량권 남용
~ de libre albedrío 재량권 남용
~ de privilegio 특권 남용

academia de policía 경찰학교

acaparador 매점자, 독점자

acaparar 매점(買占)하다, 독점하다

acaparrarse 타협하다, 의견이 일치하다

acápite (Am) 다음 단락; (A, Cu) 표제; (U) 부제(副題)

acarreador afianzado 보세화물 운반자

acarrear 옮기다; 야기하다, 초래하다

acatar 존중하다

accesión 부합

acceso 접근
~ judicial 증거조사
~ violento 가택침입

accesoriedad 부수성

accesorio ㉺ 부수적인

accidental ㉺ 우발적인

accidente 사고, 재해
~ corporal 상해(傷害), 부상
~ de trabajo 산업재해, 업무상 재해
~ de tráfico, de circulación 교통사고
~ inculpable (A) 무과실 사고
~ *in itinere* 통근재해
~ laboral 산업재해
~ mortal 사망 사고
~ no de trabajo 비(非)업무상 재해
~ operativo (Cu) 산업재해
~ profesional 업무상 재해

accidentes del mar 해난(海難)

acción 소송; 소권(訴權); 청구; 작위(作爲); 작용
~ a que hubiere lugar 소송가능
~ a que tuviere derecho 소권보유
~ accesoria (M) 부수소송(附隨訴訟)

~ *ad exhibendum* (M) 제시소권(提示訴權)
~ administrativa 행정작용; 행정조치
~ amigable 우의적(友誼的) 소송
~ antimonopolista 반독점 소송
~ cambiaria o de cambio 어음청구 소송
~ cambiaria de regreso 배서인들에게 소송
~ caucionable 보석(保釋) 청구
~ caucional 지급보증
~ cautelar 가처분소송
~ civil 민사소송
~ *communi dividundo* 공동재산 분할권
~ con lugar 근거가 있는 소송
~ concertada 합의 소송
~ confesoria 인낙(認諾) 소권(訴權)
~ conjunta 공동 소송
~ constitutiva 형성(形成) 소송
~ contra la cosa 대물(對物) 소송
~ contractual 계약 소송
~ contraria de mandato 차주(借主)의 대주(貸主)에 대한 소송; 대리인의 당사자에 대한 소송
~ crediticia 채권적 청구권
~ criminal 형사소송
~ de anulabilidad 취소권
~ de apremio 채무 소송; (PR) 약식 징세 소송
~ de cesación 금지 신청
~ de condena 기소
~ de conducción 점유의 소
~ de desahucio 점유물 반환청구의 소
~ de deslinde 경계확정의 소
~ de despojo (Ec) 점유침탈의 소
~ de difamación 명예훼손 소송
~ de división de la cosa común o de cese en la proindivisión 공유물 분할의 소
~ de divorcio 이혼 소송
~ de dominio (Col, Ec) 점유회복의 소
~ de estado civil (M) 호적 소송
~ de impugnación 부인권(否認權)(derecho a impugnar)
~ de impugnación de la paternidad 적출부인의 소
~ de inscripción registral 등기청구권
~ de jactancia 사칭 관련 소송
~ de libelo 문서비방 관련 소송
~ de locación 임대료 청구
~ de nulidad 무효 소송
~ de posesión 점유 소송
~ de reclamación de alimentos 부양청구권
~ de recuperación de la dote 가자(嫁資)반환청구소송
~ de recuperación de legítima hereditaria 유류분 회복의 소
~ de recuperación hereditaria 상속회복 청구권

~ de reducción de legados y donaciones para la salvaguarda de la legítima hereditaria 감쇄청구
~ de reembolso de gastos 비용 상환청구권
~ de regreso 소구권(溯求權), 상환청구권
~ de retroacción de la quiebra 부인권(否認權)
~ de revocación 철회권
~ de saneamiento 담보청구권
~ de transgresión 불법 침해 소송
~ declarativa 선언 청구
~ declarativa de derecho real ante una perturbación efectiva del mismo 물권적 방해 배제 청구권
~ declarativa de derecho real ante una perturbación potencial o previsible del mismo 물권적 방해 예방 청구권
~ determinativa (M) 형성 소송
~ directa 실력행사; 직접 청구 소송
~ directa de mandato 대주(貸主)의 차주(借主)에 대한 소송; 당사자의 대리인에 대한 소송
~ dispositiva (M) 형성 소송
~ ejecutiva 집행 청구
~ ejercitoria 선주(船主)에 대한 공급품 소송
~ en cobro de dinero 금전(金錢) 회수 소송
~ enemiga o del enemigo 공적(公敵)의 소행
~ estatuaria 제정(制定)법상의 소송, 성문법상의 소송
~ estimatoria 대금(代金) 감액(減額) 소권
~ hipotecaria 부동산압류매각 소송
~ *in rem* 대물(對物)적 소송
~ *in solidum* 연대(連帶) 및 개별적 소송
~ incidental 부대(附帶) 소송
~ inmobiliaria 부동산 관련 소송
~ interdictal 금지의 청구
~ judicial o jurídica 소송
~ litigiosa 소송
~ mancomunada 공동 소송
~ mixta 대인대물 혼합 소송
~ mobiliaria 동산 관련 소송
~ negatoria 부인(否認)소권, 방해제거청구권
~ *negatorium gestorum* 대리인의 비용청구 소송
~ oblicua (M) 대위(代位) 소송
~ ordinaria 일반 소송, 채권부존재 확인소송 (↔ 강제집행소송)
~ para cuenta y razón 회계자료제출 영장
~ particular 대인(對人) 소송
~ pauliana 채권자 취소권, 사해행위 취소권, 폐파(廢罷)소권
~ penal 형사소송
~ perpetua 영구(永久) 소권
~ personal 대인 소송
~ petitoria 소유권 소송
~ pignoraticia 담보설정 소권

~ plenaria 정식 소송
~ por daños y perjuicios 손해배상 소송
~ por incumplimiento de contrato 계약불이행 소송
~ posesoria 점유 소권
~ prejudicial 예비 소송
~ preservativa o preventiva 가처분 소송
~ privada 친고죄・반의사불벌죄(反意思不罰罪) 소송; (A) 사적 불법방해 소송
~ procedente 근거가 있는 소송
~ procesal 소송
~ prohibitoria (M) 지역권 소송
~ proveniente de delito 불법행위 소송
~ pública 공소(公訴); (A) 형사소송, 비(非)친고죄 소송
~ publicana (M) 시효취득 소송
~ *quanti minoris* 감액(減額)소권
~ real 물권적 청구권, 물상청구권(物上請求權)
~ real y personal 대인 대물 소송
~ redhibitoria 해제(解除)소권
~ reivindicatoria 부동산점유회복 소송
~ reivindicatoria del dominio 소유권 반환청구권
~ reivindicatoria del dominio y otros derechos reales 물권적 반환청구권
~ rescisoria 증서무효 확인소송
~ revocatoria 채권자 취소권, 사해행위 취소권, 폐파(廢罷)소권
~ sin lugar 근거가 없는 소송
~ solidaria 연대 및 개별적 소송
~ sostenible 근거가 있는 소송
~ subrogatoria 대위소권(代位訴權), 채권자 대위권, 간접소권
~ sumaria 약식소송
~ temporal 유기(有期)소권; 일시(一時)소송
~ transitoria 이동(移動) 소송
~ útil 준소권(準訴權), 용익권

acciones 주식
~ al portador 무기명 주식
~ comunes 보통 주식
~ con valor nominal 액면 주식
~ convertibles 전환 주식
~ cotizadas 상장 주식
~ cubiertas 납입(納入) 주식
~ de aportes (A) 출자(出資) 주식
~ de beneficio (Ec) 공로(功勞) 주식
~ de capital 자본금, 주식자본; (A) 현금출자 주식
~ de clase 종류의 주식
~ de disfrute 소각주식 주주권
~ de favor o de premio (A) 공로 주식
~ de fundador 창업자 주식, 공로 주식
~ de goce (M, Sp) 소각주식 보상(補償)주
~ de industria (M) 공로 주식

~ de libre suscripción (M) 자유응모 주식
~ de preferencia acumulativa 누적식 우선주
~ de preferencia no acumulativa 비누적식 우선주
~ de primera preferencia 최(最)우선주
~ de tesorería 자기(自己)주식, 금고주(金庫株)
~ de trabajo 공로주(功勞株)
~ de voto limitado 의결권제한 주식
~ desiertas o desertoras 주금(株金)미납 주식
~ en caja o en tesorería 자기 주식, 금고주
~ en especie (M) 출자 주식
~ exhibidas 전액불입 주식
~ garantizadas 보증 주식
~ habilitantes 명의(名義)주
~ liberadas 무상주(無償株); (C, M) 전액불입 주식
~ nominativas 기명주권(記名株券)
~ ordinarias 보통주
~ pagadas 전액불입 주식
~ participantes preferentes 참여 우선주
~ preferidas 우선주; (A) 배당 우선주
~ privilegiadas 우선주; (A) 청산 우선주
~ privilegiadas en el patrimonio 자산 우선주
~ redimibles 상환(償還) 주식
~ reembolsables 상환 주식
~ sin valor nominal 무액면(無額面) 주식, 비례 주식
~ votantes 의결권(議決權)주

accionante (A) 소(訴) 제기자, 원고(原告)

accionar 소송을 제기하다

accionario ⓗ (A) 자본의, 주주 지분(持分)의

accionista 주주(株主)
~ comanditario (M) 공동투자회사의 주주
~ inversor 투자 주주
~ preferido 우선 주주
~ registrado 등록 주주

accionistas 주주들
~ consentientes 동의하는 주주들
~ constituyentes 창립 주주들
~ de la minoría 소수 주주들
~ disidentes 반대하는 주주들
~ minoritarios 소수 주주들

acensuador 영구(永久) 임대인

acensuar, acensar 영구 임대하다

aceptación 수락, 승낙, 수리(受理), 승인; 낙약(諾約); 어음 인수
~ abreviada de una letra de cambio 약식(略式) 인수(引受)

~ absoluta o expresa 무조건 승낙; 무조건 인수
~ bancaria o de banco 은행 인수 어음
~ cambiaria 인수 환어음
~ comercial 매주(買主)인수 어음, 무역 인수 어음
~ condicional o limitada 조건부 승낙; (어음의) 제한 인수
~ de favor 융통어음 인수
~ de la excepción 이의(異議)의 병합
~ de la herencia 상속의 승인, 상속의 승낙
~ de la herencia a beneficio de inventario 한정승인
~ de la herencia pura y simple 단순승인
~ del almacén 창고 인수
~ del cargo 취임 승낙
~ del pago 수령(受領)
~ en blanco 백지(白地)인수
~ implícita 추정적 동의, 암묵적 동의
~ libre 일반 인수; (회계 원칙 요건의) 일반적 승인성
~ mercantil 매주(買主)인수 어음
~ parcial 일부 인수
~ por acomodamiento 융통어음 인수
~ por intervención o por honor 참가 인수; 영예(榮譽) 인수

aceptador 인수인(引受人)

aceptante cambiario 인수인(引受人)

aceptar 인수하다; 승낙하다, 받아들이다
~ a beneficio de inventario 상속재산목록에 따라 인수하다
~ con reserva 조건부로 인수하다
~ por cuenta de ~의 셈으로 인수하다
~ una resolución 결의를 채택하다

acepto (Sp) 인수

acertamiento incidental (M) 추가소송의 근거가 되는 판결

acertar (M) 재판하다, 재정(裁定)하다

acervo 총자산; 공동 재산
~ hereditario 순(純)자산
~ social 법인 자산

aclaración de sentencia 판결 취지

acoger 받아들이다; 인수하다
~ un giro (어음을) 인수하다

acogida 인수; 보호소(casa de acogida)

acogida de una letra 어음 인수

acogido a la franquicia postal 우편요금 면제; 요금별납 우편물 인가

acogimiento (de menores) 일시 보호

acometedor 공격자; 기업가, 사업가

acometer 공격하다; 착수하다; (임무 · 의무를) 부과하다

acometida 공격

acometimiento 공격
~ y agresión grave 가중 폭행
~ y agresión simple 단순 폭행

acomodación 편의; 화해; 융통, 대부

acomodamiento 편의; 화해; 융통, 대부

aconsejador 조언자; 고문

aconsejar 조언하다

aconsejarse 의논하다

acordado 판례; ㉎ 의결된; 일치한

acordar 동의하다; 의결하다
~ interés 이자를 지급하다
~ una dilación 연기하다
~ un dividendo 배당을 의결하다
~ una patente 특허를 인가하다

acordarse 합의하다, 일치하다

acorde ㉎ (의견이) 일치된

acostumbrado ㉎ 습관이 된

acoso sexual 성희롱

acotación 주석(註釋), 난외의 단서(但書)

acrecencia, acrecentamiento (토지 · 상속분 등의) 증가, 부가 재산

acreditación de los hechos 사실 입증

acreditar 신용하다, 신임하다; 보증하다; 대변(貸邊)에 기입하다

acreedor 채권자
~ alimentario 위자료 채권자
~ común 일반 채권자
~ concursal 파산 채권자
~ de dominio 파산자산 지분보유 채권자
~ de regreso 부도어음 지불요구 채권자
~ ejecutante 압류 채권자
~ ejecutivo 집행 채권자
~ embargante 차압 채권자
~ escrituario 등기부(登記簿)상의 채권자
~ garantizado o pignoraticio 유(有)담보 채권자
~ hereditario 상속 채권자, 유산 채권자

~ hipotecario 저당권자
~ inferior 후(後)순위 채권자
~ interventor (A) 법원이 지정한 회계감사 채권자
~ mancomunado 연대 채권자
~ ordinario 일반 채권자
~ peticionario o recurrente 파산자산 분배신청 채권자
~ por contrato sellado 날인계약 채권자
~ por juicio o por fallo o por sentencia 판결 채권자
~ preferente o privilegiado 선취특권자(先取特權者)
~ prendario 질권자
~ privilegiado 우선 채권자
~ propietario 파산자산 지분보유 채권자
~ quirografario 무(無)담보 채권자
~ real (A) 유(有)담보 채권자
~ refaccionario 선도거래 채권자
~ sencillo (M) 일반 채권자
~ simple o sin privilegio 일반 채권자
~ social (A) 조합(組合) 채권자
~ solidario 연대 채권자
~ subsecuente 후(後)순위 채권자
~ superior 선(先)순위 채권자
~ testamentario 유산 수령인
~ verbal 구두(口頭) 채권자

acreedores 채권자들
~ del fallido o del concurso 파산절차 개시 전(前) 채권자들
~ de la masa (A) 청산비용 채권자들
~ en el concurso 파산재단 채권자들

acreencia 미지급 잔액, 외상 잔고

acriminador 고소인, 고발인

acriminar 고소하다, 고발하다

acta 기록, 증서; 회의록, 의사록; 조서
~ auténtica o autorizada o legalizada 인증문서
~ constitutiva o de constitución 기본 정관; 법인설립 증서
~ de allanamiento [민] 인낙(認諾) 조서, 인정(認定) 조서
~ de asamblea (M) 의사록
~ de audiencia (Col) 공판기록, 공판조서
~ de avenamiento 합의각서
~ de cesión 양도증서
~ de conciliación 조정조서
~ del congreso (PR) 의사록
~ de declaración 진술조서
~ de defunción 사망확인서
~ de deslinde 토지증서, 경계증서
~ de incorporación 정관(定款)

~ de inspección o registro voluntario 실황조서
~ de la vista oral 구두변론조서
~ de matrimonio 결혼증서
~ de nacimiento 출생증명서
~ de organización (Col) 법인설립 증서
~ de posesión 소유증서, 사업자등록증서
~ de protesta (해상보험) 해난증명서
~ de protesto (A) 거절증서
~ de reconocimiento judicial, inspección ocular, registro o exploración 검증조서
~ de sesión o de una reunión 회의록
~ de transacción o avenencia 화해조서
~ de última voluntad 유언장
~ de un interrogatorio 신문조서
~ electoral 당선증
~ legislativa (M) 의사록
~ notarial 공증문서
~ orgánica 정관
~ taquigráfica 속기록

actas 회의록, 의사록; 판결 요록; 문서 기록
~ de juicio 재판서
~ de navegación 항해 법규

actio 소권
~ *aquae pluviae arcendae* 빗물방지 소권
~ *communi dividundo* 공유물분할 소권
~ *confessoria* 인낙소권
~ *negatoria* 방해제거 청구권

actividad lucrativa 영리활동; 유급직(有給職)

actividad probatoria 증명활동

activo 자산
~ a mano (CA) 현금자산
~ aparente (M) 무형자산
~ aprobado o confirmado (보험) 인가(認可)자산, 적격(適格)자산
~ capital 자본 재산
~ circulante 유동자산; 운전자본, 운전자금
~ computable (보험) (M) 인가(認可)자산, 적격(適格)자산
~ corriente 유동자산
~ de orden 비망(備忘)계정(cuentas de orden)
~ demorado (V) 이연(移延)자산
~ disponible 현금자산; 유동자산; 가용자금
~ efectivo 현금자산
~ en circulación 운전자금
~ eventual 우발(偶發)자산
~ fijo o inmovilizado o permanente 고정자산
~ flotante 유동자산

~ intangible 무형자산
~ invisible 성가(聲價), 영업권; 은닉재산
~ líquido 순(純)자산; (C, PR) 유동자산
~ neto 순자산
~ nominal 성가(聲價), 영업권, 무형자산
~ oculto 은닉재산
~ realizable 유동자산; 당좌자산
~ social 조합자산
~ y pasivo 대차(貸借)

acto, actos 행위
~ administrativo 행정행위, 행정처분
~ administrativo discrecional 재량행위
~ administrativo reglado 기속행위
~ administrativo viciado 하자있는 행정행위
~ apropiatorio ilícito 불법 수수(收受)행위
~ bélico o de guerra 전쟁행위
~ bilateral 쌍방행위
~ colectivo o colegiado 합동행위
~ conciliatorio o de conciliación 조정절차
~ concursal 파산절차
~ constitutivo 형성적 행위
~ continuo 그 직후
~ de administración [민] 관리행위
~ de autoridad 행정행위, 공법행위
~ de avería (해상보험) 투하(投荷)
~ de comisión 작위범(作爲犯)
~ de comunicación 통지행위(notificación)
~ de conciliación 조정
~ de conciliación civil 민사조정
~ de conservación [민] 보존행위
~ de disposición [민] 처분행위
~ de disposición *inter vivos* 생전(生前) 처분
~ de dominio 통치행위; 소유행위
~ de gobierno 통치행위
~ de insolvencia 파산 행위, 도산(倒産) 행위
~ de intervención (상업) 인수(引受)인증서
~ de omisión 부작위 행위
~ de presencia (형식적인) 참석
~ de quiebra 파산행위
~ del alguacil (DR) 공식 통지
~ del congreso (A) (의회 제정의) 법률, 법(령)
~ de otorgamiento 증서 작성
~ delictivo 범죄행위
~ ilícito 불법행위, 위법행위
~ ilícito colectivo 공동불법행위
~ individual 단독행위

~ judicial 사법(司法)행위
~ jurídico 법률행위
~ jurídico causal 유인(有因)행위
~ jurídico declarativo de derechos 채권행위
~ jurídico gratuito 무상행위(無償行爲)
~ jurídico *inter vivos* 생전행위(生前行爲)
~ jurídico *mortis causa* 사후(死後)행위, 사인(死因)행위
~ jurídico oneroso 유상행위(有償行爲)
~ jurídico patrimonial 재산행위
~ jurídico personal 신분행위
~ jurídico real 물권행위
~ jurídico simulado 가장행위(假裝行爲)
~ jurídico solemne o formal 요식(要式)행위
~ justificado 정당행위
~ justificado profesional 정당업무행위
~ legal 합법행위
~ lícito 정당행위
~ médico 의료행위
~ ministerial 기속(羈束)행위
~ nulo 무효행위
~ omisivo 불이행, 부작위
~ posesorio o de posesión 소유(所有)행위
~ procesal 소송
~ público 공증인 입회하의 행위; 공공률(公共律)
~ punible 처벌대상행위
~ unilateral 일방행위, 단독행위
~s administrativos 행정행위
~s conservativos 권리보전 행위
~s de autotutela 자구행위
~s de colaboración 가담행위
~s de comercio 상행위
~s de documentación (M) 재판서(裁判書), 공판 기록
~s de ejecución 집행행위
~s de gestión 관리행위
~s de inicio de ejecución de un delito 범죄의 착수
~s de representación 대리행위
~s fiduciarios 신탁행위
~s fundacionales 설립행위, 기부행위
~s gratuitos 무상행위
~s ilícitos justificados por circunstancias excepcionales 긴급행위
~s mercantiles 상행위
~s no lucrativos 비영리행위
~s onerosos 유상행위
~s políticos 통치행위(~s de gobierno)
~s proceslaes 소송행위
~s preparatorios de la ejecución de un delito 범죄예비 행위
~s preparatorios o previos al establecimiento 개업준비 행위

~s provocados 자초행위
~s que denotan aceptación tácita 묵시적 승낙행위, 의사실현

actor (demandante) 원고(原告)
~ civil 원고(原告)
~ criminal 검사(檢事)

actora 여자 원고(原告)

actore incumbit probatio 원고 입증책임

actuable ⓗ 기소할 수 있는

actuación, actuaciones 소송절차, 소송행위
~es judiciales 사법명령
~es tribunalicias (A) 소송

actuación de la administración 행정작용

actual ⓗ 현재의, 현행의

actuar 제소(提訴)하다, 소송하다; 소임을 다하다

actualización 현실화, 갱신, 업데이트
~ de renta arrendaticia 임대료의 현실화

actuario 법원 서기; 집행관

acuerdo 합의; 결의; 협정; 규약, 조약; 재결
~ arancelario 관세양허
~ armónico (C) 신사협정
~ comercial internacional 통상조약
~ de caballeros 신사협정
~ de la junta general 총회의 결의
~ de la junta general de accionistas 주주총회결의
~ de no demandar 불기소 합의
~ de paz, ~ de fin de hostilidades 강화(講和)조약
~ de voluntades 의사(意思)의 합치
~ entre acusador y defensor en el ámbito penal 원고와 피고의 사법협상(*플리바게닝*)
~ entre caballeros [국] 신사협정
~ expreso 명시적 합의
~ expropiatorio 수용(收用) 재결(裁決)
~ extrajudicial (내막적으로 처리하는) 내제(內濟)
~ internacional 국제규약
~ multinacional 다국간 협정
~ verbal o no sellado 구두계약(口頭契約)

acuerdo-ley 법적 효력이 있는 결정

acuerdos fiscales internacionales 국제 과세 협정

Acuerdo General sobre Tarifas y Comercio 관세와 무역에 관한 일반 협정(*GATT*)

acumulable ⓗ 누가(累加)적인; 병합할 수 있는

acumulación 병합
- ~ aditiva de acciones 소송・청구의 추가적 병합
- ~ alternativa de pretensiones 선택적 병합, 택일적 병합
- ~ de acciones 소송・청구의 병합
- ~ de autos 동시심판 신청 공동소송
- ~ de pretensiones 소송·청구의 병합
- ~ de sentencias (M) 판례
- ~ objetiva de acciones 소송・청구의 객관적 병합
- ~ simple de pretensiones 단순 병합
- ~ subjetiva de acciones 소송・청구의 주관적 병합
- ~ subsidiaria de pretensiones 순위적 병합, 예비적 병합

acumular 누가(累加)하다; 병합 심리하다

acumulativo ⓗ 누가(累加)적인; 병합할 수 있는

acuñar moneda 화폐를 주조하다

acusación 소추
- ~ fundada 정식 기소장; 사실과 모순이 없는 진술과 주장
- ~ maliciosa 부당한 소추; 악의적인 비난
- ~ particular 사소(私訴)
- ~ pública 공소(公訴)
- ~ por gran jurado 기소
- ~ subsidiaria 예비적 소인(訴因)

acusado 피고인, 형사피고인; ⓗ 고발된; 기소된

acusador 소추인
- ~ particular 사소인(私訴人)
- ~ público 공소인(公訴人), 검찰관, 검사

acusar 고소하다, 고발하다, 기소하다; 통지하다; 나타내다
- ~ una ganancia 순익을 기록하다
- ~ una pérdida 손실을 기록하다
- ~ por gran jurado 기소하다
- ~ recibo 수취를 통지하다
- ~ resultados 결과를 가져오다

acusatorio, acusativo ⓗ 고발하는, 기소하는; 비난하는

acuse de recibo 수취 통지

ad
- ~ *efectum* ~라는 취지로
- ~ *hoc* 특별히 임명된
- ~ *honorem* 명예직의
- ~ *interim* 중간에, 임시의
- ~ *libitum* 임의로, 뜻대로
- ~ *litem* 당해 소송에 관한
- ~ *literam* 문자 그대로
- ~ *perpetuam* 영구적인

~ *rem* 적절히, 요령껏
~ *valorem* 종가(從價)의(예: impuesto *ad valorem* 종가세)

adatar 날짜를 기입하다; (사건의) 때를 추정하다; 대변에 기입하다

ademprio 공동목장

adeudar 빚지다; 차변에 기입하다

adenda legislativa 부칙

adherir el sello 수입인지·우표를 붙이다

adherirse a la apelación 항소·상고에 동의하다

adhesión 찬동; 가맹, 가입; (소송의) 부대(附帶)
~ a la apelación 부대항소
~ a la casación 부대상고
~ a un recurso 부대상소
~ al recurso de apelación contra un auto 부대항고

adhesivo ㊔ 점착력이 있는; 동의하는

adición 부가, 추가
~ de la herencia 유산의 인수

adir la herencia 유산을 인수하다

adjetivo ㊔ 소송절차의 (→ derecho adjetivo 절차법) (↔ derecho sustantivo 실체법)

adjudicación 수여(授與), 배정, 선정; 경매, 낙찰; 재정(裁定), 선고
~ de quiebra 파산선고
~ en subasta 경락, 낙찰
~ en pago 변제 충당
~ libre (세관) (Ec) (포기된 물품의) 무상 양여
~ procesal (M) (손해배상 등의) 재정액(裁定額), 지급 판정

adjudicador 심판관, 재판관

adjudicar 재정하다; (상 등을) 주다; 낙찰하다
~ el contrato 계약하게 하다
~ en pago 변제에 충당하다

adjudicatorio 낙찰자, 우선협상 대상자, 취득자; 수상자

adjudicativo ㊔ 재정할 수 있는; 낙찰할 수 있는

adjunciones 첨부

adjunto ㊔ 동봉한, 첨부한

adminicular 보강증거를 제시하다

adminículo 보조물

administración 행정, 관리(管理); 행정기관, 관청
~ accesoria 부수적 관할권

~ bajo mandato de un territorio [국] 위임통치
~ competente 주무관청
~ con testamento anexo 유언집행
~ de bienes de ausente 부재자 재산관리
~ de impuestos 세무 행정; 세금징수국
~ de justicia 사법행정, 사법권 행사
~ de la quiebra 파산관리
~ de la sucesión 유산관리
~ fiduciaria de un territorio [국] 신탁통치
~ forzosa 강제관리
~ judicial 재산관리, 관재인의 직; 사법 행정
~ judicial de una empresa en peligro de quiebra 회사정리(整理)
~ judicial en equidad 형평법상의 보전관리인 제도
~ patrimonial 재산관리
~ pública 행정, 행정주체
~ social o societaria 업무집행

administrado 행정객체

administrador 관리자; 행정관; 이사
~ concursal 파산 관재인
~ de bienes de enemigos 거류외국인 자산관리국
~ de contribuciones 세금징수원
~ de la masa hereditaria 상속재산관리인, 유산관리인
~ de una sociedad 이사, 업무집행자
~ de una sociedad anónima o limitada 이사(理事)
~ judicial (파산 또는 계쟁 중인 재산의) 관리인, 관재인
~ judicial de la quiebra 법정관리인
~ judicial de una sociedad mercantil intervenida 법정관리회사의 관리인
~ provisional 임시이사

administradora 여성 관리인

administrar 관리・경영・감독하다
~ un juramento 선서하게 하다
~ justicia 재판에 걸다

administrativista (U) 행정법 전문가

administrativo, administratorio ⑱ 관리의; 행정의

admisible ⑱ (증거로서) 인정될 수 있는

admisión (입국・입학・입장의) 허가; 승인; 자인(自認)
~ a trámite 수리(受理)
~ completa 정식・정규 (입학) 허가; 완전한 인정
~ concomitante 부수적 허가
~ de culpabilidad 자백(confesión)
~ de ingreso al país 입국허가
~ de parte (상대방의 사실 주장을) 자인(自認)
~ de pruebas 증거 채용

~ de sentencia 판결의 승인
~ desventajosa 이해에 반하는 인정
~ directa 직접적 · 명시적 허가 · 인정
~ implícita 묵시적 허가 · 인정
~ plenaria 정식 · 정규 (입학) 허가; 완전한 자인
~ procesal 사법적 인정
~ temporal (세관) (Ec) 일시 반입 허가
~ temporal para perfeccionamiento activo (세관) (Ec) 개량을 위한 일시 반입 허가
~ temporal para reexportación en el mismo estado (세관) (Ec) 원상태로 재수출될 물품의 일시 반입 허가

admitir 인정 · 시인하다; 받아들이다
~ en consorcio 협력자로 받아들이다
~ un reclamo 요구를 받아들이다

admonición 계고(戒告)

adolescencia 미성년(未成年)기

adopción (합의 · 조치 등의) 채택

adopción (미성년자의) 입양, 양자 결연
~ conjunta (부부에 의한 미성년자의) 부부 입양
~ plena 특별 양자 결연
~ simple 양자 결연

adoptado 양자

adoptante 양친

adoptar un acuerdo 결의하다

adoptivo 입양아

adquiriente 구매자, 취득자
~ a título gratuito 무상 취득자, 양수인(讓受人)
~ a título oneroso 유상 취득자
~ de buena fe 선의의 매수인
~ por ocupación (분실물이나 유기물의) 습득자
~ sin previo conocimiento 사전에 알지 못한 선의의 매수인 · 양수인

adquirir por título de compra 매입에 의해 취득하다

adquisición 구입; 취득
~ *a non domino* 선점취득
~ de acciones para hacerse con el control de una sociedad 테이크 오버(take-over), 기업인수 목적의 주식 취득
~ de buena fe 선의(善意)취득
~ de la condición de hijo legítimo 준정(準正)
~ de la condición de hijo legítimo por matrimonio 혼인에 의한 준정(準正)
~ de la condición de hijo legítimo por reconocimiento 인지(認知)에 의한 준정
~ de la condición de socio 입사(入社)
~ de la nacionalidad 국적 취득

~ de una empresa 기업매수
~ derivada 계수(繼受)취득, 승계(承繼)취득
~ forzosa 강제매수
~ *mortis causa* 사인(死因)취득
~ original 최초취득, 원시취득
~ originaria 최초취득, 원시취득
~ procesal (M) 판결에 의해 제삼자가 취득한 권리

adquisición o pérdida 득실(得失)

adscripción 가입, 가맹
~ forzosa 강제가입

aduana 세관
~ fronteriza 국경세관

aducción de pruebas 증거 제출

aducir pruebas 증거를 제출하다

adúltera 간통자(녀)

adulteración 위조; 간통
~ de documentos 문서 위조

adulterar 위조하다; 간통하다

adulterino ㊔ 위조의, 가짜의; 간통의

adulterio 부정(不貞)

adúltero 간통자(남)

adulto 성인

advenimiento del plazo (상업) 만기일

adventicio ㊔ 우연의, 외래의

adveración 확증, 인증

adveración y protocolización de testamento 유언 검인(檢印)

adverado ㊔ 인증된

adversario 상대, 경쟁자; ㊔ 당사자주의의 (↔ de oficio 직권주의의)

advertencia 주의, 경고

advertir 주의를 주다, 경고하다

aeronave 항공기

afección (Sp) 저당 잡히기; (CA) 세액, 사정액, 대금, 부과금

afectable ㊔ (M) 저당 잡힐 수 있는

afectación 할당, 충당; 저당

~ preventiva 임시 충당

afectar 저당·담보 잡히다; (돈이나 무엇을 어떤 용도에) 배당·할당·충당·책정하다

affectio maritalis 부부의 정

afecto ⓗ 저당 잡힌, 담보로 제공된

afianzado ⓗ 보세품의; 보석금을 낸
~ para derechos aduaneros 보세창고에 유치된
~ para rentas interiores 내국세 담보가 붙은

afianzador 보증인; 보석인

afianzar 보증하다; (보증인이) 보석을 받게 하다

afidávit 선서서(宣誓書), 선서진술서

afiliación 가입, 가맹, 입회
~ forzosa 강제가입

afiliado 조합원, 협회원

afín 인척

afinidad 인척관계

afirmación 긍정, 확언; (양심적 선서거부자가 하는) 무선서 증언

afirmante ⓗ 긍정하는; 보증하는

afirmar 확언하다; (원판결을) 확인하다; 무선서 증언을 하다
~ bajo juramento 선서를 하고 진술·증언하다

afirmativa 긍정, 확언

afirmativo ⓗ 긍정하는, 단언하는

aforado 특전을 누리는 신분

aforador 검사관, 사정관

aforar 평가하다, 사정하다

aforismo jurídico 법언(法諺)

agencia 중개; 사무소, 대리점, 영업소, 지점
~ de información 정보기관
~ de inversiones 투자회사
~ de seguros 보험대리점
~ de valores 증권회사
~ exclusiva o única 독점 대리점
~ implícita 무권대리의 묵시적 추인
~ informativa 통신사
~ ostensible 표현대리, 표견대리
~ por impedimiento 금반언(禁反言)에 의한 대리
~ real 사실상의 대리

Agencia 행정관청
~ de Derechos Aduaneros 관세청
~ Estatal de la Administración Tributaria 국세청
~ ·Organización Internacional de la Energía Atómica 국제원자력기구
~ Nacional de Policía 경찰청

agenciar 협상하다, 촉진하다

agente 중매인, 브로커; 경찰, 순경; 대리상, 도매상
~ administrador 보험대리인
~ aparente 표현대리인, 표견대리인
~ de aduana 관세사
~ de bolsa 주식중매인
~ de cambio 어음·증권 중매인
~ de circulación (C) 교통경찰
~ de comercio 중개인, 브로커
~ de patentes 변리사
~ de plaza 지역 책임자
~ de policía 경찰관
~ de retención (조세) 원천징수의무자
~ de tráfico 교통순경
~ de transferencia (주식의) 명의개서 대리인
~ encubierto 위장잠입 수사요원
~ especial 특별대리인
~ fiduciario 피신탁인, 수탁자
~ financiero 재무 대리인
~ fiscal 세무관
~ general 총대리점
~ inculpable (간접정범에 이용된) 고의 없는 자
~ judicial 송달리(送達吏)
~ mediador 중매인, 브로커
~ oficioso (무보수의) 대리인, 후견인
~ ostensible 표현대리인
~ provocador (함정수사를 위한) 위장 수사요원
~ retenedor 원천징수의무자

agentes auxiliares de comercio (A) 중개인, 경매인, 브로기, 창고계원, 운수업자

agio 고리대금, (어음 할인, 환전 등의) 수수료, 부당가격 청구

agiotista 고리대금업자, 환전상, 부당이득자

agnación 부계(父系)의 일가친척

agnados 부계 친척들; ⓗ 부계 친척의

agnaticio ⓗ 부계 친척 관계의

agotamiento de los recursos internos 비(非)사법적 구제책의 소진

agravación de la pena 형의 가중
~ de la pena por reincidencia 누범 가중

agravante ㉻ 가중 · 악화시키는

agravar 가중 · 악화시키다

agravatorio ㉻ 악화시키는; 강제적인 명령으로 복종시키는

agraviada, parte ㉻ 권리를 침해당한 (당사자)

agraviador 위반자, 침해자, 부당행위자

agraviar 침해하다, 상처를 입히다, 손해를 끼치다

agravio 명예훼손, 모욕; 피해, 손상
~ a la persona 개인적 신체손상
~ civil 민사법상의 불법행위
~ comparativo 차별대우
~ malicioso 악의적인 위해(危害)
~ marítimo 해상(海上) 불법행위
~ procesable 기소할 수 있는 불법행위
~ portervo 악의적인 권리침해

agravioso ㉻ 위법행위의, 욕을 보이는

agredir 침해하다, 가해하다, 공격하다

agregado (a una embajada) (외교단의) 일원
~ comercial 상무관
~ cultural 문화 담당관
~ militar 육군 무관
~ naval 해군 무관

agregar 덧붙이다, 첨가하다

agremiado 노동조합원; ㉻ 노동조합화된

agremiar 노동조합을 결성하다; 노동조합에 가입시키다

agresión (재산 · 신체에 대한) 공격, 침해
~ simple 단순폭행

agresivo ㉻ 공격적인

agresor 공격자, 침해자

agrupación, agrupamiento 모임, 집단화, 조합, 연맹
~ horizontal 수평적 통합
~ vertical 수직적 통합

aguar aciciones (A) (주식의) 물타기를 하다

aguas 수, 해(水, 海), 용수(用水)
~ interiores 내수(內水)
~ internacionales 공해
~ privativas 사적인 용도의 물
~ públicas (공적인 용도의) 공유수면, 공공수

~ territoriales 영해

ahorcar 교수형에 처하다

ajustador 손해사정인, 정산인
~ de derechos (세관) 청산인
~ de reclamaciones 손해사정인
~ de seguros 보험 손해사정인

ajustar 조정하다; 청산하다; (지급액을) 정하다

ajuste 조정; 청산; (지급액의) 결정
~ de cuentas 보복
~ de trabajo (조선공학) 단가(單價)도급률

adjusticiar 사형(死刑)에 처하다

al portador 무기명, 무기명식(無記名式)

alargar el plazo 기한을 연장하다

albacea 유언집행자
~ administrativo 유산관리인
~ auxiliar 보조 유언집행자
~ dativo 선임(選任) 유언집행자
~ definitivo 고정 유언집행자
~ especial 특별 유언집행자
~ mancomunado 유언 공동집행자
~ provisional 임시 유언집행자
~ sucesivo 대리 유언집행자
~ testamentario 지정(指定) 유언집행자
~ universal 일반 유언집행자

albaceazgo 유산관리인의 직

albarán 납품서

albedrío 판단, 의지; 중재인의 판정; 선례, 관례

alborotador 소란을 피우는 자, 폭도, 선동자

alborotarse 소동·폭동을 일으키다,

alboroto 소동·폭동

alborotos populares 민중봉기

alcabala 간접세(물품세, 소비세, 면허세 등)

alcabalatorio ⓗ 간접세의

alcabalero 간접세 징수관, 수세관

alcahuete 포주

alcaide 교도관; 교도소장

alcalde 시장(市長)
~ letrado (Ec) (변호사 자격을 가진) 치안판사
~ mayor (Col) 시장
~ municipal (C) 시장

alcaldesa 여(女)시장; 시장 부인

alcaldía 시장 집무실, 시청

alcoholismo 알코올 중독

alcurnia 혈통, 가계

aleatorio ⓗ 사행(射倖)의, 도박의, 요행수를 바라는

alegable ⓗ 변명할 수 있는

alegación 주장, 원용(援用); 답변
~ de bien probado 요약; (판사가 배심원에게 하는) 사건 요지의 설명
~ de culpabilidad 유죄(有罪)의 답변, 복죄(伏罪)
~ de descargo 변명
~ de inocencia 무죄(無罪)의 답변
~ de parte 당사자의 원용(援用)
~ falsa o ficticia 허위 답변
~ privilegiada 재판적(裁判籍) 변경 신청
~ subsidiaria 예비적 주장, 가정적 주장

alegar (증거・변명・공적 등을) 주장하다; 변론하다
~ agravios 손해배상을 요구하다
~ de buena prueba 증거가 있다고 주장하다
~ falsamente 거짓 주장하다

alegato 주장, 원용(援用), 변론(서)
~ de bien probado 요약; (판사가 배심원에게 하는) 사건 요지의 설명
~ de réplica 준비서면
~ final de la defensa 최종변론
~ oral 구두변론, 변론
~ suplimental 보충답변

alegatos 고소장; 구두변론
~ de instancia (Col) 고소장

aleve ⓗ 배신의, 반역하는

alevosía 배신, 비열함

alguacil 집행관
~ mayor 보안관

alianza 동맹

alias 별명, 가명

alienable ⓗ 양도할 수 있는

alienación 양도, 이전

alienar 양도하다

alienista 양도인

alijar (해상보험) 투하(投荷)하다, 짐을 버리다

alijo forzoso, alijamiento (해상보험) 투하(投荷)

alimentante 부양자

alimentario, -a 피부양자

alimentista 부양권리자, 피부양자

alimentos 식품; 부양, 부양료

alindar (경계를) 정하다

allanamiento (원고의 청구를 피고가 승인하는) 인낙(認諾); 가택수색
~ a la demanda 인낙(認諾)
~ de morada 주거침입죄; 가택수색

allanar 해결하다; 급습하다; (경찰이) 수색하다; 침해하다

allanarse 지키다, 따르다, 감수하다

allonge (어음 등의 배서를 위한) 부전(附箋)

almacén 창고; 백화점; 가게, 상점
~ afianzado o aduanero 보세창고
~ comercial 백화점
~ de adeudo (PR) 보세창고
~ temporal (세관) 장치(藏置)

almacenador, almacenero, almacenista 창고업자; 가게 주인

almirantazgo 해군 본부; 해군 군법회의; 제독의 직(職)

alocución 훈시

alodial ⓗ 자유 사유지의 (↔ feudal)

alodio (봉건시대의) 자유 사유지

alongadero ⓗ 지연·지체하는

alquilador 임대인

alquilar 임대하다; 임차하다

alquilarse 취직하다

alquiler 임차; 임차료
~ del terreno (건물 주인이 땅 주인에게 내는) 지대(地代)
~ imputado 귀속 임대료, 귀속 집세

alquilón (Ec) 차가인(借家人), 차지인(借地人), 소작인

alta 입회(단체에 가입함) (↔ baja); (병원에서의) 퇴원

alta corte de justicia 대법원; (잉글랜드의) 고등법원

alta mar 공해(公海)

altas partes contratantes 고위급 계약 · 체맹(締盟) 당사자

alterable ⓗ 바꿀 수 있는, 가변성의, 변경 가능한

alteración (법적 문서의 내용) 변경; 변화, 변질; 동요, 불안
~ del orden o de la paz 치안 방해

alternativo 대안, 다른 방도; ⓗ 양자택일의, 달리 택할; 선택적인

alto el fuego 정전(停戰)

aluvión (하안이나 해안의 충적작용에 의한) 신생지, 증지(增地)

alzada 상소

alzado 위장 파산; 청부액; (Aragón) 도둑질, 절취

alzamiento 반란, 봉기; (경매의) 가격 올리기

alzamiento de bienes 재산 은닉

alzarse 사기 파산을 하다; 반란을 일으키다

amalgamar (회사) 합병하다

amancebamiento 내연 관계; 축첩(蓄妾)

amanuense (법원 · 공증사무실 등의) 서기

amarraje 정박(碇泊)료

ambigüedad 애매모호
~ latente 잠재적 다의성(多義性), 잠재적 의미 불확정
~ patente 명백한 의미 불명료

ambiguo ⓗ 불명확한, 애매한

amenaza 위협, 협박

amenazador 협박자; ⓗ 협박하는, 협박투의

amenazar 위협 · 협박하다

amenazas 협박(죄)

amicus curiae 법정 조언자

amigable ⓗ 우호적인
~ componedor 조정위원

amillarar 세금을 부과하다

amistoso ⓗ 우호적인

amnistía 일반 사면, 대사(大赦) (참고: indulto 특별 사면, 특사)

amnistiar 사면하다

amo de casa 세대주, 가구주, 호주

amojonamiento 계표(界標)설치

amonestación 계고

amonestaciones matrimoniales 혼인공시

amonestar 훈계하다; 충고하다; 결혼을 공시하다

amortizable 상각·상환할 수 있는

amortización 상각, 상환; 소각
~ de acciones 주식(柱式)소각
~ forzosa 강제소각
~ gratuita 무상(無償)소각
~ onerosa 유상(有償)소각
~ voluntaria 임의(任意)소각

amortizar 상각·상환·소각하다; (불필요한 직책을) 없애다

amotinado ⓗ 반란을 일으킨

amotinador 반란자, 폭동자, 선동자

amotinarse 반란·폭동을 일으키다, 난동을 부리다

amparado ⓗ 보험 대상이 되는

amparar 보호하다; 보증하다; 보험을 들다
~ la posesión (M) 점유권을 보호하다
~ la propiedad 소유권을 보호하다

ampararse 의지하다, 보호를 받다

amparo 비호; 보호; 변호; 헌법소원(recurso de amparo constitucional); 인신구속 적부심(juicio de amparo, hábeas corpus)
~ constitucional 헌법상의 기본적 인권보호
~ social 사회보장

ampliación de capital 증자(增資), 자본증가

ampliación de la demanda a otros demandados 소송의 추가적 변경

ampliación del plazo 기간의 연장

amplificación 확장, 확대, 확충; (소리의) 증폭

amplificar, ampliar 확장·확대·확충하다
~ un cheque 수표를 변조하다

analogía 유추; 유사

análogo, analógico ⓗ 유사한

anarco-sindicalismo 아나키즘에 바탕을 둔 노동조합운동

anarquismo 아나키즘, 무정부주의

anatocismo 중리(重利), 복리(複利)

anexidades 부속 권리

anexión 병합, 합병

anexo contractual 추가계약

anexo legislativo 부칙

angaria [민] 강제 봉사; [국] 전시 징용권

angustias mentales 번민, 고민

anima legis 법의 정신

ánimo 의사(意思), 목적
 ~ criminal 범의(犯意)
 ~ de donar 기부(寄附)의사
 ~ de liberalidad 무상(無償)의 의사
 ~ de lucro 영리 목적
 ~ de revocar 철회・취소・해약 의사
 ~ ilícito de apropiación 불법 영득(領得) 의사
 ~ lícito de apropiación 소유 의사

animus 의사(意思)
 ~ *donandi* 증여 의사
 ~ *iocandi* 농담 의사
 ~ *laedendi* 해의(害意)
 ~ *necandi* 살의(殺意)
 ~ *possidendi* 점유의사, 소유 의사
 ~ *rem sibi habiendi* [민] 자기를 위한 의도
 ~ *rem sibi habiendi* [형] 불법 영득(領得)의 의사

anómalo ⓗ 이상한; 변칙적인

anotación 기장(記帳)

anotación (registral) 등기사항
 ~ contable 장부 기입
 ~ de cancelación de una inscripción registral 말소(抹消)등기
 ~ preventiva 예고등기
 ~ preventiva de embargo 차압예고등기
 ~ provisional 가등기

ante 앞에
 ~ mí 내 앞에
 ~ la sala 공개법정에서

antecedentes 전력, 내력

~ criminales o penales 전과(前科)
~ de policía 전과(前科), 범죄경력

antecontrato 협약서

antedata 전일부(前日附)

antedatar 실제 날짜보다 이르게 하다

antedicho ⓗ 전술(前述)한, 상기(上記)의

antefechar 실제 날짜보다 이르게 하다

antejuicio 재판관·국회의원 탄핵 예심

antejuicio penal 예심

antemencionado ⓗ 전술(前述)한, 상기(上記)의

antenupcial ⓗ 결혼 전의

anteprocesal ⓗ 재판 전의

anteproyecto 시안(試案), 잠정안, 임시계획
~ de contrato 계약서 초안
~ de ley 법률 준비초안

anterioridad 앞, 전; 우선성

antes 앞서, 앞에
~ citado 앞서 인용한, 상기(上記)의
~ escrito 전술(前述)한, 상기(上記)의
~ mencionado 전술(前述)한, 상기(上記)의

anticipo 가불금

anticoalicionista ⓗ (Sp) 반(反)독점의, 트러스트를 규제하는

anticonstitucional ⓗ 위헌의

anticresis 부동산 질권자에 의한 사용수익

anticresista 부동산 사용 질권자

anticrético ⓗ 질권자의 부동산 사용과 관련된

antiguas acciones 구주(舊株)

antijuridicidad 위법성

antijurídico ⓗ 위법적인, 불법적인

antilegal ⓗ 위법의, 불법의

antilogía 모순, 당착

antimonopólico (A) 독점 금지의

antimonopolio 독점금지

antimonopolista ⓗ (M) 반(反)독점의

antinomia 법의 모순

antiprofesional ⓗ 전문가가 아닌, 본직이 아닌; 직업상의 윤리에서 벗어난

antor (Sp) 장물 판매자(reducidor)

antoría (Sp) 장물 회수권

anualidad 연금, 연간(年間) 배당금; 연간 수수료
- ~ acortada 단축 연금
- ~ acumulada 적립 연금
- ~ anticipada (M) 기초지급 연금
- ~ cierta 확정 연금
- ~ condicional 불확정 연금
- ~ de supervivencia 생존자 연금
- ~ de última vida 연합생존자 연금
- ~ incondicional 확정 연금
- ~ ordinaria 정상 연금
- ~ pasiva 지급 연금
- ~ perpetua 영구 연금
- ~ vitalicia o de vida única 종신 연금

anuencia 동의, 승낙

anulabilidad 취소가능성

anulable ⓗ 취소할 수 있는, 무효로 할 수 있는

anulación 취소
- ~ contractual 계약 해제
- ~ de la instancia (소송의) 각하, (상소의) 기각

anular 취소하다, 무효로 하다
- ~ el título 소유권을 무효로 하다
- ~ la sentencia 판결을 취소하다, 판결을 파기하다

anulativo ⓗ 무효로 하는

anuncio 예고; 공고, 고시

anverso 겉 페이지, 표면

añadido ⓗ 첨가된, 덧붙인

año 년, 연도
- ~ calendario 역년(曆年)
- ~ civil 민력년(民曆年)
- ~ comercial 거래연도
- ~ contable 회계연도
- ~ continuo (M) 역년(曆年)
- ~ contributivo 과세(課稅)연도
- ~ fiscal 영업연도; 사업연도

~ gravable 과세(課稅)연도
~ impositivo 과세(課稅)연도
~ judicial 사법연도
~ muerto 지불유예연도
~ útil (M) 근무일력(勤務日曆)

apalabrar 언약하다, 구두로 합의하다

aparcería (농장·목장의) 공동경영, 분익(分益)소작(小作)

aparcero (농장·목장의) 공동경영자, 분익소작인

aparejada ejecución 문서의 적법성

aparejar nulidad 무효로 하다, 폐기하다

apariencia 외관
~ de buen derecho 정당한 권리의 외관(*fumus boni iuris*)
~ de derecho 권리 외관
~ de título 겉보기의 권원(權原), 허실 등기

apartado (문장의) 항(項); 사서함

apartamiento 취소, 중지, 포기; 분리

apartarse 취소하다, 중지하다

apartheid (흑인에 대한) 인종차별

apátrida 무국적자; ⓗ 무국적의

apatridia 무국적

apelable ⓗ 항소·상고할 수 있는

apelación (광의의) 상소
~ adhesiva o accesoria (결정이나 명령에 대한) 부대(附帶)항고
~ adhesiva (판결에 대한) 부대항소
~ con efecto devolutivo 판결집행이 유보되지 않는 상소
~ con efecto suspensivo 판결집행이 유보되는 상소
~ contra autos y providencias 항고
~ contra autos y providencias con efecto suspensivo de la resolución recurrida 즉시 항고
~ contra sentencias de primera instancia 항소
~ desierta 상소 포기
~ en el ámbito deportivo 어필
~ escrita [형] 항소 취의서
~ extraordinaria (M) 취소 청구
~ incidental (M) 부대항소
~ interpuesta por el Ministerio Fiscal 검사의 항소
~ ordinaria contra autos y providencias 통상(通常) 항고
~ parcial o limitada 일부 상소
~ principal (M) 반소(反訴)

apelado 피(被)항소인, 피상소인

apelante 항소인, 상소인

apelar 상소하다
~ recursos 상소장을 제출하다

apellido 성(姓)

apéndice legislativo 부칙

apeo 측량

apercibimiento 계고 (예: bajo ~ de 어떤 불이익을 받을 수 있는 전제 하에)

apercibir 준비하다; 지각(知覺)하다; 경고하다

apersonado (M) 소송 당사자

apersonamiento 출두; 입회

apersonarse 출두하다; 소송의 당사자가 되다

apertura 개시
~ de asamblea 개회
~ de las propuestas o de las licitaciones 입찰서류 개봉
~ del testamento 유언 개봉

aplazable ㉭ 연기할 수 있는

aplazada 연기(延期)

aplazamiento 연기(延期)

aplazar 연기(延期)하다; 분할불로 하다

aplicación 적용, 운용
~ analógica 준용, 유추적용
~ de la ley 법의 적용, 법의 운용
~ *mutatis mutandis* 준용

aplicar 적용하다; 충당하다; 판결・재정(裁定)하다; 신청하다
~ un impuesto 세금을 부과하다

ápoca 영수증

apoderado 대리인
~ general 총대리인
~ judicial (M) 검사(檢事)
~ singular o especial 특별 대리인

apoderamiento 대리, 위임행위; 강취, 강탈
~ especial 특별위임
~ ilícito de aeronave 항공기의 불법 탈취

apoderar 대리시키다

apoderarse 자기 것으로 하다

apógrafo 사본(寫本)

aporrotar (Ch) 사재기·매점하다

aportación 출자, 재산출자
~ dineraria 금전출자
~ *in natura* 현물출자

aportar 불입·지입하다, 기여하다; 입항하다
~ fondos 자금을 조달하다

aporte 출자, 재산출자
~ jubilatorio 퇴직연금 적립금

apostar 내기하다, 걸다

apostilla 주(註), 주석, 부기(附記)

apoyar la moción 동의에 찬성하다

apreciación de las pruebas por el juez 법관의 증거 평가

apreciador 평가인, 사정관

apreciar 평가·사정하다; (A) 가격이 오르다, 가격을 올리다

aprehender 체포하다; 압수·압류하다; 이해하다

aprehensión 체포; 압수·압류; 이해

apremiar 독촉하다; 강제하다
~ el pago 지불을 강제하다

apremio (채무 이행의) 독촉, 강제
~ administrativo 행정명령
~ judicial 법원판결
~ personal 구속(拘束); 징세 소송
~ real 압류재산 공매

apresamiento 체포, 나포; 감금

apresar 체포하다; 감금하다

aprieto (A) 징세 소송

apriorismo 연역적 추리

aprisionar 투옥하다, 감금하다, 구속하다

aprobación 가결, 결재, 승인

aprobar la moción 동의안을 통과시키다

aprontar 신속히 준비하다; (C, PR) 즉시불로 하다
~ dinero 선불하다

apropiación (허락 없이 남의 물건을 가로채는) 영득(領得)
~ de fondos públicos 공금횡령
~ ilícita o indebida 횡령
~ indebida de cosa encomendada 위탁물 횡령
~ indebida de cosa perdida 점유이탈물 횡령, 유실물 횡령
~ indebida profesional 업무상 횡령
~ indebida simple 단순횡령
~ virtual o implícita 의제 횡령

apropiaciones 도범(盜犯)

apropiarse 자기 것으로 하다, 점유하다

aprovechar un derecho 권리를 행사하다

aptitud legal 수행능력

apto ⓗ 적합한, 능력이 있는

apud acta 면전에서; 동일한 소송 내에서

apuesta 내기, 내기에 거는 돈

apuntamiento 기재; 재판조서 요지

apuro (A) 징세 소송

aquel a quien pueda interesar 관련제위에게, 관계자 귀하

aquí dentro 이 속에

aquiescencia 동의, 수락

arancel 관세
~ aduanera o de aduana 관세 일람표
~ *antidumping* 덤핑 방지 관세, 부당 투매 방지세
~ compensatorio 상쇄 관세
~ consular 영사 증명 수수료율
~ de corredores 중개인 수수료율
~ de exportación 수출세
~ de honorarios 수수료율
~ de procuradores (C) 법무비용
~ de temporada 계절 관세
~ fiscal o de renta 소득세
~ interior 국내 관세
~ judicial 소송비용
~ notarial 공증수수료율
~ prohibitivo 금지세, 금지 관세
~ proteccionista 보호 관세

arancelario ⓗ 관세(율)의

arbitrable ⓗ 중재할 수 있는

arbitración 중재, 재정(裁定)

arbitrador 중재인, 조정자; (M) 중개차익 거래자

arbitraje 중재(仲裁), 중재판단
~ comercial 상사 중재
~ comercial internacional 국제 상사 중재
~ de cambio 외국환의 재정(裁定); 재정(裁定)거래
~ extrajudicial 사적(私的) 중재, 법정 외에서의 중재
~ forzoso 강제 재정(裁定)
~ industrial 산업 중재
~ internacional 국제 중재 판단
~ judicial 법정 중재
~ mercantil 상사 중재
~ necesario u obligatorio 강제 중재
~ obligatorio laboral 강제 노사 중재
~ voluntario 임의 중재

arbitrariedad 자의(恣意); 불공정; 재량권 남용

arbitrajista 중개차익 거래자

arbitral ㊞ 중재의, 조정(調停)의

arbitramento, arbitramiento 중재; 중재 판정

arbitrar 중재하다, 재정하다; 궁리하다; 모으다
~ fondos 자금·기금을 모으다

arbitrariedad 전횡, 독단

arbitrario ㊞ 임의의; 전횡하는

arbitrativo ㊞ 중재의

arbitrio 의사(意思); 임의; 전횡; 중재 판정; 세(稅); 수단, 조처
~ judicial 사법 재량
~ rentístico 세수 확보조치

arbitrios 지역 간접세; 수입(收入)

arbitrista 비정상적 재정계획 추진자

árbitro 중재인; 심판
~ arbitrador (Ch) 비변호사인 중재인
~ de derecho (M) 법원칙에 충실해야 하는 중재인, (Ch) 변호사 자격을 가진 중재인
~ deportivo 심판
~ extrajudicial 우호적 조정자
~ profesional 전문 중재인
~ propietario 정규 중재인
~ reemplazante 대체 중재인

arboledas (독립적인 부동산으로 간주되는 등기된) 입목(立木)

arcas públicas 국고

archivero, archivista 문서 담당자
~ general 사망 혹은 은퇴 공증인의 문서 관리인

archivo 문서 및 기록의 보관소
~ de las actuaciones 면소(免訴)
~ judicial 소송기록

argumentador 논쟁자; ⓗ 논증하는

argumentar 논증하다

argumentativo ⓗ 논증의

argumento 논증; 플롯, 구성

aristocracia 귀족정치

arma mortífera 흉기(凶器)

armonización legislativa 통일법화

arqueo 회계 감사

arquetipo 전형, 원형

arraigado 보석 중인 사람

arraigar 담보 잡히다

arraigo 부동산; 보석금; 채무증서

arras 증거금
~ confirmatorias 계약보증금
~ exponsalicias 약혼보증금
~ no penitenciales 내입금
~ penales 위약보증금
~ penitenciales 해약보증금

arrastre 견인; (A) 심로(心勞)

arrebato u obcecación 일시적 심신(心神) 박약

arreglador 정산인, 손해사정인
~ de averías (해상보험) 해손(海損) 정산인

arreglar 조정하다, 맞추다; 수선·수리하다; 해결하다
~ una causa 사건을 해결하다
~ una cuenta 지불하다, 청산하다
~ una reclamación 분쟁을 조정하다

arreglarse 조정·합의하다

arreglo 조정; 해결; 청산
~ de avería (해상보험) 해손(海損) 정산
~ extrajudicial (법에 어긋나는 협상·거래인) 내막적 처리; 재판외적 합의

arrendable ⓗ 임대할 수 있는

arrendación 임대차

arrendador 대주(貸主), 임대인
~ a la parte (반타작의) 소작인

arrendamiento 임대차; 임대; 임차
~ a tiempo (항해) (M) 정기용선(定期傭船)
~ de bienes inmuebles 부동산 임대차
~ de bienes muebles 동산 임대차
~ de cosas 임대차
~ de obra 청부, 청부공급계약
~ de servicios 고용계약
~ de suelo edificable 차지권(借地權)
~ de suelo edificable con pacto de adquisición de edificio 건물 양도특약부 차지권
~ de suelo edificable de larga duración predeterminada 정기(定期) 차지권
~ de suelo edificable para uso negocial o empresarial 사업용 차지권
~ de terrenos 차지권
~ rústico 소작, 소작권
~ urbano 차가(借家)

arrendante 대주(貸主), 임대인

arrendar 임대하다; 소작을 주다

arrendatario 차주(借主), 임차인
~ rústico 소작농

arrendaticio ⓗ (C) 임대의; 소작의

arrepentimiento (범죄인의) 개전(改悛); (A) 재고(再考); 취소, 해약
~ espontáneo (정상 참작 사유로서의) 자수 감면

arrepentirse 뉘우치다; (A) 재고하다; 취소하다, 해약하다

arrestable ⓗ 체포할 수 있는

arrestar 체포하다, 구속하다

arresto 체포; (단기간) 억류, 유치; (증거 조사물품을 보관하는) 유치
~ correccional (Col) 구속, 유치(留置)
~ domiciliario 가택 연금(軟禁)
~ ilegal 불법 체포
~ menor (30일 미만의) 구류
~ sustitutorio (벌금형의 미납으로 인한) 노역장 유치

arriendo 임대, 임차, 임대료; 소작료

arrogación 월권행위, 횡포

arrogar 권리를 침해하다; 사취하다, 사칭하다

arrogarse 권리를 빼앗다

arte 솜씨, 기술; 예술; 직업
~ anterior 이전 직업

articulado 낱낱의 조목 전체

articulaje (Ch) 낱낱의 조목 전체

articulante 질문자

articular 조목조목 쓰다, 조항으로 정리하다; 질문하다
~ posiciones 질문서를 작성하다

artículo 법조항, 조, 항; 상품; (M) 질문; 부대질의
~ de marca 유표품(有標品)
~ de muerte 임종 시에(*in articulo mortis*)
~ de previo pronunciamiento 선결(先決) 항변, 선결문제
(~ de especial pronunciamiento (M))
~ del contrato 계약 조항
~ inhibitorio (기각을 내리게 하는) 결정적 답변
~ propietario o de patente 상표등록 상품 혹은 특허 상품

artículos y servicios 재화와 용역

Artículos de la Confederación (미합중국) 연합 헌장, 연합 규약

artimañas legales 합법적 책략

asalariado 임금노동자

asaltador, asaltante 공격자, 가해자; 노상강도

asaltar 습격하다; 폭행하다

asalto 습격; 폭행, 폭력
~ con arma mortífera 흉기 폭행
~ con intento homicida 살해 목적의 폭행
~ con intento hurtador 절도 목적의 폭행
~ con lesión o con lastimado 폭행치상
~ en segundo grado 이급 폭행
~ simple 단순 폭행
~ y agresión 폭행 구타

asamblea 집회, 회의; 의회, 국회
~ constitutiva 창립총회
~ constituyente 제헌의회
~ extraordinara 특별회의, 임시집회
~ fundacional 창립총회
~ general 총회
~ general extraordinaria 임시총회
~ general ordinaria 통상총회
~ legislativa 입법회의
~ municipal 시의회
~ ordinaria 정기총회

~ plenaria 전체 회의
~ regional 지방의회

Asamblea Nacional 국회

Asamblea General de las Naciones Unidas 국제연합 총회

asambleísta (단원제 의회의) 국회의원; 참석자

ascendencia [집합] 선조, 조상, 존속

ascendientes 존속친(尊屬親)

ascenso 승진

aseguración 보험(계약)

asegurado 피보험자

asegurador 보험자, 보험회사
~ a la gruesa (A) 선박저당계약 보험업자

aseguradora 보험회사(compañía de seguros)

aseguradores 보험업자들
~ contra incendios 화재보험업자
~ contra riesgos marítimos 해상보험업자
~ de crédito 신용보험업자

aseguramiento 확보
~ de bienes litigiosos 계쟁물 보전
~ de la prueba pericial (M) 공판 전 전문가 증언 확보
~ de sentencia 판결의 효과 확보

aseguranza (M) 보험(계약)

asegurar 확인・확약하다; 보험에 들다; 안전하게 하다

asegurarse 보험에 들다

aseguro 보험

asentamiento 취득; 압류

asentimiento 동의, 승낙

asentir 동의・승낙하다

asertórico ㉻ (M) 단정적인, 긍정적인

asertorio 진술서; ㉻ 단정적인, 긍정적인

asesinar 모살하다

asesinato 모살
~ en primer grado 일급 모살
~ en segundo grado 이급 모살
~ genérico (PR) 미분류 모살

asesino 모살자, 살인범; ⓗ 모살의

asesor 고문
~ de inversiones 투자고문
~ fiscal 세무사
~ jurídico o legal 법률고문
~ letrado (A, U) 법률고문

asesorado 고문직, 변호사 사무실; ⓗ 자문을 받은

asesorar 조언하다

asesorarse 상담하다, 의논하다

asesoría 고문직; 변호사 사무실; 자문료

aseveración 단언, 확언, 긍정
~ de la notificación 통지의 주장
~ expresa 특정 사실의 주장
~ impertinente 중요하지 않거나 관계없는 사실의 주장
~ negativa 소극적 주장
~ superflua 불필요한 주장

aseverar 긍정·단언·확언하다

asiento (회계) (부기의) 기장
~ de presentación (PR) (상점 일기장에) 부동산 저당 기입
~ registral 등기사항

asignación 할당; 충당

asignación de destino o plaza a un cargo público 임용

asignado 인수인, 수탁자; ⓗ 지정된

asignar 지정하다, 할당하다; (재산의) 귀속을 정하다

asignatario (유산, 신탁 등의) 피지정인, 수익자

asilo 비호(庇護)
~ diplomático 외교적 비호
~ familiar (B) 가옥(家屋)보호특권
~ territorial 영역적 비호

asistencia 부조(扶助), 원조; 보조
~ económica 경제원조
~ jurídica 법률 서비스, 법률 조언
~ jurídica gratuita 법률부조
~ letrada obligatoria 강제변호, 필요적 변호(necesidad de intervención letrada)
~ médica 의료 혜택
~ mutua 공제(共濟)
~ social 사회보장

asistencias 부양비, 구호품

asistencial ⓗ (V) 구제하는, 사회부조의

asistente 출석자, 참석자; ⓗ 원조하는; 보조의

asistir 돕다, 보조하다; 구호하다; 출석하다
~ a una reunión 회의에 참석하다

asociación 결사(結社); 사단(社團), 협회
~ anónima 유한회사, 주식회사
~ de abogados 변호사협회
~ de ahorro y préstamos 저축대출조합
~ de crédito 신용협동조합
~ de derecho público 공공조합
~ de derramas 감정(鑑定)협회
~ de empresas tipo *joint venture* (합작투자 형태의)공동기업체
~ de préstamos para edificación 주택대출조합
~ del renglón 동업조합
~ denunciable 무기한 조합
~ en participación 합작기업, 조인트 벤처
~ general (M) 합명 회사
~ gremial 동업조합; 노동조합
~ impersonal 법인
~ momentánea 합작기업, 조인트 벤처
~ no pecuniaria 비영리기구
~ obrera 노동조합
~ patronal 사용자조합
~ personal 조합
~ profesional 전문가협회; 동업조합
~ profesional obrera (Ch) 노동조합
~ secreta 익명조합
~ sin ánimo de lucro y con personalidad jurídica 사단법인
~ sin capacidad jurídica 권리능력이 없는 사단(社團)
~ sin personalidad jurídica 법인격이 없는 사단(社團)
~ sindical 노동조합
~ voluntaria 임의단체, 자발적 단체

Asociación 연합(국제기구)
~ de Naciones del Sudeste Asiático 동남아시아국가연합(*ASEAN*)
~ Europea de Libre Cambio 유럽자유무역연합(*EFTA*)

asociado 회원, 조합원; 준회원 (↔ socio de pleno derecho)

asocio 조합, 단체, 연합

aspecto en conflicto, punto objeto de debate 쟁점

asunción de la deuda u obligaciones 채무인수

asunción del riesgo 위험의 인수

asuntar (CA) 소송을 제기하다

asunto 사건
~ adiministrativo 행정사건
~ civil 민사사건
~ contencioso 소송사건
~ de familia 가사(家事)
~ de jurisdicción voluntaria 비송(非訟)사건
~ de justicia 법무
~ incidental 부수적 쟁점
~ litigioso 소건(訴件)
~ mercantil 상사(商事)
~ penal 형사사건
~ pendiente 현안(懸案)

asuntos exteriores 외교

atacable ⓗ 공격할 수 있는; 논박할 수 있는

atacar 공격하다; 논박하다

ataque 공격
~ a mano armado (Col) 폭행 구타
~ para cometer asesinato 살해 목적 폭행

atenciones 사무, 용무, 일

atender 시중들다; 보살피다; 취급하다
~ el compromiso 약속을 지키다
~ la deuda 채무를 갚다
~ un giro 어음을 인수하다

atenerse a 의지하다; -에 따르다

atentación 불법·범법 행위

atentadamente 불법적으로

atentado 공격, 습격; 불법·범법 행위
~ a la vida 살해 시도
~ terrorista 테러행위

atentar (불법을) 꾀하다, 저지르다

atentatorio ⓗ 불법·범법 행위의

atenuación de la pena 형의 감경
~ de la pena debida a la concurrencia de circunstancias atenuantes 작량(酌量)감경, 정상 참작

atenuante ⓗ 형의 경감사유의

atestación 증언, 증서
~ por notario público 공증

atestado 수사서류, 수사조서; 증명서; ⓗ 완고한

atestar, atestiguar 증언하다, 인증하다
~ falta de pago 미지급을 기입하다
~ la firma 서명을 인증하다

atestiguación 증언; 선서 진술

atinado ㊕ 관련된, 적절한, 타당한

atipicidad, atípico 비전형(非典型)

atracar 강탈하다

atraco (폭력이나 협박을 동반한 절도인) 강도죄

atractivo → juicio atractivo

atrasado ㊕ 연체된, 체불의, 미불의
~ de pago 채무 불이행의

atrasarse 연체되다

atraso, en, 연체・체불・미불의

atrasos 연체・체불・미불

atribuciones propias del cargo 직무권한(deberes y facultades derivados del cargo)

atribuir jurisdicción (M) 재판관할권을 인정하다

atrocidad 폭거, 잔혹한 행위

atropellar 범하다; 유린하다; (차가 사람을) 치다

atropello 폭거; 유린; 교통사고

audición 심리(審理), 공판; 청문; 법정
~ de alegatos (M) 중간 소송절차
~ de avenimiento 조정(調停) 심리
~ de lo criminal 형사 법정
~ de juzgamiento (Col) 선고 공판
~ de trámite (Col) 법정 소송
~ pública, en, 공개 법정에서
~ verbal 구술(口述) 심리

audiencia 청문(聽聞); (특정한 쟁송의) 합의재판부; 구술재판
~ de lo criminal 형사 법정
~ del interesado 변명의 기회; 청문, 심문
~ del interesado en asuntos de jurisdicción voluntaria 비송사건의 심문
~ del interesado en el procedimiento administrativo 행정절차의 청문・심문
~ del interesado en la pieza separada de situación personal 구속이유의 개시(開示)
~ preliminar (영미형법상의) 예비심문
~ previa 쟁점증거 정리수속, 준비수속
~ pública 공판

Audiencia 법원

~ Nacional 전국 관할 법원
~ Provincial 지방법원

audienciero (Sp) (법정의) 정리(廷吏)

auditor 감사, 감사역(auditor social)

auditoría 감사(監査)

aumento de capital 증자, 자본증가

aumento impositivo 증세(增稅)(subida de impuestos)

aumento salarial (월급의) 인상

ausencia 부재 (예: en ausencia 결석 상태로)

ausentismo 부재 지주 제도; (노동 쟁의 전술의) 계획적 결근

ausente 부재자

auténtica 증명서; 등본(copia auténtica)

autenticar 인증하다; 서명을 공증하다

autenticidad 확실성, 신빙성; 출처가 분명함, 진정(眞正)함

auténtico ⓗ 진정한, 진짜의; 정식의, 인증 받은

autentificar 인증하다

autentizar 인증하다

auto 명령; 영장; 판결, 재정; 결정(resolución judicial)
~ acordado (A) 대법원 명령
~ alternativo 선택적 영장
~ de aclaración de sentencia 경정(更正)결정
~ de avocación 상고 허가; 사건 이송 명령
~ de casación 오심(誤審) 영장, 재심 명령
~ de *certiorari* (PR) 상고 허가
~ de detención 구속 영장
~ de ejecución 강제집행 영장
~ de embargo 압류 영장
~ de enjuicionamiento 판결
~ de expropiación 수용 명령
~ de indagación 조사 명령서
~ de *mandamus* 직무집행 영장
~ de nulidad (혼인) 무효 선언
~ de oficio 직권발부 영장
~ de pago 지급 명령
~ de posesión 토지점유 영장
~ de prisión 구속 영장
~ de proceder 소송 허가
~ de procesamiento 기소장

~ de providencia (Sp) 일시적 강제 명령
~ de quiebra 파산 선고
~ de *quo warranto* 심문 영장
~ de rectificación de error aritmético o formal de una resolución judicial 경정(更正)결정
~ de reivindicación 압류동산 회복 영장
~ de restitución 반환 영장
~ de revisión 재심리 명령
~ de sobreseimiento y archivo 면소(免訴)결정
~ de sustanciación (Col) 소송 허가
~ decretando el ingreso en prisión preventiva 구류장(拘留狀))
~ definitivo 종국 판결
~ ejecutivo 판결집행 영장
~ en bancarrota 파산자재산 차압 명령
~ inhibitorio 금지 영장
~ interlocutorio 중간 판결
~ para mejor proveer (M) 증거보강 명령
~ perentorio 강제집행 영장
~ por incumplimiento de pacto 계약이행 명령
~ preparatorio (M) 예비명령
~ provisional 가집행 영장
~ resolviendo sobre la admisión de las pruebas propuestas 증거채택의 결정

autos 소송서류, 소송기록; 민사소송
~ para sentencia (A) 심리종결 선언

auto de fe 종교재판

autocomposición 재판외 해결

autocontrato, autocontratación 자기계약

autocopiar 문서사본을 제출하다

autocracia 전제정치

autodeterminación 자결(自決)

autoejecutable ㊔ 즉시 시행되는; 자동 발효의

autogobierno 자치행정

autoincriminación 자백, 자기에게 불리한 것을 진술하여 유죄에 이르게 함

autoinculpación 자백

autolesión 자해(自害), 자초한 부상

autonomía 자치; 자주권
~ de la voluntad 사적 자치
~ regional 지방자치

autónomo 독립; 자치; 자영업자

autonotificación 자동 통지; 이해당사자의 자기통지

autopsia 해부, 부검(剖檢)
~ judicial 부검

autor 가해자; 정범(正犯)
~ directo de un delito 직접정범
~ indirecto de un delito 간접정범
~ individual de un delito o falta 단독정범 (↔ coautor)
~ material de un delito 직접정범
~ principal de un delito o falta 주범

autoría 소행; 정범; 저작권

autoridad 위력, 권위, 권한; 직권, 관권; 공권력
~ civil 문관(文官)
~ competente 관할권; 관할 당국, 주무 관청
~ completa o amplia 전권(全權)
~ de disposición 처분권
~ de revocación 취소권
~ del Estado 국권
~ judicial 사법권; 사법 당국
~ militar 무관(武官)
~ policial 경찰권
~ sobre el espacio aéreo 제공권
~ sobre el mar 제해권, 해상권, 해권

Autoridad 기구
~ Internacional de los Fondos Marinos 국제해저(海底)기구
~ sobre Hogares (PR) 주택건설국

autoridades 당국, 관헌; 공공사업기관
~ aduaneras 관세 당국
~ constituídas 당국, 관헌
~ de sanidad 보건 당국
~ edilicias 시 당국
~ jurídicas 사법 당국
~ policiales 경찰 당국

autorización 면허, 인허, 허가, 허가증
~ amplia 전권(全權)
~ aparente 표현대리, 무권대리(無權代理)
~ de compra (은행) 어음매입수권서
~ de desafuero 체포허가
~ de libros (정부 당국의) 새 장부 승인
~ de pago (은행) 어음지급수권서
~ especial 특별 권한, 특별 대리권
~ expresa 명시적 권한, 명시적 대리권
~ general 포괄적 권한, 포괄적 대리권
~ implícita 묵시적 권한, 묵시적 대리권

~ judicial 사법당국의 허가
~ limitada 제한적 권한, 제한적 대리권
~ no limitada 무제한의 권한
~ oficial 공인
~ para conducir vehículos a motor 운전면허
~ para la explotación de una mina, derecho a explotar un yacimiento minero 채굴권
~ por impedimento 금반언(禁反言)에 의한 대리권
~ real 실질적 대리권
~ unilateral 무권(無權) 대리

autorizar 인가하다; 정당하다고 인정하다; 증서를 작성하다; 위임하다

autorrealización 자조(自助)매각

autorregulación 자기(自己)규제

autos (주로 민사사건의) 소송서류

autotutela 자구, 자력구제
~ internacional [국] 자조(自助)

auxiliatoria 상급법원의 판결 일치 명령

auxilio administrativo (상이한 행정기관간의) 공조(共助)

auxilio judicial 사법공조
~ judicial internacional 국제사법공조

aval 보증; 배서
~ absoluto 기명식 배서
~ limitado 무담보 배서, 제한 배서, 한정 배서

avalado (M) 피보증인

avalar 연대보증하다; 배서하다

avalista 보증인

avalo (M) 배서; 연대보증

avaloración 가치 평가, 감정

avalorar 가치를 평가하다, 감정하다

avaluación 가치 평가, 감정

avaluador 감정인, 사정관

avaluar 감정하다, 평가하다

avalúo 평가, 사정, 감정
~ catastral (Ec) 부동산 감정
~ certificado 감정(鑑定) 평가
~ fiscal (Ch) 과세 평가
~ , por, 종가세(從價稅)의

~ preventivo 소송에 대비한 가액 평가 혹은 증거로 제출하기 위한 피해 평가
~ sucesoral 부동산 평가

ave negro (A) 악덕 변호사

avenencia 협정; (매매)계약; 타협

avenidor 조정자, 중재인

avenimiento 협조, 일치

avenirse 화해·합치·타협하다

aventura 모험, 투기; 위험

aventurero 모험가, 투기자

avería [상] 해손(海損)
~ a la gruesa 공동 해손
~ gruesa o común 공동 해손
~ menor o pequeña u ordinaria 사소한 해손
~ simple o particular 단독 해손

aviar 여행할 준비·채비를 하다; 자금을 조달하다, 선불을 주다

avieso ㉲ 사악한, 정도에서 벗어난

avisar 알리다, 통지하다; 주의·경고·충고하다

aviso 통지, 안내, 통보; 주의, 경고, 충고
~ de comparecencia 출두 통지
~ de protesto (상업) 지불거절 통지
~ de rechazo (상업) 부도 통지
~ emplazatorio 소환장
~ judicial 법원의 당연한 확지(確知)
~ oportuno 합당한 사전 경고·통지
~ razonable 합리적인 통지

avocación 속심(續審); (상급법원으로의) 소송 이송, 이심, 송치

avocarse el conocimiento (M) 하급심의 소송을 상급심에서 이송 받다

avulsión (홍수 따위로 인한 소유지의 전위(轉位)에 따른) 분열(지)

ayuda 부조, 원조
~ económica 경제원조
~ internacional 대외원조
~ públicas 공적부조

ayuntamiento 시청

bachiller en leyes 법학사

baja 하락, 인하; 탈퇴, 퇴회, 퇴사; 제명; 병가, 산재휴직(baja temporal); 사상자(死傷者)
- ~ laboral 휴업
- ~ por maternidad 출산휴가, 산휴
- ~ registral 제적

bajo 아래에, 하에
- ~ apercibimiento (A) (불이익을 당할 수 있다는) 경고 하에
- ~ contrato 계약 하에
- ~ esto 아래에; 이에 의거하여
- ~ fianza 담보 하에; 보석 중인
- ~ juramento (법정에서) 선서를 하고
- ~ obligación 의무가 있어; 은혜를 입어
- ~ palabra 가석방·선서 석방되어
- ~ pena de (위반하면) 벌을 받는 조건으로
- ~ protesta 이의를 내세워; 마지못해
- ~ sello 봉인된

balance 수지(收支), 손익 계산; 차액, 잔고; (A) (때때로) 예산
- ~ cambista 국제수지
- ~ comercial 무역수지
- ~ contable 결산서, 대차대조표
- ~ de contabilidad (A, M) 대차대조표
- ~ de fusión (A) 연결 대차대조표
- ~ de liquidación 청산 대차대조표
- ~ de resultados (A) 손익계산서
- ~ de situación 대차대조표
- ~ fiscal (A) 소득세보고용 대차대조표
- ~ general consolidado 연결 대차대조표
- ~ impositivo (A) 법인세신고용 대차대조표
- ~ provisorio 중간 대차대조표
- ~ simulado 예산 대차대조표
- ~ tentativo 잠정적 대차대조표

balancete (A) 잠정적 대차대조표

balanza 수지, 손익 계산; 저울
- ~ cambista 국제수지
- ~ comercial o de comercio 무역수지
- ~ de intercambio 무역수지
- ~ de mercancías (Sp) 무역수지
- ~ mercantil 무역수지

~ visible 상품 무역수지

balduque (서류다발을 묶는) 적색 끈·테이프

balota (추첨용) 작은 공

balotaje (원래는 balota로 하는) 투표 혹은 추첨

balotar 투표하다, 추첨하다

baluquero (Ec) 화폐 위조자

banas (M) (교회에서의) 결혼 고시

banca 은행업(무), 금융업
~ central 중앙은행 업무
~ de sucursales 은행 지점 업무
~ inversionista o de inversiones 투자은행 업무

bancable ㊊ 은행에 담보할 수 있는; 할인할 수 있는

bancarrota 파산, 도산

bancarrotero (사기) 파산자, 지불 불능자

banco 은행; 벤치
~ capitalizador o de capitalización 자본화 은행
~ central 중앙은행
~ comercial 상업은행, 할인은행
~ de los acusados 피고석
~ de ahorros 저축은행
~ de ahorros o acciones 공동자본 저축은행
~ de bancos 중앙은행
~ de crédito agrícola 농업대부 은행
~ de crédito inmobiliario 토지대부 은행
~ del estado 국립은행
~ de liquidación 어음교환소
~ emisor o de emisión 발권은행; (신용장) 개설은행
~ estatal 국립은행; 주립은행
~ fiduciario 신탁은행
~ hipotecario 저당은행
~ mutualista de ahorro 상호저축 은행
~ nacional 국립은행
~ particular o privado 민간·개인·사설 은행
~ sucursal 은행의 지점

Banco 은행
~ de Crédito Industrial 홍업(興業)은행
~ de Reserva Federal 연방준비은행
~ del Rey (GB) (고등법원의) 왕좌부(王座部)
~ Interamericano de Desarrollo 미주개발은행(*BID*)
~ Mundial 세계은행, 국제부흥개발은행(*IBRD*)

banda 집단
 ~ armada 무장집단
 ~ terrorista 테러집단

bandera de conveniencia 편의(便宜)치적(置籍)

bandidaje 집단적인 도적질, 공갈단

bandido 도적, 살인 청부업자

bando 포고, 공표

bandolerismo 집단적인 도적질, 공갈단

bandolero 도적, 노상강도, 권총강도

banquillo 피고인석
 ~ de los acusados 피고인석
 ~ de los testigos 증인석

baratería 사기(詐欺); 수회(收賄); 부정행위
 ~ de capitán y marineros 선장·선원의 부정행위
 ~ de patrón 선주의 부정행위

baratero 수회자, 부정이득자

barragana 첩, 내연의 처

barraganería 축첩, 내연관계

barraquero 창고업자

barras 봉(棒), 막대기
 ~ aviadas (광업) 자본을 대지 않은 조합원의 지분
 ~ aviadoras (광업) 자본을 댄 조합원의 지분

barrera arancelaria 관세장벽

base 기초, 근거, 기준
 ~ de costo 원가 기준
 ~ de efectivo 현금 기준
 ~ imponible o impositivo 과세표준(課稅標準)

bases 기본; 조건
 ~ constitutivas 회사설립 강령서
 ~ de la acción 소송의 근거; 소송 이론

bastantear 위임장을 인증하다

bastanteo 소송위임장의 인증

bastantero (Sp) 위임장 인증관

bastardear 위조·변조하다

bastardeo 위조, 변조

bastardía 서출(庶出)

bastardo 서자(庶子), 사생아

beligerancia 교전 상태; 호전성

beligerante ㊞ 교전 중인; 교전국의; 호전적인

beneficencia 복지; 사회복지사업, 사회봉사; 무료 의료지원

beneficiado 수익자, 수혜자, (연금・보험금 등의) 수령인

beneficiar 이익이 되다; 이익을 얻다; 가공하다; 개발하다; (어음을) 할인하여 팔다

beneficiario 수익자, 수혜자; (어음・수표의) 수취인
~ condicional o eventual 차순위 보험 수익자
~ de preferencia (보험) 우선 수익자
~ de un seguro 보험금 수취인
~ de un título valor 증권 지시인(指示人)
~ en expectativa (보험) 추정 수익자

beneficio 이득, 이익, 수익(ganancia, interés); 항변권(excepción procesal)
~ bruto 총이익
~ de acuñación (Sp) 화폐주조세, 화폐주조 이차금(利差金)
~ de cesión de acciones 구상권(求償權)
~ de competencia (채무 정리 할 때) 적정생활보호의 특혜
~ de deliberación 상속 인수 결정권
~ de división 분별의 이익
~ de la duda (증거 불충분의 경우) 무죄 추정; 유리한 해석
~ de excarcelación 보석(保釋)권
~ de excusión 검색의 항변권
~ de inventario 한정승인제도
~ de justicia gratuita 법률 부조를 받을 권리
~ de orden 검색의 항변권(*beneficium ordinis*)
~ de pobreza (A) 무료소송혜택
~ de restitución 원상회복
~ del término 기한의 이익
~ del requerimiento 최고(催告)의 항변권
~ fiscal (Sp) 과세대상 수익
~ impositivo (A) 과세대상 수익
~ justo 적정 수익
~ líquido 순이익
~ marginal 차익
~ neto 순익
~ por muerte 사망 수익
~ tributable 과세대상 수익

beneficios 이득, 이익, 수익
~ a tributar 과세대상 수익
~ acumulados 미처분 이익, 이익 잉여금
~ de indemnización (사고)보상 보험

~ extraordinarios 초과 이윤; 부당 이득, 폭리
~ imponibles 과세대상 수익
~ por accidente 상해 보험
~ por incapacidad 장애 연금
~ sin repartir 미처분 이익

beneficioso ㉻ 소득이 있는, 유리한

beneplácito 아그레망

beodez 취한 상태, 명정(酩酊)

beodo 취객; ㉻ 술 취한

bicameral ㉻ 양원제의

bien 선(善); [민] 물(物)
~ anejo (토지의) 정착물
~ común 공공선(公共善); 공유물(cosa común)
~ inmaterial 무체(無體)물
~ inmueble 부동산
~ litigioso 계쟁물, 소송물(訴訟物)
~ mueble 동산
~ pignorado 질물(質物)
~ privado 사유물
~ público 공공선(公共善)(beneficio público); 공유물
~ que no puede ser objeto de comercio 불(不)융통물
~ que puede ser objeto de comercio 융통물
~ raíz 부동산
~ semoviente 동물, 가축
~ susceptible de generar rentas, frutos o intereses 원본(元本)

bien de familia 택지; 집과 대지; (부속건물과 밭을 포함한) 농장

bien jurídico 법익(法益)
~ protegido 보호법익

bienes 재산
~ accesorios 토지의 정착물
~ acensuados 임대 토지
~ adventicios 비(非)상속재산
~ alodiales 자유 사유재산
~ antifernales 지참금보상 재산
~ consorciales (부부의) 공유재산(patrimonio conyugal común)
~ corporales 유체(有體)동산(bienes muebles corporales)
~ de abolorio 조상(祖上)재산
~ de capital 자본재, 고정자산
~ de consumo 소비재
~ de dominio privado 사유재산
~ de dominio público 행정재산, 공유・공공・국유재산
~ de fortuna 재산

~ de sucesión 상속재산
~ de uso público 공공용 재산
~ demaniales 행정재산, 공유재산
~ disponibles en mano del albacea 유언집행자 관리재산
~ dotales 혼인 지참금
~ equitativos (파산) 형평법상의 유산
~ extradotales 처(妻) 특유재산
~ fiscales 정부재산
~ forales 임차 부동산
~ fungibles 대체 가능물
~ gananciales (부부의) 공유재산
~ hereditarios 상속재산
~ herenciales (Col) 상속재산
~ incorpóreos o incorporales 무형자산
~ inembargables 차압금지재산
~ inmovilizados 고정자산
~ inmuebles o raíces o sedientes 부동산
~ litigiosos 소송계류 재산
~ mobiliarios 동산; 인적(人的)재산
~ mostrencos 무주(無主)부동산
~ muebles 인적(人的)재산; 동산(*bona mobilia*)
~ *nullius* 무주(無主)물
~ parafernales 처(妻)의 특유재산
~ patrimoniales 자본, 자산; (A) 공유·공공·국유재산
~ por heredar 상속가능재산
~ privativos 사유재산; (부부의) 특유(特有)재산
~ profecticios (미성년자녀의) 상속재산
~ públicos 공유(公有)재산
~ reales 부동산적 동산
~ relictos 상속재산, 유산
~ reservables o reservatorios 유보재산
~ semovientes 가축
~ sociales 조합재산
~ sucesorios 상속재산
~ troncales 조상재산
~ vacantes 소유자 불명 재산
~ vinculados 한사(限嗣) 상속재산
~ y servicios 재화와 용역

bienes y servicios públicos 공공재

bienestar 복지
~ público o común 공공의 복지
~ social 사회복지

bienhechuría (C) (부동산의) 개량 공사

bienquerencia 호의(好意)

bigamia 중혼

bígamo 중혼(重婚)자; ⑱ 중혼의

bilateral ⑱ 쌍무적인, 상호의

bilateralismo 쌍무주의

Bill of Rights 권리장전(權利章典)

bínubo, bínuba 재혼(再婚)자; ⑱ 재혼의

blasfemia 신에 대한 모독・불경; 독설

bloquear 봉쇄・동결・저지하다

bloqueo 봉쇄
~ en el papel (선언에 불과한) 지상(紙上) 봉쇄, 의제(擬制) 봉쇄

bochinche 야단법석, 난장판; 폭동

bochinchero 야단법석을 떠는 사람; 폭도

bodega 창고; 술창고; 주점
~ fiscal 보세창고

boicot, boicoteo 보이콧, 불매(不買) 동맹
~ secundario 제2차 보이콧

boicotear 보이콧하다

boleta 표, 입장권; 지불 어음; (C, M) 투표용지; (Ch) 문서 초안(草案)
~ bancaria (Ch) 예금증서
~ de comparendo o de citación 소환장, 출두명령서
~ de consignación (Ch) 예금증서
~ de depósito 예입 전표; 예금증서
~ de garantía (Ch) 계약이행보증용 예탁증서
~ de registro (항해, 항공) 선박 국적 증명서

boletín 공보, 회보; 표, 티켓; 상환권; 증서
~ de ahorro (A) 저축예금 증서
~ de empadronamiento 주민표
~ de garantía 예탁보증금
~ judicial 법률신문, 법률회보
~ oficial 관보, 공보

boleto 표, －권(券); (A) 계약서 초안
~ de carga (Ch) 선하 증권
~ de compraventa (A) 매도증
~ de empeño 전당표

bolsa 증권거래소(mercado de valores)

bona fides 선의

bonificación 상여금, 보너스; 가격 인하, 할인; 수당

~ tributaria 세금 환급

bonista (C) 채권 소지인

bono 채권; 배급권, 인환권; 상여금, 보너스
~ asumido 인수 사채, 인수 채권
~ colateral o de garantía colateral 증권담보 사채
~ comercial (M) 상업 증권
~ de ahorro (M) 저축성 채권
~ de caja 단기 국채, 재무성 단기 증권
~ de consolidación 적립 증권
~ de conversión (PR) 차환 사채
~ de crédito territorial (Col) 주택저당대출 은행 채권
~ de fundador (Sp) 발기인 증권
~ de goce 보상 증권(certificado de goce)
~ de interés sobre utilidades 수익 사채
~ de obligación preferente 우선담보 사채
~ de opción (A) 주식옵션 채권
~ de participación (A) 보상 증권
~ de prenda (M) 창고물건 담보 사채
~ de primera hipoteca 이심저당부 사채
~ de rendimientos 수익 사채
~ de renta 수익 사채
~ de renta perpetua 영구 채권
~ de tesorería 국채, 재무성 단기 채권
~ fiscal 국채, (GB) 국고 증권
~ hipotecario 담보부 사채
~ inmobiliario 부동산 채권
~ moratoriado (C) 만기일과 이자율을 특별법으로 정한 채권
~ nominativo 기명 채권
~ participante (M) 고정이자 외 이익배당참여 사채
~ refundente o de reintegración 차환 사채
~ retirable o redimible 상환조건부 채권
~ sobre equipo 설비신탁 증서
~ talonario 이자부 사채

bonos 채권(obligaciones)
~ del Estado 공채, 국채, 국채 증권
~ del Estado nominativos, deuda pública nominativa 기명 공채
~ del tesoro 국고 채권
~ nominativos 기명 채권

borrachera 술에 취함, 만취

borrachez 명정(酩酊), 만취

borrachín 술고래, 애주가

borracho 주정뱅이; ⓗ 술 취한

borrador 초고, 원고

~ de acuerdo 계약서 초안

borradura 고침, 정정, 지운 표시

borrar 지우다, 말소하다

borrón 초고; 잉크 얼룩; (M) 삭제, 지움

bosque 숲, 림(林)
~ estatal 국유림
~ privativo 사유림(私有林)
~ público 공유림(公有林)

botín 노획물, 전리품; 약탈품

braceros contratados (del exterior) 계약 노동자

brazos 노동력; 노동자

broker 중매인, 브로커

buen ㊗ 좋은, 양호한
~ administrador 선량한 관리자
~ comportamiento 훌륭한 행위; 선행; 적법 행위
~ nombre 명성; 영업권

buena ㊗ 좋은, 양호한
~ conducta 훌륭한 행위; 선행; 적법 행위
~ fama 명성
~ fe 선의, 성실
~ guarda 보호예탁
~ paga 평판이 좋은
~ pro 입찰자 판정

buenas costumbres 미풍양속

buenos oficios 알선, 주선, 중재

bufete 변호사사무실, 법무법인

bula 특면(特免)

bullanga 소요, 소동, 소란

bullanguero 소동을 일으키는 자

buque 선박

burdel 사창굴

Buró de Investigaciones (C) 수사국(搜査局)

burocracia 관료제, 관료정치

busca y captura 수배(手配)

buscas (C, PR) 부수입, 부정이득

B

C

cabal juicio, de, 건강한 마음의

cábala 히브리의 신비 학설; 음모(陰謀), 밀모

cabecera de condado 군청 소재지

cabecilla 두목

caber recurso (Col) 상소권이 있다

cabeza 머리
~ de casa o de familia 호주
~ de la unidad familiar 필두(筆頭)자(primer titular inscrito en el registro civil)
~ de proceso (A) 법원의 수사 명령
~ de sentencia (A) 판결 전문(前文)

cabezalero 유언집행인

cabida 면적, 평수; 용량

cabildante 시의회 의원

cabildear 로비하다

cabildeo 로비

cabildero 로비스트

cabildo 시의회; 시청

cabotaje 연안 항해; 연안항해세(稅)
~ aéreo 항공 연안무역

cacheo 소지품 검사, 신체검사

cachero (Col) 사기꾼, 협잡꾼

caco 소매치기

cadena 사슬; 연쇄
~ de endosos 배서(背書)의 연속
~ de título 소유권의 사슬
~ perpetua 종신형

caducable ㉻ 몰수되어야 할; 상실될 만한

caducar 효력을 잃다; 권리가 소멸되다; 기한이 끝나다

caducidad 실효; 제척기간, 권리의 법정존속기간

~ de la fianza 채무증서의 실권(失權)
~ de la instancia 휴지만료(休止滿了)

caduco ㉠ 소멸·상실·실효된

caer -되다, (기한이) 차다
~ en comiso 몰수되다
~ en mora 빚이 체납되다

caída 전락, 몰락
~ de una casa 사업체의 도산

caído ㉠ (상업) 기한이 다 된

caídos 연체금, 미불금; (CA) 부수입, 상여금; (M) 부정 이득

caja 금고, 자금, 현금; 출납과; 은행
~ anónima de ahorros 공동주식 저축은행
~ de ahorros 저축은행
~ de caudales 대여금고
~ de compensación 연금 기금; 평형 기금; 청산소
~ de conversión 외국환관리국
~ de crédito agrario 농지대부은행
~ de crédito hipotecario 주택저당대출은행
~ de jubilaciones o de pensiones o de previsión 연금기금
~ de seguridad 대여금고
~ dotal (Sp) 연금기금
~ fiscal (Ch) 국고
~ mutua de ahorros 상호저축은행
~ postal de ahorros 우편저금국
~ recaudadora 조세징수국
~ rural (Sp) 농가 소액대출 은행

cajilla de seguridad 대여금고

calabozo, calabozos (경찰관서의) 유치장, 구치소
~ judicial 감옥

calendario 달력, 월력; (M) 예정표, 일정; (PR) 법정 일정
~ judicial 법정 일정
~ oficial (M) 개정일(開廷日)표

calificación 자격, 자격부여; 평가, 사정
~ de delito 범죄 분류

calificado ㉠ 자격이 있는, 능력 있는; 면허가 있는; (M, PR) 조건부인, 자격이 있는

calificar 평가하다; 자격·면허를 주다

caligrafía 서법, 서도, 서풍(書風); 육필, 손으로 씀

calígrafo perito 달필(達筆), 서예가(書藝家)

callar 말하지 않다, 숨기다, 침묵을 지키다

calumniador 중상자(中傷者), 무고자

calumniar 중상·모략·비방·무고하다

calumnias 무고죄

calumnioso ㉹ 중상의, 무고의

cámara 홀, 실; 회의소; 의회; 법정; 사진기, 촬영기
~ arbitral 중재원
~ compensadora o de compensación (de efectos bancarios) 어음교환소
~ de apelaciones (A) 항소법원
~ del juez 판사실
~ de representantes 하원(下院)
~ de senadores 상원(上院)
~ letal 사형(死刑)실, 임종의 방
~ municipal 시의회

Cámara
~ Alta 상원, 참의원(參議院)
~ Baja 하원, 중의원(衆議院)
~ de Comercio 상업회의소
~ Comercio e Industria 상공회의소
~ de Diputados 하원

camarilla 로비, 넓은 복도; 한패, 도당, (정치) 합동

camarista 위원, 의원; (A) 항소법원 판사

cambial 환어음
~ domiciliado 타지(他地)지급어음

cambiar una letra 어음을 교환하다

cambiario ㉹ 환전하는; 어음교환의

cambio (화폐의) 환(換); (물건의) 교환
~ a corto plazo 단기 교환
~ a la par comercial 재정(裁定) 등가(等價), 실제 등가, 상업 등가
~ a la par de moneda 공정 등가
~ a término 외환 선물(先物)
~ a la vista 일람출급 교환
~ de apellido 성(姓)의 변경
~ de contrabando 암시장 환전
~ de divisas 환전
~ de la libra 파운드화 환전
~ dirigido 외환 통제
~ exterior 외환
~ libre 자유시장 환율
~ marítimo 선박저당계약; 화물저당계약; 해사(解事) 이자
~ negro 암시장 환전

cambios de entrega (M) 외환 선물(先物)

cambista 환전상; 어음 중개인

camino privado 사도(私道)

camión de policía 죄수호송차

camionero afianzado 보세트럭 운전수

canalla organizada 조직폭력배

cancelable 취소・삭제・말소할 수 있는

cancelación 취소; 삭제, 말소; (금전의) 지불, 결제
~ de antecedentes penales 전과(前科) 말소
~ de hipoteca 저당권의 소멸
~ de inscripción o asiento registral 등기 말소

cancelar 취소・삭제・말소하다; 지불・결제하다
~ un cheque 수표 지급위탁을 취소하다
~ la factura 영수증을 끊다, 대금을 지불하다
~ un giro 어음을 인수하다
~ una reclamación 클레임을 해결하다

canciller 외무 장관; 수상

cancillería 대사관(embajada); 외교부

canje 교환(intercambio)
~ de notas 각서 교환

canjeable ㉻ 교환할 수 있는

canjear 교환하다

canon 규칙, 규범; 차지료(借地料); (Ch) (특허・저작권) 사용료
~ de arrendamiento 임대료율
~ enfitéutico 소작료

cantidad asegurada 보험금

cantidad fijada en cláusula penal como indemnización para el incumplimiento 위약금

capacidad 능력
~ civil 법적 능력
~ contributiva 담세능력
~ de disposición 처분능력
~ de ejercicio o de acutuar 행위능력
~ de goce (M) 권리능력
~ de obrar 행위능력
~ financiera 재정능력
~ fiscal 담세능력
~ jurídica o legal 권리능력

~ para contraer matrimonio 혼인능력
~ para contratar 계약능력
~ para enajenar 양도능력
~ para ser parte 당사자능력
~ para testar 유언능력
~ plena 전권(全權)
~ procesal 소송능력, 당사자적격
~ volitiva 의사능력

capaz 능력자; ⓗ 능력 · 자격이 있는

capitación 인두세(人頭稅)
~ de la deuda 일인당 부채

capital 자본, 자본금
~ accionario (A) 자본금, 주식자본
~ ajeno 타인자본
~ antecedente (Sp) 기초자본, 창업자본
~ autorizado 수권자본
~ aventurado 모험자본, 벤처캐피탈
~ comanditario 익명동업자 자본
~ computable (Sp) 과세대상 자본
~ consecuente (A) 자본잉여금
~ cubierto 납입완료주식자본
~ de obligaciones (Sp) 타인자본, 차입자본
~ declarado o escriturado 표시 · 공시 · 법정 · 확정 자본
~ efectivo (A) 납입완료주식자본
~ en acciones 발행주식자본
~ en giro 영업자본
~ fiscal (Sp) 순가치, 순재산
~ fundacional (Sp) 창업자본, 원초자본
~ inicial 창업자본, 원초자본
~ integrado o realizado o desembolsado o exhibido o pagado 납입완료주식자본
~ líquido 순가치, 순재산
~ neto 순가치, 순재산
~ nominal 명목자본
~ propio 자기자본
~ real 물적 자본, 실체자본
~ social 자본, 자본금

capitalismo 자본주의

capitalizar 자본화하다, 자본으로 산입하다; 투자 · 출자하다; 이자를 원금에 합산하다

capital-riesgo 리스크 캐피탈

capitán de un barco 선장

capitis diminutio 자격상실, 자격정지

capitulaciones 협정, 의정(議定); 항복

~ matrimoniales o de matrimonio 부부재산계약

capitulante (형사) 고소인, 고발인

capitular 협정 · 의정(議定)하다; 항복조건을 정하다; 고발하다, 탄핵하다

capitulear 로비하다

capituleo 로비

capitulero 로비스트; 정치꾼

capítulo (글의 단락) 절(節)

captación 포획; (유산 따위를 가로채기 위해) 술책을 쓰는 행위

captador 포획자; 술책을 쓰는 자

captura 체포, 포박; 포획

cárcel 감옥, 교도소
~ de condado 군(郡) 형무소
~ estatal 주(州) 형무소
~ federal 연방 형무소

carcelería 투옥; 강제 억류

carear 대조하다; 대질시키다

carencia 불비(不備), 결핍, 부족(falta)

carencia 대기기간(período de carencia)
~ de consentimiento o permiso 무단(無斷)
~ de lucro 비영리(非營利)
~ sobrevenida del objeto de litigio 소송물의 후발적 상실

careo 대질, 대질심문
~ de testigos 증인 대질

carga 비용; 부담; 책임
~ de la demanda 소송 책임
~ de la herencia 상속재산 부담비용
~ de la prueba 거증책임, 입증책임, 증명책임(*onus probandi*)
~ fiscal o tributaria 담세(擔稅)
~ impositiva o tributaria 조세 부담

cargas procesales 소송당사자의 행위책임

cargareme 영수증, 인환권

cargo 직무, 책임
~ consolidado (민사소송에서) 총괄청구항목
~ de confianza 수탁자 · 관재인의 직무
~ de la prueba 거증책임, 입증책임, 증명책임
~ fiduciario 수탁자의 직무

cargos 소인(訴因)

carnal ⓗ 육체의; 세속적인; 같은 부모에게서 나온

carné, *carnet* 면허증(licencia)

carpetazo, dar, 심의를 보류하다

carro celular (PR) 죄수호송차

carta 장(狀); 규약; 증명서
~ acompañatoria 의견서
~ blanca 백지위임장
~ certificada 등기 (우편)
~ confirmatoria 확인증
~ constitucional 회사 설립강령서
~ constitutiva 헌장; (M, PR) 설립강령서
~ credencial 신임장
~ de administración 유산관리장
~ de autorización 수권서
~ de citación (A) 소환장, 호출장
~ de ciudadanía 귀화인가증
~ de comisión (A) (상급법원의) 특별위임장
~ de compromiso (은행) 선적이행각서
~ de crédito 신용장
~ de crédito a plazo 기한부 신용장
~ de crédito a la vista 일람출급 신용장
~ de crédito auxiliar 동시개설 신용장
~ de crédito circular 순환 신용장
~ de crédito confirmado irrevocable 기명식 취소불능 신용장
~ de crédito mercantil 상업 신용장
~ de crédito simple 무담보 신용장
~ de derechos 권리장전
~ de despido 해고 통보
~ de embarque (PR) 선하증권
~ de emplazamiento (A) 소환장
~ de espera 기한연장 증서
~ de examen (Sp) 개업 면허장
~ de fletamento 용선계약
~ de garantía 수입화물 선취보증서
~ de mar (A) (전시의) 중립국 선박 증명서; 입항선의 하물 · 승무원 등을 기록한 증서
~ de naturalización o de naturaleza 귀화인가증
~ de pago (완불) 영수증, 채무소멸증서
~ de personería o de procuración 위임장
~ de porte 선하증권; 화물송장; 화물요금계산서
~ de porte a la orden o al portador 지시식 선하증권
~ de porte aéreo 항공화물송장
~ de porte nominativa 기명식 선하증권
~ de privilegio 영업허가, 독점판매권

~ de privilegios (PR) 권리장전
~ de transmisión 의견서; 자기소개서
~ de transporte aéreo 항공화물송장
~ de tutoría 보호자 확인서
~ de venta 매도증
~ ejecutoria 사건요약문
~ estatutaria (회사) (A) 설립강령서
~ fianza 보증서
~ fundacional 창립 헌장, 설립 헌장
~ fundamental (정부) 헌법
~ orden (상급법원의) 지시서; 우편환, 우편대체
~ orden de crédito (CA, Pe) 신용장
~ orgánica 회사특권; 기본법
~ poder 위임장
~ poder sobre acciones 주식양도증서
~ registrada con acuse de recibo (M) 등기우편 수령통지
~ rogatoria 증인심문요구서
~ testamentaria 유언집행자 지정 통지서

carta-patente 회사 설립강령서

Carta de Naciones Unidas 국제연합 헌장, 유엔 헌장

Carta Magna 헌법, 대헌장

cartel 포스터, 플래카드, 간판; 게시, 공보; 카르텔, 기업연합
~ de condiciones 동일한 판매조건을 정한 카르텔
~ de limitación 생산제한 카르텔
~ de precios 가격협정 카르텔
~ regional o de región 지역 카르텔

cártel (Sp) 카르텔

cartelizar 카르텔로 하다

carteo 서신의 내왕

cartera 지갑, 손가방; 자산 구성, 포트폴리오; 장관의 직
~ dactilar 지문(指紋)기록
~ de colocaciones (은행) 대출과 할인
~ de hacienda 재무장관

carterista 소매치기

cartular ⓗ (M) 기록된

cartulario 기록부, 등기부; 기록보관인; 공증인

casa 집, 가(家); 상점, 상사
~ bancaria o de banca 은행
~ cambiaria o de cambio 환전소
~ central 본점
~ consistorial (Sp) 시청

~ de aceptaciones (GB) 어음 인수업자
~ de amonedación 조폐국
~ de ayuntamiento 시청
~ de contratación (Pe) 상품거래소, 주식거래소
~ de correción 교도소
~ de correos 우체국
~ de depósito 창고
~ de empeño 전당포
~ de liquidación 수표교환소; (무역수지결산) 청산소
~ de moneda 조폐국
~ matriz 본점
~ solariega 종가(宗家)

Casa Blanca 백악관, 미국 대통령 관저

casación 상고(上告); 상고심, 파기심
~ adhesiva 부대(附帶) 상고
~ *per saltum* 비약적 상고

casadera ⓗ 결혼 적령기의 (여자)

casamiento 결혼(식)
~ consensual 합의 결혼
~ por acuerdo y cohabitación 코먼로 혼인

casar 파기하다, 무효로 하다; 결혼하다

casi-acreedor 준(準)채권자

casi-corporativo ⓗ 준(準)법인의

casi-contrato 준(準)계약

casi-reorganización 준(準)갱생, 법률절차에 기초하지 않는 회사재건

casero (셋집의) 주인 혹은 관리인; (Ch,Ec,Pe) 단골 손님; ⓗ 집의

caso 사건
~ de incumplimiento 위약금(違約金)
~ fortuito 우연한 사고, 불가항력
~ incierto 우발 사건, 불가항력
~ judicial 소건(訴件)
~ omiso 유루(遺漏) 사항, 규정에서 빠진 사항
~ perdido 어찌해볼 도리가 없는 경우

castigable ⓗ 처벌할 수 있는; 과료・벌금에 처할 수 있는

castigar 처벌하다; 장부가격을 내리다, 공제하다; (문구를) 수정하다

castigo 처벌, 응징; 감가(減價)
~ cruel y desacostumbrado 잔인하고 유별난 징벌

casual ⓗ 우연의; 불의(不意)의

casualidad 우연; 불의(不意), 뜻밖의 일

casus belli 개전(開戰) 이유, 전쟁 발발의 원인

catastro 토지대장, 지적(地籍)대장(臺帳), (특정자격자) 명부

catástrofe 큰 재난, 대(大)이변

caución 담보, 보증; 보석금; 주의, 조심
~ absoluta 무조건 보증
~ de arraigo 소송비용 보증
~ de fidelidad 신원 보증; 신용 보험
~ de indemnidad 손해보상 보증
~ de licitador 입찰 보증금
~ de rato (M) 원고측 변호인의 보증
~ juratoria 선서 보증
~ para costas 비용 보증

caucionable ⓗ 보석할 수 있는 (범죄, 범인)

caucionar 보증하다; 보석을 받게 하다

caucus (PR) (정당의) 간부회의

caudal 자산, 자금
~ hereditario 상속재산, 유산
~ relicto 상속재산, 유산
~ social 조합재산, 회사재산

causa 사유; 원인; 약인(約因); 형사소송(proceso penal)
~ actual 현재 소송, 현재 사건
~ adecuada 충분한 약인
~ arreglada o ajustada (화해로) 취하된 소송
~ civil 민사소송
~ concurrente 동시(同時) 약인
~ conocida y terminada 심리종결 사건
~ continua 계속 약인
~ continuada 미결 소송
~ criminal 형사소송
~ de abstención 제척(除斥) 원인
~ de acción o de la demanda 소송 사유, 소송 원인
~ de almirantazgo 해사(海事)법원 소송
~ de anulabilidad 취소의 원인
~ de divorcio 이혼 원인
~ de exclusión de la antijuridicidad de la conducta 위법성 조각(阻却)사유
~ de exclusión de la penalidad por circunstancias personales 인적 처벌조각사유
~ de exención de la responsabilidad criminal 책임 조각사유
~ de indignidad para suceder 불행적(不行蹟) 사유, 친권상실 초래사유
~ de inhabilidad 결격사유
~ de insolvencia 파산절차
~ de nulidad 무효의 원인

~ de pedir　청구 원인
~ de recusación　기피 원인
~ *debendi*　(M) 채무의 원인; 소송의 이유가 되는 법률행위
~ determinante　선례(先例), 주요판례
~ directa　직접 원인
~ eficiente　동인(動因)
~ ejecutada o efectuada　이행완료 약인(約因)
~ enjuiciada　재판중인 사건
~ equitativa　공정한 약인
~ excipiendi　(M) 이의신청의 근거
~ expresa　명시적 약인
~ gratuita　무상(無償) 약인
~ ilícita　불법적 약인
~ impracticable　불능 약인
~ inadecuada　상당성(相當性)이 없는 약인
~ indirecta　간접 원인, 원인(遠因)
~ inmediata o próxima　근인(近因)
~ instrumental　시험 사례, 시험 케이스
~ justificada　정당한 사유(justa causa)
~ legal de resolución del contrato (arrendamientos)　(임대차 계약상의) 정당한 사유
~ lícita　적법 약인
~ nominal　명목상의 약인
~ onerosa　유상(有償) 약인
~ pasada　기존 약인
~ por efectuarse　장래 약인, 미(未)이행 약인
~ presente　현재 사건
~ probable　개연적 원인
~ razonable　합리적 약인
~ remota　원인(遠因)
~ sobreviniente　부수적 원인(原因)
~ suficiente　충분한 약인
~ supralegal de exclusión de la antijuridicidad　초법규적 위법조각사유
~ supralegal de exención de responsabilidad criminal　초법규적 책임조각사유
~ tácita　묵시적 약인
~ valiosa　유상(有償) 약인
~ valorable　(Pan) 유상(有償) 약인

causas
~ aplazadas　재판 연기(延期)
~ de inimputabilidad o de irresponsabilidad　(A) 무죄 정황
~ de justificación　(A) 해명을 정당화하는 정황
~ ordinarias　일반 소송사건
~ privilegiadas　우선심리 사건

causa petendi　청구원인

causahabiente　상속인

causal　이유, 동기; ⓗ 원인의, 인과관계의

~ de divorcio 이혼 사유
~ de recusación 기피 사유

causales de casación 파기 사유

causalidad 인과관계
~ adecuada 상당한 인과관계

causante 본인; 유언자, 선임 소유자; (M) 납세자
~ de una herencia 피(被)상속인

causar 가져오게 하다, 야기하다; 소송을 제기하다
~ estado 종결짓다
~ impuesto 과세 대상이다
~ intereses 이자를 낳다

causativo ㊂ 원인의

causídico ㊂ 소송과 관련된

cautela 보전처분(medida cautelar)

cautelar 조심하다, 보호하다; ㊂ 조심스러운, 방지하는

cedente 본인; 지정인; 양도인; 이서인; (상업) 제조업자

ceder 지정하다; 양도하다; 이서하다
~ el uso de la palabra 발언권을 주다

cedible ㊂ 양도할 수 있는

cedido 양수인(讓受人)

cédula 증명서; 공문서; (A, Col) 채권 증서
~ de aduana 세관 허가증
~ de cambio 환어음
~ de capitalización 자본투자 증서
~ de citación 호출장
~ de ciudadanía 시민권 증서
~ de dividendo (GB) 배당금 지불 증서
~ de empadronamiento 등록증, 인증서
~ de emplazamiento 송달장
~ de fundador (Sp) 발기인 증서
~ de privilegio de invención 특허증
~ de subscripción 신주 인수권 증서
~ de tesorería 재무성 증권; 자기사채
~ hipotecaria 저당증권(título-valor hipotecario)
~ inmobiliaria 부동산 증권
~ personal 신원증명서

cédulas 증권
~ de inversión (Col) 투자 증권
~ preferentes o beneficiarias o de emisión (Sp) 발기인 우선 증권

cedulación 등록; (증권 · 공채의) 기명, 등록; 공표(公表)

cedular 등록하다, 명부에 올리다

cedulón 공고, 게시

celebrar (격식을 갖춘 행사를) 개최하다, 거행하다
~ actos 식을 거행하다
~ un acuerdo 협약을 체결하다
~ asamblea 회의를 열다
~ una audiencia 청문회를 열다
~ un contrato 계약을 체결하다
~ una elección o elecciones 선거를 실시하다
~ una entrevista 회견을 갖다; 면접을 하다
~ un juicio 재판에 회부되다
~ una junta 회의를 개최하다
~ un matrimonio 결혼식을 올리다
~ negocios 사업을 하다
~ una oposición 경쟁시험을 치르다
~ una subasta 경매에 붙이다
~ una vista 청문회를 열다; 인터뷰를 하다

celda 감방

celeridad de la justicia 신속한 재판(을 받을 권리)

censario (A) 지대(地代) 납부자

censatario 임차인; 연부금(年賦金) · 연공(年貢) 납입자; 납세자

censo 지대연금 계약; 지대; 차지권(借地權); 부동산세; 호구조사
~ consignativo 지대(地代)
~ de bienes 물품 목록, 재고 목록
~ de contribuyentes 납세자 명부
~ de por vida 종신 연금
~ electoral 선거인명부
~ electoral permanente 영구 선거인명부
~ enfitéutico 영소작(永小作)
~ perpetuo 영구(永久) 연금
~ reservativo 연금 조건부 소유권 이전 계약
~ vitalicio 종신 연금

censor jurado de cuentas 공인회계사

censual ㉭ 부동산 저당 계약의

censualista 연부금 수취인; 임대인; 부동산 저당 계약의 채권자

censuario 연부금 납입자; 지대 납부자

censura 검열

centralismo 중앙집권주의

centro de trabajo 사업소, 영업소

centro penitenciario 형무소
~ de menores 소년원

cerramiento 울타리(cerca, vallado)

certa res 확정물

certificación 증명서(certificado); 확인(confirmación)
~ en extracto 초본(抄本)
~ en extracto de registro civil 호적초본
~ literal del registro civil 호적등본
~ literal e íntegra 등본(謄本)
~ registral literal 등기부 등본, 등기사항 증명서
~ y aviso de recepción 영수필(領收畢) 등록

certificado 증명서
~ catastral (부동산) 토지 감정서
~ de acciones 주권(株券)
~ de adeudo (M) (재산관리인의) 부채증서; (기업에서 배당금 대신 지급하는) 가(假)증권, 가(假)사채; 차용증서
~ de autenticidad del sello personal 인감증명서(estampilla para usar a modo de firma)
~ de avalúo 감정서
~ de averías (해상보험) 해손 정산서, 손해 증명서
~ de cambio (외환) 외국환 증명서
~ de carencia de antecedentes penales 무(無)범죄증명서
~ de ciudadanía 시민권 증서
~ de constitución 정관; 회사설립증명서
~ de defunción 검안서(檢案書)
~ de depósito 창고증권
~ de deuda pública 공채증서
~ de divisas 외국환 증명서
~ de duda razonable 합리적 의혹 증명서
~ de empleo 사용증명
~ de goce (M) 소각주식 보상주
~ de incorporación 회사설립강령서
~ de inscripción registral 등기필증
~ de matrimonio 결혼증명서
~ de nacimiento 출생증명서
~ de natimuerto 사산(死産) 증명서
~ de necesidad 운영 허가증
~ de paz y salvo (Col) 세금완납 증명서
~ de propiedad 소유증서, 권리증
~ de protesto 지급거절 증서
~ de seguro 보험증권
~ de síndico (파산) (재산관리인의) 부채증명
~ de utilidad pública 운영 허가증

~ del tesoro 재무성 증권
~ electrónico de usuario 전자인증
~ para reintegro (세관) 환세(還稅) 증명서

certificar 보증・보장하다; 증명하다, 증명서를 주다; 등기 우편으로 보내다
~ una firma 서명에 입회하다

certificatorio ⓗ 증명의

cesación o **cese** 중지
~ de la acción 소송 취하; 행위의 중지
~ de pagos 지급 정지, 지불 중지
~ del procedimiento 소송 취하

cesantía 휴직; 해직, 면직; 해직 수당
~ laboral 휴직

cese de las hostilidades 정전(停戰)

cese de negocio 폐업

cesibilidad 양도(성)

cesible ⓗ 양도할 수 있는

cesión 양여(讓與), 양도, 위양(委讓)(transmisión, traspaso)
~ contractual de bienes (A) 임의 양도
~ de bienes (채권자를 위한) 재산 청산 신탁
~ de bienes litigiosos 소송물의 양도 (~ del objeto del litigio)
~ de crédito 신용(거래) 연장; 배상청구 양도
~ de créditos 채권의 양도
~ de derechos 권리의 양도
~ de derechos de autor 저작권의 양도
~ de derechos y acciones 권리와 소송권 양도
~ de un arrendamiento 임차권의 양도
~ fiduciaria 신탁적 양도
~ general (채권자를 위한) 재산 청산 신탁
~ judicial de bienes (A) 법정(法定) 양도
~ libre o sin condiciones 무조건 양도
~ onerosa 유상(有償) 양도
~ parcial 일부(一部) 양도
~ por endoso 이서(裏書) 양도
~ pro tanto 비율 양도
~ secundaria 2차 양도
~ voluntaria 임의 양도

cesionario 양수인(讓受人)
~ conjunto o mancomunado 공동 양수인
~ de bienes del fallido 파산재산 양수인
~ de derecho 법정 양수인
~ de hecho 사실관계상의 양수인

cesionista 양도인(讓渡人)

chancelar (A) 취소하다; 지불하다

chanciller → canciller

chancillería 형평법 재판소, 대법관청

chancuquear (Col) 밀수하다

chanchullo 속임수, 야바위; 부정이득; 밀수

chantaje 공갈, 갈취

chantajear 공갈・갈취하다

chantajista 공갈・갈취를 일삼는 사람

cheque 수표
~ a la orden 기명식 수표
~ abierto 보통수표 (↔ ~ cruzado)
~ alterado 변조수표
~ al portador 지참인불 수표, 자기앞수표
~ aprobado 지급보증 수표
~ bancario 은행수표, 보증수표
~ caducado 실효(失效) 수표
~ cambiable 결제가능 수표
~ cancelado 지불필 수표; 폐기된 수표
~ certificado 지급보증 수표
~ chimbo 위조수표
~ con prohibición de endoso 이서금지 수표
~ conformado 보증수표, 예금수표
~ cruzado 횡선(橫線)수표
~ cruzado para contabilidad (A) 은행 지점간 자금이체시 사용되는 횡선수표
~ de caja o de cajero (M) 자기앞수표
~ de gerencia (V) 자기앞수표
~ de gerente (PR) 자기앞수표
~ de tesorería (US) 재무성 수표
~ de viajero 여행자수표
~ devuelto 부도(不渡)수표
~ en blanco 백지수표
~ en descubierto 공수표
~ falsificado 위조수표
~ impagado 부도수표
~ intervenido 보증수표
~ nominativo (A) 기명식 수표
~ posdatado 앞수표, (구) 선일부(先日付) 수표
~ propio o de administración 자기앞수표
~ protestado (지급 거절된) 부도수표
~ rayado 횡선수표
~ regalo 상품권; 할인권

~ rehusado 부도수표
~ sin cruzar (GB) 횡선을 긋지 않은 수표
~ sin fondos 공수표
~ sin marca 보통 수표
~ sin provisión de fondos 공수표
~ visado (Col) 지급보증수표

chicana 속임수; 궤변

chicanear 속임수를 쓰다; 궤변을 늘어놓다

chicaneo 속임수 쓰기; 궤변 늘어놓기

chicanería 교활한 짓, 속임수, 야바위

chicanero 야바위꾼; 악덕변호사

chivo 부정이득; 밀수

choque 충돌; 충격
~ nervioso 정신적 충격

ciencia jurídica 법리학

cierre patronal 공장폐쇄

circuito 순회
~ judicial 순회 재판소
~ promiscuo (Col) 민형사(民刑事) 순회 재판소

círculo judicial 재판 관할권

circunscripción judicial (V) 재판 관할권

circunstancial ㉱ 상황의, 정황의

circunstancia, circunstancias 사유, 정상(情狀); 상태
~ agravante 가중사유
~ atenuante 경감사유
~ eximente 면책사유, 책임조각(責任阻却)사유, 참작해야만 하는 정상
~ eximente o atenuante buscada de propósito 원인에 있어서 자유로운 행위
~ del delito 범죄의 정황, 범정(犯情)
~ eximentes supralegales 초법규적 책임조각사유
~ financiera 재무 상태
~ modificativas de la responsabilidad criminal 범죄책임에 영향을 주는 사유(가중 · 경감 · 면제 사유)
~ sobrevenidas 후발적(後發的) 사유

cita 약속; 호출, 소환; 인용, 인증(引證)

citación 소환, 호출; 호출장(cédula de citación); (회의) 소집
~ a comparecer 소환장, 호출장
~ a juicio 소환장
~ a licitadores 입찰 모집, 입찰 안내서

~ de evicción 매도인에 대한 매수인의 권리상실 배상 소환
~ de remate 채무자에 대한 공매 소환
~ para sentencia 선고공판 통지
~ por edicto 공시 송달
~ y emplazamiento (A) 소환장, 호출장

cítanse
~ opositores 이의 접수
~ postores 입찰 접수

citar 약속하다; 호출하다; 인용·인증(引證)하다
~ a comparendo (Pe) 호출·소환하다
~ a junta 회의에 부르다

citatoria 출두 명령서

citatorio ⑱ 소환 받은

ciudad autónoma 자치 도시

ciudadanía 시민권

ciudadano 시민, 공민, 국민
~ nativo o por nacimiento 본국 태생의 국민
~ por naturalización 귀화 국민
~ por opción 부모의 국적을 선택한 외국 태생의 국민

civil ⑱ 문민(文民)의; 민사(民事)의 (↔ penal)

civilista 민법학자; ⑱ 민법의

clasificación 분류
~ de gravámenes 조세·선취특권의 순위 결정
~ penitenciaria (수감자의) 분류 처우(處遇)

clasificar 분류하다
~ bienes 재산의 순위를 결정하다

cláusula 조, 조항, 약관
~ antirrenuncia (보험) 권리포기 금지 조항
~ condicional 단서 조항
~ compromisaria o compromisoria 중재 조항
~ de abandono 위부(委付) 조항
~ de actualización de rentas o salarios en función de la variación de los precios 에스컬레이션 조항
~ de arbitraje forzoso 의무 중재 조항
~ de escape (세관) 면책 조항
~ de exención de responsabilidad 면책 약관
~ de nación más favorecida 최혜국(最惠國) 조항
~ de salvedad 단서, 유보조항
~ de sumisión expresa a una jurisdicción 재판 관할 조항
~ derogativa 차후의 유언을 무효로 하는 조항
~ mediante la que se estipula la pérdida de un derecho en caso de incumplimiento

실권(失權) 약관
~ modal 부관(附款)
~ penal 위약(違約) 조항
~ resolutiva (M) 해제 조항
~ resolutoria 계약해제 조항

clausulado [집합] 조항, 약관

clausura 마감, 종료, 종장(終場)
~ de sesiones 휴정, 휴회, 폐회
~ mercantil (M) 거래 정지

clemencia 자비, 관용, 용서

cleptomanía 도벽(盜癖)

cleptómano, cleptomaníaco ⓗ 도벽이 있는

cliente 고객

coaccionar 강제·강요하다

coacciones 강요죄

coacreedor 연대 채권자

coactivo ⓗ 위압적인, 강제적인, 구속하는

coacusado 공동 피고인

coadjutor 조수(助手), 보좌인

coadministrador 공동 관리자·관재인

coadyuvancia litisconsorcial 공동소송적 보조참가

coadyuvante 보조참가인

coafianzamiento 연대 보증

coagente 조력자, 협동자

coalbacea 공동 유언집행자

coalición 동맹, 연립

coarrendador 공동 임대인

coarrendatario 공동 임차인

coartación 제한, 구속

coartada 현장부재증명

coasegurador 공동 보험자

coaseguro 공동 보험

coasociado 조합원

coautor 공동행위자

coautoría 공동정범
~ por conspiración 공모(共謀)

coavalista 공동 보증인

cobrabilidad 회수 가능성

cobrable, cobradero ⓗ 회수할 수 있는

cobrador 수금원(收金員)
~ de impuestos 세금 징수원

cobranza 수취, 수금; 추심
~ , en, 미회수된, 회수 중에 있는

cobrar 받다, 수취하다; 징수하다; 회수하다; 추심하다

cobro 징수, 거둠
~ cobro de lo indebido 비채변제(非債辨濟)
~ cobro preferente 우선변제

cocesionario 공동 수탁자 · 양수인(讓受人)

codecisión 합의

codelincuente 공범, 종범

codemandado 공동피고

codeudor 연대 채무자

codicilo, codicilio 유언 보충서

codificación 법전 편찬; 성문화(成文化)

codificador 법전 편찬자; 법률집; 성문화
~ arancelario 수입관세율 표

codificar 법전으로 편찬하다

código 법전
~ civil 민법
~ de aduannas 관세법
~ de comercio (법률) 상법; (전신) 커머셜 코드(전보용 약자)
~ de construcciones 건축 법규
~ de edificación 건축 법규
~ de enjuicionamiento 소송법
~ de ética profesional 직업윤리 강령
~ de policía 경찰 규정
~ de procedimiento civil o de enjuiciamiento civil o en lo civil 민사소송법
~ de procedimiento penal o de enjuiciamiento criminal o en lo criminal 형사소송법
~ de pruebas 증거법
~ de las quiebras 파산법

~ del camino o de circulación 도로교통법
~ del trabajo 노동법
~ fiscal 세법
~ fundamental 헌법, 기본법
~ laboral (Col) 노동법
~ marítimo 해양법
~ mercantil 상법
~ orgánico de tribunales 법원조직법
~ penal 형법
~ procesal 소송법
~ substantivo de trabajo 노동 실체법
~ telegráfico 전신(電信)부호, 케이블 부호
~ tributario 세법

Código
~ Civil 민법, 민법전
~ de Bello (칠레의) 민법전, 베요 법전
~ de Comercio 상법, 상법전
~ de *Hammurabi* 함무라비 법전
~ de Justiniano 유스티니우스 법전, 로마법 대전(大典)
~ de la circulación 도로교통법
~ de la Federación (M) 연방 법전
~ Judicial (US) 사법 규정
~ Napoleónico, Código de Napoleón 나폴레옹 법전
~ Penal 형법, 형법전

código de identificación fiscal(CIF) 납세자 번호

codirector 공동 이사(理事), 공동 지도자

coemitente (수표의) 공동 발행인

coencausado 공동 피고인

coercible ⓗ 억압할 수 있는

coerción 억압, 강제, 위압

coercitivo ⓗ 억압적인, 위압적인, 고압적인

cofiador 연대 보증인

cofiduciario 공동 수탁자, 공동 관재인

cofirmante 연대 서명자

cofradía 신도(信徒)단; 결사, 조합; (직종별) 노동조합

cogarante 공동 보증인

cogirador (상업) 연서인, 연대 보증인

cognación 여계친(女系親); 친족, 동족관계

cognados (모계의) 친척, 일가

cognaticio ⓗ (여자쪽) 친족의

cognición 인지(認知), 인식
 ~ judicial 사법 지식
 ~ limitada (M) 제한적 관할권

cognitivo ⓗ 인식의, 인식력이 있는

cohabitación 동거

cohechador 증회(贈賄)자, 매수자

cohechar 증회・매수하다

cohecho 회뢰(賄賂), 뇌물

coheredero 공동 상속인

coima (A, Ch, Ec) (관리에게 주는) 뇌물

coime (Col) 사환; (A) 수회자(관리)

coimear (A) 독직・수회하다

coimero (A, Ch) 수회자

coincidencia de la voluntad 의사(意思)의 합치

coinquilino 공동 임차인

cointeresado 공동 이해관계인

coito 성교, 교접

colaboración 합작, 협력, 협조

colaboradores del delito (교사자와 방조자를 포괄하여) 가담범, 종속범

colaborar 공동으로 일하다, 협력하다

colación 대조, 확인; 증여 공제(deducción de liberalidades de la cuota hereditaria)

colacionable ⓗ 대조할 수 있는

colacionar 대조하다, 맞추어 보다

colateral 방계친(傍系親), 분가; 부대사실; 담보; ⓗ 방계의; 부차적인; 담보로 한

colección 수집품; 전집, 총서, 집성(集成)

colecta 성금(誠金) 모금; 갹출금, 갹출금의 할당

colectable ⓗ 모금할 수 있는

colectar 모금・징수하다; 수집・집록하다

colectiva e individualmente 모두 예외 없이

colectivismo 집산(集産)주의

colectivo ⓗ 집단의, 공동의, 집합적인

colector 수집가; 수금원, 징수원
~ de derechos aduaneros (US) 관세 징수원
~ de impuestos o de contribuciones 세금 징수원
~ de rentas internas 내국세 징수원
~ fiscal 세금 징수원

colecturía 세무서

colegatario 공동 수유자(受遺者)

colegiado 동직회원

colegiarse 동직회를 조직하다; 동직회에 가입하다

colegio 동직단체, 조합, 모임
~ de abogados 변호사회
~ de leyes 로스쿨
~ de procuradores (C) 사무변호사회
~ electoral 선거인단

Colegio Interamericano de Abogados 인터아메리칸 변호사회

coléricamente 홧김에, 성나서

coligación 제휴, 결합, 동맹

coligarse 제휴·결합·동맹하다

colindante 상린자(相隣者)

colisión 충돌; 갈등, 알력
~ de derechos 권리 충돌; 법률 충돌

colitigante 공동 소송인

colonia 식민지

colonización 식민, 식민화

color (법률) (실체는 없는데 있는 것처럼 꾸민) 표현(表現)상의 권리

coludir 공모(共謀)·모의하다

colusión 모의·공모

colusorio ⓗ 모의·공모하는

comandita 합자회사; 유한책임조합
~ por acciones 주식회사, 주식조합
~ simple 합자회사; 유한책임조합

comanditado (M) 업무담당사원, 무한책임사원

comanditar 출자하다, (회사를) 설립하다

comanditario (합자회사의) 출자자, 유한책임사원; ⓗ 합자의

combinación 배합; 카르텔, 기업연합
~ vertical 수직적 결합·통합, 기업합동

combinar 배합하다; 결합·연합시키다

comerciable ⓗ 매매할 수 있는, 수요가 있는, 시장성이 있는

comercial 상업광고; ⓗ 상업의, 상사(商事)의, 영리 본위의; 통상의, 무역의

comercialismo 상업주의, 영리주의

comercializar 상업화·상품화하다; 채산을 맞추다

comerciante 상인
~ accidental (확정된 사업체가 없는) 우발적 상인
~ al por mayor 도매상
~ almacenista o intermediario 도매상, 중간상인
~ comisionista 도매상, 객주(客主)

comerciar 장사하다

comercio 상점(商店); 상업, 무역
~ de comisión 도매업
~ de ultramar o de altura 무역
~ desleal 불공정 무역
~ electrónico 전자(電子)상거래
~ interestatal 주간(州間) 무역
~ internacional 무역, 통상

cometer 범하다, 저지르다; 맡기다, 위탁하다
~ asesinato 살인하다
~ delito 범죄를 저지르다
~ suicidio 자살하다

cometido 위탁, 위촉; 임무

comicial ⓗ 선거의, 선거에 관련된

comicio 선거 위원회

comicios 선거
~ generales 총선거
~ primarios 예비선거

comisar 몰수하다

comisaría 경찰서(~ de policía)

comisario 대표; 집행위원; 경찰간부; 매니저; (Col) 경찰관; (M) 법원 경위; 주주의 이익관리사원(síndico (A))
~ de averías (해상보험) 공동해손 감정인
~ de comercio (US) 무역 감독관
~ de patentes 특허 심사담당관

~ de policía 경찰, 경찰관

comisión 수행, 실행, 범행(acción de cometer); 위탁(encargo); 촉탁(exhorto); 수수료(honorarios de un comisionista); 위원회(comité)
~ asesora 자문위원회
~ codificadora 법전 편찬위원회, 법률조사회
~ de arbitraje 중재위원회
~ de cobro 수거료; 수수료
~ de conciliación 조정위원회
~ de confianza 신탁, 피신탁자의 위탁
~ de control de cambios 외국환 관리위원회
~ de divisas 외국환 관리위원회
~ de encuesta o de indagación 조사위원회
~ de higiene 위생국, 보건국
~ de medios y arbitrios 하원(下院) 세입위원회
~ de servicio público 공공서비스위원회
~ de todos miembros (의회의) 전원위원회, 전체위원회
~ de un delito 범행, 범죄의 실행
~ de vigilancia (회사) 주주의 이익관리위원회; (파산)(A) 채권단의 감시위원회
~ directiva o ejecutiva o gestora 집행·실행·운영 위원회, 임원회, 이사회
~ paritaria 노사합동위원회
~ por cambio de divisas 환전 수수료
~ rogatoria 촉탁서

Comisión
~ Arancelaria o de Derechos Aduaneros (US) 미국 관세위원회
~ de Comercio Interestatal o entre Estados (US) 미국 주간 통상위원회
~ de Derechos Humanos de las Naciones Unidas 국제연합 인권위원회
~ de Derechos Humanos del Consejo de Europa 유럽 인권위원회
~ de Fomento Interamericano 남북 아메리카 국가간 경제개발위원회
~ de la Marina Mercante (US) 미국 해사(海事)위원회
~ de Reserva Federal (US) 미연방 준비위원회
~ de Valores y Bolsas (US) 미국 증권거래위원회
~ Europea 유럽위원회
~ Europea de Derechos Humanos 유럽 인권위원회
~ Federal de Comercio (US) 미연방 거래위원회
~ Interamericana de Arbitraje Comercial 인터아메리칸 상사중재위원회
~ Nacional de Comunicación (US) 미연방 통신위원회
~ para la resolución de quejas y conflictos laborales 고충처리 위원회
~ regional de vigilancia penitenciaria 지방 갱생보호위원회

comisionado 수탁자; 청장, 국장, 판무관

comisionar 대리시키다, 위임·위탁하다

comisionista 중개인, 중간 상인; 브로커
~ de confianza (Pe) 피신탁인, 수탁자

comisivo ㉻ 위임의, 권한을 주는

comiso 몰수
~ , en, 몰수된

comitas gentium 국제예양(國際禮讓)(usos sociales internacionales)

comité 위원회
~ administrador o directivo 집행・실행・운영 위원회, 임원회, 이사회
~ conjunto 합동위원회
~ consultivo 자문위원회
~ de aforos (세관) 사정(査定)위원회
~ de agravio 고충처리위원회, 불만처리위원회
~ de empresa 기업위원회, 공장평의회, 경영협의회
~ de fiduciarios 재산관리인, 신탁 위원회; (단체의) 평의원회, 재단이사회
~ disciplinario del Congreso 징벌위원회
~ ejecutivo 집행위원회, 집행부
~ planeador 기획위원회
~ protector (증권) (일반 투자자를 위한) 보호위원회

Comité
~ de Derechos Humanos 인권위원회
~ de Seguridad Pública 공안위원회
~ Olímpico Internacional 국제올림픽위원회

comitente 의뢰인, 위탁자

comitir (M) 위탁판매 대리인을 지정하다

comodante 대주(貸主), 무상(無償)기탁자

comodatario 차주(借主), 수탁자

comodato 사용대차(使用貸借), 동산(動産)사용대차(préstamo de uso gratuito)

compañerío (PR) 내연관계, 동서(同棲), 축첩(蓄妾)

compañero de trabajo 직장 동료

compañía 회사, 상사, 상회
~ anónima 주식회사, 익명회사
~ armadora 선박회사, 운송회사
~ aseguradora 보험회사
~ asociada 자회사, 계열회사
~ capitalizadora 자본화 은행
~ cerrada (M) 폐쇄기업, 주식비공개 회사
~ civil 민간기업
~ colectiva 조합
~ comanditaria 합자회사
~ controladora (M) 지주회사, 지분관리회사
~ de afianzamiento (C) 보증회사
~ de capitalización (A) 자본화 은행
~ de crédito territorial 주택담보대출 은행・회사
~ de fideicomiso 신탁회사

~ de responsabilidad limitada 유한책임회사
~ de seguros 보험회사
~ de seguros mutuales 상호보험회사
~ de sustitución de valores (M) 투자신탁회사
~ de transporte 운송회사
~ de utilidad pública (C) 공익사업회사
~ dominada 종속회사, 자회사
~ dominatriz (M) 지배회사, 지주회사, 지분관리회사
~ en comandita 유한책임회사
~ en nombre colectivo 합명회사, 통상조합
~ fiadora o en fianzas 보증회사
~ fiduciaria 신탁회사
~ filial 자회사, 종속회사
~ fiscalizada (Pe) 국가 경영 기업
~ inversionista o de inversiones o de rentas 투자신탁회사, 투자회사
~ inversionista de acciones ordinarias 보통주식 투자회사
~ matriz 모회사
~ matriz secundaria 이차 지주회사
~ mercantil (PR) 조합; 회사
~ mutualista de inversión 투자신탁회사
~ operadora o de explotación 영업회사
~ por acciones 주식회사
~ propietaria 개인기업; 폐쇄기업
~ regular colectiva 합명회사, 통상회사
~ tenedora 지주회사
~ terrateniente 부동산회사

comparecencia 출두
~ a presencia judicial 재정(在廷)
~ condicionada 조건부 출두
~ en juicio (A) 재판 출두
~ en sede judicial 출정(出廷)
~ especial 특별 출두
~ forzosa (소환에 불응하는 자의) 구인(拘引)
~ general 일반 출두
~ obligatoria 강제 출두
~ voluntaria 임의출두

comparecer 출두하다
~ para objeto especial 특별한 목적으로 출두하다
~ sin limitaciones 일반 목적으로 출두하다

compareciente 출두자

comparendo 출두 명령서, 소환장

comparición 출두; 출두 명령

comparte 공동 소송인

compatible ⓗ 시종일관된, 모순이 없는; 적합한

compeler 강제·강요하다

compendiar 요약하다

compendio 요약, 초록(抄錄)

compensable ⓗ 보상할 수 있는

compensación 보상, 배상(indemnización, resarcimiento)
- ~ a obreros (PR) 노동자 재해보상
- ~ de culpas 과실 상쇄
- ~ de pérdidas y ganancias 손익 상쇄
- ~ estatal por desempleo (US) 주(州) 실업수당
- ~ extraordinaria 초과근무수당
- ~ por accidentes de trabajo 노동자 재해보상
- ~ por años de servicio (한국의) 퇴직금
- ~ por paro 실업수당

compensaciones bancarias o **de cheques** 어음·수표 교환

compensatorio, compensativo ⓗ 보상하는, 대상(代償)의

competencia 경쟁; 경업; 권한; 관할
- ~ desleal 부정 경쟁
- ~ eventual (M) 특별 관할, 특별 재판적(裁判籍)
- ~ excepcional 특별 관할, 특별 재판적
- ~ exclusiva 전속 관할
- ~ exorbitante 과잉관할
- ~ funcional 직분관할, 직무관할
- ~ funcional por razón de la instancia 심급 관할
- ~ judicial 관할, 재판관할
- ~ judicial *ad hoc* o determinada para el caso concreto 지정 관할
- ~ judicial exclusiva 전속관할, 전속재판적(專屬裁判籍)
- ~ judicial internacional 국제 재판 관할
- ~ judicial ordinaria 보통 관할
- ~ material 사물 관할
- ~ necesaria (M) 일반 관할
- ~ objetiva (por razón de la materia o la cuantía) 사물(事物)관할
- ~ originaria 제 1심 관할, 일반 관할
- ~ por territorio 영역 관할
- ~ principal (M) 일반 관할
- ~ territorial 영역 관할

competente ⓗ 적임의; 자격이 있는; 관할권이 있는; 합법적인; 주무(主務)의

competer 해당하다, 담당이다

compilación (법전 등의) 편찬

Compilación del Derecho foral de Aragón 아라곤주(州) 특별법 법전

compilador 편집자, 편찬자; ㉠ 편집·편찬하는

compleción del pago 완제(完濟)

cómplice (공동행위자·방조자·교사자를 포괄하여) 공범자
~ encubridor 사후 공범자
~ instigador 사전 공범자

complicidad 공범

complot 공모(共謀), 음모(陰謀), 모의(謀議)
~ para represión de comercio 상품거래제한을 목적으로 한 음모

complotados 공모자들, 음모자들

complotarse 음모를 꾸미다, 공모하다

componedor 중재인, 조정위원

componenda 화해, 타협; 중재, 조정

componentes de una comisión 위원회 구성원들

componer 조직·구성하다; 화해·타협하다; 중재·조정하다; 수선하다

componible ㉠ 화해·조정할 수 있는

compos mentis 건강한 마음

composición 구성, 조직; 작문; 작곡; 화해, 조정
~ procesal 재판외(裁判外) 화해

compostura 수선(修繕); 화해, 조정

comprador 구매자, 매주(買主), 매수인(買受人)
~ de buena fe 선의의 구매자
~ de chueco (M) 장물 취득자, 장물아비
~ inocente 선의의 매수인(買受人)

comprar 사다, 구매하다, 매입하다

compraventa 매매(賣買)
~ a crédito 외상매매
~ civil 매매, 민사매매
~ con precio aplazado 외상매매
~ de estancia 현장매매
~ efectiva 현실매매, 즉시 매매
~ en efectivo 현금매매
~ mercantil 상사매매(商事賣買)
~ perfeccional en el lugar de firma del contrato 현장매매
~ real 현실매매, 즉시 매매

comprobación 확인, 대조, 증명
~ de la deuda 채무 증명

comprobante 인수증, 영수증, 증빙(서)

~ de adeudo 채무행위의 증거
~ de venta 매도 증서

comprobar 확인하다, 조회·대조·증명하다

comprobatorio ⓗ 입증하는, 증거가 되는

comprometedor ⓗ 위태롭게 하는, 죄를 씌우는

comprometer 중재를 위촉하다; 위태롭게 하다; 의무·책임을 지우다

comprometerse 중재를 위촉하다; 위태롭게 하다; 의무·책임을 지우다; 약속하다

compromisario 조정인(調停人)

compromiso 중재 위임; 타협, 협정; 약속
~ arbitral 중재 합의; 중재 판정
~ colateral 부수적 약속
~ eventual 우발 채무

compromisorio ⓗ 중재와 관련된; 타협·절충하는

compromitentes 중재 당사자들

compuesto 합성물

compulsa 정본(正本)(copia auténtica)

compulsa 대조 확인(cotejo)

compulsar 대조 확인하다; 등본을 만들다

compulsión 강제, 강박

compulsivo (M) 영장; ⓗ 강제의, 강박적인

compulsorio 법원의 문서 복사 명령

compurgador 면책 선서자, 피고측 증인

común ⓗ 공동의

comunero 공동소유자(condueño); 공유토지 소유권자

comunicación 통지(notificación), 송달
~ administrativa entre órganos de igual clase 이첩(移牒)
~ privilegiada o de confianza 면책적 의사전달

comunicado 성명서, 공식 성명

comunicar 전달하다, 통보하다, 알리다

comunicarse 통신하다, 교신하다, 서로 의사를 통하다, 상담하다

comunidad 공동체, 협동체
~ convenida 전통적 공동체
~ de bienes (germánica) 총유(總有)
~ de bienes (romana) 공유(共有), 공유 재산제

~ de interés 이익 공동체
~ de propietarios 소유주 조합
~ de propietarios con personalidad jurídica 소유주 조합 법인
~ germánica 총유(總有)
~ hereditaria 공동 상속(copropiedad hereditaria)
~ legal 법조계
~ romana 공유(共有)

Comunidad
~ Autónoma 주(州), 자치주 (스페인)
~ Económica Europea(CEE) 유럽경제공동체
~ Europea 유럽공동체
~ Europea de la Energía Atómica(EURATOM) 유럽원자력공동체
~ Europea del Carbón y del Acero(CECA) 유럽석탄철강공동체

comuníquese 공포(公布)함

comunismo 공산주의

conato 미수범(未遂犯)

concedente 양도인(讓渡人)

conceder 양도하다; 주다; 허용하다; 동의하다
~ una comisión 수수료를 지급하다
~ crédito 신용을 제공하다, 신용대부하다
~ franquicia postal 요금별납 우편물로 허가하다
~ interés 이자를 지급하다
~ una patente 특허를 주다
~ plazos 지급기한・지불기간을 주다
~ un préstamo 대부・대여하다

concejal 시의회 의원

concejo 시의회

concentración 집중
~ de empresas 기업 합동・합병
~ de las actuaciones en una única vista oral [형] 집중 심리(審理)
~ horizontal 수평적 통합
~ industrial 기업 연합, 기업 합동
~ vertical 수직적 통합

concepción 개념; 착상; 임신, 수태

concepto jurídico 법적 개념
~ indeterminado [행] 불확정개념

concertar, concertarse 맞추다, 조정하다; 상담을 매듭짓다
~ un contrato 계약을 맺다・체결하다
~ un préstamo 차관을 협정하다, 대부 계약하다

concesible ⓗ 양도할 수 있는; 조차할 수 있는

concesión 부여(附與)(otorgamiento), 양도, 양여; (사용) 허가, 면허; 개발권, 채굴권
~ administrativa 이권(利權)
~ administrativa para el aprovechamiento de aguas públicas 수리권(水利權)
~ administrativa para la pesca en aguas públicas 어업권 (derecho de pesca en aguas públicas)
~ minera 채광권, 광업권(concesión administrativa para explotar una mina)
~ de crédito 신용대부
~ del suplicatorio (면책특권 소지자에 대한) 국회의 체포 허락
~ social 회사특권, 특허장

conciencia de la antijuridicidad 위법성의 의식, 위법의 인식

conciliación 화해; 조정
~ en el ámbito de familia 가사조정(家事調停)
~ en materia de divorcio 부부 화해
~ obligatoria en el ámbito laboral 강제적 노동쟁의조정
~ previa al divorcio contencioso en sede judicial 이혼 조정
~ voluntaria en ámbito laboral 임의적 노동쟁의조정

concesionar (M) 이권(개발권 · 채굴권 등)을 주다

concesionario (이권 등의) 양수인(讓受人)
~ de la patente 특허권 소유자
~ único o exclusivo 독점적 권리 소유자

concesivo ⓗ 양여(讓與)의, 양보의

conciencia 양심; 의식; (Col) 정의, 형평
~ limpia, de, (청렴)결백하게

concierto 일치, 조화
~ de voluntades 의견의 합치

conciliación 화해, 타협; 협의; 조정(調停)

conciliador 치안판사(juez de paz); 조정주임판사(juez ~)

conciliador de familia 가사조정위원(시민); 가사심판관(판사)

conciliativo ⓗ 화해시키는, 유화적인, 조정적인

conclusión 종결; 결정; 결론; (법원의) 사실인정
~ provisoria 잠정적인 결론

conclusiones
~ de derecho 법적 쟁점에 대한 재판장의 결정
~ de hecho 사실관계의 확정, 사실의 판정
~ definitivas (trámite del juicio oral penal) (형사재판의) 최종절차
~ definitivas e informe final de la acusación 논고(論告)
~ provisionales (형사재판의) 모두진술(冒頭陳述)

conclusivo ⓗ 최후의, 최종의; 종국(終局)의, 끝맺는

concluyente ⓗ 결정적인, 확실한

concomitante ⓗ 동반되는, 부수적인

concordancia 일치(一致)

concordar 일치시키다

concordatario (파산) 채권자들과의 합의에 관련된

concordato 정교(政敎)조약, 종교 협약; 지급불능자와 채권자들 간의 합의
~ preventivo (A) 파산을 피하기 위한 채권자들과의 합의

concubina 내연의 처(妻)

concubinario 첩·정부(情婦)를 가진 사람; ⓗ 내연관계의

concubinato 내연(內緣)관계

concubinos 내연관계에 있는 남녀

concúbito 성교(性交)

conculcador 위반자, 침해자

conculcar 위반하다, 침해하다

concurrencia 경쟁; 조력, 돌봄; 동시 발생, 병발; 맞부딪침
~ de acciones 공동 소송, 연합 소송
~ de normas (M) 법적 원칙들의 맞부딪침
~ desleal 부당 경쟁

concurrente 참가자; 경쟁자; ⓗ 겸임의; 같은 의견의; 서로 겹친

concurrir 모이다; 마주치다, 동시에 일어나다; 경쟁에 참가하다
~ a una licitación 경쟁 입찰에 참가하다
~ una reunión 회의에 모이다

concursado 파산자

concursal ⓗ 파산의

concursante (회의) 참석자; (경쟁) 참가자; 입찰자

concursar 파산 선고를 하다; (경쟁에) 참가하다

concurso 경쟁; 회의; 파산절차; 경쟁 입찰; 조력, 협력
~ civil (A) 개인의 파산절차
~ comercial (A) 회사의 파산절차
~ de acreedores 채권자집회(債權者集會)
~ de competencia o de precios 경쟁 입찰
~ de delitos 경합죄, 경합범
~ de derechos 권리 충돌; 법률 충돌
~ de leyes [형] 법조경합(法條競合)
~ ideal de delitos 상상적 경합
~ necesario 비자발적 파산, 강제 해산
~ real de delitos 병합죄, 실재적 경합
~ voluntario o preventivo 자발적 파산, 자발적 해산

~ y consentimiento (PR) 조언과 동의

concurso-oposición (Col) 채용 경쟁시험

concusión 부당(不當)징수(exacción arbitraria)

concusionario 부당징수자

condado 군(郡)(*county*)

condena [형] 유죄 판결; [민] 급부(給付) 판결
~ acumulativa 누적 선고
~ con reserva (M) 권리유보 병과(竝科) 선고
~ condicional 집행유예
~ de futuro 집행유예; 장래(將來) 급부
~ en costas 비용지불 명령
~ judicial 유죄 판결
~ perpetua o vitalicia 종신형

condenación 비난; 처벌, 판결, 선고

condenado 죄수, 수형자(受刑者), 기결수; ㊔ 유죄를 선고받은

condenar 비난하다; 처벌하다, 판결하다
~ en corte 유죄를 선고하다
~ en costas 비용을 할당·부과하다

condenatorio ㊔ 비난의; 처벌의, 유죄 선고의

condición 조건
~ afirmativa 긍정 조건
~ callada 묵시 조건
~ casual 우발 조건
~ compatible 일치 조건
~ constitutiva 근본 조건
~ copulativa 결합 조건
~ cumplida 기성(旣成) 조건
~ de derecho 언외(言外) 조건; 법률 조건
~ de hecho 명시 조건; 사실 조건
~ dependiente 종속 조건
~ disyuntiva 분리 조건
~ expresa o precisa 명시 조건
~ extintiva 소멸 조건
~ ilegal o ilícita 불법 조건
~ implícita 묵시 조건
~ imposible 불능 조건
~ imposible de derecho 법적으로 불가능한 조건
~ imposible de hecho 물리적으로 불가능한 조건
~ incompatible 모순 조건
~ independiente 독립 조건
~ indispensable 불가결 조건, 필수적 제약
~ legal 적법 조건

~ mixta 혼합 조건
~ mutua 상호 조건
~ negativa 제한 조건
~ posible 가능 조건
~ potestativa 수의(隨意) 조건
~ precedente o previa 선행 조건
~ resolutoria o resolutiva 해제(解除) 조건
~ resolutoria imposible 불능의 해제 조건
~ restrictiva 제한 조건
~ retroactiva 소급 조건
~ subsecuente 후행 조건
~ supuesta 묵시 조건
~ suspensiva 정지(停止) 조건
~ suspensiva imposible 불능의 정지 조건
~ tácita 묵시 조건
~ única 단일 조건

condiciones 조건
~ concurrentes 동시이행 조건
~ de pago o de venta 판매 조건
~ de perseguibilidad en el proceso penal 소송 조건
~ laborales 노동 조건
~ objetivas de punibilidad 객관적 처벌 조건
~ previas de oponibilidad, requisitos para que un derecho concreto resulte oponible frente a terceros (통지・최고・등기 등의) 대항 요건
~ que han de concurrir para poder declarar la responsabilidad criminal 책임 조건

condicionado (Sp) 조건; ⓗ 조건부의; 조건에 맞춘

condicional 조건, 자격; ⓗ 조건부의; 불확정의, 우발적인

condicionar 조건을 붙이다, 한정하다

conditio 조건

conditio sine qua non 불가결조건, 필수적 제약

condominio 공유(共有); (Am) 공동주택, 아파트; (Ec) (아파트) 관리비

condonación (채무의) 면제
~ expresa 명시적 면제
~ parcial 일부 면제
~ tácita 묵시적 면제

condonar (채무를) 면제하다

conducente ⓗ 관련된

conducta 행위, 품행
~ indebida 부정행위, 직권남용, 부당한 조처, 방만한 관리
~ injuriosa o vejatoria 학대

condueño 공동소유자

conexidad 견련성(牽連性)

confabulación 결탁
 ~ para restringir el comercio 상품거래제한을 위한 음모

confabularse 공모(共謀)하다, 음모에 가담하다

confederación 연맹, 연방
 ~ de sindicatos 노조 연맹
 ~ patronal 고용주 협회

Confederación Nacional de Organizaciones Empresariales 전국경영단체연합회

conferencia 회의
 ~ en la cumbre 정상회담

conferenciar 의논·협의하다, 조언을 구하다; 회견을 갖다

conferir 의논·협의하다, 조언을 구하다; 부여하다
 ~ poderes 권력을 주다

confesante 고백자, 자백자; ㉾ 고백의

confesar 고백·자백하다; 고해하다
 ~ de plano 깨끗이 자백하다

confesión 자백(自白)(reconocimiento de los hechos)
 ~ calificada 조건부 자백
 ~ de la deuda 채무 자백
 ~ dividua 분리 가능한 자백
 ~ en juicio 재판상의 자백
 ~ en pleno tribunal 재판상의 자백
 ~ espontánea 임의 자백
 ~ expresa 명시적 자백
 ~ extrajudicial 재판외 자백
 ~ ficta (A) 묵시적 자백
 ~ implícita o tácita 묵시적 자백
 ~ individua 분리 불가한 자백
 ~ involuntaria o provocada 강요에 의한 자백
 ~ judicial 당사자 심문(interrogatorio de parte)
 ~ simple 정직한 자백; (종교) 단순한 고백
 ~ voluntaria y espontánea de un delito 자수
 ~ voluntaria y espontánea de un delito privado (친고죄에서 범인이 피해자에게 자기의 범죄사실을 고백하는) 자복(自服)
 ~ y anulación 승인 및 이의(異議)

confesional ㉾ (M) 자백·고백에 관련된

confeso 자백자, 고백자

confiable ㉾ 믿을 수 있는, 신용할 수 있는

confiador 연대 보증인

confiar 위탁 · 위임하다

confiarse 신뢰하다

confidencial ⓗ 내밀한, 기밀의; 친전(親展)(겉봉에 씀)

confinado 죄수, 복역수(服役囚)

confinamiento 감금

confirmación 확인, 추인(追認)
~ de un fallecimiento 검안(檢案)
~ de sentencia 선고 확인

confirmar 확인하다

confirmatorio, confirmativo ⓗ 확인하는

confiscable 몰수 · 압수할 수 있는

confiscación 압수; [행] 몰취(沒取)

confiscador ⓗ 몰수 · 압수하는

confiscar 몰수 · 압수하다

confiscatorio ⓗ (M) 몰수 · 압수의

conflicto 쟁의; 충돌, 대립
~ colectivo (laboral) 노동쟁의
~ de competencia 권한쟁의
~ de derechos 권리 충돌; 법률 충돌
~ de evidencia 증거 충돌
~ de intereses 이해 갈등, 이해 충돌
~ de jurisdicción o jurisdiccional o de competencia 관할쟁의
~ de leyes 법률 충돌

conformarse 일치 · 합치 · 순응하다

conforme 동의 · 인가; ⓗ 같은 의견의, 일치한; ⓗ 따라
~ a derecho 법에 따라

conformidad 동의, 시인(是認), 승낙; 일치, 합치
~ del acusado con los hechos que se le imputan 유죄의 답변

confrontación 대조, 대질, 대면

confrontar 대조하다, 대질 · 대면시키다

confusión (물권 · 채권 · 채무의 소멸원인이 되는) 혼동(混同)
~ de bienes (소유주가 다른) 물품의 혼합
~ de derechos 권리의 혼동
~ de deudas 채무의 혼동

confutación 반론, 반박, 반증(물건)

confutar 반론 · 반박 · 반증하다

congresista (Col) 의원, 국회의원; (학술 · 경제 등의) 대회 참석자

congreso 국회; 의사당; 국제회의, (학술 · 경제 등의) 대회

Congreso de los Diputados 하원, 중의원(衆議院)

congruencia 적합성, 일치점

conjetura 추측, 추정; (M) 상황증거

conjuez (Ec) 공동 판정인; (US) 연방 대법관

conjunción (A) 부가(附加)

conjunto 전체; (M) 공동 소유자, 상속인, 수탁자, 양수인, 관재인; ㉕ 공동의; 연결된

conjura 공모, 음모

conjuración 공모, 음모

conjurador 공모자, 음모자

conjuramentar 선서시키다

conjuramentarse 선서하다

conjurar 공모하다, 음모를 꾸미다

conminación 위협; 경고; (M) 판결

conminar 위협하다; 경고하다

conminatorio ㉕ 협박하는, 공갈조의

conmixtión 혼화(混和)

conmoción civil 시민소요, 민요(民擾), 내란, 폭동

conmoriencia 동시 사망

conmutación 교환, 상계, 대체; (형벌의) 감면, 감형
- ~ de la pena 감형
- ~ impositiva 세금 감면

conmutar 교환 · 대체하다; 감면 · 감형하다

conmutativo ㉕ 교환 가능한

connivencia 결탁

conocedor 정통한 사람, 전문가; ㉕ 정통한, 전문가의

conocer (체험적으로) 알다
- ~ de 다루다, 심리하다
- ~ de la apelación 항소 사건을 심리하다
- ~ de una causa 기소된 사건을 심리하다
- ~ de instrucción (Col) 기소된 사건을 심리하다
- ~ de nuevo 재심리하다
- ~ en arbitraje 중재하다

conocible ⓗ 심리되어야 할, 재판에 회부할 수 있는

conocimiento 지식; 통지; 심리; 증표, 송장; 선하증권
~ a la orden 지시식 선하증권
~ al portador 교부성(交付性) 선하증권
~ acumulativo (M) 경합 재판관할
~ con observaciones 사고부(事故附) 선하증권
~ de almacén 창고증권; (GB) 부두 창고증권
~ de carga o de embarque 선하증권
~ de causa 사실 심리
~ de favor 융통 선하증권
~ judicial 법원의 당연한 확지(確知)
~ limpio o sin tacho 무사고(無事故) 선하증권
~ nominativo o no traspasable 기명식 선하증권
~ original o de primera mano 원본 선하증권
~ personal 직접적인 지식
~ primordial (M) 원본 선하증권
~ real 실제 지식
~ sucio o tachado 사고부(事故附) 선하증권
~ y creencia 지식과 믿음

consanguíneo ⓗ 혈연의, 혈족의

consanguinidad 혈족, 동일 혈족
~ colateral 방계 혈족
~ lineal 직계 혈족

consecuencial ⓗ (U) 결과의; 당연한

consecuente ⓗ 결과의; 당연한

consejero 고문, 이사, 심의회원, 보좌관, (대사관의) 참사관
~ delegado 대표이사
~ inferior 하급 법정 변호사
~ jurídico o legal 법률 고문

consejeros directores 이사회

consejo 중역회의, 이사회, 심의회, 평의회
~ administrativo o de administración 이사회
~ consultivo 자문위원회
~ de conciliación 중재위원회
~ de dirección (C) 이사회
~ de familia 친족회의
~ de guerra 군법회의
~ de inspección (CA) 주주의 이익관리위원회
~ de ministros o de gabinete 국무회의, 내각회의
~ de vigilancia (회사) 주주의 이익관리위원회
~ ejecutivo 최고집행위원회, 경영위원회
~ jurídico o legal 법률자문위원회
~ y aprobación 조언과 동의(조약 체결・대사 임명 시 상원이 대통령에게 주는)

Consejo
~ de Administración Fiduciaria de Naciones Unidas 신탁통치이사회
~ de Estado 국가평의회
~ de Europa 유럽심의회
~ de la Unión Europea 유럽연합이사회
~ de Ministros 내각, 국무회의
~ de Seguridad de las Naciones Unidas 국제연합 안전보장이사회
~ Europeo 유럽이사회
~ General de la Abogacía 변호사연합회
~ General del Poder Judicial 전국사법평의회

consenciente ⓗ 동의하는, 찬성하는

consenso 의견 일치, 합의

consensual ⓗ 합의에 의한, 합의상의

consensus facit legem 합의는 법을 만든다

consentido (M) 상소 없이 받아들여진 판결

consentimiento 승낙(aceptación); 동의(anuencia); 승인(aprobación)
~ del ofendido (피해자가 너그러이 용서하는) 유서(宥恕)
~ escrito 서면(에 의한) 승낙
~ expreso 명시적 승낙
~ informado (의료행위 전) 제공된 정보에 근거한 동의
~ implícito o tácito 암묵적 승인

consentir 동의하다; 승낙・승인하다
~ la sentencia 판결을 받아들이다

conservador 보수주의자; 보존자; ⓗ 보수적인

conservadurismo 보수주의(保守主義)

consideración 고려(考慮), 숙고, 숙려(熟慮)

considerando 판결이유; 입법취지, 제정취지

consignación 공탁
~ de pagos o en pago 변제 공탁
~ en metálico 공탁금
~ judicial 법원 공탁

consignador 위탁인, 하주(荷主)

consignar (상품을) 위탁하다, 탁송하다; (수하물을) 맡기다; (예산에) 계상하다; (자금을)배정하다; (M, CA) (재판을 하기 위해 피의자를) 재구속하다
~ en corte 법원 공탁

consignatario 수탁인, 수취인

consiliario 고문, 상담역

consocio 조합원, 공동 경영자

consolidable ⓗ 자금조달이 될 수 있는

consolidación 강화; 합병, 정리; 자금 제공, 융자
~ de compañías múltiples 멀티컴퍼니의 기업합병
~ de deudas 부채 정리
~ de fincas 토지 합병
~ horizontal 수평적 통합
~ vertical 수직적 통합

consolidar 강화하다; 정리 통합하다; (부채를) 정리하다

consorciado ⓗ (Sp) (기업이) 연합된, 합동의

consorcial ⓗ (기업이) 연합된, 합동의

consorcio 컨소시엄, 기업연합, 기업합동, 조합; (국제)차관단
~ bancario 은행 신디케이트
~ de reaseguro 재보험 풀

consortes 배우자; (M) 공동 소송 당사자

conspiración (범죄의) 공모, 공동모의, 음모

conspirador (범죄의) 공모자

conspirar 공모(共謀)하다; 합동하다

constancia 기록, 증거; 증명서 (예: Se deja constancia que ~ 어떤 사실을 확인함)
~ de deuda 채무 증명
~ escrita 증서
~ notarial 공증문서

constancias 기록; 증거
~ judiciales 재판 기록

constar 분명하다; 명기(明記)하다
~ que, hacer, 이에 증명한다

constatación de los hechos 사실인정

constatar 확인・확증하다

conste por el presente documento 이 문서로 명기하라

constitución 설립, 설정(fundación, creación); 헌법; 정관
~ consuetudinaria 불문(不文) 헌법
~ de asistencia 보조(補助) 개시
~ de curatela 보좌(補佐) 개시
~ de hipoteca 저당권 설정
~ de prenda 입질(入質)
~ de tutela 후견(後見) 개시
~ de una empresa o sociedad 창립
~ de una sociedad mercantil 회사 설립

Constitución (근본규범으로서의) 헌법

~ escrita 성문(成文) 헌법
~ Europea (~ de la Unión Europea) 유럽연합 헌장
~ flexible 연성(軟性) 헌법
~ no escrita 불문(不文) 헌법
~ paccionada 협약 헌법
~ rígida 경성(硬性) 헌법

constitucional ⓗ 합헌의; 헌법의

constitucionalidad 합헌성

constitucionalismo 입헌주의

constituir 형성·구성하다; 설정·제정하다; 설립하다
~ quórum 성원을 이루다, 정족수를 채우다
~ una sociedad 회사를 창립하다

constituirse fiador 보증인이 되다

constitutivo ⓗ 구성하는, 본질의

constitutum possessorium 점유(占有) 개정(改正)

constituyente 설립자; 제헌의회 의원

consuetudinario ⓗ 관습(상)의

cónsul 영사
~ general 총영사

consulado 영사관
~ general 총영사관

consulaje (C) 영사 사증료

consulta 상담, 협의, 자문
~ y consentimiento 조언과 동의(조약 체결·대사 임명 때 상원이 대통령에게 주는)
~ popular 국민투표

consultar 상담하다; 자문하다; 진찰을 받다; 검색하다

consultivo ⓗ 자문의

consultor 고문, 컨설턴트
~ jurídico 법률 고문

consultoría 컨설팅

consultorio 상담소; 진료소

consumación 기수(旣遂)

consumación (del matrimonio) (부부의 첫) 동침

consumidor 소비자

consumo 소비

consumos (Sp) 시(市) 소비세

contabilidad 회계
~ empresarial 기업회계
~ fiscal 정부회계

contable 회계사; 회계 담당(tenedor de libros)

contador 회계사, 계리사; 회계 담당, 출납계원
~ autorizado o diplomado o titulado 공인 회계사
~ judicial 회계감사관; 법원이 지명한 감사
~ juramentado (Col) 공인 회계사
~ partidor 재산 분배인
~ perito 유능한 회계사
~ público autorizado (C.P.A.) 공인 회계사(*C.P.A.*)

contaduría 회계과, 경리부; 회계감사실; 부기(簿記)

contención 분쟁; (A) 소송

contencioso ⑱ 논쟁 중의; 계쟁(係爭)의

contencioso-administrativo ⑱ 행정소송의

contendedor 반대자, 논쟁자, 경쟁자, 이의신청자

contender 다투다, 겨루다, 논쟁하다; 제소하다, 소송하다

contendor 반대자, 적대자

contenta 선물, 식사대접; 이서(裏書), 배서(背書)

contestabilidad 경쟁 가능성, 경합성

contestable ⑱ 논쟁의 여지가 있는; 회부해야 할

contestación 대답, 응답; 반론, 항의
~ a la demanda 응소(應訴), 답변서
~ a una excepción procesal 재항변(再抗辯)
~ judicial 소송

contestar 답하다, 응하다; 반론하다, 다투다
~ a la demanda 응소(應訴)하다
~ en juicio 응소(應訴)하다

conteste 다른 사람과 같은 말을 하는 증인

contexto 문맥, 전후 관계; 상황, 사정; 경위, 배경

contextual ⑱ 문맥상, 전후 관계상

contienda 다툼
~ judicial 소송

continencia 절제
~ de la causa 소송의 통일성과 일관성

contingencia 우연, 우발 사건, 부수적인 사건

contingente ㊖ 우연의, 우발의, 부수적인

continuación del procedimiento (중단된 민사소송의) 수계(受繼)

contra legem 법률에 반(反)하여

contra tabulas 등기부에 반(反)하여

contra el orden público 공공질서에 반(反)하여

contra la preponderancia de la prueba 중요한 증거들에 상치되는

contraapelación 교차 항소

contraapelar 교차 항소하다

contrabandear 밀수입·밀수출하다

contrabandista 밀수업자

contrabando 밀수입, 밀수출, 밀매매, 밀조(密造)

contrabando de guerra 전시 금제품(禁制品)

contracambio 재(再)교환; 역(逆)환어음

contractual ㊖ 계약의, 계약에 의한

contradeclaración 반대 성명, 반대 선언

contrademanda 반소(反訴); 교차 수요(需要)

contrademandante 반소 제기자

contrademandar 반소하다

contradununcia 반소, 맞고소, 역(逆)고소

contradicción 저촉, 모순, 충돌

contradictorio ㊖ 모순된; 반박의, 항변의

contradocumento, contraescritura 앞의 문서를 취소하는 문서

contraendosar 환어음을 이서인에게 되돌리다

contraer (약속을) 하다, 맺다; (빚을) 지다
 ~ deudas 빚을 지다
 ~ matrimonio 결혼하다
 ~ una obligación 채무계약을 맺다

contraespionaje 대항적 스파이 활동, 방첩

contraevidente (Col) 중요한 증거들에 상치되는

contrafiado 피(被)보증인, 피배상자

contrafiador 보증인, 배상자

contrafianza (보증인을 위한) 손실보상 증서

contrafuero 위법, 범법

contragarantía 맞보증

contragiro 역(逆)환어음

contrahacer 위조하다

contrahecho ⓗ 위조의, 가짜의

contrainterrogar 반대 신문하다

contrainterrogatorio 반대 신문

contraparte (소송상의) 상대방

contrapetición 반소(反訴), 맞고소

contraprestación 반대급부, 약인(約因), 대가(對價), 대상(代償); 맞고소, 부수적 반대항변; (M) 부채 상환 ; (CA) 차관 상환
~ insuficiente (M) 상당성(相當性)이 없는 · 균형이 맞지 않는 · 부적절한 약인

contraprobanza 반증; (인쇄) 카운터프루프

contraprobar (Col) 반박하다; 이의를 제기하다

contraproposición, contrapropuesta 반대 제안, 역제안, 역청약

contraprotesto 지급 거절된 어음의 2차 지급거절

contraprueba 반증, 반대되는 증거; [인쇄] 카운터프루프

contrapuntear 논쟁하다; 반론하다

contrapunto (Col) 논쟁, 불일치

contraquerella 반소(反訴), 맞고소; 반대 소장(訴狀)

contrariar 반대하다; 침해하다; 부인(否認)하다

contrario 상대방; ⓗ 반대의, 역(逆)의
~ a la prueba 중요한 증거들에 상치되는

contrarreclamación 반소, 맞고소; 상계(相計) 청구

contrarréplica 재답변, 반론에 대한 대답

contrarrestar 차감 계산을 하다; 반대하다

contrasellar 연판(連判)을 찍다

contrasello 연판(連判)

contrasentido 부당한 해석; 반대 의미

contrata 계약(서)
~ a la gruesa 선박 · 선화(船貨) 저당(抵當); 보험 대차 계약
~ de arriendo 임대차 계약

~ de fletamento 용선(傭船) 계약

contratable 양도·유통할 수 있는

contratación 체결
~ administrativa 행정계약(行政契約)
~ administrativa del Estado 국가(國家)계약
~ colectiva 단체 교섭
~ entre el administrador y la empresa a la que representa 자기거래(自己去來)
~ forzosa 계약강제(契約强制)
~ laboral 고용계약, 노동계약
~ laboral indefinida 종신고용
~ pública estatal 국가(國家)계약

contratante 계약 당사자; 계약자; 피계약자
~ comprador 매수인
~ vendedor 매도인

contratar 계약하다; 거래하다

contratiempo 뜻밖의 사고; 불행

contratista 청부인, 도급업자

contrato 계약; 계약서
~ a corretaje (건축) (M) 원(原)도급, 총(總)도급
~ a costo más honorario 실비·보수 가산식(實費報酬加算式) 계약
~ a la gruesa (선박) 모험대차(貸借) 증서
~ a precio global o a suma alzada 정액도급계약
~ a precios unitarios 단가도급계약
~ a título gratuito 무상(無償)계약
~ a título oneroso 유상(有償)계약
~ accesorio 부수적 계약
~ aleatorio 사행(射倖)약
~ administrativo 보상(報償)계약
~ administrativo público 행정계약
~ aleatorio o de azar 사행계약(射倖契約)
~ atípico o innominado 비전형계약(非典型契約), 무명계약(無名契約)
~ bilateral 쌍무계약(雙務契約)
~ colectivo de enganche 인력공급 계약
~ colectivo de trabajo 단체협약
~ condicional 조건부 계약
~ conjunto 합동계약
~ conmutativo 쌍무계약; 등가교환(等價交換) 계약
~ consensual 낙성계약(諾成契約)
~ crediticio 여신계약(與信契約)
~ de aceptación (은행) 인수(引受) 인도조건 계약
~ de adhesión 부합(附合)계약, 부종계약(附從契約)
~ de administración 경영관리 계약; (건축) 실비(實費)정산 계약
~ de ajuste (A) 고용계약서

~ de aparcería 공동 경작(耕作) · 경영 계약
~ de apertura de crédito 신용개시 계약
~ de arrendamiento 임대차계약, 임대계약
~ de asociación 조합계약; 공동협력 계약
~ de avería a la gruesa 공동해손(共同海損) 계약서
~ de cambio 교환협약
~ de cambio marítimo (A) 모험대차계약
~ de capitalización → banco capitalizador
~ de comodato 사용대차
~ de compañía 조합계약; 법인설립계약서
~ de compraventa 매매계약
~ de compromiso 중재(仲裁)계약
~ de concesión administrativa 컨세션 계약
~ de conchabo (A) 고용계약서
~ de crédito 여신계약(與信契約)
~ de cuenta corriente 당좌거래계약
~ de depósito 임치(任置)계약
~ de depósito bancario 예금계약
~ de edición 출판계약
~ de embarque o de embarco 승선(乘船)계약
~ de empeño (금융) (M) 저당 계약
~ de enganche 고용계약; (Ch, Ec) 임시고용계약
~ de enrolamiento en un buque 승선(乘船)계약
~ de entrega y venta (PR) 유통 협정
~ de equipo (M) 근로협정
~ de espacio (광고) 광고 스페이스 계약
~ de fideicomiso 신탁증서
~ de fiducia (M) 신탁계약서
~ de fletamento (marítimo) 용선계약(傭船契約)
~ de fletamento a casco desnudo 정기(定期)용선계약
~ de feltamento parcial 일부(一部)용선계약
~ de fletamento por tiempo 기간(期間)용선계약
~ de fletamento por viaje 항해(航海)용선계약
~ de fletamento total 전부(全部)용선계약
~ de juego 도박(賭博)계약
~ de locación 임대차계약
~ de locación de obra (A) 공사(工事)계약
~ de locación de servicios 서비스계약
~ de mandato 위임계약
~ de mutuo 소비대차
~ de obra 제작물공급계약, 제조물공급계약
~ de organización (Sp) 법인설립계약서
~ de palabra 구두계약
~ de prenda 동산저당계약
~ de prestación de servicios 노무(勞務)공급계약
~ de prostitución 매춘(賣春)계약
~ de refacción 작물(作物)대출계약

~ de renta de retiro (보험) 종신연금계약
~ de renta vitalicia 종신정기금계약(終身定基金契約)
~ de retrovendendo 환매조건계약
~ de seguro 보험계약
~ de seguro en beneficio de tercero 타인을 위한 보험계약
~ de sociedad 조합(組合)계약
~ de tarea 과제(課題)계약
~ de trabajo o de empleo 고용계약
~ de transporte 운송계약
~ de transporte combinado de mercancías 복합운송계약
~ de transporte de mercancías 물품운송계약
~ de transporte de personas 여객운송계약
~ de transporte marítimo de mercancías 개품(個品)운송계약
~ de transporte multimodal de mercancías 복합운송계약
~ de venta condicional 조건부판매계약
~ de vitalicio 종신정기금계약(終身定基金契約)
~ divisible 분할(分割)계약
~ en beneficio de tercero 제삼자를 위한 계약
~ escrito 문서계약, 서면계약
~ expreso 명시(明示)계약
~ fiduciario 신탁증서
~ fingido o falso 공모(共謀)허위거래
~ gratuito 무상계약(無償契約)
~ implícito o sobrentendido 묵시(默示)계약, 의제(擬制)계약
~ individual de trabajo 개별고용계약
~ indivisible 전체계약
~ informal o simple 구두(口頭)계약
~ innominado 무명(無名)계약
~ justo de fletamento (항해) 하자 없는 용선계약
~ laboral 노동계약
~ laboral de duración determinada 기간제 노동계약
~ laboral de duración indefinida 기간을 정하지 않은 노동계약
~ leonino 일방이 불리한 계약
~ matrimonial 결혼약정서; 결혼계약
~ mercantil 상사(商事)계약
~ mixto 혼합계약
~ mutual (A) 소비대차
~ nominado (A) 법률상 계약
~ normativo 표준계약서 양식
~ notarizado 공증인 입회 계약
~ oneroso 유상계약(有償契約)
~ oral 구두계약
~ partible 분할계약
~ perfecto 정식계약, 기록계약
~ pignoraticio 저당계약
~ presunto 의제계약, 묵시계약
~ principal 본계약(本契約)

~ privado 사적(私的) 계약
~ público adjudicado mediante concurso 경쟁계약
~ público adjudicado mediante concurso abierto 일반경쟁계약
~ público de libre adjudicación 수의계약(隨意契約)
~ público de licitación restringida 지명(指名)경쟁계약
~ real 요물(要物)계약
~ sin causa 무상계약, 대가(對價) 없는 계약
~ sinalagmático 쌍무계약
~ sindical (Col) 단체협약
~ social 조합계약; 법인설립계약서
~ solemne 정식(正式)계약
~ tácito 묵시(默示)계약
~ típico 전형(典刑)계약, 유명계약(有名契約)
~ tipo 부합(附合)계약, 부종계약(附從契約)
~ trilateral 삼면(三面)계약
~ unilateral 편무(片務)계약
~ verbal 구약(口約), 구두약속

contrato-ley (M) 법령으로 공인한 산별(産別)교섭; (Ch, Pe) 법률의 효력을 가지는 계약 (특히, 외국인 투자계약)

contratos privados de las administraciones públicas 관청계약

contratos privados del Estado 정부계약

contratos públicos del Estado 국가계약

contravalor (A, CA) 담보계약

contravención 위반, 저촉

contravenir 위배·위반하다, 저촉되다

contraventa 환매(還買)

contraventor 위반자, 침해자

contrayente 약혼자, 결혼자

contribución 분담금; 기부, 기부금; 조세(租稅)
~ de avería (해상보험) 해손(海損) 분담
~ de herencia 유산세
~ de mejoras 개량세
~ directa 직접세
~ electoral 인두세(人頭稅)
~ fiscal 연방정부세; 국세
~ indirecta 간접세
~ inmobiliaria o de inmuebles 부동산세
~ notarial 공증료
~ sobre beneficios extraoridinarios 초과이득세
~ sobre ingreso 소득세
~ sobre la propiedad 재산세

~ sobre transmisión de bienes　양도세
~ territorial　토지세
~ única　비(非)주기적 과세
~ urbana　지가세(地價稅)

contribuyente　납세자

control　관리, 통제
~ de cambios y divisas　외환관리
~ directo de los medios productivos por parte de los trabajadores　근로자에 의한 생산 수단 관리
~ jurisdiccional　사법적 통제

controversia　논쟁, 논전

controvertible　㊗ 문제가 되는, 의논의 여지가 있는

controvertir　논쟁하다

controvertista　논쟁자, 반대론자, 항의자

contubernio　공서(共棲), 내연(內緣)생활

contumacia　(법정에의) 결석, (소환에의) 불응, 법정 무시
~ en derecho consuetudinario　관습법 무시
~ indirecta　간접 불순종

contumacial　㊗ (법정) 결석의; (법정) 무시의

contumaz　㊗ (법정 소환에) 불응하는; (법정) 무시의 죄가 있는

convalecer　(Ec) 법적 효력을 회복하다

convalidación　확인, (다른 기관에서의 연구・업적의) 인정

convalidar　확인하다, (법적으로) 유효하게 하다, 인정하다

convencimiento (pleno)　심증, 확신

convencimiento indiciario　(보전처분의 근거가 되는) 소명(疏明)

convención　협의(convenio, acuerdo); 조약, 국제조약
~ colectiva de industria　(CA) 법령으로 공인한 산별교섭
~ constituyente　헌법제정회의
~ de trabajo　노동협약

Convención
~ contra la tortura　고문(拷問)금지 조약
~ contra la tortura y otros tratos o penas crueles, inhumanos o degradantes　고문 또는 잔혹하고 비인도적이며 모욕적인 취급 및 형벌에 관한 조약
~ de La Haya relativa a las leyes y usos de la guerra terrestre　육전(陸戰)의 법규관례에 관한 헤이그 조약
~ de las Naciones Unidas sobre el Transporte Multimodal Internacional de Mercancías　국제복합운송조약, 물품의 국제복합운송에 관한 국제연합조약
~ del Patrimonio Mundial　세계문화유산 조약

~ de Viena sobre Derecho de los Tratados 비엔나 조약법 조약, 조약법에 관한 비 엔나 조약
~ Europea de Derechos del Hombre 유럽인권 조약
~ Internacional contra la Toma de Rehenes 인질억류 방지에 관한 국제협약
~ Internacional sobre la Eliminación de todas las Formas de Discriminación Racial 인종차별철폐 조약
~ Marco de las Naciones Unidas sobre el Cambio Climático 기후변동에 관한 국제연합 기본조약(1992년 리오데자네이로 조약)
~ marco 기본조약
~ para el Arreglo Pacífico de los Conflictos Internacionales 국제분쟁 평화적 처리 조약
~ relativa a las leyes y usos de la guerra terrestre 육전(陸戰)의 법규관례에 관한 조약
~ sobre delitos cibernéticos 사이버범죄 조약
~ sobre el estatuto de los refugiados 난민 지위에 관한 조약
~ sobre el Mar Territorial y la Zona Contigua 영해 및 접속수역에 관한 조약
~ sobre la Alta Mar 공해(公海)에 관한 조약, 공해 조약
~ sobre la imprescriptibilidad de los crímenes de guerra y de lesa humanidad 전쟁 범죄와 반인도 범죄에 대한 공소시효 비적용에 관한 협약
~ sobre la plataforma continental 대륙붕에 관한 조약, 대륙붕 조약
~ sobre la prohibición del desarrollo, la producción, el almacenamiento y el uso de armas químicas y sobre su destrucción 화학병기(化學兵器)의 개발・생산・저장・사용의 금지 및 폐기에 관한 조약, 화학무기금지 조약
~ sobre los derechos del niño 아동의 권리에 관한 조약
~ sobre pesca y conservación de los recursos vivos del Alta Mar 어업 및 공해의 생물자원의 보존에 관한 조약
~ Universal de Ginebra sobre los derechos de autor 만국저작권조약
~es de Ginebra sobre Derecho del Mar 제네바 해양법 조약
~es de Naciones Unidads sobre Derecho del Mar de 1958 1958년 국제연합 해양법 조약

convencional ⓗ 협정의, 협약의; 관례에 의한, 상투적인

convencionarse (M) 동의하다

convencionista 회의 참석자; 면허・허가 소지자

convenido (M) 피고; ⓗ 합의된, 협정된

convenio 협약(acuerdo); 조약, 국제조약
~ afirmativo 적극적 계약・협약
~ colectivo (laboral) (노조와의) 단체협약
~ comercial 무역협정
~ concursal 파산 채권자들과의 합의
~ condicionado 조건부 합의
~ de comercio recíproco 상호 무역협정
~ de compensaciones (외환) 청산협정
~ de fideicomiso 신탁계약
~ de garantía 담보(擔保)조항

~ de trust de votar 의결권신탁 계약
~ escrito 서면(書面)계약
~ expreso 명시(明示)계약
~ implícito 묵시계약
~ patrón o maestro (노사관계) 기본계약서
~ personal 인적(人的) 계약
~ real 물적(物的) 계약
~ transitivo 계약자의 의무가 대리인에게 전이되는 계약
~ verbal 구두계약

Convenio
~ contra el genocidio 집단학살 금지 협약
~ de Basilea sobre el control de los movimientos transfronterizos de los desechos peligrosos y su eliminación 유해폐기물의 국경간 이동 통제에 관한 바젤 협약, 바젤 협약
~ de Berna para la protección de obras literarias y artísticas 문학 및 미술 저작물 보호에 관한 베른 협약, 베른 협약
~ de Bruselas sobre abordaje de buques 선박충돌에 관한 브뤼셀 협약
~ de La Haya sobre la eliminación del requisito de la legalización de documentos públicos extranjeros 외국공문서에 대한 인증의 요구를 폐지하는 협약
~ de las Naciones Unidas sobre privilegios e inmunidades 국제연합 특권 및 면제 조약
~ de Luxemburgo sobre la patente comunitaria 유럽공동체 특허 조약
~ de Munich sobre concesión de patentes europeas 유럽특허부여에 관한 조약, 유럽특허 조약
~ de Naciones Unidas sobre Transporte Marítimo de Mercancías, Reglas de Hamburgo 국제연합 해상물품운송 조약, 함부르크 조약
~ de Nueva York (sobre reconocimiento y ejecución de laudos arbitrales extranjeros) 외국중재판단의 승인 및 집행에 관한 뉴욕 조약, 뉴욕 조약
~ de París para la protección de la propiedad industrial 공업소유권의 보호에 관한 파리 조약, 파리조약
~ de Ramsar sobre la protección de los humedales de importancia internacional, Convención relativa a los humedales de importancia internacional especialmente como hábitats de aves acuáticas 물새 서식지로서 특히 국제적으로 중요한 습지에 관한 협약, 람사르 협약
~ de Roma 로마 조약(인권 및 기본적 자유의 보호에 관한 유럽 협약)
~ de Varsovia sobre transporte aéreo internacional 국제항공운송에 관한 바르샤바 조약
~ de Viena sobre relaciones consulares 비엔나 영사관계 조약
~ de Viena sobre relaciones diplomáticas 비엔나 외교관계 조약
~ Europeo de Derechos Humanos 유럽 인권 조약
~ Europeo para la Protección de los Derechos Humanos y Libertades Fundamentales 인권 및 기본적 자유의 보호에 관한 유럽 협약
~ internacional para la unificación de ciertas reglas en materia de abordaje 선박충돌 조약
~ internacional para la unificación de ciertas reglas en materia de conocimiento de embarque 선하증권 통일 조약

~ para la eliminación de todas las formas de discriminación contra la mujer 여성에 대한 모든 형태의 차별 철폐에 관한 협약
~ para la prevención y la sanción del delito de genocidio 집단학살죄의 방지와 처벌에 관한 협약
~ para la represión del apoderamiento ilícito de aeronaves para la represión de la piratería aérea 항공기의 불법 탈취 방지에 관한 조약
~ relativo a la libertad sindical y a la protección del derecho de sindicación 결사의 자유 및 단결권의 보호에 관한 조약
~ relativo a la notificación o traslado en el extranjero de documentos judiciales y extrajudiciales en materia civil o comercial 민사 또는 상사의 재판상 및 재 판외 문서의 해외송달 및 고지에 관한 협약
~ relativo al procedimiento civil 민사소송절차에 관한 조약
~ sobre arreglo de diferencias relativas a inversiones entre Estados y nacionales de otros Estados 투자분쟁해결 조약
~ sobre biodiversidad, Convenio sobre la diversidad biológica 생물다양성 협약, 생물 다양성에 관한 협약
~ sobre el comercio internacional de especies amenazadas de fauna y flora silvestre 멸종위기 야생 동식물의 국제 거래에 관한 협약
~ sobre la obtención de pruebas en el extranjero en materia civil o mercantil 민사 또는 상사의 해외 증거 수집에 관한 협약
~ sobre la prevención y el castigo de delitos contra personas internacionalmente protegidas, inclusive los agentes diplomáticos 외교관 등 국제적 보호인물에 대한 범죄의 예방 및 처벌에 관한 협약
~ sobre la Protección del Patrimonio Mundial Cultural y Natural 세계 문화유산 및 자연유산의 보호에 관한 협약
~ sobre reconocimiento y ejecución de laudos arbitrales extranjeros 외국 중재판단의 승인 및 집행에 관한 협약

convenio colectivo (laboral) 단체협약, 노동협약

convenio de realización de una quiebra 화의(和議)
~ forzoso de realización de una quiebra 강제 화의
~ voluntario de realización de una quiebra (extrajudicial) 사적(私的) 화의

convenir 의견이 일치되다; 회합하다; 어울리다, 적당하다

convenirse 일치하다; 협정하다

conversión 차환(借換), 상환(償還), 반환

convertible ⓐ 차환·상환·반환할 수 있는

convicción 심증(convencimiento pleno), 확신

convicto 기결수, 전과자

convincente 설득력·호소력이 있는

convivencia 동거
~ *more uxorio* 사실혼, 내연

convocación de acreedores 채권자 집회

convocar 소집하다, 소환하다
~ a licitación 입찰을 모집하다
~ de nuevo 재소집·재소환하다
~ una sesión 회의를 소집하다

convocatoria 호출, 소환(llamamiento)
~ de acreedores (A) 채권자 집회
~ para propuestas 입찰 모집

convocatoria a junta 소집

conyugal ⑱ 부부의

cónyuge 배우자
~ culpable 귀책(歸責) 배우자
~ supérstite o sobreviviente 생존(生存) 배우자

conyugicida 배우자 살해범

conyugicidio 배우자 살해

coobligado 공동 채무자, 연대 채무자

cooling-off 쿨링오프

cooperación 협조, 협력
~ administrativa (행정기관간의) 공조(共助)
~ judicial 사법 공조
~ judicial internacional 국제 사법 공조
~ penal 방조(幇助)
~ necesaria (penal) 필요적 공범

cooperativa 협동조합
~ agrícola 농업협동조합
~ de consumo 소비조합
~ de crédito 신용협동조합
~ de pescadores 수산업협동조합
~ de productores 생산자협동조합

cooperativista, cooperativo ⑱ 협동조합 사업과 관련된

copar 매점(買占)하다, 사재기하다; 독점하다

copia 사본; 등본, 초본
~ auténtica o autenticada 정본(正本)
~ autorizada (A) 정본
~ carbón 카본지로 만든 복사본; (e메일 발송시) 카본카피
~ certificada 정본, 공인 등본, 공식 문서
~ fiel 진본(眞本)
~ legalizada 정본
~ limpia 정서(淨書)
~ simple 부본(副本), 복본(複本)

copiacartas (M) 복사부(簿)

copiador de cartas o de correspondencia 복사부(簿)

coposeedor (Ec) 공동 소유자

coposesión 공동 소유, 공유(共有)

copresidente 공동 의장

copropiedad 공동소유
~ en mano común 합수(合手)적 공유, 합유
~ por cuotas indivisas con derecho de los condueños a exigir la división de la cosa común (comunidad romana) 공유(共有)

copropietario 공동소유자; 공유자(comunidad romana); 구분(區分)소유권자(propiedad horizontal)

cópula 교접(交接), 성교

copyright 판권(版權), 저작권, 복제권

coronación de un monarca 즉위(卽位)

corporación 조합, 단체; (Ch) 사단법인
~ afiliada 관계회사, 계열회사, 계열기업, 자회사
~ controlada o dominada 피(被)지배회사, 직계회사, 자회사
~ de empresas públicas 공공기업체(公共企業體)
~ de servicios públicos 공익법인, 공공사업회사
~ edilicia o municipal 지방공공단체, 지방자치단체
~ especulativa (PR) 영리(營利)기업
~ filial 종속회사, 자회사
~ no especulativa (PR) 비(非)영리단체
~ privada o propietaria 비공개기업, 사(私)기업
~ pública 공단(公團)
~ pública de adscripción forzosa 강제조합(强制組合)
~ subsidiaria 종속회사, 자회사
~es de derecho público 공공단체(公共團體)
~es regionales y locales de carácter especial 특별지방공공단체
~es regionales y locales de derecho público 지방공공단체

corporal ⑱ 유형(有形)의, 유체(有體)의; 육체의

corporativo ⑱ 조합의, 법인의, 단체의

corpóreo ⑱ 유형(有形)의, 유체(有體)의; 육체의

corpus delicti 죄체(罪體)

Corpus Iuris Civilis 로마법대전(大全)

corrección disciplinaria 징계조치

correccional ⑱ 교정(矯正)의, 바로 잡는; 징계의

correctivo ⓗ 교정의, 바로 잡는; (PR) 처벌; ⓗ 제재하는

corredor 중개인
~ conjunto 공동 중개인
~ de bolsa 주식중개인
~ de cambio 환 중개인
~ notario (C) 공증인
~ público 공증인

corregidor (옛날의) 원님, 시·읍·면장
~ de policía 시(市)경찰국장

corren en autos (공판)기록에 올라 있다

correo 우편
~ certificado 등기 우편
~ diplomático 외교 우편

correspondencia 서신, 통신문
~ certificada 등기 우편물
~ registrada (M) 등기 우편물

corretaje (중매인의) 수수료
~ notarial (C) 공증(료)

corroborar 확실히 하다, 확증하다, 보강하다

corroborativo ⓗ 확증하는

corromper 타락시키다; 매수하다

corrompido ⓗ 타락한, 부패한

corrupción 부패, 타락; 오직(汚職)

corruptela 부패, 타락; 오직(汚職)

corruptibilidad 부패성, 타락성; 매수 가능성

corruptible ⓗ 부패하기 쉬운; 매수할 수 있는

cortabolsas 소매치기

corte 법원, 재판소(tribunal)
~ de apelación 상소법원
~ de casación 파기(破棄)법원, 상소법원
~ de distrito 지방법원
~ de equidad 형평법 법원
~ de juicios ordinarios 민사법원
~ de justicia 사법(司法)재판소
~ de policía (경범죄를 다루는) 즉결심판소
~ de registro 기록법원
~ de sucesiones 유언(遺言)재판소
~ en lo civil 민사법원

~ municipal 시(市)법원, 지방법원
~ nocturna (즉결사건을 다루는) 야간법정
~ plena 대법정(大法廷)
~ superior 상급법원, 고등법원
~ suprema 최고법원, 대법원

Corte
~ Internacional de Justicia (Tribunal de La Haya) 국제사법재판소
~ Penal Internacional 국제형사재판소
~ Permanente de Arbitraje Internacional 국제상설(常設)중재재판소

Cortes 국회
~ constituyentes 헌법제정의회

cortesía internacional 국제예양(國際禮讓)

cosa 물(物)
~ de Dios 불가항력
~ cierta 확정물
~ común 공유물(共有物)
~ corporal 유체물(有體物)
~ de nadie 무주물(無主物)
~ depositada 기탁물(寄託物); 수기물(受寄物)
~ determinada 불대체물(不代替物); 특정물
~ divisible 가분물(可分物)
~ en posesión 유체(有體)동산
~ genérica (fungible) 대체물
~ genérica (indeterminada o inespecífica) 불특정물
~ indivisible 불가분물(不可分物)
~ inespecífica 불특정물
~ inmaterial o incorporal 무체물
~ juzgada (formal) 기판력(旣判力)
~ juzgada material 쟁점효(爭點效)
~ litigiosa 계쟁물, 소송물
~ oculta 매장물
~ oculta de interés cultural 매장문화재(埋藏文化財)
~ ocupada 습득물(bien mueble adquirido por ocupación)
~ poseída 점유물
~ principal 주물(主物)
~ pública 공물(公物)
~ susceptible de generar frutos naturales (como vaca lechera, árbol frutal, campo agrícola, etc.) 원물(元物)

cosas
~ accesorias 종물(從物)
~ inmuebles 부동산
~ muebles 동산

cosecha 수확; 수확물, 인공 경작물, 근로 과실(果實)

cosignatario 연서인, 공동 서명인

costas procesales 소송비용

costear 비용을 대다, 자금을 조달하다

costo 비용; 값, 대금
~ de adquisición 기초원가, 초기(初期)비용
~ de desplazamiento (M) 대체비용, 교체비용, 재(再)조달비용
~ de inversión 취득원가, 역사적 원가
~ de reproducción o de reposición 재(再)조달비용
~ histórico o incurrido 역사적 원가
~ inicial 기초원가, 초기비용
~ o mercado, el que sea más bajo 원가와 시가 중 저가주의(低價主義)
~ original o primitivo 취득원가, 역사적 원가
~ , seguro, flete, comisión e intereses 운임, 보험료, 수수료 및 이자 포함 가격
~ , seguro, flete, desembarcado, 운임, 보험료 및 양하비 포함 가격
~ , seguro, flete y cambio 운임, 보험료 및 환비용 포함 가격
~ , seguro y flete (CSF) 운임 보험료 포함 가격(*CIF*)
~ y riesgo propio 자기의 비용과 위험 부담으로

costumbre 관습
~ civil 민사(民事)관습
~ comercial 상(商)관습
~ *contra legem* 법률에 반하는 관습
~ , de, 관습적으로
~ de plaza 상(商)관습
~ internacional 국제관습
~ judicial 재판관습
~ local 지방관습
~ mercantil 상관습

costumbres
~ del comercio 상관습
~ generales 일반관습
~ particulares 특별관습

cotejo 조합(照合), 대조
~ de letras 필적 감정, 대조

cotitular 공유자, 공동소유자

cotización 시세, 시가; 분담금; 분담금의 지불

cotutela 공동후견

cotutor 공동후견인

coyote 투기꾼; 브로커; 파렴치한 중매인; 암표상

coyotear 투기하다; 사취(詐取)하다

credenciales 신임장

credibilidad (증언이나 자백의) 신빙성

crédito 신용(fiabilidad); 대변(貸邊) (↔ débito); 차금, 꾼 돈(préstamo); 채권 (↔ obligación)
~ a la orden 지시(指示)채권
~ a sola firma 무담보채권
~ comercial 상업신용
~ confirmado (은행) 확인된 신용장
~ de aceptación 인수조건부 신용장
~ de avío o de habilitación (M) 설비 및 제품 담보 대출
~ descubierto 당좌대월, 당좌차월
~ dinerario 금전채권
~ divisible 가분채권(可分債權)
~ documentario o documentado 신용장, 상업신용장
~ en cuenta corriente 당좌대월, 당좌차월
~ hipotecario 주택담보대출
~ ilíquido 미정산(未精算)채권
~ indivisible 불가분(不可分)채권
~ inembargable 차압금지채권
~ inespecífico 종류(種類)채권
~ irrevocable 철회불능·취소불능 신용장
~ libre 무조건 신용장, 무확인 신용장
~ líquido 정산(精算)채권
~ mancomunado 분할(分割)채권
~ mercantil 매상(賣上)채권
~ mobiliario 동산(動産)저당
~ no nominativo o innominado 무기명채권
~ nominativo 지명(指名)채권
~ pignoraticio 담보채권
~ preferente o privilegiado 선취권(先取權) 채권
~ principal 원본(元本)채권
~ privilegiado 선취권 채권
~ privilegiado en beneficio común 공익채권(共益債權)
~ quirografario 무담보채권
~ solidario 연대채권
~ territorial 부동산저당

créditos incobrables 대손(貸損), 불량(不良)채권

creíble ㉻ 신용할 수 있는

crimen 범죄
~ contra la humanidad, de lesa humanidad 반인류(反人類)범죄
~ de guerra 전쟁범죄
~ internacional 국제범죄
~ organizado 조직범죄
~ político 사상범(思想犯)

criminal 범인, 범죄인, 범죄자
~ de guerra 전범(戰犯)

~ habitual o reincidente 상습범

criminalidad 범죄성; 범죄행위; 유죄

criminalista 형법학자

criminología 범죄학

crueldad mental 정신적 학대

cuantía (de un pleito) 소액(訴額), 소가(訴價)

cuartel de policía 경찰서

cuasi- ~준(準)

cuasiconsanguinidad, consanguinida legal (ficción de consanguinidad establecida por la ley) 법정(法定)혈족
cuasiconvicción (convencimiento indiciario sobre la prosperabilidad de la pretensión, que justifica la adopción de una medida cautelar) 소명(疏明)
cuasicontractual ㊔ 준(準)계약의
cuasicontrato 준계약
cuasicontumacia 민사적 법정모욕
cuasicopropiedad (cotitularidad de un derecho patrimonial distinto del de propiedad) 준공유(準共有)
cuasicorporación 준회사, 준법인; 준지방자치단체
cuasidelito 준(準)불법행위
cuasidelito de homicidio 과실치사
cuasidocumentos 준(準)문서
cuasidominio 준(準)소유권
cuasijudicial ㊔ 준사법적인
cuasimandato 준(準)위임(encargo de realizar actos no jurídicos)
cuasimatrimonio 준혼(準婚)(situación de convivencia *more uxorio* asimilable al matrimonio)
cuasimunicipal ㊔ 시(市)에 준하는
cuasimutuo 준소비대차(準消費貸借)(cuasipréstamo de consumo)
cuasinegociable ㊔ 준(準)유통의
cuasinegocios jurídicos 준법률행위
cuasipasivo 준부채
cuasiposesión 준점유
cuasipúblico ㊔ 준공공적인, 공공성이 강한
cuasirenta 준임대
cuasituerto 준불법행위
cuasiusufructo 준용익권
cuasiviolación 준강간

cuatrerismo 소떼절도, 가축절도

cuatrero 가축절도범

cubiletear (의무・지급 등의 이행을) 회피하다; 속임수를 쓰다

cuenta 계정, 계산, 정산
~ ajena 타인계정

~ auxiliar 부가계정
~ convenida 확정계정
~ corriente 당좌계정
~ custodial o de custodia 임치(任置)계정
~ de costas 소송비용서
~ de crédito 대출 계좌, 대출한도
~ de quien corresponda, por, 관련자의 셈으로
~ de regreso (M) 거절증서작성 수수료
~ de resaca 재발행 어음금액; 거절증서작성 수수료
~ de resultados 손익계산서
~ de venta 매도증
~ fiduciaria 신탁계정
~ mala 대손, 불량채권
~ particional 재산분할
~ simulada 견적액
~ sujeto a preaviso (은행) 통지예금
~ y riesgo de, por, ~의 대금과 위험 부담으로

cuentas
~ de orden 비망(備忘)계정, 예탁항목
~ incobrables 대손, 불량채권
~ judiciales o en gestión 징수 소송 계정

cuerda 밧줄, 끈
~ floja (A) 비공식 첨부서류
~ separada, por (A) 본안 소송과는 별개로 취급해야 할

cuerpo 몸, 신체; 물체; 시체; 단체; 규정집
~ consular (한 도시 내의) 영사단(領事團); 영사진(領事陣)
~ colegiado (의사, 변호사, 교수 등의) 동직단체
~ diplomático 외교단
~ de bienes 총자산
~ de emergencias 구급대
~ de estado mayor 참모단, 사령부
~ de la herencia 상속재산
~ de leyes 법체계; 법전
~ de seguridad 치안대, 경찰
~ de vigilancia particular 사설경비원단
~ del delito 범죄의 체소(體素); (사체와 같은) 범죄의 증거, 범죄 대상이 된 물체
~ del derecho 법체계; 법전
~ legal 법전(法典)
~ legislativo 입법기관, 입법부
~ municipal 지방자치단체
~ policíaco o de policía 경찰
~ sólido, ~ líquido, ~ gaseoso 고체, 액체, 기체

cuestión 문제; 항변(抗辯), 다툼
~ artificial 가공(架空)의 쟁점
~ colateral 부수적인 쟁점

~ de competencia 관할위반의 항변
~ de derecho 법률문제, 권리문제
~ de hecho 사실문제
~ de inconstitucionalidad 위헌심사, 위헌선결문제
~ de procedimiento 의사진행상의 문제
~ discutible 논쟁의 여지가 있는 문제
~ en disputa 쟁점 문제, 현안 문제
~ especial 주요 쟁점
~ fabricada 날조된 문제
~ fáctica 사실 문제
~ general 일반 현안; 일반 답변
~ incidental 중간확인의 소(訴)
~ jurídica 법률문제
~ previa o prejudicial 선결문제
~ *sub iudice* 소송계속(訴訟繫屬)
~ substancial 본질적 · 실질적인 문제

cuestiones idénticas 동일한 문제들

cuestionar 문제로 삼다, 논쟁하다; 질문하다

cuestionario 질문서, 앙케트; 시험 문제, 문제집

cuidado 돌봄, 보살핌; 주의, 조심; 걱정, 근심; 보호, 후견

culpa 과실
~ compartida 과실 상쇄
~ consciente 인식이 있는 과실
~ contractual 계약상의 과실
~ extracontractual 불법행위책임
~ grave 중과실
~ *in abstracto* 추상적 과실
~ *in concreto* 구체적 과실
~ *in contrahendo* 계약체결(契約締結)상의 과실
~ *in custodiendo* 보관(保管)상 과실
~ *in eligendo* 선임(選任)상 과실
~ *in vigilando* 감독(監督)상 과실
~ inconsciente 인식(認識) 없는 과실
~ *lata* 중(重)과실
~ leve 경과실

culpabilidad 유죄

culpable 죄 · 책임이 있는 사람; ㊔ 죄 · 책임이 있는, 유죄의

culpado 죄인, 피고; ㊔ 죄 · 책임이 있는, 유죄의

culpar 고발 · 고소하다; 나무라다, 비난하다

culposo ㊔ 죄 · 책임이 있는, 유죄의 죄 · 책임이 있는, 유죄의

cumbre 정상회담(reunión de jefes de Estado y de gobierno)

cumplidor ⓗ 신용할 수 있는, 신뢰할 만한

cumplimiento (형의) 복역; (의무의) 이행; (채무의) 변제; 기간 만료
~ de la ley 준법(遵法)
~ específico 특정(特定)이행
~ forzoso 강제이행
~ imposible 이행불능
~ material (M) 특정이행
~ parcial 불완전이행
~ procesal (M) 소송규칙 준수

cumplir 이행하다, 완수하다; 만기가 되다
~ con especificaciones 시방서·설명서에 맞다·맞추다
~ el pedido 주문 물품을 납품하다·공급하다
~ la prueba 시험·검사에 합격하다
~ una sentencia 복역하다, 징역살이하다

cuota 할당액, 분담액; 지분
~ contributiva 세율; 세액
~ de importación 수입쿼터, 수입할당
~ de impuesto 세율
~ de mercado 시장점유율
~ de retribución 이익률
~ en avería gruesa 공동해손 분담금
~ hereditaria 상속분
~ imponible (C) 과세가격, 과세가액
~ *litis* 성공보수
~ mortuoria 사망보험금
~ obreropatronal (M) 근로자의 사회보장에 대한 사용자 부담금
~ sindical 조합비
~ viudal 생존배우자 수익분

cupo 세율; 할당(분), 몫

cupón 쿠폰, (GB) 배당금 지불증
~ de acción 배당금 쿠폰; (V, Ec) 단주(端株)
~ de deuda (Col) 채권에서 떼어 매입된 쿠폰
~ de dividendo 배당금 쿠폰

curador 후견인, 관리인
~ *ad bona* 심신상실자의 법정후견인
~ *ad litem* 법정후견인
~ de ausente 부재자 재산관리인
~ de herencia 유산관리인
~ natural 당연 보호자(부 혹은 모)
~ para el caso 특별후견인

curadora (여)후견인

curaduría 후견, 재산관리

curandero 돌팔이 의사

curatela 후견, 재산관리

curia 민사법원; [집합] 법조인

Curia Romana, Curia Vaticana 로마 교황청, 법왕청

curso 흐름; 과정; (상업) 율
~ del cambio 환율
~ normal de los negocios 통상적 영업수행과정
~ de agua público 공류(公流)

custodia 감호; (상업) 보관
~ de valores 귀중품 보관
~ *legis* 법적 구금 상태에 있는

custodial ⓗ 보관의; 구류의

custodiar 보관하다; 감호하다, 감시하다

custodio 보관자; 감호인, 감시인; ⓗ 보관의; 구류의

dación 양여(讓與), 양도, 공여(供與)
~ de arras (Ec) 담보제공
~ de cuenta 보고(報告)
~ en pago 대물변제(代物辨濟)

dactilograma 지문(指紋)

dactiloscopia 지문학(指紋學)

dador 양도자; 증여인; 어음발행인
~ a la gruesa 선박저당대차계약자
~ de préstamo 대부(貸付)자
~ de trabajo 고용주, 사용자

daminificar 상처 · 손해를 입히다

damnum absque injuria 권리침해 없는 손해

dañado ㊍ 침해당한, 손해를 입은

dañar 상처 · 손해를 입히다

dañino ㊍ 해로운, 유해한

daño 손해
~ efectivo 실해(實害)
~ emergente 적극적 손해
~ material 물질적 손해
~ moral 정신적 손해, 무형적 손해
~ patrimonial 재산적 손해
~ personal 신체적 손해

daños 손해; 손해액; 손해배상(금)
~ anticipados 예측된 손해; 손해배상액의 예정
~ compensatorios 보상적 손해배상
~ condicionales 불확정적 손해배상금
~ continuos 계속적 손해
~ convencionales 확정 손해배상금
~ corporales 신체 상해
~ directos o generales 직접 손해, 통상 손해
~ e intereses (A) 손해 및 기대이익의 상실
~ efectivos 보상적 손해배상
~ ejemplares (M) 징벌적 손해배상
~ especulativos 불확정 손해배상금
~ eventuales 불확정 손해배상금

~ ilíquidos 불확정 손해배상금
~ indirectos o especiales 간접 손해, 특별 손해
~ inmediatos 당면한 손해
~ inmoderados 과도한 손해배상
~ irreparables 회복할 수 없는 손해
~ liquidados 확정 손해배상금
~ materiales 재산 피해
~ no determinados o no liquidados 불확정 손해배상금
~ nominales 명목적 손해배상
~ pecuniarios 금전적 손해
~ personales 신체상해
~ punitivos 징벌적 손해
~ remotos 소원(疎遠)한 손해
~ sobrevenidos 발생 손해액
~ y menoscabos (A) 손해배상금
~ y perjuicios 손해배상금

dañoso ⓗ 해로운, 유해한

dar 주다
~ a conocer 알리다
~ a la gruesa 선박저당대차계약을 맺다
~ audiencia (말을) 들어주다, 접견하다
~ aviso 통지하다, 알리다
~ carpetazo (심의를) 보류하다
~ conocimiento 통지·통보·공표하다
~ cuenta 보고하다, 결산보고하다
~ de baja 빼다, 제외하다, 공제하다
~ en arriendo 임대·대여하다
~ en prenda 저당 잡히다, 담보로 넣다
~ fe 인증·증명하다, 입회(서명)하다
~ fianza 보증하다, 보석을 받게 하다
~ lectura 낭독하다
~ parte 알리다, 보고하다
~ poder 위임하다, 대리권을 주다
~ por recibido 받았음을 알리다, 수령을 통지하다
~ por terminado (합의 따위의) 실효를 통고하다; 휴회·산회·폐회하다
~ por vencido 지불기한이 되었음을 알리다
~ prestado 임대·대여하다
~ prórroga 기한을 연장하다
~ la razón a 지지·옹호하다
~ un veredicto 판결·평결을 내리다
~ vista 접견하다; (M) (기록을) 열람하다

darse
~ por citado 소환에 응하다
~ por notificado 송달 받다, 통지 받다

datar 날짜를 기입하다; 대변에 기입하다; 기산(起算)하다, (언제) 부터이다

datos de carácter personal 개인정보

de
~ *bene esse* 잠정적으로, 조건부로
~ *cuius* 피상속인
~ *facto* 사실상의(de hecho) (↔ *de jure*)
~ *jure* 법률상의, 정당한, 합법의 (↔ *de facto*)
~ *lege ferenda* 있어야 할 법으로서
~ *lege lata* 현행법으로서
~ *quota litis* 소송가액에 비례하는 몫으로

de gracia 은혜·자비·특별한 호의로

de oficio 직권으로 (↔ a instancia de parte)

debate 토론, 논쟁

debatir 토론·논쟁하다

debe 차변(借邊) (↔ haber)

debe y haber 대차(貸借)

debenture (ing.) (A) 사채(社債), 지방채(地方債)

debenturista 사채(社債)·지방채 소지인

deber 의무
~ de cuidado 주의의무
~ de custodia 감호의무
~ de diligencia 주의의무
~ de exhibición de documentos 문서제출의무
~ de vigilancia 감독의무
~ profesional 직무상의 의무

deberes
~ impositivos 납세의무
~ procesales (M) 소송규칙

debida → debido
~ deliberación 적절한 고려
~ diligencia 적절한 주의

debidamente 올바로, 정식으로
~ juramentado 정히 선서한

debido ⓗ 반드시 그래야 할, 규정대로의
~ aviso 당연한 통지·알림
~ echamiento al correo 제대로의 투함(投函)·우편발송
~ procedimiento legal o de ley 정당한 법절차
~ proceso 정당한 절차

debiente 채무자; ⓗ 빚을 진

debitar 차변에 기입하다
~ de más 차변에 초과기입하다

débito 차변 (↔ crédito)

decadencia (M) 불경기, 불황; 권리소멸, 무효화

decaer 권리가 소멸하다, 권리를 잃다

decano 학장, (변호사협회) 회장

deceso 사망

decidir 결정하다; 평결을 내리다

decisión 결정, 판결; (특허 심판에서) 심리의 결정, 심결(審決)
~ completa o general 판결 전반(全般)
~ colegiada 합의
~ judicial 판결, 재판서(裁判書); 재정(裁定)
~ judicial errónea en cuanto a la forma 위식(違式)의 재판
~ mayoritaria 다수결
~ objeto de recurso 원재판(原裁判), 원심(原審)

decisorio (M) 판결, 평결; ⓗ 결정적인

declaración 의사표시; 신고; 선언; 선고, 판정; 확인; 공술(供述)증거
~ arancelaria o de aduana o de entrada 통관 신고서
~ constituida la asamblea 개회 선언
~ de adopción 입양신고
~ de alto el fuego 정전(停戰)선언
~ de cambio de apellido 성씨 변경신고
~ de cese de las hostilidades 정전(停戰)선언, 적대행위중지 선언
~ de concurso o de quiebra 파산 선고
~ de contribución sobre ingresos 소득세 신고서, 법인세 신고서
~ de culpabilidad 자백; 복죄(服罪), 피고의 유죄인정
~ de derechos 권리선언
~ de divorcio de mutuo acuerdo 이혼신고
~ de desaparición 실종선고
~ de extinción de adopción 파양(破養)신고
~ de fallecimiento (실종자의) 인정(認定)사망
~ de fallecimiento 사망신고
~ de fideicomiso 신탁의 선언
~ de guerra 선전포고
~ de herederos 상속인 확정
~ de herederos abintestato 법정상속인확정 (소송)
~ de incapacidad 금치산선고
~ de inocencia 무죄 주장, 피고의 무죄항변
~ de matrimonio 혼인신고
~ de nacimiento 출생신고
~ de nulidad 무효확인
~ de quiebra 파산선고

~ de rebeldía 법정모욕 판결
~ de rechazo (상업) 인수거절 통지
~ de reconocimiento de filiación 친자인지(親子認知) 신고
~ de renta 소득세 신고서, 법인세 신고서
~ de tregua 정전(停戰)선언
~ de utilidad (몰수·수용 재산의) 공익성 선언
~ de voluntad 의사표시
~ del estado de emergencia 비상사태선포
~ escrita 공술서(供述書), 진술서
~ falsa (조세) (소득세의) 허위 신고
~ falsaria 허위 진술
~ falsaria sobre datos personales 사칭(詐稱), 허위신고
~ fiscal (M) 소득세 신고
~ implícita 묵시적 의사표시
~ inaugural 모두진술(冒頭陳述); 개막 선언
~ indagatoria 구류신문(拘留訊問)(interrogatorio del detenido)
~ inmediata (M) 구두 진술
~ instructiva (Col) 기소(起訴), 고발
~ *iocandi causa* 농담 의사표시
~ judicial 판결, 선고, 법원의 명령
~ jurada 서약서, 보증서, 선서진술서(*affidavit*)
~ mediata (M) 우편이나 제3자를 통한 진술
~ oral 공술, 구두 진술
~ personal 공술, 구두 진술
~ real (M) 서면 진술
~ receptiva (M) 상대방이 통지받아야 할 진술
~ sin lugar (소송의) 각하·기각
~ tácita 묵시적 의사표시
~ testifical o testimonial 증언
~ tributaria 납세신고

Declaración de Independencia 독립선언

Declaración Universal de Derechos del Hombre 세계인권선언

declarado ⓐ 표명한, 표시한, 신고한
~ de más 과장되게 진술한
~ de menos 축소하여 진술한

declarador 선서 증인, 신고자

declarante 선서 증인, 선서 진술인

declarar 밝히다, 언명하다; 공포·발표하다; 진술하다; 신고하다; 선고·판정하다
~ bajo juramento 선서하고 증언·진술하다
~ con lugar 지지·시인·승인하다
~ culpable 유죄 판결을 내리다
~ desierto 각하·기각하다
~ un dividendo 배당금 지급을 고시하다
~ inocente 무죄를 선고하다; 무죄방면하다

~ sin lugar 기각 · 각하하다; (권리 · 요구를) 인정하지 않다

declararse 선언하다
~ culpable (피고가) 유죄를 인정하다
~ inocente (피고가) 무죄를 주장하다
~ insolvente o en quiebra 파산하다, 파산을 신청하다

declarativo ⓗ 선언적인, 명시적인, 확인하는

declaratoria 선언, 선고, 판정
~ de deserción (M) 몰수 판정
~ de herederos 상속권 선언
~ de pobreza (A) 빈곤층에 대한 소송비용 면제 판정
~ de quiebra 파산 선고

declaratorio ⓗ 선언적인, 명시적인, 확인하는

declinar 거절하다; 관할권을 거부하다

declinatoria 항변, 기피신청
~ de jurisdicción 관할위반의 항변

declinatorio ⓗ 거절 · 거부하는

decomisable ⓗ 몰수 · 압수할 수 있는

decomisar 몰수 · 압수

decomiso 압수, 몰수

decretada (Col) 판결, 명령

decretal 로마 교황령; ⓗ 법령의, 로마 교황령의

decretar 법령으로 공포하다, 명령하다, 결의하다
~ un dividendo (M) 배당금 지급을 결의하다
~ una ley 법을 제정하다
~ el paro 파업을 지령하다

decrétase (다음과 같이) 법률로 정한다

decreto 행정명령, 법령, 정령(政令)
~ con fuerza de ley 의회 비준을 얻은 행정명령; 법률의 효력이 있는 명령
~ de cajón 법원명령
~ emitido en virtud de la autoridad propia 직권명령
~ emitido por delegación 위임명령
~ por consentimiento 화해가 배서된 법원명령

decreto legislativo (긴급 경제 분야 등에 있어 국회가 행정부에 일정기간 동안 입법권을 부여하는) 법률의 효력이 있는 입법부 위임 명령

decreto-ley 법률의 효력이 있는 긴급명령, 법률명령

decreto-reglamento 법률의 효력이 있는 조례

decursado ⓗ (시간이) 경과한

decursas 밀린 집세, 연체금

dedicación 헌납, 전용(全用)
~ consensual 관습법에 의한 전용
~ estatutaria 제정법상의 전용
~ expresa 명시적 전용
~ implícita 묵시적 전용

deducción 공제
~ de intereses 이자공제

deducible ⓗ 추론할 수 있는, 연역적인

deducir 빼다, 감하다; 주장하다; 추정하다
~ demanda 클레임을 제기하다
~ un derecho 권리를 주장하다
~ excepción 제외하다
~ oposición 반대하다, 이의를 말하다
~ recurso 항소하다

deductivo ⓗ 추정적인, 연역적인

defecto 불비(不備); 결함, 하자
~ constitutivo 고유(固有)의 결함
~ de forma (계약)방식의 하자
~ de forma (소송)절차상의 과오
~ de pago 지급 불능, 지급 거절, 채무 불이행
~ de partes 당사자 부적격
~ de presentación 제시 불이행
~ formal 형식상의 결함
~ inherente o intrínseco o propio 고유(固有)의 결함
~ insubsanable (PR) 증서 작성상의 고칠 수 없는 결함
~ material 본질적 결함
~ oculto 숨은 결함, 잠재적 결함
~ patente o manifiesto 드러난 결함, 명백한 결함
~ subsanable (PR) 증서 작성상의 고칠 수 있는 결함

defectuoso ⓗ 흠·결점·결함이 있는

defendedero ⓗ 지킬 수 있는, 방어·변호할 수 있는

defendedor 변호인

defender 방어하다, 변호하다, 항변·답변하다

defendible ⓗ 지킬 수 있는, 방어·변호할 수 있는

defensa 방어, 방위, 변호
~ afirmativa 적극적 방어·항변
~ de descargo 인정(認定)과 회피적 방어·항변
~ de hecho 정당방위
~ dilatoria 방소(妨訴) 항변, 연기(延期) 항변
~ ficticia 허위의 항변

~ legítima 정당방위
~ perentoria 원고(原告)부적격 항변
~ propia o personal 정당방위

defensión 방어, 방위, 변호

defenso (M) 피변호인

defensor 변호사, 변호인
~ de oficio 관선 변호인
~ del pueblo 호민관(護民官), 옴부즈만
~ judicial (del menor o sometido a tutela) 특별대리인
~ no letrado 특별변호인

defensorio 변호, 항변

deferir 따르다; 따르게 하다
~ el juramento 선서하게 하다

déficit 적자(赤字), 부족액

definición 정의(定義); 결정, 재결(裁決)

definimiento 판결, 평결

definitivo ⓗ 결정적인, 최후의, 확정적인

deflación 디플레이션

defraudación 횡령, 회피, 사기
~ de fluido eléctrico 전기(電氣) 절도

defraudador 횡령자, 배임 행위자, 사취(詐取)자

defraudar 약취・사취하다

defunción 사망(死亡)

defunto ⓗ 사망한

degradación 강등, 강임(降任)

dejación 포기; (재산・주식의) 양도; (권리・소송절차의) 해태(懈怠)
~ de la acción penal por parte del Ministerio Fiscal 기소유예, 불기소

dejar 놓아주다; 허락하다; 남기다
~ a salvo 보호하다, 책임을 면제하다
~ constancia (대장에) 기록하다, 증명하다
~ de cuenta de 책임을 지다
~ sin efecto 취소・무효로 하다, 제쳐 놓다

deje de cuenta (Sp) 요금 통지서; 클레임 통지서

del crédere (it.) 이행담보책임을 지는, 지불보증 하는

delación 고발, 고소; 밀고, 고자질; 통고

delatante 고발자; 밀고자

delatar 고발하다; 밀고하다; 비난하다

delator 고발자; 밀고자

delegable ⓗ 위임할 수 있는

delegación 위임, 위탁; 대표단; 교체, 경개(更改)
~ de deuda (채권자의 교체로 인한) 채무 경개
~ de poderes 권리 이양(移讓)

delegación (sucursal) 출장소
~ del gobierno (정부의) 출장기관
~ del Ministerio de Justicia 법무국

delegado 대표자, 대의원; 대리인; 주재원, 파견근무자; (M) 특별재판적의 판사
~ de libertad vigilada 보호관찰관
~ de tránsito (M) 교통위반 즉결재판소
~ único 일인 위원회

delegante 대리 지정자, (대리인에 대한) 본인; (M) 관할권을 이양하는 판사

delegar 위임하다; (대표를) 파견하다
~ autoridad 권한을 위임하다

delegatorio ⓗ 위임의

deliberación 심의(審議), 심리

deliberadamente 신중하게; 고의로

deliberado ⓗ 신중한; 미리 계획된, 고의의

deliberar 숙고하다, 고려하다; 심의 · 검토하다

delictivo ⓗ 범죄의

delictuoso ⓗ 범죄의; 불법의

delincuencia 범죄
~ fiscal (M) 조세범죄
~ juvenil o de menores 소년범죄

delincuente 범인, 범죄인, 범죄자
~ habitual 상습범
~ juvenil 소년범

delinquir 죄를 범하다

delito 범죄, 범(犯)
~ accidental o eventual 우발범
~ caucionable 보석할 수 있는 범죄
~ cibernético 사이버범죄
~ civil 민사범죄

~ colectivo 집단범죄
~ complejo 결합범
~ común 보통범
~ conexo 접속범
~ consumado 기수범(旣遂犯)
~ continuado 연속범
~ culposo 과실범
~ de abandono de cadáveres 사체유기죄
~ de abandono de familia 유기죄
~ de aborto ilegal 불법낙태죄
~ de abuso de autoridad 직권남용죄
~ de abuso sexual 성추행죄
~ de acción privada 친고죄, 반의사불벌죄(反意思不罰罪)
~ de acción pública 비(非)친고죄
~ de acusación o denuncia falsas 무고죄(誣告罪)
~ de adulterio 간통죄
~ de allanamiento de morada 주거침입죄, 가택침입죄
~ de alta traición 대역죄(大逆罪)
~ de alteración de linderos 경계(境界)손괴죄
~ de alteración de moneda 통화(通貨)변조죄
~ de alteración o falsificación de títulos valores 유가증권위조죄
~ de amenazas 협박죄
~ de apertura de establecimiento de juego ilegal 도박장개장죄
~ de apropiación de cadáveres 사체영득죄(死體領得罪)
~ de apropiación indebida 횡령죄
~ de apuestas ilegales 도박죄
~ de arresto ilegal 불법체포죄
~ de asociación de malhechores 범죄단체조직죄
~ de bigamia 중혼죄
~ de calumnias 무고죄
~ de coacciones 강요죄
~ de coacciones contra funcionarios públicos 직무강요죄
~ de coacciones contra testigos 증인협박죄
~ de cohecho por ofrecimiento o entrega de soborno 뇌물제공죄, 증회(贈賄)죄
~ de cohecho por recepción de soborno 뇌물수뢰죄, 수회(收賄)죄
~ de conducción bajo la influencia de bebidas alcohólicas 음주운전죄
~ de conducción temeraria 위험운전죄
~ de conducción temeraria con resultado de muerte o lesiones 위험운전 치사상죄
~ de conspiración militar contra el Estado 외환(外患)죄
~ de conspiración para delinquir 범죄모의죄
~ de cooperación al suicidio 자살방조죄
~ de daño a la credibilidad personal 신용훼손죄
~ de daños 손괴(損壞)죄
~ de daños mayores o graves 건조물 손괴죄
~ de daños menores o leves 기물 손괴죄
~ de desacato al tribunal 법정모욕죄
~ de deserción 도망죄(逃亡罪)

~ de desobediencia a la autoridad 불복종죄
~ de desórdenes públicos 소요죄
~ de destrucción de documentos 문서훼손죄
~ de detención ilegal 불법감금죄
~ de difamación pública 명예훼손죄
~ de duelo 결투죄
~ de encubrimiento de delincuentes o personas huidas de la justicia 범인은닉죄
~ de enterramiento secreto de cadáveres 시체 밀매장죄
~ de estafa 사기죄
~ de estragos 재난(災難)죄, 일수(溢水)죄, 전복(顚覆)죄
~ de exhumación ilegal de cadáveres 분묘발굴죄(墳墓發掘罪)
~ de extorsión o chantaje 공갈죄
~ de falsedad documental 문서위조죄
~ de falsedad en documento privado 사문서위조죄
~ de falsedad en documento público 공문서위조죄
~ de falsificación de documentos 문서위조죄
~ de falsificación de moneda 통화위조죄
~ de falsificación de sellos o timbres oficiales 기호(記號)위조죄
~ de falso testimonio 위증죄
~ de grupo 회합범
~ de hábito 관행범
~ de homicidio 살인죄
~ de homicidio consentido 승낙살인죄
~ de homicidio por encargo 촉탁살인죄
~ de hurto 절도죄
~ de imprudencia con resultado de lesiones 과실상해죄
~ de imprudencia con resultado de muerte 과실치사죄
~ de incendiar 방화(放火)죄
~ de incendio culposo o imprudente 실화죄
~ de incendio provocado o doloso 방화죄
~ de inducción a la prostitución 성매매권유죄
~ de inducción al suicidio 자살교사죄
~ de infidelidad en los negocios del Estado 국가업무불충(不忠)죄
~ de injurias 모욕죄
~ de intrusismo profesional 무자격영업죄
~ de juego ilegal 도박죄
~ de lesa majestad 대역죄
~ de lesiones 상해죄
~ de lesiones con resultado de muerte 상해치사죄
~ de maltrato de obra (폭력은 행사하지만 부상에는 이르지 않은) 폭행죄
~ de maquinación para alterar los precios públicos 가격담합죄
~ de obstrucción a la libre licitación en las subastas 경쟁입찰방해죄
~ de obstrucción al uso del agua 수리방해죄(水利妨害罪)
~ de obstrucción o daños en vías o medios de transporte 왕래방해죄(往來妨害罪)
~ de ocultación de bienes de especial relevancia 은닉죄
~ de ocultación de correspondencia 서신(書信)은닉죄
~ de ocultación, falsificación o alteración de pruebas 증거인멸죄

~ de ocupación ilegal de inmueble 부동산 불법점거죄
~ de perturbación del orden público 소요죄
~ de prevaricación 배임죄
~ de profanación de cadáveres 사체(死體) 손괴죄
~ de profanación de lugares de culto 예배소 불경죄
~ de proxenetismo (mediación en la prostitución) 성매매 알선죄
~ de quebrantamiento de condena privativa de libertad 도주죄
~ de quiebra fraudulenta 사기파산죄(詐欺破産罪)
~ de rebelión 내란죄
~ de resistencia a la autoridad 저항죄
~ de revelación de secretos 비밀누설죄
~ de robo con violencia o intimidación (atraco) 강도죄
~ de ruptura o quebrantamiento de precintos o cordones policiales 봉인(封印)훼손죄
~ de secuestro 유괴죄
~ de secuestro con ánimo de lucro 영리유괴죄(營利誘拐罪)
~ de secuestro con exigencia de condiciones para liberar al secuestrado 인질(人質)강요죄
~ de secuestro con petición de rescate, ~ de secuestro por interés económico 약취(略取)유괴죄
~ de sedición 내란죄
~ de sepultura ilegal 밀매장죄
~ de tráfico de influencias 알선(斡旋)수회(收賄)죄
~ de traición 외환(外患)죄
~ de traición a la confianza 배임죄
~ de usurpación de inmueble 부동산 침탈죄
~ de violación 강간죄
~ doloso 고의범
~ encadenado 견련(牽連)범
~ especial (A) 제정법상의 범죄
~ extraterritorial 국외(國外)범
~ falso 원죄(冤罪)
~ final 목적범
~ flagrante 현행범
~ formal 형식범(形式犯)
~ fortuito 우발범
~ frustrado 실행미수범
~ global 포괄일죄(一罪)
~ grave 중범(重犯)
~ habitual 상습범
~ homicidio culposo 과실치사죄
~ imposible 불능범
~ imprudente 과실범
~ infamante 파렴치죄
~ intentado 미수범
~ internacional 국제범죄
~ material 실질범
~ mayor 중죄(重罪)

~ menor 경범죄(輕犯罪)
~ penal 형사범죄
~ preterintencional 고의불충분 범죄
~ que requiere para su comisión de la intervención de dos o más personas 대향(對向)범
~ real 실질범
~ semiflagrante 준(準)현행범
~ teleológico 목적범

delitos 범죄
~ agravados por el resultado 결과적 가중범
~ cometidos en razón del cargo o posición 신분범(身分犯)
~ cometidos por funcionarios públicos en el ejercicio de su cargo 직무(職務)범죄
~ comunes 상사범(常事犯)
~ contra el orden político del Estado 국사범(國事犯)
~ contra la función pública 독직죄(瀆職罪)
~ contra la libertad sexual 성범죄
~ contra la moral pública 외설죄
~ contra la propiedad 소유권침해죄
~ contra la seguridad colectiva 공공위험죄
~ contra la vida y la integridad física 인신(人身)범죄
~ de acción 작위범(作爲犯)
~ de cohecho 수회죄(收賄罪)
~ de daños 훼기죄(毁棄罪)
~ de detención ilegal o secuestro 약취유괴죄(略取誘拐罪)
~ de duración 계속범(繼續犯)
~ de estado 상태(狀態)범
~ de fe (정치적 혹은 종교적 신념에서 비롯된) 확신범
~ de fuerza 실력범(實力犯) (↔ delitos de intelecto)
~ de inducción 선동죄
~ de injerencia 간범(干犯)
~ de intelecto 지능범
~ de lesión real 침해범
~ de menores 소년범죄
~ de obscenidad 외설죄
~ de obscenidad pública o contra la moral pública 공연(公然) 외설죄
~ de obstrucción 방해죄
~ de obstrucción a la función pública 공무집행방해죄
~ de obstrucción a la labor profesional 업무방해죄
~ de omisión 부작위범(不作爲犯)
~ de peligro 위험범
~ de peligro abstracto 추상적 위험범
~ de peligro concreto 구체적 위험범
~ de resultado 결과범
~ de riesgo 위험범, 위태범(危殆犯) (↔ ~ de resultado)
~ de uso de cosas falsificadas 위조물사용 죄
~ de uso de moneda o efectos timbrados falsos 위조 화폐・유가증권 사용 죄

~ ecológicos 환경범죄
~ fiscales o contra la Hacienda Pública 재정범
~ formales o de mera acción 거동범(擧動犯)
~ graves 중죄(重罪)
~ ideológicos o de pensamiento 사상범(思想犯)
~ informáticos 사이버범죄
~ instantáneos 즉시범(卽時犯)
~ leves 위경죄(違警罪)
~ medioambientales 공해죄
~ menos graves 경범죄
~ no públicos de los funcionarios 사죄(私罪)
~ patrimoniales 재산범죄
~ políticos 정치범
~ privados 친고죄
~ relacionados con el suicidio (방조나 교사의) 자살관여죄
~ simultáneos 동시범(同時犯)

demanda 수요; 청구; 소송; 소장(訴狀); (A) 구매주문서, 구매요청서
~ alternativa o analítica (M) 모순된 법적 근거에 기초한 소송; 선택적 구제를 구하는 소송
~ articulada (M) 항목별로 구분한 소장(訴狀)
~ condicionada (M) (다른 사건의 결정에 영향을 받는) 조건부 소송
~ constitutiva 형성(形成)소송
~ contenciosa (A) 소송
~ de apelación 항소
~ de condena 급부(給付)소송
~ de condena de futuro 장래의 급부소송
~ de daños y perjuicios 손해배상청구소송
~ de impugnación (M) 반론, 이의신청
~ de nulidad 판결무효신청
~ de oposición a la ejecución 청구이의(請求異議) 소송
~ de pobreza (A) 빈곤층에 대한 소송비용 면제 신청
~ de reconocimiento de paternidad o filiación 인지(認知)소송
~ de tercería 제삼자(第三者)이의(異議) 소송
~ declarativa 확인소송
~ ejecutiva 민사집행 소송
~ en equidad 형평법상의 소송
~ en juicio hipotecario 유질(流質)소송
~ graduada (M) → demanda alternativa
~ incidental 부대(附帶)소송
~ introductiva (원고의) 최초 진술
~ judicial 고소, 고발
~ plural 복수(複數)청구 소송
~ principal 본안(本案)소송
~ simple 약식(略式)소송
~ sintética (M) 법률원칙심판 청구
~ sucesiva 후속(後續)소송

~ suplementaria 보충 청구

demandada (여)피고

demandado 피고

demandador 원고; 청구인, 요구자
~ por auto de casación 항소인

demandante 원고

demandar 고소하다, 소송하다; 청구하다
~ en juicio 소송하다

demanialización 공유재산(公有財産)화

demanio 행정재산, 공유재산

demarcación 구획, 구역
~ administrativa 행정구획
~ judicial 관할구역(partido judicial)
~ regional 지역구(地域區)
~ territorial de un registro civil 본적(本籍)

demencia 심신(心神)상실, 정신 착란; 치매(癡呆)
~ precoz 조발(早發)성 치매
~ senil 노인성 치매
~ tabética 척수(脊髓)매독성 치매

demente ⑱ 미친, 정신 착란의

democracia 민주주의
~ de masas 대중민주주의(大衆民主主義)
~ parlamentaria 의회민주주의

demonomanía 종교적 광기

demora 지연, 지체, 이행지체, 체납

demoroso ⑱ (지급) 기한이 지난, 미불의, (지불의) 이행을 하지 않고 있는

demostrable 증명·논증할 수 있는

demostración 증명, 논증, 실증

demostrar 증명하다, 증거를 제시하다

demostrativo ⑱ 증명의, 실증한

denegación 부인(否認), 거부, 거절
~ completa o general 전면적 부인
~ de justicia 재판의 거절

denegar 부인·거절하다

denegatorio ⑱ 부인·거절의

denominación 명명(命名)
~ comercial 상호(商號); 상품명
~ de un delito 죄명
~ falsa 사칭(詐稱)
~ social 사명(社名)

denuncia 고발; 통고, 고지(告知); 종료・실효 통고; (A, CA) 공유지 청구소송
~ de accidente 사고(事故)보고(서)
~ de extravío (운송화물의) 사고통지
~ de obra muerta (U, M) 신축공사 금지청구
~ de pérdida 사고통지
~ de un contrato de tracto sucesivo (사전통지로서의) 계약기간 만료 고지
~ de un tratado internacional 국제조약 폐기통고
~ del contribuyente 소득세 신고, 법인세 신고

denunciable ㊔ 통고해야 할; 고발해야 할

denunciación 고발; 통고, 고지(告知); 종료・실효 통고;

denunciador 고발자, 보고자; ㊔ 고발하는, 통고하는

denunciante 고발자, 보고자; ㊔ 고발하는, 통고하는

denunciar 고발하다; 통고하다, 고지하다; 종료・실효를 통고하다; 공유지 청구소송을 하다
~ un convenio 조약・협정의 실효를 통고하다
~ datos 정보를 제공하다
~ un saldo 잔고(殘高)를 나타내다

denuncio (광업) (광맥의 발견) 신고; (Col) 보고(報告)

dependencia 종속(subordinación)
~ económica 경제적 종속
~ orgánica 관할
~ personal 인적 종속

deponente 선서 증인・진술인

deponer 증언・진술하다; 좌천・면직・파면하다

deportación 유형(流刑)

deposición 공술(供述), 진술(declaración oral)

depositante 기탁자, 공탁자; 예금자

depositar 보관하다, 맡기다, 기탁하다, 예금하다

depositaría 예치소; 저장소; 금고

depositario 수기자(受寄者), 수탁자(受託者)
~ de plica 에스크로우 대리인
~ judicial 관재인(管財人)

depósito 예금; 기탁(寄託); 수탁(受託), 기탁을 받음

~ a la vista 요구불 예금
~ a plazo o a término 정기예금
~ accidental 비자발적 수탁
~ afianzado 보세창고
~ civil (A) 무상(無償)기탁
~ de ahorros 저축성예금
~ de consumo 소비(消費)기탁(寄託)
~ de custodia 보호(保護)예수(預受)
~ de garantía 보증금
~ de giro (Sp) 요구불예금
~ de personas 보호 관리
~ derivado 파생적 예금
~ efectivo 실제 기탁
~ en avería gruesa (해상보험) 공동해손 공탁금
~ en cuenta corriente 당좌예금
~ en mutuo 소비대차(消費貸借)
~ gratuito 무상(無償)기탁
~ impropio 혼장(混藏)임치(任置)
~ irregular 부정기예금
~ judicial 법원 공탁
~ judicial de bienes litigiosos (secuestro) 계쟁물 기탁
~ legal 작품등록
~ mercantil 상사(商事)기탁
~ miserable 필요기탁
~ necesario 필요기탁
~ ordinario 보통예금
~ regular 정기예금
~ sujeto a preaviso (은행) 통지예금
~ temporal (세관) 장치(藏置)
~ voluntario 자발적 수탁

deprecante 청원자

depreciable ⓗ 가격인하가 되는; 감가(減價)의

depreciación 감가상각(減價償却)
~ excesiva 과대상각

depreciar 가치를 떨어뜨리다

depredación 약탈

depresión económica 불황(不況), 불경기

depuración de créditos 불량채권 정리

derecho, derechos 권리; 권한
~ a alimentos 부양(扶養)권리
~ a completar la letra en blanco 백지보충권
~ a declarar el estado de emergencia 긴급사태 선포권
~ a desempeñar cargos públicos 공직담임권

~ a entablar pleito 소송 실시권
~ a entrevista reservada 접견교통권(接見交通權)
~ a examinar los libros de comercio y las anotaciones contables 장부(帳簿)열람권
~ a excepcionar 항변권(derecho a formular excepciones)
~ a exigir el corte de ramas y raíces 전정(剪定)요구권
~ a exigir la prestación de garantía 담보청구권
~ a extraer piedras y minerales en fundo ajeno 채석권(採石權)
~ a gobernar un territorio 통치권
~ a gravar con impuestos 과세권(課稅權)
~ a guardar silencio 묵비권, 진술거부권
~ a imponer tributos 세금 징수권
~ a instar del tribunal que pregunte a la otra parte 구문권(求問權)(derecho a interpelar a la otra parte a través del tribunal)
~ a instar la intervención administrativa 행정개입 청구권
~ a la acción 청구권
~ a la adquisición preferente de nuevas acciones 신주(新株)인수권
~ a la asistencia letrada 변호인 의뢰권
~ a la autodefensa 자위권(自衛權)
~ a la autodefensa colectiva 집단적 자위권
~ a la autodefensa individual 개별적 자위권
~ a la autodeterminación 자결권, 자기결정권
~ a la autodeterminación de los pueblos 민족자결권
~ a la autonomía 자치권
~ a la autotutela 자구권
~ a la búsqueda de la felicidad 행복추구권
~ a la educación 교육권
~ a la excepción 항변권 (↔ derecho a la acción)
~ a la explotación del patrimonio empresarial inmaterial 영업권
~ a la huelga 파업권
~ a la igualdad 평등권
~ a la igualdad entre hombres y mujeres 남녀평등권
~ a la independencia 독립권
~ a la insumisión (국가의 권력남용에 대한) 저항권
~ a la libertad 자유권
~ a la libertad sexual 정조(貞操)권
~ a la marca 상표권
~ a la no discriminación por razón de sexo 남녀동권
~ a la ocupación temporal de terrenos privados para llevar a cabo actuaciones urbanísticas 토지출입권
~ a la privacidad 프라이버시권
~ a la propia imagen 초상권
~ a la realización del propio derecho 자구권
~ a la salud 건강권
~ a la sucesión o a la herencia 상속권
~ a los tribunales 적법절차
~ a mantener relaciones comerciales con otro Estado 통상권
~ a no autoinculparse 자기(自己)부죄(負罪) 거부특권, 자기에게 불리한 진술을 거

부 할 수 있는 권리
~ a no declarar 묵비권, 진술거부권
~ a no declarar contra sí mismo 자기(自己)부죄(負罪) 거부특권
~ a no testimoniar (derecho a no declarar como testigo) 증언거절권
~ a obtener un pronunciamiento sobre el fondo del asunto 본안판결 청구권
~ a pescar en determinados cotos o caladeros 입어권(入漁權)
~ a plantear propuestas de Ley 법안(法案)제출권
~ a reclamar indemnización por daños y perjuicios 손해배상 청구권
~ a saber (derecho de los ciudadanos a acceder a la información de carácter político o administrativo) 알 권리
~ a solicitar el restablecimiento de un derecho o la indemnización por su pérdida 구제권(救濟權)
~ a sufragio 선거권, 투표권
~ a transportar en avión pasajeros, correo o carga de un país a otro 이원권(以遠權)
~ a un juicio justo 적법절차
~ a una existencia pacífica 평화적 생존권
~ a una vida digna 생존권
~ a usar del solar sobre el que se asienta un edificio en propiedad horizontal 구분소유권(區分所有權)내 부지(敷地)이용권
~ a voz 발언권
~ absoluto 절대적 권리
~ adjetivo 부속법, 절차법
~ administrativo 행정법
~ adquirido 기득권
~ aéreo 항공법
~ al acceso a la justicia 재판을 받을 권리
~ al agua 친수권(親水權)(derecho a disfrutar de un agua saludable)
~ al autogobierno 자치권
~ al disfrute de playas y costas 해변친수공간 향유(享有)권
~ al honor 명예권
~ al honor y a la propia imagen 명예권 및 초상권(肖像權)
~ al medio ambiente 환경권(derecho a disfrutar de un medio ambiente saludable)
~ al nombre 씨명권(氏名權)
~ al proceso 판결청구권
~ al sol 일조권(derecho a disfrutar del sol)
~ al trabajo 노동권, 근로권
~ al uso de un solar 부지(敷地)이용권
~ al uso o explotación 이용권
~ al voto 의결권, 표결권
~ angloamericano 코먼로, 관습법
~ antecedente 선행(先行)권리
~ cambiario 환어음 권리
~ casuístico (M) 관습법
~ civil 민법
~ comercial 상법
~ como votante 투표권

~ comparado 비교법
~ común 보통법
~ consuetudinario 관습법, 불문법
~ constitucional 헌법
~ constituyente (Sp) 헌법
~ corporativo 회사법
~ creditorio 채권자의 권리
~ , de, 법률의(*de jure*)
~ de acantonamiento 주병(駐兵)권
~ de acceso 액세스권, 접근권
~ de acción o de accionar 소송상의 무체(無體)재산
~ de acrecer o de acrecencia o de acrecimiento 상속분의 증가(增加)권
~ de administración o gestión 관리권
~ de adquisición preferente 선매권(先買權)
~ de amojonamiento 경계표 설치권
~ de angaria 전시(戰時) 수용(收用)권
~ de apelación o de alzada 상소권
~ de arrendamiento (건물・토지) 임차권
~ de asilo 비호권
~ de asociación de los trabajadores 단결권
~ de autor 저작권
~ de beligerancia del Estado 교전권
~ de bosque o de monte (입목의) 벌채・벌목권
~ de cobro preferente 우선변재(優先弁財)권, 선취(先取)특권
~ de cobro preferente que asiste al acreedor hipotecario 저당권
~ de compensación 상쇄권
~ de contrato 계약법
~ de crédito 채권
~ de cultivo 경작권
~ de defensa 변호권, 방어권
~ de despido 해고권
~ de destitución (내각에 대한 대통령의) 해임권
~ de disfrute 용익권(usufructo)
~ de disolución de las cortes 의회해산권
~ de enfiteusis 영소작(永小作)권
~ de entrada 출입권
~ de explotación de una patente 특허실시권
~ de federación o de coalición (노사관계) 단결권
~ de fiscalización o tutela 감독권
~ de garantía colectivo 공동담보
~ de gentes 만민법, 국제법
~ de gestión procesal 소권(訴權)
~ de guerra 교전법규(交戰法規)
~ de goce 사용수익권(uso y disfrute)
~ de hipoteca 저당권
~ de hogar seguro 가족거주토지보호특권, 가옥보호특권; 농가토지취득권
~ de huelga 파업권

~ de imposición 징세(徵稅)권
~ de impresión o de reproducción (M) 판권, 저작권
~ de insolvencia o de las quiebras 파산법
~ de inspección de los socios 감시권(derecho a supervisar la marcha de la actividad y el estado del patrimonio social)
~ de intervención 개입권(介入權)
~ de la defensa a interrogar a los testigos en el proceso penal 증인(證人)심문권
~ de llaves (GB) 보증금; 권리금
~ de los negocios 상법
~ de los trabajadores a actuar de manera colectiva 단체행동권
~ de los trabajadores a entablar conflictos colectivos 쟁의권
~ de los trabajadores a la negociación colectiva 단체교섭권
~ de minas 광업권, 채굴권
~ de monedaje 화폐주조세
~ de la navegación (A) 해사(海事)법
~ de opción 선택권, 옵션
~ de paso 통행권
~ de paso inocente 무해통항권(無害通航權)
~ de patente 특허권
~ de permanencia (C) 계속점유권
~ de pernada 초야권(*ius primae noctis*)
~ de persecución en aguas internacionales (영해에서 죄를 범한 선박에 대한) 공해상(公海上) 추적권
~ de pesca 어업권
~ de petición 청원권
~ de posesión 점유권
~ de posliminio 귀국권(歸國權)
~ de prenda 질권(質權)
~ de prioridad 우선 매수(買受)권
~ de propiedad 소유권
~ de propiedad literaria 저작권
~ de propiedad sobre el suelo 토지소유권
~ de propiedad sobre la superficie de cultivo 상토권(上土權)
~ de proposición parlamentaria (국회의) 법률발안권
~ de protesta en sede procesal 책문(責問)권
~ de recobro 회복권
~ de recurso 항소권
~ de recusación 기피(忌避)권
~ de redacción 편집권
~ de redención o de rescate 형평법상의 회복권
~ de reembolso 구상(求償)권
~ de repetición 구상(求償)권
~ de representación 대리권; 대표권; 흥행권
~ de rescate 담보물 상환 청구권
~ de retención 유치권
~ de retención del transportista 운송인의 유치권
~ de retracto o retroventa 환매권(還買權)

~ de reunión 집회(集會)권
~ de reversión 피수용자(被收用者)의 우선(優先) 매수권
~ de revocación 철회권
~ de revocación del consumidor o usuario 쿨링오프, 할부판매 계약취소 보증제도 (*cooling-off*)
~ de sindicalización 단결권
~ de subrogación 대위(代位)권
~ de subrogación contractual de quien ha convivido con el titular del arrendamiento de vivienda 거주권
~ de subrogación del acreedor en los derechos del deudor 채권자 대위(代位)권
~ de sufragio 참정권
~ de sufragio activo 선거권
~ de sufragio femenino 여성참정권
~ de sufragio pasivo 피선거권
~ de superficie 지상(地上)권
~ de superficie sobre el subsuelo de fundo ajeno 지하(地下)권
~ de superficie sobre el vuelo o el subsuelo 구분(區分)지상(地上)권
~ de superficie sobre el vuelo o espacio aéreo de fundo ajeno 공중권(空中權)
~ de sustitución legal hereditaria 대습상속(代襲相續)권(derecho a heredar por representación)
~ de tanteo 선매권(先買權)
~ de tránsito (항공) 무해통항권(無害通航權), 자유항공권, 통행운항권, 통행권
~ de un Estado a fijar sus aranceles de aduanas 관세(關稅)자주(自主)권
~ de un Estado a mantener relaciones exteriores con otros y a dictar sus propias normas sobre extranjería y comercio internacional 교통권
~ de uso 사용권
~ de uso exclusivo 전용권
~ de uso y disfrute 사용수익권
~ de usufructo 용익(用益)권
~ de veto 거부권
~ de vía 통행권
~ de vigilancia o supervisión 감독권
~ de visitas 면접교섭(面接交涉)권
~ del acusado a la última palabra 피고인의 최종진술권
~ del arrendatario a exigir del arrendador el pago de las mejoras efectuadas en el inmueble arrendado 유익비(有益費) 상환청구권
~ del Congreso a efectuar investigaciones relacionadas con asuntos de Estado 국정조사권
~ del tanto (M) 주식청약권
~ del trabajo 노동법
~ del tribunal a interpelar directamente a las partes 석명권(釋明權), 발문권(發問權)
~ derivado 계수(繼受)법
~ divino 신권(神權), 신법(神法)
~ electoral o de votar 선거권, 투표권
~ *erga omnes* 대세권(對世權)(oponible frente a cualquiera)
~ escrito o estatuario 성문법(成文法)
~ exclusivo 독점적 권리

~ exclusivo al aprovechamiento de aguas 수리권(水利權), 용수권(用水權)
~ exclusivo al aprovechamiento de aguas para consumo propio 수도용(水道用) 수리권
~ exclusivo al aprovechamiento de aguas para la producción de energía eléctrica 발전용(發電用) 수리권
~ exclusivo al aprovechamiento de aguas para regar 관개용(灌漑用) 수리권
~ exclusivo de pesca 전용(專用)어업권
~ expectante 기대권(期待權)
~ fiscal (C) 세법(稅法)
~ foral (Sp) 지방자치법
~ fundamental 조직법, 헌법
~ hereditario 상속권
~ hipotecario 저당권; 저당법
~ impugnatorio (M) 항변권
~ indemnizatorio 구상권(求償權)
~ inglés (M) 코먼로, 관습법
~ inmobiliario 부동산법
~ intelectual (A) 저작권, 판권
~ internacional 국제법
~ judicial (M) 사법 규정
~ jurisprudencial (M) 판례법, 코먼로
~ justicial (M) 절차법
~ laboral 노동법
~ lato (M) 형평법
~ marcario 상표법
~ marítimo 해법(海法), 해사(海事)법
~ material (M) 실체법
~ mercantil 상법
~ natural 자연법; 자연권
~ no escrito 불문법(不文法), 코먼로
~ obrero 노동입법(勞動立法)
~ orgánico 조직법, 기본법, 헌법
~ originario que es preciso restablecer 원권(原權)(bien cuya pérdida o daños hay que indemnizar o reponer)
~ parlamentario 국회법
~ patentario 특허법
~ patrimonial (회계) 재산지분
~ patrio 국법(國法)
~ penal 형법
~ personal 인법(人法)
~ político 헌법
~ positivo 실정법(實定法) (↔ natural), 인정(人定)법
~ preferente 우선권
~ preferente al uso o explotación de obras y diseños de propiedad industrial 선용(先用)권
~ preferente de cobro 우선변재(優先弁財)권, 선취(先取)특권
~ preferente de cobro en caso de quiebra 별제권(別除權)

~ prendario o de prenda 담보권
~ pretorio (고대 로마의) 집정관(執政官)법
~ primario 선행권
~ privado 사법(私法)
~ procesal 절차법
~ público 공법(公法)
~ real 물권(物權)
~ relativo 상대권(相對權), 대인권(對人權) (↔ derecho *erga omnes*)
~ rituario (M) 절차법
~ romano 로마법, 민법
~ sobre el espacio aéreo 영공(領空)권
~ subjetivo procesal (M) 소권(訴權)
~ substancial (M, U) 실체법
~ substantivo 실체법; 기본권
~ sucesorio 상속권
~ superior 우선권, 최우선권
~ supletorio 보충법
~ tradicional del ama de casa a administrar y dirigir las cuestiones domésticas 주부권(主婦權)(gobierno doméstico ejercido por el ama de casa)
~ transitorio 경과법(經過法), 시제법(時際法)
~ usual 관행(慣行)법
~ y equidad, en, 일반법과 형평법에 있어서

derechos 권리; 세, 관세; 수수료, 사용료
~ absolutos 절대권
~ accidentales (A) 조건부 권리
~ acuáticos 용수권(用水權)
~ aduaneros o arancelarios o de aduana 관세(關稅)
~ ajustables o flexibles o variables (US) 탄력관세
~ al valor 종가세
~ asimilados a los de autor 저작(著作)인접권
~ cívicos o civiles 공민권, 민권
~ constitutivos 형성권(形成權) (susceptibles de alterar el contenido del contrato por voluntad unilateral de una de las partes (retraer, anular, rescindir, etc.)
~ consulares 영사증명 수수료
~ cuasirreales (asimilados a los reales) 준(準)물권(物權)
~ de autor 저작권
~ de autor del redactor 편집저작권
~ de edición o publicación 출판권
~ de exhibición e interpretación de obras artísticas 흥행권
~ de entrada o de importación o de internación 수입세
~ de exclusividad 독점권
~ de explotación 이용권
~ de exportación o de salida 수출세
~ de fabricación (C) 특허권 사용료
~ de goce directo 지배권
~ de guarda 후견 수수료, 관리인 수당

~ de invención　발명권
~ de la mujer　여권(女權)
~ de la persona　인격권
~ de la persona y la familia　인신권
~ de la traducción　번역권(derechos de autor del traductor)
~ de las acciones　신주 인수권, 주식 매수권
~ de licencia　특허권 사용료, 면허료
~ de los accionistas　주주권(株主權)
~ de los accionistas minoritarios　소수주주권(少數株主權)
~ de patente　특허권 사용료
~ de propiedad　재산권
~ de propiedad incorporal　무체재산권(無體財産權)
~ de propiedad industrial　공업소유권
~ de propiedad intelectual　지적재산권, 지적소유권
~ de quilla o de puerto　정박세, 입항세, 항만사용료
~ de represalia　보복관세
~ de reproducción, *copyright*　판권, 복제권
~ de salvamento o de salvador　구조(救助)료
~ de secretaría　법원서기 수수료
~ de sello　인지세(印紙稅)
~ de subscripción　(증권) 신주 인수권, 주식 매수권
~ de sucesión　상속세
~ de terceros　제3자의 권리
~ de timbre　인지세(印紙稅)
~ del arrendador　임대권
~ del arrendatario (en especial el de disfrute de la cosa arrendada)　임차권
~ del ciudadano　시민권
~ del inventor　발명자권(derechos del titular de la invención)
~ del patriarca　족부권(族父權)
~ del socio en interés de la sociedad　공익권(共益權)
~ del socio en interés propio　자익권(自益權)
~ del socio frente a la sociedad　사원권(社員權)
~ derivados del parentesco　신분권(身分權), 친족권
~ equitativos　형평법상의 권리
~ esenciales　절대권
~ estatales　주정부 세
~ exclusivos de explotación de una patente　전용실시권(專用實施權)
~ exclusivos sobre diseños, modelos y dibujos industriales y artísticos　의장권(意匠權)
~ expectativos　기대(期待)권
~ fundamentales　기본권, 기본인권(derechos humanos fundamentales)
~ fundamentales de los trabajadores　노동기본권, 노동삼권 (asociarse, negociar y actuar de manera colectiva)
~ hereditarios　상속권
~ humanos　인권
~ humanos naturales　자연권, 천부(天賦)인권
~ humanos universales　포괄적 인권

~ impositivos 관세, 세금
~ inherentes a la condición de familiar o pariente 신분권, 친족권
~ jubilatorios 연금(年金)권
~ judiciales 법정(法廷) 비용
~ limitados 조건부 권리
~ mercantiles 상권(商權)(potestades o facultades mercantiles)
~ morales de autor 저작자 인격권
~ ordinarios de explotación de una patente 통상(通常) 실시권
~ para renta pública 재정(財政)관세
~ patrimoniales 재산권(derechos de contenido patrimonial)
~ personales 인권
~ personalísimos 일신(一身) 전속권
~ políticos 참정권
~ portuarios 입항(入港)료
~ precautorios 예방(豫防)권
~ preferentes de cobro generales u ordinarios 일반 선취(先取)특권
~ privados 사권(私權)
~ protectores o de protección 보호관세
~ públicos 공적(公的) 권리
~ reales 물권
~ reales de garantía 담보물권
~ reales de uso y disfrute 용익물권(用益物權)
~ reales distintos del dominio 타물권(他物權)
~ reales limitativos del dominio 제한물권
~ reales sobre cosa ajena 타물권(他物權)
~ relativos 상대적 권리
~ reparadores o restitutorios 회복권
~ reservados 유보된 권리(*all rights reserved*)
~ ribereños 하천부지 소유권
~ secundarios 부차적인 권리
~ singulares 절대적 권리
~ sobre modelos de utilidad 실용신안권
~ sociales 사회권
~ subjetivos (M) 시민의 권리, 민권, 공민권
~ sucesorios 상속세
~ susceptibles de protección mediante medida cautelar 피(被)보전권리
~ y acciones 권리와 소송
~ y obligaciones 권리와 의무

Derecho 법학(ciencia jurídica); 법, 법률(conjunto de leyes)
~ administrativo 행정법
~ aéreo o del aire 공법(空法)
~ anglosajón 영미법(*Common Law*)
~ armonizado 통일법
~ autonómico 지방자치법
~ bancario 은행법
~ cambiario 어음법

~ civil 민법
~ comparado 비교법학
~ común 일반법, 보통법
~ concursal 파산법
~ constitucional 헌법, 헌법학
~ consuetudinario 관습법
~ consuetudinario internacional 국제관습법
~ contable 회계법
~ continental 대륙법 (↔ ~ anglosajón)
~ corporativo 기업법
~ de extranjería 외국인법
~ de familia 가족법
~ de la circulación 교통법
~ de la navegación aérea 항공법
~ de la navegación marítima 항해법
~ de pandectas 판데크텐 법학
~ de la seguridad social 사회보장법
~ de seguros 보험법
~ de sociedades 회사법
~ de sucesiones 상속법
~ del agua 수법(水法)
~ del aire 공법(空法)
~ del mar 해양법
~ del trabajo 노동법
~ dispositivo 임의(任意)법
~ eclesiástico 교회법
~ eclesiástico del Estado 국가교회법
~ económico 경제법
~ escrito 성문법(成文法)
~ especial 특별법
~ estatal 국법
~ estatuido (입법기구에 의한) 제정(制定)법
~ extranjero 외국법
~ financiero 재정법
~ fiscal 세법, 조세법
~ foral 지방특별법
~ germánico 게르만법
~ global 글로벌 법
~ hipotecario 저당법
~ humano 인정(人定)법 (↔ ~ divino)
~ inmobiliario 부동산법
~ inmobiliario y registral 부동산법 및 등기법
~ internacional 국제법
~ internacional consuetudinario 국제관습법
~ internacional de la guerra 전시(戰時)국제법
~ internacional de la paz 평시(平時)국제법
~ internacional humanitario 국제인도(人道)법

~ internacional privado 국제사법
~ internacional público 국제공법
~ interregional 준국제사법(準國際私法)
~ laboral 노동법
~ marítimo 해상법(Derecho mercantil del mar)
~ material 실체법
~ matrimonial 혼인법
~ mercantil 상법
~ mercantil consuetudinario 상관습법
~ militar 군법, 군율
~ nacional 국내법
~ natural 자연법
~ necesario 강행법(*ius cogens*)
~ no escrito 불문법(不文法)
~ nuevo 신법(新法)
~ penal 형법
~ político 국법학(國法學)
~ privado 사법(私法)
~ positivo 실정(實定)법 (↔ ~ natural), 인정(人定)법
~ procesal 소송법, 절차법 (↔ ~ sustantivo)
~ procesal civil 민사소송법
~ procesal penal 형사소송법
~ público 공법
~ registral 등기법
~ romano 로마법
~ sanitario 위생법
~ social 사회법
~ social o laboral 노동법
~ societario 회사법
~ sustantivo 실체법
~ tributario 세법, 조세법
~ unificado 통일법
~ urbanístico 도시계획법

derecho-equidad (M) 형평법

derechohabiente 권리자, 권리소유자

derogable ㊒ 폐지・폐기할 수 있는

derogación (법의) 폐지・폐기

derogar 폐지・폐기하다

derogatoria (Ch, AC) 폐지・폐기

derogatorio ㊒ 폐지・폐기의

derramar 흘리다, 뿌리다; 할당하다
~ sangre 피를 흘리다

derrocamiento del gobierno por la fuerza y la violencia 폭력에 의한 정부 전복

desacato 불경, 무례, 모독
~ al tribunal o a la corte 법정모욕(죄)
~ civil 민사적 법정모욕
~ criminal 형사적 법정모욕
~ indirecto 준(準)법정모욕

desaconsejar 단념시키다

desacuerdo 불일치, 불화; 잘못, 실수

desadeudarse 빚을 갚다

desaforar 특전이나 권리를 박탈하다; 변호사 자격을 박탈하다

desaforo (PR) 변호사 자격박탈

desafuero 특권박탈(desposesión de privilegios e inmunidades)

desagravaciones (A) 세금 감면

desagraviar 보상·배상하다

desagravio 보상·배상

desaguisado 위법, 횡포, 무법, 난폭; ㉻ 불법의, 부당한, 난폭한

desahogado ㉻ 부담이 없는, 탁 트인, 넉넉한

desahuciador 내쫓는 자

desahuciar 내쫓다, 명도하게 하다

desahucio 내쫓음, 퇴거, 명도(明渡); (취업) 해고, 해직; 퇴직금, 해직수당
~ en precario 명도소송(明渡訴訟)

desairar 무시·경시하다; 어음을 부도내다, 지급·인수를 거절하다

desalojamiento 추방, 퇴거; [취업] 해직

desalojar 내쫓다, 명도하게 하다

desalojo 추방, 퇴거, 명도
~ físico 추방, 퇴거
~ virtual o implícito o sobrentendido 의제(擬制) 퇴거

desamortizar 한정상속을 해제하다

desamparar 단념·포기하다

desamparo 단념·포기

desaparición 실종; 상실

desapoderar 위임을 취소하다; 권한을 박탈하다; 빼앗다

desaposesionar 빼앗다

desaprobar 불합격시키다; 재가(裁可)하지 않다, 각하하다; 비난하다

desapropiar 소유권을 이전하다; (A) 할당을 취소하다

desapropio 소유권 이전

desasegurar 보험을 해약하다

desasociar (CA) 조합·협회를 해산하다

desatender 등한히 하다, 돌보지 않다; (상업) 지급·인수를 거절하다

desautorización 허가 취소; 자격 결여

desautorizado ⓗ 허가 취소된, 자격이 결여된

desautorizar 허가를 취소하다, 권한을 박탈하다

desavenencia 불화, 적대

desavenirse 불화하다

descabalar 좀도둑질하다; 해치다, 손상하다

descalificar 실격시키다, 허가를 취소하다

descanso 휴식

descargar 짐을 부리다·내리다; 부담을 덜다; 빚을 갚다; 어음을 결제하다
 ~ la responsabilidad 책임에서 벗어나다

descargarse 비난에 응수하다, 혐의를 부인하다; 사직·사임하다

descargo 변명(辨明); (채무의) 면제, 소멸; (부채의) 변제; 책임 해제; 하역
 ~ en quiebra 파산면책(破産免責)

descasar 결혼을 취소하다

descendencia [집합] 후손, 자손, 비속(卑屬)
 ~ colateral 방계 후손
 ~ legítima 적출(嫡出) 비속
 ~ lineal 직계 비속

descendientes 후손, 자손, 비속친(卑屬親)

descentralización 지방분권

desconfianza 불신(不信), 의심

desconfiar 불신하다, 의심하다

desconformar 반대하다, 의견을 달리하다

desconforme 의견 불일치; ⓗ 반대하는, 의견이 다른

desconformidad 반대, 의견 불일치

desconocer 모르다; 부인하다, 거부하다

desconocimiento 무지

el ~ de la Ley no exime de su cumplimiento 법을 모른다고 해서 지키지 않아도 되는 것은 아니다

descontable ㉱ 할인할 수 있는

descontador, descontante 할인 어음의 수취인

descontar 공제하다; 할인하다

descrestar (Col) 사취(詐取)하다

descreste 사취(詐取)

descripción 묘사; 재산·상품·재고 목록

descubierto (bancario) 당좌대월(當座貸越)
~ , a, 무담보의
~ , en, 미납된; 차월(借越)한
~ en cuenta 당좌대월

descuento cambiario 어음할인

descuidado ㉱ 부주의한, 방심한, 태만한

descuidar 소홀히 하다, 태만하다

descuido 부주의, 태만
~ culpable 태만죄
~ porfiado 고의적 태만

desechar 버리다; 거절하다; 기각하다; 부결하다

desembargar 압류를 해제하다

desembargo 압류의 해제

desemejanza 부동성(不同性), 차이
~ de alegatos 각양각색의 주장

desempatar 캐스팅보트를 행사하다; 결승 시합을 하다

desempeñar 수행하다; 역할을 하다; 되찾다, 회복하다

desempeño 이행, 수행; 역할; 변제, 되찾음

desempleo 실업, 실직

desentramparse 채무를 완전히 청산하다

deserción 탈영, 탈당, 탈퇴, 이반(離反); 상소 포기; 위부(委付)

desertar 버리다, 떠나다; 탈영하다; 상소 포기하다; 위부(委付)하다
~ la apelación 항소를 포기하다

desestimación 기각
~ de la demanda 원고의 청구 기각
~ de la solicitud de apertura del juicio oral por defectos procesales 공소(公訴) 기각
~ del recurso de apelación 상소 기각

desestimar 경시・멸시하다, 퇴짜 놓다; 각하・기각하다

desestimatorio ㉬ 거절・거부・기각하는

desfalcador 횡령자, 유용(流用)자, 착복하는 자

desfalcar (위탁금을) 유용・착복・횡령하다

desfalco 횡령

desflorar 성폭행하다, 겁탈하다, 정조를 유린하다

desglosar (서류에서) 주를 삭제하다; (서류의 일부를) 뽑아내다, 회수하다

desgracia 불행, 불운, 재난

desgravación fiscal 조세감면(租稅減免)

desgravamen 담보 해제

desgravar 담보를 해제하다; 세금을 면제하다

deshacer 부수다; 취소・해제하다
 ~ el contrato 계약을 해제하다
 ~ la estiba 짐을 부리다

desheredación 폐제(廢除)

desheredar 폐적(廢嫡)하다, 상속권을 박탈하다

deshipotecar 저당을 해제하다

deshonestidad 부정직, 불충실

deshonesto ㉬ 부정직한, 불충실한

deshonor (상업) 인수 거절, 부도 처리

deshonrar (여자를) 농락하다; (어음의 인수를) 거절하다

deshonroso ㉬ 부정직한, 불명예스러운

desierto 상소 포기(recurso desierto)

designación 임명, 선임(選任)
 ~ oficiosa o informal 내정(內定)

designar 지정하다; 지명・임명하다; 계획하다

desincautar 압류를 해제하다

desincorporar 법인・회사를 해산하다

desinvestidura 자격 박탈

desistimiento 소(訴)의 취하
 ~ de la acción 소송 취하
 ~ de la demanda 소송 취하; 고소 취하
 ~ de la instancia 소송 취하

~ del recurso 항소 포기
~ tácito 묵시적 포기
~ voluntario de la ejecución de un delito 중지범(中止犯), 중지미수(未遂)

desistir 포기 · 취하 · 중지 · 단념하다

desistirse de la demanda 소송을 취하하다

desleal ⓗ 불성실한, 부정직한, 거짓된

deslindar 경계를 정하다

deslinde 경계 확정
~ y amojonamiento 측량과 경계표시

desmandar (명령 · 주문을) 취소 · 철회하다

desmedro 피해, 손해, 손상

desmembrarse (Col) (조합 · 회사를) 해산하다

desnaturalizar 취소하다, 무효로 하다; 국적 · 시민권을 박탈하다; (외국인을 국외로) 추방하다

desobediencia 불복종
~ a la autoridad (delito) 불복종죄
~ civil 시민적 불복종
~ legítima 정당한 불복종

desobligar 의무를 해제하다

desocupación 실업(失業); 비어 있음; (M) 명도(明渡) 신청

desocupar (장소를) 비우다
~ judicialmente 명도(明渡)를 청구하다

desocuparse 이직 · 사직하다

desorden público 치안문란행위

despacho 사무소; 발송; 처리, 처분; 전갈, 통보;
~ aduanal o aduanero o de aduana 통관
~ de ejecución 집행처분

despejar de sala 방청인들을 퇴정시키다

despenalización 비(非)범죄화

despido 해고
~ disciplinario 징계 해고
~ improcedente 부정(不正) 해고
~ injustificado 부당 해고
~ nulo 해고 무효
~ ordinario 보통 해고
~ por circunstancias económicas 정리(整理) 해고
~ procedente 정당한 해고

~ temporal por circunstancias económicas 일시적 정리해고(*layoff*)

despignorar 저당을 해제하다

despojante 약탈자

despojar 약탈하다; (취업) 해고하다; (Ec) 내쫓다

despojo 약탈, 탈취; (Ec) 내쫓음, 추방

desposeer 내쫓다, 명도를 청구하다; 박탈하다

desposeimiento 추방; 박탈

desposesión 박탈

desposorios 상호간의 결혼 약속, 약혼

despotismo 전제정치

destierro 유형(流刑), 추방; 유배지

destitución 해임, 면직
~ de un cargo público 공직 파면

desuso 불용(不用), 폐절(廢絶), 진부(陳腐)

desvalijar 도둑질하다

desvalijo 도둑질, 절도

desviación 탈선, 일탈, 비행(非行)
~ de poder 월권, 재량권 남용
~ jurídica 비행(非行)

desvincular 한정상속을 해제하다

detallar 상술(詳述)하다; 세목을 나열하다

detalles 상세, 세부 명세

detective de policía 형사(刑事)

detectivismo (Col) 탐정 업무

detector de mentiras 거짓말 탐지기

detención 체포, 검거; 유치(留置)
~ de urgencia (영장을 발부받지 않은) 긴급 체포
~ de la sentencia 판결 억지(抑止)
~ en flagrante delito 현행범 체포
~ ilegal 불법 감금
~ maliciosa 부당한 체포
~ ordinaria 통상(通常) 체포, 영장에 의한 체포
~ por orden verbal 판사의 구두 명령에 의한 체포
~ por implicación en delito distinto del investigado 별건(別件)체포
~ preventiva (기소를 하기 전의) 구속, 예방구금

~ violenta 폭력적 부동산 불법점거

detener 보류하다; 억류 · 구류 · 유치 · 구금하다; 체포하다; (동산을) 압류하다
~ el pago 지불을 정지시키다

detentación 불법점유

detentador 불법점유자

detentar 불법으로 점유하다

determinación 결정, 확정
~ de la paternidad 친자 감별
~ de la pena 양형(量刑)

detrimento 손실, 피해

deuda 채무, 부채
~ a largo plazo 장기 부채
~ a plazo breve o a corto plazo 단기 부채
~ asentada (A) 이자부(附) 장기 부채
~ caducada 실효(失效) 부채
~ con garantía solidaria 연대보증 채무
~ consolidada o titulada 이자부(附) 장기 부채
~ derivada de un plan de reestructuración de empresa 갱생(更生) 채권
~ en gestión 법적 수단에 의해 회수 중에 있는 부채
~ escriturada 날인(捺印)증서 채무
~ exterior o externa 외채, 외국채
~ firme o consolidada 확정 채권
~ ilíquida (A) 불확정 채무
~ impositiva 세금 채무
~ incobrable o mala 불량 채무
~ interior o interna 내채, 내국채
~ líquida (A) 확정 채무
~ por juicio 판결 확정 채무
~ privilegiada 우선(優先) 채무
~ pública 공채(公債), 국채(國債)
~ quirografaria 무담보 채무
~ solidaria 연대 채무
~ vencida 만기 채무

deudas
~ hereditarias (M) 사망인의 부채
~ mortuarias (M) 장례비용
~ testamentarias 유산(遺産)

deudor 채무자
~ alimentario 부양비 지불인
~ concordatorio 채권자들과 합의한 파산자
~ convocatorio (A) 채권자들을 소집한 채무자
~ ejecutivo 집행채무자

~ hipotecario 저당권 설정자
~ mancomunado 연대 채무자
~ moroso o en mora 체납 채무자
~ por juicio o por fallo 판결 확정 채무자
~ prendario 동산 저당 채무자
~ principal 주(主)채무자
~ solidario 연대채무자
~ subsidiario 종(從)채무자

deudores de regreso 소구(遡求) 채무자들

deudos 친척들

devengado, principio de lo 발생주의 (↔ principio de lo percibido 현금주의)

devengar (이자・보수 등의 권리가) 발생하다

devolución 상환
~ de efectos o piezas de convicción decomisadas 환부(還付), 환급
~ de impuestos 환부금(還付金)

día 일(日)
~ ante el tribunal 법정(法廷) 출두일
~ cierto o fijo 정한 날, 확정일
~ dado 정한 날, 확정일
~ de comparecencia 출두일
~ de contango (GB) 주식결제유예일
~ de fiesta 휴일
~ de fiesta oficial 법정(法定) 공휴일
~ de reporte (GB) 주식결제유예일
~ de vacancia (Ec) 폐정(閉廷)일
~ en corte (PR) 법정(法廷) 출두일
~ feriado o festivo 공휴일
~ fijado para la vista, ~ señalado para la audiencia pública 공판 기일(期日)
~ fijado para los informes orales 구두 변론 기일
~ hábil 평일, 개정(開廷)일, 근무일, 영업일
~ inhábil 휴일, 폐정(閉廷)일
~ natural 역일(曆日)
~s calendarios 토, 일, 공휴일을 모두 포함한 역일
~s hábiles 토, 일, 공휴일을 제외한 근무일
~s-multa (sistema) 벌금(罰金) 일수(日數)

diacrítico ⓗ 구별・감별・진단의, 특징적인

diario 일기, 일지; (상업) 일기장; 신문
~ oficial 관보

dicente 선서자, 증인

dictadura 독재정치

dictamen 답신(informe); 의견(opinión)

~ de auditoría (M) 감사보고서, 감사증명서
~ escrito 의견서
~ judicial 판결, 사법판단
~ perical 감정서

dictaminar 의견・판단을 말하다; 판결・재정(裁定)하다

dictar 구술하다; 명령・지시하다
~ fallo o sentencia o providencia o resolución 판정・판결・선고・결정하다
~ un auto 영장을 발부하다
~ un decreto 법령을 공포하다
~ una opinión 의견・판결이유를 말하다

dictógrafo 딕토그래프(*dictograph*)

dicho 진술, 증언; 속담, 경구(警句)

dies a quo 시기(始期)

dies ad quem 종기(終期)

dieta de testigo 증인 수당

Dieta 국회(Asamblea Nacional)

dietas 출장비, 출장수당

difamación 명예훼손, 비방
~ criminal 범죄적 비방행위
~ escrita 문서에 의한 명예훼손, 비방하는 글
~ oral o verbal 구두 비난, 명예훼손

difamar 명예를 훼손하다, 중상・비방하다

difamatorio ㉻ 명예를 훼손하는, 중상・비방하는

diferir 미루다, 연기하다; 상위(相違)하다

difunto 고인(故人); ㉻ 죽은, 고인의, 고(故)

digesto 요약; 법전

digitales 지문(指紋)
arcos 아치형
presillas 고리형
verticilos 나선형
compuestas 혼합형

dignatario 고관(高官)

digno de confianza ㉻ 믿을 수 있는, 신뢰할 수 있는

dilación 지연; 유예
~ deliberatoria o probatoria 답변 기일(期日)
~ procesal 소송 지연

dilapidación 탕진, 허비, 낭비

dilatar 미루다, 연기하다

dilatorio ⓗ 연기(延期)하는(예: táctica dilatoria (소송상의) 지연전술)

diligencia 처분(處分); 재판상의 절차; 주의(注意)
~ de embargo 차압절차
~ de emplazamiento 소환장 송달
~ de lanzamiento 명도(明渡)절차
~ de ordenación 법원 서기관의 처분
~ de prueba 증거 청취, 증거 수집
~ de un buen administrador 선량한 관리자의 주의(注意)의무
~ de un buen padre de familia 선량한 아버지의 주의(注意)의무
~ exigible o debida 상당한 주의(注意)의무
~ extraordinaria 특별한 주의(注意)
~ judicial 사법절차
~ ordinaria o normal 일반적인 주의의무
~ necesaria 필요한 주의(注意)
~ procesal 소송절차, 재판절차
~ propia 선관(善管)주의의무
~ razonable 합리적인 주의의무
~ simple 단순한 주의
~ sumaria 약식 절차

diligencias 처분, 절차
~ del protesto 지급거절 절차
~ finales 석명(釋明)처분
~ para mejor proveer 석명처분
~ preliminares 예비소송
~ probatorias 증거제출 방법

diligenciador 상업대리인, 대리인, 협상자

diligenciar 절차를 밟다, 수고하다

diligenciero 대리인, 대행자

diligente ⓗ 부지런한, 근면한

dilogía 모호함, 불명료함

dimisión 사임

dinero 금전
~ abonado como indemnización 배상금
~ consignado 공탁금
~ entregado como arras penitenciales 계약보증금
~ privado 사금(私金)
~ público 공금(公金)

diplomacia 외교

diplomado 대학 졸업자; (CA) 전문 직업인

diplomático 외교관, 외교사절

dipsomanía 만취벽(滿醉癖)

diputado 대의원; 하원의원, (양원제 의회의) 국회의원
~ propietario 정규 위원
~ suplente 대리 위원

Diputación 지방의회

diputado 의원(議員), 국회의원

diputar 대표를 뽑다, 대리로 내세우다, (권한을) 위임하다

dirección 수뇌부 중역; 이사회; 지휘, 관리; 주소(住所)

directiva 이사회(junta directiva)

directivo (M, C) 이사, 임원; ㉻ 지휘·지도·감독·관리하는

director 사장, 지배인, 중역, 이사, 부장; 교장; 감독; 단장

directorio 이사회, 중역회; 편람, 명부; 지시규정; ㉻ 지휘·지도·감독·관리하는

directorios
~ encadenados (A) 겸직 이사회
~ entrelazados 겸직 이사회

directriz (기속력이 없는 권고로서의) 지도(指導);
㉻ 기준이 되는 (예: línea ~ 지도 방침)

dirigente 통치자, 지도자
~ de un sindicato 노조 지도자, 노조 전임(專任)자

dirigir 지휘·지도·감독·관리하다; 수취인 주소를 적다

dirigirse 향하다
~ al banquillo 증인대에 서다, 증인석에 앉다
~ al tribunal 법정에서 발언하다, 검사가 논고하다

dirigismo estatal u oficial (U) 정부의 시장 개입, 관 주도(主導)

dirimente → impedimento dirimente

dirimir 해결하다; 취소하다

discapacitado 장애인
~ físico 신체장애인
~ mental 정신장애인

discernimiento 식별(력); (관재인·후견인의) 임명; (피임명인의) 선서

discernir 식별하다; (관재인·후견인으로) 임명하다; (피임명인이) 선서하다

disconforme ㉻ 불일치의, 불복의, 의견이 다른

disconformidad 불일치, 불복, 이의

discordancia 부조화, 불일치

discordia 부조화, 불일치

discreción 사려, 분별, 신중; 재량

discrecional ⓗ 신중한; 재량의

discrecionalidad 재량, 재량권
~ administrativa 편의주의, 행정재량

discriminación 차별
~ positiva 적극적 차별
~ racial 인종차별

disculpa pública (손상된 명예를 회복시키기 위해 보충적 보상조치로서의) 사죄 광고

disculpar 용서하다, (혐의 · 의무 · 채무에서) 벗어나게 하다

discurso 연설, 담화; 발언
~ al jurado 배심원단에게 하는 발언
~ de informe 증거 요약; 배심원단에게 하는 발언

discusión 토의, 토론
~ de la pretención (M) 피고의 항변

discutible ⓗ 논의 · 토의할 만한

discutir 논의 · 토의 · 토론하다

disenso 불일치, 불찬성, 이의

disentir 불일치 · 불찬성하다, 의견을 달리하다

disfrutar 즐기다, 향유하다

disfrute 수익, 향유; 임기(任期)

disidencia 불찬성, 이의

disidente 탈퇴자, 반체제인사; ⓗ 의견을 달리하는, 반대하는

disminución de capital 자본감소, 감자(減資)

disminuido 장애인
~ psíquico absoluto 심신(心神)상실 장애인
~ psíquico parcial 심신(心神)미약 장애인

disolución 해산, 해소
~ del consorcio 조합의 해체
~ del matrimonio 혼인(婚姻) 해소
~ social 회사 해산

disolver 해소 · 해산하다
~ el contrato 계약을 취소하다 · 무효로 하다

~ una corporación 회사를 해산하다
~ la reunión 휴회・산회・폐회하다

disparate 큰 실수; 이치에 닿지 않는 말

disparejar (Col) 좀도둑질하다, 유용・착복・횡령하다

dispensa (특별히 면하여 주는) 특면

dispensable ⓗ 용서할 수 있는

dispensación 면제; 공제

dispensar 용서하다, 사면하다, 면제하다

disponer 마음대로 사용하다; 조치하다; 준비하다

disponiéndose (법에서) ~을 조건으로

disponible ⓗ 자유로 사용할 수 있는; 유동적인, 요구할 수 있는

disposición 처분; 규칙
~ accesoria 부수(付隨)처분
~ adicional 부칙
~ administrativa 행정처분
~ administrativa lesiva para el interés público 부당처분(不當處分)
~ administrativa restrictiva de derechos individuales 불이익(不利益)처분
~ complementaria 보칙
~ derogatoria 폐지규칙
~ ejecutiva 집행처분
~ *mortis causa* 사후처분(死後處分), 사인처분(死因處分)
~ prohibitiva o restrictiva 단속규정
~ sancionadora 벌칙, 형사처분

disposiciones
~ discrecionales (M) 판사의 재량 규정
~ generales 총칙
~ legales 법률 규정
~ procesales 소송 규칙
~ reformatorias 개정 조문
~ sustantivas 실체법
~ transitorias 경과규정, 부칙
~ tributarias 세법
~ vinculadas (M) 판사의 기속(羈束) 규정

dispositivo 장치; ⓗ 조치하는

disputa 논쟁, 쟁의, 분규
~ , en, 분쟁 중에 있는
~ obrera 노동 쟁의

disputabilidad 경합성, 경쟁 가능성

disputable ⓗ 논쟁의 여지가 있는, 다툴 만한

disputar 토론하다, 논쟁하다; 다투다, 경쟁하다

distracción de fondos 착복, 횡령

distracto (A) 합의에 의한 계약 파기

distraer 유용·횡령·착복하다

distrito 구(區), 구역
~ aduanero 세관 지구(地區)
~ impositivo 세제(稅制) 지구, 피(被)과세구역
~ judicial 재판관할 구역

disyuntivo ⓗ 나누는, 분리적인

dita 보증, 보증인; 채무

dividendo 배당(금)
~ activo 배당
~ acumulativo 누적배당
~ de bienes o en especie 현물배당, 재산배당
~ de capital o de liquidación 청산배당
~ en acciones o de acciones 주식(株式)배당
~ en pagarés 증서배당
~ ocasional o casual 부정기적 배당
~ pasivo (Es, Col) 청약주식 할부금
~ preferente o preferencial 우선주 배당
~ provisorio o provisional 중간배당

dividendos
~ atrasados 누적배당금
~ ficticios 문어발 배당

dividir por mitades e iguales partes 똑같이 절반으로 분할하다

dividuo ⓗ 나눌 수 있는

divisa 문장(紋章), 의장(意匠), 마크; 유증(遺贈)재산

divisas 외화(外貨); 외국환(外國換)
~ a la vista 요구불 외국환
~ de compensación 외환(外換)협정 하의 환전
~ extranjeras 외국환

divisibilidad 분할할 수 있음, 가분(可分)성

divisible ⓗ 나눌 수 있는

división 분할; 행정구분
~ de la cosa común 공유물의 분할
~ de patrimonios 재산분할
~ por mitades e iguales partes 절반 분할

divorciar 이혼시키다, 인연을 끊어 놓다

divorcio 이혼
~ contencioso o judicial 재판상의 이혼, 법정이혼
~ convencional o paccionado 협의상의 이혼, 협의이혼
~ de mutuo acuerdo 협의상의 이혼, 협의이혼
~ en rebeldía 궐석 이혼
~ limitado 부부 별거
~ por causal 귀책사유 이혼
~ vincular 이혼

divulgación 유포(流布), 널리 알려짐; 공포(公布)

doble ㉱ 이중의; ㉾ 이중으로; ㉰ 두 배
~ imposición 이중과세
~ imposición internacional 국제적 이중과세(二重課稅)
~ nacionalidad 이중국적
~ representación 쌍방대리
~ responsabilidad 양벌(兩罰)
~ tributación 이중과세(二重課稅)
~ venta 이중매매(二重賣買)
~ vínculo 친부모자식관계

doctor en derecho 법학박사

doctrina 학설(學說), 론(論)
~ mayoritaria o dominante 통설

doctrinal ㉱ 학설의

doctrinario ㉱ 학설의; 이론적인

documentación 문서화; [집합] 서류, 문서
~ comprobatoria o justificativa 부속서류

documentador 법원 서기
~ público (M) 공증인

documental, documentario ㉱ 서류·자료의, 서류·자료에 의한; 기록의

documentar 서류·자료로서 증명하다; 문서를 만들다
~ una deuda 채무 사실을 증빙하는 문서를 주다

documento 문서; 증서
~ anónimo 서명되지 않은 문서
~ auténtico 공증 문서
~ autógrafo 서명된 문서
~ cambiario 환어음
~ constitutivo o de constitución 회사설립증명서
~ de crédito 신용증권
~ de giro 환어음
~ de tránsito (M) 선하증권; 화물적하증
~ de transmisión 양도증, 매도증
~ de venta 매도증

~ declarativo (M) 선언적 문서
~ dispositivo 임의 문서
~ fehaciente 공정(公正)증서, 공문서
~ formal 법적 서류
~ heterógrafo (M) 타인이 작성한 서류
~ hológrafo 자필증서
~ nacional de identidad 신분증명서
~ negociable 교부성 증서
~ nominado o nominal 작성자의 이름이 기록된 서류
~ notarial 공증인증서
~ ológrafo 자필증서
~ privado 사문서
~ probatorio 증빙서
~ público 공문서
~ público ejecutivo 집행증서
~ secreto 비밀증서
~ simple 공증되지 않은 서류
~ solemne 법적 서류, 날인 증서

documentos
~ al portador 무기명식 증서
~ comerciales o de comercio 상업상의 서류
~ con una sola firma 단명(單名)어음
~ creditorios 채무증서
~ de título 권리증서
~ justificativos 부속서류
~ mancomunados (M) 복명(複名)수표
~ transmisibles 유통증권

dolo 고의(故意); 기만, 사기, 흉계
~ alternativo 택일적 고의
~ civil (M) 경범죄
~ cumulativo 누적적 고의
~ directo 확정적 고의
~ eventual 미필적 고의
~ negativo 소극적 계약사기(詐欺)
~ penal 범의(犯意)
~ positivo 적극적 계약사기(詐欺)

doloso ⓗ 고의의; 사기의

doméstico ⓗ 국내의; 가정의

domiciliación 지급장소 지정; 본사 소재지; 본적지

domiciliar 거주지·주소를 정하다

domiciliario ⓗ 본적의, 거주지의

domicilitario 지급장소가 지정된 어음의 지급인

domicilio 주소
~ comercial 영업소 주소
~ constituído 합법적 거주지; 계약상 합의된 주소
~ convencional 계약상 합의된 주소
~ conyugal 부부의 주소
~ de hecho 실제 주소
~ de origen 본적 주소
~ de las personas morales 법인의 주소
~ legal 합법적 주소·거주지
~ municipal 국내 거주 주소
~ nacional 국내 주소
~ necesario 필수적인 주소
~ provisional 가주소(假住所)
~ real 기류지(*domicile of choice*)
~ registral originario 원적, 본적(domicilio legal o del registro civil de origen)
~ social 본사 소재지; 법인 주소
~ verdadero 기류지

dominante ㉻ 지배적인, 우세한; 주된

dominical 신문의 일요판 부록; ㉻ 일요일의; 지배권의

domínico ㉻ 지배권의, 소유권의

dominio 소유, 소유권(derecho de propiedad)
~ absoluto 완전 소유권
~ directo 직접 소유권, 본래 소유권
~ durante la vida 종신 부동산권, 종신 물권
~ eminente 수용(收用)권, 공용 수용
~ fiduciario 신탁 소유권
~ fiscal 관유(官有)
~ imperfecto 제한적 재산권
~ perfecto 무제한적 소유권
~ pleno 완전 소유권
~ por tiempo fijo 기한부 재산권
~ privativo 사유(私有)
~ simple 완전 소유권
~ supremo (C) 수용권, 공용 수용
~ territorial 영역적 관할권; (A) 부동산 소유권
~ útil 준(準)소유권, 이용(利用) 소유권
~ vitalicio 종신 부동산권, 종신 물권

don 선물; 재능

donación 증여
~ en vida 생존자간의 증여, 생전(生前)증여
~ esponsalicia (혼인을 위한) 결납(結納)
~ inoficiosa 유류분(遺留分)을 침해하는 증여
~ *inter vivos* 생전(生前)증여
~ modal o con carga modal 부담부증여(負擔附贈與)

~ *mortis causa* 사인(死因)증여
~ por causa de muerte 사인(死因)증여

donador o donante 증여자, 기부자, 희사자

donar 증여하다, 기부하다

donatario 수증(受贈)자

donativo 증여, 기부, 기증품; ⓗ 증여의

dorso 문서・증서의 이면(裏面)

dotación 신부의 혼인지참금; 타고난 재능; 용돈, 수당; 승무원, 직원
~ pura 생존보험(*pure endowment*)

dotar (재산을) 지참시키다; 기부하다; (자질을) 부여하다; 비치하다; 배치하다

dote 지참금

doy fe 나는 증명한다

dragoneante (Col) 공직자 서리(署理)

duda razonable 합리적 의심

dudoso ⓗ 의심스러운

dueño 소유주, 소유자
~ en equidad 형평법상의 소유자, 실질 주주
~ matriculado 차량 소유자
~ sin restricciones 절대 소유자

dumping 덤핑, 투매(投賣) (venta a pérdida)

dúplica (피고의) 제2 답변서

duplicidad 이중성, 표리부동, 음흉스러움

dura lex sed lex 악법도 법이다.

duración 지속성, 지속기간
~ de la patente 특허 기간

durante ausencia (del albacea) (관리인의) 부재 중에

D

E

ebriedad 취중(醉中)(embriaguez) (예: conducción en estado de ebriedad 음주(취중) 운전)

ebrio 주정뱅이; ⓗ 술에 취한(borracho, embriagado)
~ habitual 상습적 음주자

economato 소비조합, 생협(生協)

economía 경제
~ de mercado 시장경제
~ dirigida o intervenida 관리(管理)경제, 국가주의
~ política 정치경제학
~ procesal 소송(訴訟)경제(經濟)

ecónomo 관재인(管財人), 후견인, 보관자

echar 던지다
~ al mar (해상보험) 투하(投荷)하다
~ bando 포고하다

echazón (해상보험) 투하(投荷)
~ aboyada (해난 때) 부표를 붙여 바다에 투하한 화물

ecuanimidad 공평, 공정

edición especial del boletín oficial 관보 호외(número extraordinario del BOE)

edicto 공고, 공시(anuncio público), 칙령
~ emplazatorio 소환장
~ papal 교황의 칙령

edificación 공작물

edificio en régimen de propiedad horizontal 공동주택, 집합건물

edil 시의회 의원

edila (여)시의회 의원

edilicio ⓗ시의회의

efectivar (Ec) 현금으로 하다; 현금으로 바꾸다; 지급 받다

efectividad 유효

efectivo 현금(dinero en metálico); ⓗ 효과적인; 실제적인; 현금의

efecto 효과; 상업상의 서류
~ cambiario 환어음

~ de complacencia (M) 융통어음
~ de prórroga automática del convenio colectivo expirado hasta la firma de uno nuevo 여후효(余後效)
~ devolutivo 환송(還送), 반려(返戾)
~ jurídico o legal 법률효과
~ retroactivo 소급효 (↔ ~ a futuro 장래효)
~ suspensivo (집행)유예효력, 정지효력
~ general 일반효
~ entre partes 당사자효

efectos 재산, 재화(財貨), 재(財), 동산, 물건; 어음, 채권, 수표
~ al portador 무기명식 증서, 지참인불 증권
~ a tres firmas 할인 매각된 어음
~ cotizables (Pe) 상장 유가증권
~ cuasinegociables 준(準)유통어음
~ de comercio 상업증권, 기업어음; 유통증권
~ de cortesía o de favor 융통어음
~ de difícil cobro (은행) 불량채권
~ desatendidos 부도어음
~ documentarios 환어음
~ extranjeros 외국환어음
~ financieros 융통어음, 금융어음
~ jurídicos 법률효과, 법률목적
~ negociables 유통어음
~ pasivos 지불어음; 보통지불환
~ personales 동산, 인적 재산; 사유물, 소지품
~ públicos (M, C) 공채, 국채
~ redescontables (US) 적격어음
~ timbrados 날인증서

efectuar 실행하다
~ cobros 징수하다
~ un contrato 계약을 맺다
~ una garantía 보증하다
~ un pago 지불하다
~ una reunión 회의를 하다
~ seguro 보험에 들다
~ una venta 판매하다

eficacia 효력
~ constitutiva 형성력
~ de la Ley 법의 효력
~ de los actos administrativos 공정(公定)력
~ *ex nunc* 장래효
~ jurídica 법적 효력
~ normativa 규범적 효력
~ pro-futuro 장래효
~ probatoria 증거가치, 증명력

~ traslativa 이전적(移轉的) 효력

eficaz ⓗ 유효한

ejecución 집행
~ administrativa forzosa 행정상의 강제집행
~ administrativa subsidiaria 대집행(代執行)
~ capital 사형(死刑)
~ coactiva (Ec) 강제집행
~ concursal 파산절차
~ de condena a emitir una declaración de voluntad 의사표시의무의 집행
~ de créditos o de derechos 권리집행, 채권집행
~ de disfrute 수익집행
~ de entrega de cosa inmueble 부동산집행
~ de entrega de cosa mueble 동산집행
~ de hacer 작위채무의 집행
~ de hipoteca 저당물 압류
~ de resoluciones judiciales extranjeras 외국판결의 집행
~ de sentencia 판결집행
~ de un delito 범죄 실행
~ de una medida cautelar civil 보전집행
~ de una pena 형의 집행
~ de una pena privativa de libertad 행형
~ definitiva 최종(最終)영장, 종국(終局)영장
~ dineraria 금전집행
~ específica 개별적 집행
~ estatuaria 적법 강제집행, 경매권 실행
~ forzosa 강제집행
~ indirecta 간접강제
~ individual (M) 채권자 1인에 의한 담보물의 매각처분
~ inferior o posterior 수반(隨伴)집행, 후순위(後順位)집행
~ general 파산절차
~ judicial civil 민사집행
~ no dineraria 비금전집행
~ personal 인적 집행 (↔ ~ real)
~ procesal 판결집행
~ provisional 가집행
~ real 물적 집행 (↔ ~ personal)
~ singular 채권자 1인의 압류
~ subsidiaria o sustitutiva 대체집행
~ universal 파산절차, 포괄적 집행
~ voluntaria 자발적 이행
~ voluntaria de una quiebra 사적(私的) 정리

ejecutable ⓗ 실행할 수 있는; 강제집행 할 수 있는, 압류·처분할 수 있는

ejecutado 피압류인; ⓗ 강제집행 된

ejecutante 강제집행자; 연주자

ejecutar 실행하다; 집행하다; 연주하다
~ un ajuste 조정·합의·해결하다
~ bienes 재산을 압류하다
~ un contrato 계약을 맺다
~ una hipoteca 저당물을 압류하다
~ un pedido 주문한 물건을 공급하다

ejecutividad 집행권, 강제집행권

ejecutivo ⓗ 행정권의 (예: poder ~ 행정권, 행정부);
민사집행의 (예: procedimiento ~ 민사집행절차)

ejecutoria 실형 판결; 집행명령서

ejemplar (문서·인쇄물의) 부, 권, 통; 본보기, 견본, 사례; 본보기로 주는 벌; ⓗ 모범적인; 본보기로 벌주는
~ de firma 서명 견본
~ duplicado 부본(副本), 사본

ejercer 행하다; 업으로 삼다
~ la abogacía 변호사 일을 하다
~ una acción 소송을 제기하다, 고소하다
~ el comercio 상업에 종사하다, 거래하다
~ un derecho 권리를 행사하다
~ una profesión 직업에 종사하다

ejercicio (권한의) 행사, 발동; (경제 기간으로서의) 년도(年度)
~ contable o financiero 회계연도
~ de la acción civil en el proceso penal 부대사소(附帶私訴)
~ económico o social (M) 회계연도
~ fiscal 영업연도; 사업연도
~ impositivo o gravable 세무연도, 회계연도
~ profesional 직업 수행

ejercitable ⓗ 시행할 수 있는

ejercitar 실행하다; 연습하다
~ una acción legal 소(訴)를 하다
~ un derecho 권리를 행사하다
~ un juicio 고소하다, 소송하다

elección de nacionalidad 국적 선택

elecciones 선거
~ generales 총선거

electivo ⓗ 선거에 의한; 선택적인

elector 선거인, 투표자

electrocución 전기(電氣) 사형(死刑)

elegir un jurado 배심원단을 선정하다

elementos 요소; 요건(requisitos)
~ comunes 공용(共用)부분
~ comunes estatutarios 규약(規約) 공용(共用)부분
~ comunes legales 법정 공용부분
~ constitutivos del delito 범죄구성요건
~ del tipo (penal) 구성요건
~ objetivos del tipo [형] 객관적 구성요건
~ privativos 전유부분
~ probatorios 증거물, 증거물건
~ subjetivos del tipo [형] 주관적 구성요건

elevar 올리다, 높이다
~ a instrumento público 공문서・증서화하다
~ a ley 법령화・법제화하다
~ al tribunal 재판에 걸다, 고소하다
~ en consulta a la Corte Suprema (Ec) 대법원에 회부하다
~ una memoria 보고서를 제출하다, 답신하다
~ parte 보도하다; 보고서를 작성하다
~ el proceso 상소하다
~ una reclamación 클레임을 제기하다
~ el recurso 항고하다; 재정(裁定) 신청하다

eludir 벗어나다, 회피하다
~ impuestos 탈세하다

elusión 회피; 탈세

emancipación 친권면제, 부권면제

emancipar 해방하다; (아이를) 부권(父權)으로부터 해방시키다

embajada 대사관

embajador 대사(大使)

embargable ⓗ 압류할 수 있는

embargado 피압류인

embargador 압류인

embargante 압류인

embargar 압류하다

embargo 압류; 선박 억류; 금지 명령
~ de crédito 전부(轉付)
~ preventivo o precautorio 유치권, 선취 특권, 리엔
~ provisorio o provisional (M) 가압류(假押留)
~ subsecuente 가압류

embriaguez 명정(酩酊), 취함, 취기
~ autoinducida o provocada 자초(自招) 명정

emisión 발행, 발권, 교부(交付); 방송
 ~ consolidada 정리사채 발행
 ~ de acciones 주식 발행
 ~ de deuda 기채(起債), 사채(社債) 발행

emisionismo (A) 지폐의 무제한 발행

emisor 발행인(예: banco emisor 발권은행, 중앙은행)

emisora (라디오, TV의) 방송국

emitente 수표・어음 발행인

emitir 발행하다; 발표하다; 방송하다
 ~ un cheque 수표를 발행하다
 ~ el fallo 판결을 내리다
 ~ una opinión 의견을 발표하다

emolumento 수당; 보수, 급여

emolumentos de asistencia 관리자의 보수, 임원의 보수

empadronamiento 주민등록, 거주민 등록

empadronar 주민・선거인 명부에 등록하다

empatar 비기다, 동점・동수가 되다

empecer 상처를 입히다; 방해하다

empeñar 저당・전당 잡다; 의무를 지우다; 보증하다

empeñarse 빚을 지다; 고집하다; (누구를 위해) 힘을 쓰다

empeño 저당・전당 잡힘; 매도담보(賣渡擔保); 약속; 소망, 열심, 집념, 노력; (M) 전당포

empezar a regir 시행・발효・적용되다, 효력을 발휘하기 시작하다

emplazador 송달리(送達吏)

emplazamiento 소환, 호출; 때・장소의 지정
 ~ a huelga 파업 소집(명령)
 ~ por edicto 공시송달(公示送達)

emplazante 소환인

emplazar 소환하다

empleado 피고용인, 근로자, 사무원, 직원

empleador 사용자, 고용주(patrón)

empleo 고용; 사용(uso, utilización)
 ~ provechoso 유급직(有給職)

empresa 기업, 회사
 ~ camionera 화물운송회사
 ~ colectiva 공동사업; 조합; 회사

E

~ común 합작투자(*joint venture*), 공동기업
~ concesionaria de servicios públicos 특허기업
~ conductora (운수・통신산업의) 코먼캐리어(*common carrier*)
~ conjunta 공동기업
~ de depósitos en seguridad 대금고(貸金庫)업자
~ de dirección estatal 국영기업
~ de explotación 영업회사, 운영회사
~ de fianzas 보증회사
~ de servcios públicos 공익기업
~ de trabajo temporal 인재파견회사
~ de transporte afianzada 보세운송회사
~ de transporte particular 사적(私的) 운송업자, 전속 운송업자
~ de transporte por ajuste 계약 수송업자
~ de transporte vial 자동차운수업자
~ de utilidad pública 공익기업
~ especulativa 기업, 영리법인
~ fiadora 보증회사
~ filial 종속회사, 자회사
~ fiscal (A, Ch) 국가경영기업
~ lucrativa 기업, 영리법인
~ mixta 준(準)공영기업
~ multinacional 다국적기업
~ no lucrativa 비영리단체
~ operadora 운영회사, 영업회사
~ , por, 도급으로
~ persona jurídica 법인기업
~ porteadora 운송업자
~ privada 민간기업
~ pública 공기업, 공사(公社)
~ pública regional 지방(地方)공영기업
~ semipública (mixta) 준(準)공영기업
~ subsidiaria 종속회사
~ tenedora 지주회사, 모회사
~ unipersonal 개인기업, 1인기업
~ vertical 수직적 결합・통합, 트러스트, 기업합병

empresas municipales 시(市)공용사업

empresario 기업인, 기업가
~ -accionista 기업자주주(企業者株主)

emprestar 임대하다; 임차하다

empréstito 빚; 대부(貸付); 차관
~ a la gruesa 선박저당 채권
~ con garantía 담보부 대여금
~ de guerra 전쟁 공채
~ de renta perpetua 영구적 채무
~ forzoso 강제 대출

en beneficio de... ~를 위해
en beneficio ajeno 타인을 위해
en beneficio de tercero 제삼자를 위해
en beneficio propio 자기를 위해

en nombre de... ~의 이름으로, ~의 명의로
en nombre ajeno 타인의 이름으로
en nombre de tercero 제삼자의 이름으로
en nombre propio 자기의 이름으로

enajenable ㉯ 양도할 수 있는

enajenación 양도, 이전(transmisión); 이간(離間); 정신병
~ de afectos 애정 이전(移轉)
~ forzosa 수용(收用), 수용선고(*condemnation*)
~ mental 심신미약, 정신 이상
~ mental permanente 계속적 심신미약
~ mental transitoria 일시적 심신미약

enajenado 심신미약자

encaje (은행) 준비금, 적립금
~ excedente 잉여 준비금
~ legal 법정 준비금
~ metálico 정화(正貨) 준비

encante 경매, 공매

encarcelación ilegal 불법 감금

encarcelar 투옥하다, 감금하다

encargo 위탁(comisión), 촉탁; 주문(pedido)
~ de confianza 신탁, 믿고 맡김

encarpetar 보류하다

encartar 명부에 등록하다; 소환하다; 고소・기소・취조하다

encausable ㉯ 소송・기소할 수 있는

encausado 피고

encausar 고소하다; 기소하다

encomendar 부탁하다; 위임・위탁하다

encomienda 의뢰, 위탁
~ de ferrocarril 지급편 화물
~ postal 우편 소포

encubierta → encubierto

encubierto 기망(欺罔)행위

encubridor 종범(從犯), 은닉자

encubrimiento 은닉(죄)
~ activo 적극적 은닉

encuesta 설문 조사; 여론 조사

endeudado ⓗ 빚을 진

endeudarse 빚을 지다

enditado ⓗ 빚을 진

enditarse 빚을 지다

endorsar 배서(背書)하다

endorso 배서(背書)

endosable ⓗ 배서할 수 있는

endosada (CA) 배서

endosado 피배서인, 양수인(讓受人); ⓗ 배서된

endosador, endosante 배서인(背書人)

endosar 배서하다
~ en blanco 백지 배서하다

endosatario 피(被)배서인

endose 배서

endoso 배서
~ a la orden 지시식 배서
~ absoluto 무조건 배서
~ al cobro 추심(推尋)위임 배서
~ al portador 무기명 배서
~ anterior 앞의 배서
~ calificativo (Pan) 무담보 배서
~ comercial (A) 무기명식 배서
~ completo o perfecto 기명식 배서
~ con mandato de cobro 징수(徵收)위임 배서
~ condicional o limitado 무담보 배서, 제한 배서
~ de favor 융통 배서
~ de regreso 환(還) 배서
~ en blanco 백지(白紙) 배서
~ en garantía (M) 입질(入質) 배서
~ en prenda 입질(入質) 배서
~ en procuración (M) 추심위임 배서
~ en propiedad (M) 명의변경 배서
~ especial 기명식 배서
~ falsificado 위조된 배서
~ irregular 변칙 배서
~ no nominativo 무기명 배서

~ nominativo 기명 배서, 완전 배서
~ pignoraticio 입질(入質) 배서
~ por acomodamiento (Col) 융통 배서
~ por mandato 위임 배서
~ por orden 위임 배서
~ regular o pleno 기명식 배서
~ restrictivo 제한적 배서

enfermedad 질병, 질환
~ inculpable (A) 부주의로 인한 질병
~ industrial 산업재해
~ profesional 업무상 질병, 업무상 재해, 산업재해
~ venérea 성병

enfiteusis 영소작(永小作)

enfitéutico ⓗ 영소작의

enganche de trabajadores 인력 사냥

engañar 속이다, 사기치다, 기만하다

engaño 사기
~ o intimidación 사기 혹은 강박

engañoso ⓗ 거짓의, 현혹시키는

enjaranado (CA) 빚을 진

enjuague 음모, 책동

enjuiciable ⓗ 기소할 수 있는; 재판해야 할

enjuiciado 피고; ⓗ 재판에 회부된

enjuiciamiento 심리(審理), 재판
~ civil 민사재판, 민사소송
~ criminal o penal 형사재판, 형사소송
~ malicioso 무고(誣告)
~ procesal 소송절차

enjuiciar 재판에 회부하다; 심리하다; 판결을 내리다

enmendar 고치다, 개정하다

enmienda 개정; 개정안
~ a la totalidad 전면개정
~ quinta (US) (피고인이 자신에게 불리한 증언의 거부권을 부여한) 미국 헌법 제 5 수정조항

enmiendatura (Col) 개정

enquimbrarse (Col) 빚을 지다

enriquecimiento 부유(富裕); 이득

~ ilícito o injusto o sin causa o torticero 부당이득; 부정축재(不正蓄財)

enseres 비품, 설비; 정착물

entablar 개시하다
~ acción 소송을 제기하다
~ demanda 소송을 제기하다
~ denuncia 고발하다
~ ejecución 압류하다
~ juicio hipotecario 유질(流質)시키다
~ negociaciones 교섭을 개시하다
~ pleito 소송을 제기하다
~ un protesto 거절증서를 작성하다
~ querella 불평·불만을 제기하다
~ reclamación 이의를 제기하다

ente 기관, 단체
~ autónomo 자치기구
~ jurídico o de existencia jurídica 법인(法人)
~ moral (M) 비영리단체

entender en 재판 담당이다

enterante (Col) 영수인(領收人)

enterar 알리다, 보고하다; 지불하다

enterarse (정보를) 알게 되다, 소식을 듣다

entereza de contrato (보험) 계약의 적법성

entero 지불, 납부; (Ch) (복권) 일등 당첨금; (수학) 정수(整數)
~ , por 완전히, 빠짐없이

entidad 기구, 기관, 시설; 법인
~ anónima 주식회사, 기업
~ aseguradora 보험회사
~ bancaria 금융기관
~ comercial 기업
~ contable 회계법인
~ de derecho privado 비공개법인
~ de derecho público 공개법인
~ jurídica o legal 법적 실체
~ política 정치체
~ porteadora (운수·통신산업의) 코먼캐리어
~ privada 민간단체
~ sin ánimo de lucro 공익법인, 비영리법인
~ sindical 노동조합
~ social 조합

entrada 들어감, 진입, 입학, 입장, 입사, 입항, 반입; 시작, 서두; 입구, 현관
~ a consumo (세관) 과세 통관

~ en vigor 시행, 발효(發效)

entradas 수입, 세입, 수령액; 통관; 반입; 선금
~ a caja 현금수입
~ brutas 총수입, 총세입
~ de operación o de explotación 영업수익, 영업수입
~ netas 순수입

entrampado (Pe) 빚을 진

entrar en vigor 발효하다(surtir efecto)

entre 사이에
~ sí 그들 사이에(*inter se*)
~ vivos 살아 있는 사람 사이에(*inter vivos*)

entredicho 금지, 중지

entrega 교부(交付); 인도(引渡)
~ efectiva 실효적 인도
~ real o material 현실적 인도
~ simbólica 상징적 인도

entregable, entregadero ⓗ 인도할 수 있는

entregado en comodato 사용대차로 빌려준

entregador de la citación 송달리(送達吏)

entregar 건네주다, 인도하다, 배달하다; 지불하다

entregarse 항복하다, 자수하다

entrelinear 행간에 적어 넣다

entrelíneas 행간

entrerrenglón 행간

entrerrenglonadura 행간에 기입한 것

entrerrenglonar 행간에 적어 넣다

entrevista reservada (구속자에 대한 변호사의) 접견

entronización 즉위

entuerto 모욕, 부당행위

enunciar 언명하다, 진술하다

enunciativo ⓗ 서술적인

envenenar 독을 타다; 독살하다; 중독시키다

envenenamiento 독을 타기; 독살; 중독

epígrafe 비명(碑銘); 표제(標題), 제명

E

epiqueya 신중한 법 해석, 정상참작(情狀參酌)

epistolar ⓗ 서한(書翰)의, 통신문의

época 시대; 시기
~ de pago (어음의) 만기일

equidad 형평, 정의(正義)
~ compensatoria 형평법상의 상계(相計)제도
~ consuetudinaria 자연법적 형평성
~ no tolera ningún agravio sin una reparación 정의는 손실에 대한 보상이 있어야 성립한다
~ presume que está consumado aquello que debe realizarse 정의는 마땅히 되어야 할 것은 이미 된 것으로 간주한다
~ sigue a la ley 정의는 법을 따른다

equiparación legal 의제(擬制) 규정

equiparar 비교하다; 맞추다; 대조하다

equitativo ⓗ 공평한, 공정한

equivalencia procesal o de la prueba 완전한 증거

equivocación 오류, 과실, 실수, 착오

equívoco ⓗ 애매한, 모호한, 미심쩍은

erario público 국고

erotomanía 색정광(色情狂)

error 착오, 흠결(欠缺), 오류(誤謬)
~ común 일반흠결
~ de derecho 법률의 착오
~ de hecho 사실의 착오; (불복신청 사유인) 사실 오인
~ de pluma 기록의 착오
~ de prohibición 금지의 착오
~ de subsunción 포섭(包攝)의 착오
~ en el estado de necesidad 오상(誤想)피난
~ en el golpe 타격의 착오, 방법의 착오(*aberratio ictus*)
~ en el motivo 동기의 착오
~ en el objeto 객체의 착오
~ en la aplicación del derecho sustantivo 의률(擬律) 착오, 법령적용의 착오
~ en la apreciación de la prueba 사실 오인
~ en la identidad de la persona 사람을 착각함
~ en la legítima defensa 오상(誤想)방위(防衛)
~ en la relación de causalidad 인과관계의 착오
~ en un elemento esencial del negocio jurídico 요소(要素)의 착오
~ esencial 요소(要素)의 착오
~ excusable 무해(無害)흠결
~ fundamental 요소(要素)의 착오
~ inexcusable 유해(有害)흠결

~ judicial 사법권의 오류
~ perjudicial 불리한 이유에 의한 오판(誤判)
~ procedimental o procesal (불복신청 사유인) 절차상의 과오
~ reponible 판결파기사유가 되는 오류
~ sobre la cosa 사실의 착오

escalador 도둑; ⓗ 기어오르는, 도둑의

escalamiento 가택침입, 도둑질
~ en primer grado 일급 절도

escalar 가택침입하다, 도둑질하다

escalfar (M) 유용・착복・횡령하다; (CA) 할인하다, 리베이트하다

escalo 가택침입, 절도
~ en tercer grado 삼급 절도

escamoteador 사기꾼, 야바위꾼

escamotear, escamotar 야바위하다, 사기 치다, 속이다

escamoteo 사기, 속임수

escaño 의석

escisión 분할(分割)
~ procesal (M) 소송 분할
~ societaria 회사분할

esclavitud 노예제

escribanía 서기직; (A) 공증기관

escribano 법원 서기; (A) 공증인
~ de registro (A) 공증인
~ público 공증인

escribiente 서기
~ notarial 공증 사무원
~ para calendario (PR) 법원 서기

escrito 장(狀); ⓗ 서면(書面)의
~ de acusación 기소장
~ de acusación del gran jurado 기소장
~ de agravios 고소장; 고발장
~ de apelación 상소장
~ de calificación de la acusación 기소장
~ de conclusiones 소송사건 적요서
~ de contestación a la demanda 답변서
~ de demanda 소문(訴文), 소장(訴狀)
~ de impugnación del recurso de la contraparte 답변서
~ de presentación 준비서면
~ de promoción 소장(訴狀)

~ de querella 고소장
~ de recusaciones 항고서
~ de reposición 재심신청서
~ , por 서면(書面)으로
~ privado 사문서(私文書)

escritos de conclusión 최종변론서

escritorio 책상; 사무소

escritura 공증인 증서(~ notarial); 공정증서; 계약서
~ a título gratuito 무상양도증서
~ constitutiva o de constitución 회사설립허가서
~ constitutiva y estatutos 회사 설립허가서 및 정관
~ corrida 필기(筆記)
~ de cancelación 저당권말소증서
~ de cesión 양도증서
~ de compraventa 매매계약증서
~ de concordato 지급기일연기계약
~ de constitución de hipoteca 저당권설정증서
~ de convenio 날인계약증서
~ de donación 증여계약증서
~ de emisión de bonos 사채계약증서
~ de enajenación 양도증서
~ de fideicomiso 신탁증서
~ de fundación 법인설립증서
~ de hipoteca 담보증권
~ de mandato 위임장
~ de nacimiento 출생증명서
~ de organización 법인설립증서
~ de pleno dominio 상속증서
~ de poder 위임장
~ de poder para pleitos 소송위임장
~ de préstamo e hipoteca 담보대출증서
~ de propiedad 권리증서
~ de reforma 개정
~ de satisfacción 저당권말소증서
~ de seguro 보험증서, 보험증권
~ de traspaso 양도증서
~ de venta 매도증, 매매계약서
~ fiduciaria 신탁증서
~ guarentigia 보증서
~ hipotecaria o de hipoteca 담보증권
~ matriz 원본증서
~ notarial 인증서
~ privada 사문서(私文書)
~ pública 공문서(公文書), 공증문서
~ sellada 날인증서

~ social o de sociedad 법인설립증서; 조합계약서
~ traslativa de dominio 양도증서

escriturar 공증문서를 작성하다

escriturario ㉠ 공증문서에 의한, 공증문서의

escrutador 개표(開票)원, 계표(計票)원

escrutinio 개표(開票)

escucha telefónica autorizada 합법 감청(監聽)

escucha telefónica ilegal o inconsentida 전화(電話)도청(盜聽)

escuela
~ correccional 소년원
~ de derecho 로스쿨
~ nacional de práctica jurídica 사법연수원(Centro Estatal de Formación Judicial, Escuela Judicial)
~ de práctica jurídica 법과대학원, 로스쿨
~ de procuradores (C) 로스쿨

esencia, de 필수적인; 본질적인

espacio aéreo (국가의) 영공; (소유지의) 공간

especialidad 전문, 전공; 날인계약

especie 현물 (↔ metálico); (A, Ch) 정금(正金), 정화(正貨)
~ , en 현물로; (A) 정화・정금으로

especies
~ fiduciarias (M) 법정(法定)불환지폐(不換紙幣)
~ fiscales (CA) 정부 국채
~ monetarias (Ec, Col) 통화(通貨), 화폐
~ timbradas (C) 인지(印紙) 및 인지첨부 문서
~ valoradas (Ch, Pe) 우표, 수입인지, 지폐

especificación 상술(詳述), 상세한 기록

especificaciones 내역, 명세; 명세서, 시방서

especificar 상술하다; 명세서에 기입하다; 특약을 정하다

especificidad 특례

especioso ㉠ 겉만 그럴싸한, 허울만 좋은, 가면을 쓴

especulativo ㉠ 영리를 밝히는; 투기적인

espera 이행기한의 연장(prórroga del término de cumplimiento)
~ , en 유보된, 일시적으로 중단된

espía 간첩, 스파이

espión 간첩, 스파이

espionaje industrial 산업스파이

espíritu de la Ley 법(法)의 정신

esponsales 약혼, 혼인예약

esposa 아내

esposa como cabeza de la casa o primera titular de la unidad familiar 여호주(女戶主)

esposo 남편

esposo que entra a vivir en la casa regida por la esposa 입부(入夫)

espurio, espúreo ⓗ 가짜의, 위조의; 서출(庶出)의

esquilmar 사취(詐取)하다, 속여 빼앗다; 이용하다, 착취하다; 수확을 올리다

establecer 설립 · 제정 · 개설 · 수립 · 규정하다
~ una apelación 상소하다
~ demanda 소송을 제기하다
~ impuestos 세금을 부과하다
~ juicio 소송하다
~ la ley 법을 제정하다
~ una reclamación 이의를 제기하다

establecimiento 설립; 제정(制定); 영업소, 공장; 건물, 집
~ comercial 영업장, 가게
~ disciplinario 징계장(懲戒場)
~ educativo 교육장, 학교
~ penitenciario 교도소
~ penitenciario de menores 소년교도소; 소년원

estación 계절; 역(驛); 국(局)
~ de policía 경찰서
~ del juicio 소송절차 단계

estadidad (PR) 연방 주(州) 상태

estadizar (A) 국유화하다

estado 사태(situación); 기록, 표
~ bancario 은행잔고명세서, 은행잔고증명서
~ civil 결혼여부 상태, 기 · 미혼 여부
~ con fines contributivos 세무계산서
~ condensado 요약 대차대조표
~ contabilístico (C, CA) 대차대조표
~ de alarma 경계사태
~ de concurso 파산사태
~ de contabilidad (M, Pe) 대차대조표
~ de emergencia 긴급사태
~ de excepción 비상사태

~ de ganancias y pérdidas 손익계산서
~ de guerra 전쟁 상태, 교전 상태
~ de liquidación (파산) 청산서
~ de necesidad 긴급피난
~ de necesidad putativo 오상(誤想)피난(避難)
~ de resultados 손익계산서, 이익계산서
~ de sitio 계엄령
~ de situación (C, PR) 일반대차대조표
~ del activo y pasivo 대차대조표
~ , en 판결 준비가 된
~ financiero 재무제표
~ intermedio 중간 재무제표
~ legal 법적 지위, 법적 신분상태

Estado 국가; (연방국가의) 주(州), 자치주
~ -ciudad 도시국가(*polis, civitas*)
~ contratante 체약(締約)국(國)
~ del bienestar 복지국가
~ de Derecho 법치국가
~ federado 주(miembro de un Estado federal)
~ federal 연방국가
~ libre asociado 자유연합 주 (예: Puerto Rico)
~ miembro 자치주, 주(州)
~ -nación 국민국가, 민족국가
~ negociador 교섭국
~ parte 당사국
~ policial 경찰국가
~ signatario (조약의) 체결국
~ totalitario 전체주의국가

Estados Unidos 미국, 미합중국

estadual (A) 국가의; 주(州)의

estafa 사기(詐欺)
~ informática 정보통신을 이용한 사기
~ procesal 소송 사기

estafador 사기꾼

estafar 사취하다, 사기하다

estampilla 우표; 인지(印紙)
~ de timbre nacional 수입인지(收入印紙)
~ fiscal 수입인지

estanco 전매제; 전매품 매점

estanquero 전매품 판매인

estar a derecho (Sp) 재판을 받고 있다; 소송에 연루되다

E

estatal ⓗ 국가의 (↔ autonómico, regional o local)

estatismo 국가통제주의

estatuir 법으로 제정하다; 규정 · 약정하다

estatuario, estatuído ⓗ 법령의, 법정(法定)의

estatuto 법규, 조례, 내규; (회사) 정관, 사규(社規); 통칙
~ de limitaciones (M) 소멸 시효; 소송제기 기한법
~ formal 민사소송법
~ orgánico 조직법, 기본법
~ personal (PR) 개인과 개인의 권리에 관한 기본법
~ real 물권기본법
~ sobre fraudes [영미] 사기(詐欺)방지법(*statute of frauds*)

Estatuto 헌장(carta fundacional o norma fundamental)
~ de autonomía 자치헌장
~ de la Abogacía 변호사법
~ de los Trabajadores 노동자헌장, 근로기준법
~ del partido político 당헌
~ Nacional de la Función Pública 국가공무원법

estatutos 정관; 내칙
~ de propiedad horizontal 구분소유권(區分所有權) 규약
~ de una empresa 사칙(社則), 취업규칙
~ de constitución social 회사 설립정관
~ revisados 개정 정관
~ sociales 회사 정관

estelionato 계약체결에 있어서의 사기(詐欺)

estilar (문서) (계획을) 입안하다

estilo 형식; 방법; 문체
~ caligráfico 필적(筆跡)

estimación (청구를 인정하는) 인용(認容)
~ parcial 일부(一部) 인용(認容)

estimar 존경하다, 소중히 하다, 감사하게 생각하다; 판단하다; 평가하다; 예측 · 예상하다

estimativo ⓗ 평가하는; (M) 감정가(鑑定價)의

estipendario 유급(有給)자, 장학생; 월급을 받는 치안판사; ⓗ 유급(有給)의

estipendio 수당, 급여; 장학금, 급비

estipulación 개조(個條), 조항, 약관(約款)
~ condicional o condicionada 단서조항
~ modal 부관(附款)

estipulante 계약자, 약정자; ⓗ 협정의, 규정하는

estipular 규정하다

estirpe 가계(家系), 가문, 혈통

estorbo público 공공불법방해, 공해(*public nuisance*)

estrado 대, 단; 교단
~ de testigos 증언대

estrados 법정(法廷)

estraperlista 암상인(暗商人)

estraperlo 암시장; (A) 식료품 투기

estructura 구조, 구성, 기구
~ del capital 자본구조, 자본구성

estudiar derecho 법학을 공부하다

estudio 조사
~ de mercado 시장조사

estupro (미성년자의) 강간

ética 윤리
~ de los negocios 사업 윤리
~ profesional 직업 윤리

ético 윤리학자; ㊚ 윤리의

eutanasia (activa o directa) 안락사

eutanasia pasiva 존엄사

evacuar 비우다; 실행・수행하다
~ una consulta 자문에 응하다
~ las diligencias 절차에 따르다
~ un encargo 주문을 처리하다; 과제를 수행하다
~ un informe 기사를 쓰다; 보도하다
~ una protesta 항변하다
~ protesto 거절증서를 작성하다
~ prueba 증거를 제출하다
~ la respuesta 답변하다
~ un traslado 통고하다

evadir 회피하다

evadirse 도망・도주하다

evaluación 평가
~ de los daños 손해배상액 산정(算定)
~ del impacto ambiental 환경영향평가
~ del impacto de tránsito 교통영향평가

evaluar 평가하다

E

evasión 회피; 도망; 탈세
  ~ de capitales 자본 도피
  ~ de divisas 외화 도피
  ~ de la acción de la justicia 도망(逃亡)
  ~ de impuestos 조세회피, 탈세
  ~ fiscal 조세회피, 탈세

evasiva 핑계, 구실

evasivo ⓗ 회피적인, 핑계 대는

evasor 탈세자

evento 사건, 우발사건

eventual ⓗ 우발적인, 우연한

eventuales (A) 우발사건

eventualidad 우발성

eventualidades 불의의 사건
  ~ del mar (해상보험) 해난(海難)

evicción (확정판결에 의한) 권리 회수, 쫓아냄

eviccionar (A) (토지·물권을) 되찾다, 퇴거시키다, 쫓아내다

evidencia 증거
  ~ circunstancial 정황(情況)증거
  ~ moral 거의 틀림없는 일, 개연적 확실성, 강한 확신
  ~ por referencia 전문(傳聞)증거

evidencial ⓗ (M) 증거의, 증거가 되는, 증거에 의한

evidenciar 입증하다, 증명하다

evitabilidad del resultado lesivo 해로운 결과의 예견가능성

evitable ⓗ 피할 수 있는, 피해야 할

evitación de accidentes 사고 예방

ex
  ~ *aequeo et bono* 공평과 양심에 따라, 정의와 공평에 입각하여
  ~ *contractu* 계약으로부터
  ~ cupón 이자락(利子落)의
  ~ delicto 불법의, 불법행위에 의한
  ~ dividendo 배당락(配當落)의
  ~ *nunc* 지금부터
  ~ *officio* 직권으로 (↔ a petición de las partes); 직무상 당연히
  ~ parte 일방적인, 당사자 한 쪽에 치우쳐
  ~ penado 전과자
  ~ *post facto* 사후소급 적용
  ~ testamento 유언에 의해

~ *tunc* 그때부터

exacción 징수
~ arbitraria 부당징수
~ parafiscal 준(準)세금

exactor 세무공무원

exageración 과장(誇張)

examen 심사; (문서·전과·증거 등의) 종람(縱覽)
~ de documentos a puerta cerrada en el juicio civil 비공개심리, 인카메라 리뷰

examinador 조사하는 사람, 검사관, 심사원
~ bancario 은행 검사관

examinar 조사·심사·검사하다
~ cuentas 회계감사하다

excarcelación 출소, 출옥

excarcelar 석방하다, 출옥시키다

excedencia 휴업, 휴직, 무급휴가
~ para cuidado de familiares enfermos 간병(看病) 휴직
~ para cuidado de hijo 육아 휴직

excedente 잉여금; 초과액; ⓗ 잉여의; 초과한; 휴직 중인
~ de capital 자본 잉여금
~ de explotación 이익 잉여금, 유보 이익
~ repartible (보험) 분배 잉여금
~ sin consignar 미처분 이익 잉여금

excedentes (PR) (설탕생산조절 프로그램 하의) 초과 설탕

excepción 특례, 예외; 이의, 항변 (↔ acción)
~ anómala 긍정과 부정이 혼성된 항변
~ coherente (M) 인적(人的) 항변
~ de arraigo (M) 원고가 비용을 부담해야 한다는 항변
~ de compensación 상쇄의 항변
~ de compromiso previo 사전합의의 항변
~ de cosa juzgada 기판력(旣判力)의 항변
~ de demanda insuficiente 불충분의 항변
~ de derecho (M) 소송 이유 없음의 항변
~ de dinero no entregado 미지불금의 항변
~ de excusión 검색의 항변권
~ de falta de acción 소송 이유 없음의 항변
~ de falta de competencia 관할위반의 항변
~ de falta de cumplimiento 불이행의 항변
~ de falta de personalidad 무자격의 항변
~ de hecho 사실의 항변
~ de incumplimiento contractual en las obligaciones sinalagmáticas 동시이행(同時履行)의 항변

~ de la incapacidad de la parte 무자격의 항변
~ de incompetencia 권한 외의 항변
~ de litispendencia 소송계속(訴訟繫屬)의 항변
~ de nulidad 결정적 항변, 무소권(無訴權)의 항변
~ de oscuridad (M) 주장 불명확의 항변
~ de pago 변제의 항변
~ de prórroga o aplazamiento 연기(延期)항변
~ de sometimiento de la cuestión a arbitraje 중재계약(仲裁契約)의 항변
~ de unión indebida 잘못된 병합의 항변
~ declarativa 확인의 항변
~ declinatoria 재판관할의 항변
~ dilatoria o temporal 지연의 항변
~ especial 특별 항변
~ general 전면 부정
~ mixta 혼성 항변
~ perpetua (M) 결정적 항변
~ perjudicial (M) 편파성의 항변
~ previa 방소(放訴)항변
~ procuratoria (M) 무자격의 항변
~ rei-coherente (M) 물적 항변
~ substancial 법 해석의 항변
~ superveniente 부수(附隨)항변

excepciones 항변
~ cambiarias 어음 항변
~ dilatorias 유예 항변, 연기(延期)적 항변
~ materiales 실체법상의 항변
~ materiales de derecho 권리항변
~ materiales de hecho 사실항변
~ perentorias 영구(永久)항변
~ personales 인적 항변
~ procesales 방소항변(妨訴抗辯), 소송법상의 항변
~ propias de los delitos patrimoniales entre parientes 친족상도례(親族相盜例)
~ reales 물적 항변
~ subsidiarias 예비적 항변, 가정적(假定的) 항변

exceptio 항변
~ *no adimpleti contractus* 동시이행의 항변
~ *pacti conventi* 합의약속의 항변
~ *veritatis* 사실의증명

excepcionable ⓗ 항변할 수 있는

excepcionante 이의제기·항변을 하는 사람

excepcionar 항변하다, 이의를 신청하다

excepcionarse (A) 항변하다, 이의를 신청하다

exceptio regulam probat 예외는 규칙이 있다는 증거이다

exceptuar 제외하다, 예외로 하다

exceso 과잉, 초과, 잉여; 월권
- ~ de explotación (Col) 이익잉여금
- ~ de pérdida (보험) 초과손실
- ~ de seguro 초과보험
- ~ de siniestralidad (보험) (Sp) 초과손실
- ~ de utilidades 초과이익
- ~ en las facultades de representación 월권대리
- ~ o desproporción en el estado de necesidad 과잉피난
- ~ o desproporción en la legítima defensa 과잉방어

exclusión 배제, 제외; 제명; [민] 폐제(廢除)
- ~ del foro 변호사 자격 박탈

exclusivista ㉠ 배타적인; 독점적인

exclusivo ㉠ 배타적인; 독점적인

excluyente ㉠ 제외하는; 배척하는

excrex 아내의 혼인지참금에 남편이 얹어준 재산

excursión 유람, 소풍; [법률] 심의, 검토

excusa 변명, 해명, 이유; 면제
- ~ absolutoria 정당행위
- ~ absolutoria profesional 정당업무행위
- ~ de noticia de rechazo 거절통지 면제
- ~ de protesto 이의제기 포기
- ~ para conocer 사건 심리 자격 박탈

excusación (A) (판사) 자격 박탈

excusar 변명하다; 용서하다

excusarse 회피하다

excusión [민] 검색의 항변권(beneficio de excusión)
- ~ de bienes 검색의 항변권

exención 면제
- ~ arancelaria 관세 면제
- ~ contributiva o tributaria 세금 면제, 면세
- ~ de impuestos 면세
- ~ de responsabilidad 면책, 책임면제
- ~ de responsabilidad penal 책임조각(阻却)
- ~ fiscal 면세, 면조(免租)
- ~ personal (조세) 인적 공제
- ~ por personas a cargo (조세) 부양가족 공제

exentar, exencionar 면제하다

exento ㉠ 면제 받은, 세금 없는

~ de contribución (일반 세금) 면세의
~ de derechos (관세) 면세의
~ de impuestos (일반 세금) 면세의

exequátur 외국판결의 집행

exheredación 폐적(廢嫡), 유산 계승권의 박탈

exheredar 폐적하다, 상속권을 박탈하다

exhibición 전시, 전람; 공개; 상영(上映); (주식 대금의) 분납(分納); (서류・증거의) 제출
~ de pruebas 증거 공개
~ íntegra 전액 지불, 완납, 완불, 완제, 전납(全納)

exhibiente 지불 서류 제시자

exhibir 전시・전람하다; 공개하다; 상영하다; 분납하다; 제출하다

exhibitorio ㉢ 전시・전람의

exhortar 촉탁・의뢰하다

exhorto (판사가 다른 판사에 대한) 촉탁, 촉탁서, 의뢰서

exhumación de cadáveres 사체 발굴, 유체(遺体) 발굴

exigencia 요구, 강요

exigibilidad 유동성(*demandability*)

exigibilidades 유동부채(流動負債)
~ a la vista (은행) 요구불 예금

exigible ㉢ 요구할 수 있는

exigir 요구하다
~ sin derecho 강요하다

exilio 추방; 망명

eximente ㉢ 면제사유의, 책임조각사유의

eximir 면제하다
~ de derechos 세금・부과금을 면제하다

existencia de responsabilidad 유책(有責)

existencias 재고자산(在庫資産), 재고품

exoneración 면제
~ de trabajos 노동을 면하게 함, 면역(免役)

exonerar 면죄・면제・면책하다; 경감하다; 면직・파면하다
~ de impuestos 세금을 면제하다
~ de responsabilidad 책임을 면제하다

exorbitante ㉢ 과도한, 터무니없는

exordio (강연의) 서두(序頭)

expectante ⓗ 추정(상속)의, 장래에 손에 넣을 수 있는; 귀속 미정의

expectativa 기대, 희망
~ de vida 기대 수명(壽命)

expedición 교부(交付)
~ de aduana (Sp) 세관 통관

expedidor 선적인, 하주(荷主); 운송업자; (상업) 증서 작성자, 어음 발행인

expedientación (M) 일건(一件)서류

expediente 사건; 수속서류, 소송서류
~ de abordaje (해상보험) 충돌사건 서류
~ de apremio 채무회수 소송
~ de construcción (A) 건축허가 신청서류
~ de conversión (PR) 소유권을 완전소유권으로 바꾸는 소송
~ de despido (취업) 해고통지
~ de dominio (PR) 완전소유권등기 소송
~ de reintegro 압류동산회복 소송
~ en apelación 항소기록
~ judicial 재판 기록
~ posesorio (PR) 소유권등기 소송
~ provisional 임시방편

expedienteo 관료적 형식주의; 절차

expedir 선적하다, 발송하다; 발행・발부하다; (법률을) 공포하다
~ un auto 영장을 발부하다
~ un cheque 수표를 발행하다
~ disposiciones 판결・결정을 내리다
~ una factura 계산서를 발행하다
~ una orden judicial 사법명령을 발부하다
~ una patente 특허증을 발행하다
~ una resolución 판결・결정을 발표하다
~ sentencia 판결・선고하다

expendedor (담배・입장권 등의) 판매원; (장물・위조지폐 등의) 유포자

expendeduría 전매품 상점

expender (담배・입장권 등을) 팔다; 위탁판매를 하다; (장물・위조지폐 등을) 유통시키다

expensa 지출(gasto)

experticia (V) 전문가의 증언・자문・감정

experto 전문가; ⓗ 노련한, 숙달된
~ contabilista (Ec) 노련한 회계사
~ en huellas digitales 지문감식 전문가

~ tributario 세무 전문가

expirar 만기가 되다, 유효기간이 끝나다

expiración del plazo 만기, 기간만료

explicable ⓗ 설명할 수 있는

explicativo ⓗ 설명적인

explícito ⓗ 명시된, 명백한

exploración 검증
~ corporal 신체검사
~ de menores 미성년자의 비공개심문

explotación 개척, 개발; 착취; 경영, 사업
~ de una patente 특허(권)의 개발
~ fiscal (Ch) 정부사업, 국책사업

expoliación 약탈

expoliar 약탈하다

exponente 전형(典型); 선서 증인; ⓗ 설명적인

exponer 표명하다; 진술하다; 전시・출품하다; (갓난아이를) 유기하다

exportación 수출
~ ilegal 밀수출
~ temporal para perfeccionamiento pasivo 개량을 위한 일시 반출 허가

exposición de motivos 전문(前文), 입법이유서

expósito, expósita 기아(棄兒)

expositor 해설자; 출품자

expresar 표현하다
~ agravios 변론하다; 항의하다

expreso ⓗ 급행의, 속달의

expromisión 채무자의 교체로 인한 경개(更改), 채무인수(債務引受)

expropiable ⓗ 수용(收用)할 수 있는

expropiación 수용(收用); 압류
~ colectiva (M) 모든 채권자를 위한 채무자의 재산 압류
~ concursaria 파산재산의 압류
~ forzosa 강제수용(强制收用)
~ forzosa de terrenos 토지수용
~ individual o singular (M) 1인 채권자를 위한 압류

expropiado 피수용자; 피압류자

expropiador, expropiante 수용자; 압류자

expropiar 수용하다; 압류하다

expulsión 제명(除名)

extender 넓히다, 확장하다; 작성・발행하다
~ las actas 의사록을 작성하다
~ los asientos (회계) 기장(記帳)하다
~ un contrato 계약서를 작성하다
~ un cheque 수표를 발행하다
~ una patente 특허증을 발행하다
~ el plazo 기간을 연장하다

extensible ⓗ 연장할 수 있는

extensión 연장(延長), 확장; 연기(延期)
~ del plazo 기간 연장

extinción 소멸
~ de adopción 파양(罷養)
~ de adopción de mutuo acuerdo 협의파양(協議罷養)
~ de hipoteca 저당권 소멸
~ de tutela 후견 종료
~ de una obligación 채무 소멸

extinguir 없애다; (불・빛 따위를) 끄다; (권리를) 소멸시키다; (부채를) 상각하다
~ sentencia 징역살이하다

extinguirse 만기가 되다; (권리가) 소멸되다

extintivo ⓗ 소멸시키는

extornar 환급하다; (회계) 역분개(逆分介)하다

extorno 환급; 역분개(逆分介)

extorsión 갈취, 공갈

extorsionador 갈취자, 공갈자

extorsionar 갈취・공갈하다

extorsionista 모리배, 조직 공갈단, 갈취자, 공갈자

extorsivo ⓗ (A) 갈취의

extracartular ⓗ 비공식적인, 기록에 올라가지 않는

extracontable ⓗ 장부에 나타나지 않는

extracontractual ⓗ 계약에 없는

extracta 진본(眞本)

extracto 요약, 적요(摘要), 발췌
~ de balance 요약 대차대조표
~ de cuenta 외상매출금 계산서

E

~ de la litis 소송기록

extradición 범죄인 인도(引渡)

extrajudicial ⓗ 재판 외의; 법에 어긋나는

extrajurídico ⓗ 법률 외의; 법의 범위 외의

extralegal ⓗ 법률 외의; 불법의, 위법의

extralimitación 월권행위, 위반

extramatrimonial ⓗ (C) 혼외(婚外)의

extranjería [집합] 거류 외국인

extranjero 외국인
~ enemigo 외적(外敵)

extraoficial ⓗ 비공식적인

extrapetición 소외(訴外)청구

extraprocesal ⓗ 소(訴) 외의, 소송 외의

extraterreno, extraterritorial ⓗ 치외법권의

extraterritorialidad 치외법권(治外法權)

extratributario ⓗ 비과세(非課稅)의

extremo 극단(極端), 한도, 몫
~ de la demanda (M) 청구금액
~ de sentencia (M) 판결금액

extremos 세부사항
~ de la acción 소송의 사실
~ de la excepción 항변의 근거

extrínseco ⓗ 외적인, 외래적인; 부가적인

F

fabricado ⓗ (증거가) 꾸며낸, 날조·조작·위조된

facción 얼굴 생김새(얼굴을 마주해 유언하던 로마법 전통에서 유래)
~ de testamento activa 유언 능력
~ de testamento pasiva 상속 능력

facilitar informes 정보를 제공하다

factor 요소, 요인; 대리인, 대리상, 대리업자

factoraje, factoría 대리업; 대리점

factum 사실(*fact*)

factura 청구서, 송장(送狀); 영수증
~ comercial 상업송장
~ consular 영사송장
~ proforma 견적송장(送狀)
~ de venta 매도증

facturar 송장을 작성하다; 청구서를 보내다; (수화물을) 탁송하다

facultad 권한; 권능; 권리
~ contractual de resolver las obligaciones 약정해제권(約定解除權)
~ de actuar de oficio 직권
~ de derecho 법학부
~ de dictar diligencias para mejor proveer 석명권(釋明權)
~ de disposición 처분권
~ de examinar de oficio la forma de la demanda y ordenar la subsanación de sus defectos so pena de inadmisión 소장(訴狀)심사권
~ de ir al paro 파업권
~ de mando supremo de las fuerzas armadas 통수권
~ de nombrar 임명권
~ de resolver las obligaciones 해제권
~ de testar 유언능력
~ discrecional 재량권
~ *erga omnes* 대세권(對世權)
~ legal de resolver las obligaciones 법정(法定) 해제권
~ policial 경찰권
~ procesal 소송권

facultades
~ especiales 특별권한
~ del cabeza de familia 가장권

~ del empresario en relación con los trabajadores 인사권
~ revisoras 심사권

facultas resolutionis 해제권

Facultad de Derecho 법학부, 법대(法大)

facultar 자격·권한을 부여하다; 위임하다

facultativo ⓗ 임의의, 선택의

falacia 거짓, 사기, 허위

falencia 잘못, 과오, 과실, 실수

falla 약속 위반; 결점, 흠
~ de causa 대가(代價) 결여

fallar 실패하다; 위반하다; 부족하다; 결정·판정·판결하다
~ sin lugar 각하·기각하다

fallecer 사망하다

fallecimiento 사망, 서거; (C) 파산, 도산(倒産)

fallero (Ch) 결석자; 부재자

fallido 파산; ⓗ 파산한, 실패한
~ culpable 부실 경영으로 인한 파산; 위장 파산
~ fraudulento 위장 파산
~ golpe de Estado 실패한 쿠데타
~ rehabilitado 파산인의 채무면제

fallir 실패하다; 파산하다

fallo 판결, 결정; 주문(主文); (C) 흠, 하자
~ administrativo 행정명령
~ arbitral 중재판정
~ condenatorio o de culpabilidad 유죄의 판결
~ condicionado 조건부 판결
~ de deficiencia 부족금(不足金) 판결
~ de una sentencia 판결주문(判決主文)
~ del jurado 배심원 평결
~ definitivo 종국 판결
~ fabricado o simulado 원고와 피고의 사기적 결탁의 결과인 판결
~ judicial 사법판결, 법원판결

falsario 위조자, 위조범

falsas
~ apariencias o representaciones 거짓 핑계; 사기죄, 사취(詐取)죄

falsear 속이다, 왜곡하다

falsedad 기망(欺罔), 허위진술, 부실(不實)표시, 허위성, 기만성; 불성실행위

~ documental 문서위조죄
~ fraudulenta 사기(詐欺)적 부실표시, 허위진술
~ importante 중대한 부실표시
~ inculpable o inocente 선의(善意)의 부실표시
~ justiciable 소송의 이유가 되는 부실표시
~ negligente 부주의한 부실표시, 과실 있는 부실표시
~ tendente a hacer creer que un incapaz no lo es 사술(詐術)

falsía → falsedad

falsificaciones 위조죄

falsificador 위조범, 위조자
~ de moneda 화폐 위조자

falsificar 위조하다

falso ㉠ 거짓의, 허위의; 위조의
~ cobro (은행) 반환수수료; 불량채권 회수 수수료
~ testimonio 위증

falsos pretextos 거짓 핑계; 사기죄, 사취(詐取)죄

falta 실수, 과실; 결함, 부족, 불비(不備)
~ de aceptación 불승인(no reconocimiento)
~ de aviso 미(未)통지
~ de capacidad 권리능력 결여
~ de causa 대가(代價) 결여
~ de competencia 부적정한 법원, 잘못된 관할
~ de consentimiento o permiso 무단(無斷)
~ de cumplimiento o de ejecución 불이행(不履行)
~ de entrega 인도(引渡) 불이행, 인도 불능
~ de jurisdicción 관할위반
~ de manutención 부양의무 불이행
~ de pago 미불(未拂), 채무 불이행, 지급 거절; 대가(代價) 결여
~ de partes 당사자 결여
~ de prueba 증거 없음
~ de uso 권리 불(不)행사, 권리 포기; 비(非)사용

faltar 빠져 있다, 부족하다; 이행하지 않다

faltista, faltón ㉠ 약속을 곧잘 어기는

fama pública 평판; 명성

familia 가족
~ adoptante 양가(養家)
~ jurídica 법계(法系)(sistema jurídico)

fascismo 파시즘

fase (procesal) 소송단계
~ contradictoria 대심(對審)(vista oral)

~ probatoria 증거조사

fatal 치명적인; 결정적인; 숙명적인

fautor 교사(敎唆)자, 선동자, 종범

favor testamenti 유언(遺言)보호

favorecedor 융통어음의 배서인; 고객

favorecido 융통어음 발행자; 당첨자

fe 믿음, 신념, 신뢰
~ , dar 증명하다
~ de lo cual, en 이상의 증거로써
~ notarial 공증인의 보증
~ pública 공증

fecha 일, 일부(日附), 날짜; 기일(期日)
~ de libramiento 발행일
~ de registro 등록일
~ de valor o de vigencia 효력 발생일, 시행 일자
~ efectiva 효력 발생일, 시행 일자; 결제일
~ media de vencimiento 평균 만기일

fechar 날짜를 적다

fecho 집행된

fechoría 악행

fedatario público 공증인

federación 연맹
~ de Estados 연방

federal ㉿ 연방의, 연방주의의

federalizar, federar 연방제로 하다; 국유・국영으로 하다

federarse 연합하다, 연방을 형성하다; 동맹을 맺다

fehaciente ㉿ 인증된, 믿을 만한

felón 중죄인, 범죄자; ㉿ 중죄를 범한

felona 여 범죄자

felonía 배신, 배반; 중죄(重罪)

feminismo 페미니즘

feria judicial 법원 휴가기간

feticida 태아 살해범, 낙태한 여자

feticidio 태아 살해, 낙태

feudalismo 봉건주의

feudatario 봉신(封臣), 영주; 부동산 관리인
~ de uso 수탁자(*trustee*)

feudo 봉토, 영지

fiable ⓗ 신용할 수 있는

fiado ⓗ 신용을 얻어
~ , al, 신용으로, 외상으로, 후불로

fiador 보증인
~ mancomunado 공동보증인, 연대보증인
~ solidario 총괄 연대보증인

fiadora, sociedad o **empresa** 보증회사

fianza 보증; 보증금; 보석보증금, 보석금
~ antidumping (세관) 덤핑방지 보증금·보증보험
~ arrendaticia 임대보증금
~ carcelaria 보석(保釋)
~ conforme a la ley 법정 지급보증
~ de acarreador (세관) 보세운반인 보증
~ de aduana 세관 보증보험
~ de almacén 창고증권
~ de almacenero 자가용 보세창고 보증
~ de almacenero para elaboración 자가용 제조 보세창고 보증
~ de apelación 항소·상고 보증금증서
~ de arraigo 소송 보증금
~ de averías (해상보험) 공동해손 서약서
~ de barquero (세관) 거룻배 보증
~ de buque a término (세관) 정기선박 보증
~ de caución 보증, 보증계약
~ de conocimiento (세관) 선하증권 발행 보증
~ de conservación 하자 보증, 보수관리 약정
~ de contratista 계약 보증
~ de cumplimiento 이행 보증
~ de declaración de consumo (세관) 내수용 통관 보증
~ de declaración de exportación (세관) 수출신고서 보증
~ de declaración única (세관) 개별 통관신고 보증금
~ de demandado 피고 보증금
~ de depósito 창고증권
~ de desembarque (세관) 하역 보증
~ de embargo 압류 증서
~ de empresa porteadora (세관) 운송 보증
~ de entrada 통관 보증금
~ de entredicho 중지명령 보증금
~ de exportación 수출 보증금
~ de falsificación 위조증서에 대한 보험

~ de fidelidad 신용보험, 신원보증서
~ de fraude 사기에 대한 보험
~ de garantía 보증보험, 보증계약
~ de horas extraordinarias (세관) 초과시간 보증금
~ de levantamiento de embargo 압류해제 보증금
~ de licitador 입찰보증금
~ de litigante 소송보증금
~ de manejo 신용보험
~ de manutención 하자 보증, 보수관리 보증
~ de máximo 근(根)보증
~ de máximo de préstamos dinerarios 대부금 근(根)보증
~ de neutralidad (세관) 중립 보증
~ de pago 지급보증
~ de postura 입찰보증금
~ de productos de prisiones (세관) 재소자(在所者) 생산품 보증
~ de reclamante 원고(原告) 보증금
~ de seguridad 보증보험, 보증계약
~ de sometimiento 중재부탁서
~ de subastador 경매인 보증금
~ de título o de propiedad 권리증서
~ de vapor a término (세관) 정기선박 보증
~ en avería gruesa (해상보험) 공동해손 서약서
~ especial 소송보증금
~ general 포괄보증 증권, 포괄신용보험
~ hipotecaria 저당증서
~ judicial 재판보증
~ laboral constituida por un tercero a favor del empresario para garantizar potenciales daños causados por el empleado 신원보증금
~ mancomunada 합동사채
~ maximal 근(根)보증
~ notarial 공증인의 신원보증
~ ordinaria 피고의 출석 서약, 의사(擬似)보증
~ particular o personal 보증인, 연대보증
~ pignoraticia o prendaria 부수(附隨)담보
~ por auto de casación 오심(誤審)영장청구 보증금, 항소 보증금
~ reivindicatoria 동산점유회복소송을 위한 보증서
~ simple 의사(擬似)보증
~ solidaria 다자(多者) 합동사채

fiar 보증하다; 보증인이 되다

fíat 동의, 승낙

fiat justitia et ruat coelum 하늘이 무너져도 정의가 실현되게 하라

ficción 허구; 의제(擬制)
~ de derecho 의제(擬制)
~ legal 의제(擬制)

ficha dactiloscópica 지문 기록

ficticio ⓗ 가공의; 허위의, 허구의; 가정상의

ficto (A) 함축된, 암시된

fidedigno ⓗ 믿을 만한, 정통한, 신뢰할 수 있는

fideicomisario 수탁자, 피신탁자
~ en una quiebra (M) 파산관재인
~ judicial 법정 수탁자

fideicomiso 신탁
~ activo 활동적 신탁
~ caritativo 공익신탁
~ comercial (PR) 기업합동, 사업신탁
~ condicional 조건부 신탁
~ conservatorio (M) 유언신탁
~ constructivo 의제(擬制)신탁, 추정신탁, 법정신탁
~ de fondos depositados 자금 신탁
~ de inversión 투자신탁
~ de pensiones 연금신탁
~ de seguro de vida 생명보험신탁
~ de sociedad anónima 트러스트 결사
~ definido o directo o expreso 명시(明示)신탁
~ dinerario 금전신탁
~ directivo 지시신탁
~ discrecional 재량신탁, 일임신탁
~ , dar en 신탁하다
~ familiar (M) 유언신탁
~ formalizado 수탁인의 할 일이 남아 있지 않은 신탁, 완성신탁
~ forzoso (M) 의제·추정·법정 신탁
~ gradual (M) 유언신탁
~ implícito 묵시(默示)신탁, 의제(擬制)신탁
~ impuesto (M) 의제(擬制)신탁, 법정신탁
~ múltiple 복수(複數)신탁
~ para los pródigos (M) 낭비방지신탁
~ para votación 의결권신탁, 투표신탁, 의결권 트러스트
~ particular o privado 개인 신탁
~ pasivo 소극적 신탁, 수탁인의 할 일이 남아 있지 않은 신탁
~ perfecto 집행완료 신탁, 완성신탁
~ perpetuo 영구신탁
~ por formalizar 미완성신탁
~ presunto o por presunción legal 복귀신탁, 추정신탁
~ público o de beneficencia 공익신탁
~ puro o simple 단순신탁
~ resultante (M) 복귀신탁, 추정신탁
~ secreto 비밀신탁
~ sin depósito de fondos 금액 미납입 신탁, 기금이 없는 신탁

~ singular (M) 개인 신탁
~ sobrentendido 비자발적 신탁, 추정신탁
~ sucesivo (M) 유언신탁
~ testamentario 유언신탁
~ universal (M) 포괄신탁, 전재산 신탁
~ voluntario 생전(生前)신탁, 자발적 신탁

fideicomisor (Col) 수탁자, 피신탁자

fideicomitente 신탁자

fidelidad 충실, 성실, 충성; 정밀도

fiducia 신탁
~ dineraria 금전신탁
~ sucesoria 유증(遺贈)신탁

fiduciante 신탁자

fiduciario 수탁자, 피신탁자; ⓗ 신탁의, 신용에 의한

fiel 충실한; 정확한
~ copia 원본과 똑같은 사본
~ cumplimiento 충실한 이행

fieldad 정확성, 충실성

fijación 결정, 고정
~ de la litis 쟁점의 결정
~ de la pena 양형(量刑)
~ de los aspectos objeto de litigio 쟁점(爭點) 결정(*litis contestatio*)
~ del domicilio 주소 결정

fijar 고정시키다; 정하다
~ los daños y perjuicios 손해를 사정(査定)하다

Filosofía del Derecho 법철학

finado 고인(故人); ⓗ 죽은, 고(故)

financiación 융자, 금융, 자금조달
~ mercantil a corto plazo 단기 상업융자

financiar 자금을 융통·융자·조달·투자하다

financiero ⓗ 재무의, 재정의

finanzas 재무, 재정

finca 토지
~ colindante 인접지
~ rústica 농업용지, 농지(農地)
~ urbana 택지(宅地), 부지(敷地)

finiquito 계산, 정산서

firma 서명(署名); 회사, 법인
~ autógrafa 자필서명
~ autorizada 공식적인 서명, 인증된 서명; 서명권자
~ comercial 상사(商社), 회사, 상점; 회사 서명
~ de abogados 법무법인
~ de contabilidad 회계법인
~ de favor 호의(好意)배서(背書)
~ electrónica 전자서명
~ en blanco 백지서명
~ entera (생략하지 않은) 성명
~ media 성(姓)만 서명하기
~ por representante 서명대리
~ sancionada 인증된 서명
~ social 상호(商戶); 회사 서명

firmada (CA) 서명; ⓗ 서명된

firmado de puño o de propio puño 친필 서명한

firmador 서명인, (어음·수표 등의) 발행인

firmante 서명인, (어음·수표 등의) 발행인
~ conjunto 공동 서명인, 공동 발행인
~ por acomodación 융통약속어음 발행인

firmar 서명하다, 조인하다

firme, en 확정적으로; 확정 거래로

firmeza 확정력
~ formal 형식적 확정력

firmó y selló el presente 이 문서에 서명하고 날인하였다

firmón 공식 서명자; 남이 작성한 문서에 서명만 하는 사람

fiscal ⓗ 재무의, 재정의(financiero); 세(稅)의(tributario); 국고의, 회계의

fiscal 검사, 검찰관; 회계감사관, 감사; 경리부장
~ de cuentas 회계감사관
~ de distrito (PR) 시방검사
~ de estado 정부 검사
~ general (PR) 검찰총장
~ jefe de la fiscalía del Tribunal Supremo 검찰총장
~ jefe de una fiscalía de Audiencia Provincial 검사장

Fiscal General del Estado 검찰총장

fiscalía 검찰청
~ adscrita a un Juzgado de Distrito 지방검찰청
~ del Tribunal Supremo 대검찰청

fiscalista (Ch) 재무성 감시관; ⓗ (A) 재무(성)의

fiscalización 감독(supervisión); 금융 감독
~ administrtiva 행정감독

fiscalizador 감독관, 검열관

fiscalizar 감찰하다; 통제하다

fisco 국고(國庫); 중앙정부
~ municipal 시 재정; 시 정부
~ provincial 지방 재정; 지방 정부

físico ㊢ 물리적인; 신체의

flagrante ㊢ 현행의
~ delito 현행범(現行犯)
~ , en 현장에서, 현행범으로

fletador 용선(傭船)자, 하주(荷主)

fletamento, fletamiento 용선(료), 용선계약, 용선증서
~ con operación por cuenta del arrendador 총용선
~ con operacón por cuenta del arrendatario 순용선
~ por tiempo o a plazo 정기용선, 기간용선계약
~ por viaje 항해용선
~ por viaje redondo 왕복항해용선
~ requisitorio 징발용선

fletante 용선자, 하주(荷主)

fletar 용선하다, 차터하다

flete 운임
~ bruto (해운) 총용선료
~ eventual (해상보험) 미필(未畢)운임, 착급(着給)운임
~ marítimo 해상운임, 운임률
~ neto (해운) 순용선료

fletear → fletar

flete marítimo 용선료, 선임(船賃)

fletero 화물선, 화물차; 운송업자

flotar un empréstito (M) 차금(借金)하다, 빚을 얻다, 돈을 빌리다

foja 종이, 쪽
~ útil 본문

foliar 쪽번호를 매기다

folio 쪽, 페이지

fomentador 장려・촉진・조장・진흥・개발・조직하는 사람

fomentar 장려・촉진・조장・진흥・개발・조직하다

fomento 장려, 촉진, 조장, 진흥, 개발, 조직

fondo 바닥, 깊이; 기금; 준비금; (C) 계약금; (법률) 시비(是非)
- ~ acumulativo (C) 감채기금
- ~ amortizante (A) 감채기금
- ~ común 공동기금
- ~ de amortización 감채기금
- ~ de cambios o de conversión 외환(外換)조정기금
- ~ de comercio 현품(現品), 현(現) 재고품 장사도구; (회계) (C) 영업권
- ~ de garantía de una aseguradora 책임준비금
- ~ de igualización o de estabilización 평형기금
- ~ de la cuestión 사건의 시비곡직, 사건의 핵심
- ~ de mantenimiento 수선충당금(修繕充當金)
- ~ de previsión 연금 기금, 복지 기금; 예비자본; 예비비(豫備費)
- ~ de reserva 예비비(豫備費)
- ~ de reserva de una entidad aseguradora 책임준비금
- ~ de retiro 퇴직급여충당금
- ~ del asunto 본안(本案)
- ~ especial 특별기금
- ~ fiduciario irrevocable 취소불능 신탁기금
- ~ jubilatorio 연금기금
- ~ mutualista (C) 뮤추얼펀드, 투자신탁회사
- ~ reservado 예비비(豫備費)
- ~ social 회사자본; 조합자산

Fondo Monetario Internacional (FMI) 국제통화기금

fondos 자금, 금
- ~ congelados o bloqueados 봉쇄자금, 회수불능자금
- ~ de cohesión (de la Unión Europea) 관련기금
- ~ disponibles 현금 및 예금
- ~ en plica 에스크로우 자금, 조건부 날인증서 자금
- ~ fiduciarios o de fideicomiso 신탁기금
- ~ privados 사금(私金)
- ~ públicos 공금
- ~ regionales (de la Unión Europea) 지방기금

forajido 도망범

foral ㊔ 법정・법령의, 법정・법령에 의한; 지방특별법의

foralmente 법정・법령에 의해

forense 경찰의(醫), 공의(公醫)(médico ~)

forense ㊔ 법조계의, 법원의; 외국인의

forista 법학자

forjador 날조・위조자

forjar 날조위조하다

forma 형식, 형태, 모양, 틀, 방식; (M) 기입용지
~ de proceso legal 적법절차, 정당한 법절차
~ legal 법적 형태
~ societaria 회사형태
~ testamentaria 유언의 방식

formas de acción 소송 형식

formación de causa 법절차

formal ⓗ 형식의, 정식의; 진지한, 꼼꼼한

formalidad 형식, 정식; 정확함, 꼼꼼함; 형식적 관료주의

formalidades 정식절차

formalismo 형식주의

formalización de demanda 기소(起訴)

formalizar 수속을 밟다, 적법화하다, 실현시키다
~ protesto (상업) 어음지급을 거절하다, 거절증서를 작성하다

formar 형성·구성하다, 참가하다; 작성하다
~ proceso 소송을 걸다

fórmula 양식, 방식
~ de propuesta 계약신청서식

formulación de acusación 기소(起訴)

formular 문서를 작성하다; 공식화하다; 명확하게 말하다
~ cargos 고발하다
~ denuncia 고발·고소하다
~ oposición 반대하다, 이의를 제기하다
~ una demanda o reclamación 소(訴)를 하다
~ un reparo 반론·이의를 제기하다

formulario 양식, 서식; 신고서, 신고용지
~ de contrato 계약서 양식
~ de demanda 소장(訴狀) 서식, 소장(訴狀) 양식
~ de fianza 보증서 양식
~ de propuesta 입찰 서식; 계약신청 서식
~ valorado o timbrado 인지첨부 양식

formulismo 형식적 관료주의

fornicación 간음, 간통

fornicio 간음, 간통

foro 법조계(círculo o mundillo jurídico); 재판적(裁判籍)
~ correlativo 관련 재판적(關聯裁判籍)
~ de celebración del contrato 계약의 재판적(裁判籍)
~ de conveniencia 포럼 컨비니언스

~ de existencia de la cosa 물건 소재지의 재판적
~ de producción del acto ilícito 불법행위의 재판적
~ del domicilio 주소지 재판적

fortuito ㊵ 뜻밖의, 우연한

forum 재판적(裁判籍)
~ *contractus* 계약의 재판적
~ *conveniens* 포럼 컨비니언스
~ *delicti* 불법행위의 재판적
~ *domicilii* 주소지의 재판적
~ *non conveniens* 포럼 넌 컨비니언스
~ *rei sitae* 물건소재지의 재판적
~ *shopping* 포럼 쇼핑

forzoso ㊵ 부득이한; 불가항력의

fotostatar 복사 사진기로 찍다, 사진 복제하다

fotostático ㊵ 사진 복제의

fotóstato 복사 사진기, 직접 복사 사진

fracasar 실패하다

fracaso 실패

fraccionamiento 분할

fragante ㊵ 향기로운; 현행의(flagrante)
~ , en (범행) 현장에서

fraguar 꾸며대다, 날조하다
~ una firma (A) 서명을 위조하다

franco 프랑[화폐]; (A) (유급) 휴가, 휴직; ㊵ 솔직한; 자유로운; 무료의
~ a bordo (FAB) 본선인도가격(FOB)
~ al costado vapor 선측도(FAS)
~ de avería recíproca (해상보험) (Sp) 상호 해손부담보
~ de avería simple (해상보험) 단독 해손부담보
~ de derechos 면세
~ en almacén 창고 인도
~ en el muelle 부두 인도
~ fuera del buque 착선 인도
~ sobre rieles o sobre vagón 화차(貨車) 인도가격(*FOB cars*)

franquear 선불하다; 면제하다; (방해물을) 없애다; 발송하다; 우편세를 지불하다

franqueo 우편세; 선불; 출항허가

franquía 출항 준비

franquicia 프랜차이즈, 독점판매권; 면세, 면제; (해상보험) 면책률
~ aduanera 관세 면제

~ arancelaria (C) 관세 면제
~ del voto 선거권
~ impositiva 면세; 세금공제
~ postal 우편세 면제; 우편요금 계기 사용허가
~ tributaria 면세; 세금공제

fratricida 형제살해자

fratricidio 형제살해(죄)

fraude 사기(詐欺)
~ de hecho 사실상의 사기
~ de Ley 탈법, 탈법행위; [국] 법률회피
~ extrínseco 중대한 사기
~ fiscal 조세회피, 탈세, 포세(逋稅)
~ flagrante 실제 사기
~ implícito o legal 법정・추정 사기
~ justiciable 기소할 수 있는 사기
~ positivo 적극 사기, 실제 사기, 사실상의 사기
~ presuntivo 법정(法定) 사기

fraudulencia 사기

fraudulento ⓗ 사기의, 위장의

frente 정면; 전선(戰線)
~ obrero 노동 전선
~ patronal 사용자 연합

frívolo ⓗ 경박한; 사소한, 하찮은

frontera 국경

fructuario ⓗ 용익권의; 수익에 의한

fructuoso ⓗ 성공적인; 생산적인; 유리한

frustración 실행미수, 종료미수; (해상보험) 계약의 불이행

frustrado ⓗ 실패한, 미수에 그친

frustráneo ⓗ 효력이 없는, 헛된; 하찮은

frutos 과실(果實)
~ civiles 법정과실(法定果實); 인위적 과실
~ cultivados 인공 경작물, 근로 과실
~ del país 국내 생산물
~ industriales 근로 과실, 재배 식물
~ jurídicos 법정과실
~ menores 야채 및 과일
~ naturales 천연과실(天然果實), 토지 과실, 자연 식물

fuego 불
~ perjudicial (보험) 적대적인 불

~ útil (보험) 친근한 불

fuente 원(源), 원천; 출처
~ confiable 믿을 만한 소식통
~ de Derecho 법원(法源)
~ de ganancia 수익원
~ de ingresos 수입원
~ , en la 원천에서 (과세)
~ fidedigna 믿을 만한 출처
~ informativa 소식통
~ jurídica 법원(法源)
~ productora 공급원
~ rentística 재원(財源)

fuentes
~ jurídicas o de Derecho 법원(法源)
~ jurídicas explícitas (M) 법, 법령
~ jurídicas implícitas (M) 관습, 관례, 묵시적 법

fuera 밖에
~ de audiencia 법정 밖에서
~ del buque (해운) 뱃전으로부터, 양륙(揚陸)된
~ de duda razonable 합리적 의심 너머
~ de juicio 법외(法外)로
~ de litigio 법정 밖에서
~ de lugar 부적절한, 이유 없는, (증거가) 관련성이 없는
~ de matrimonio 혼외(婚外)로
~ de orden 무질서하게
~ de razón 불합리하게
~ de rueda (증권) 장외(場外)에서
~ de término 법정 시간 외로

fuero 특권; 법규; 재판관할, 재판적(裁判籍); 코먼로
~ auxiliar 보조적 관할권
~ comercial 상법
~ común (M) 형평법 법원
~ concurrente 경합 관할권
~ , de 법적인, 정당한, 정식의; 법률상, 정당하게, 정식으로(*de jure*)
~ de atracción 관할권 외의 사건을 심리할 수 있는 법원의 권리
~ de los concursos 파산 관할권; 파산 법원
~ de las sucesiones (유언) 검인(檢認) 관할권
~ del trabajo 노동법; 노동 소송 관할권
~ especial 특별재판적(裁判籍)
~ exclusivo 전속관할
~ externo o exterior 법원(法院)
~ general 보통재판적(裁判籍)
~ legal 법정(法定)관할
~ objetivo o real (M) 물권 소송 관할권
~ obligatorio 전속관할, 전속재판적(裁判籍)

~ sindical 법적 권리로서의 단결권
~ voluntario 임의관할

fuerza 력
~ cancelatoria, de (A) 법정 통화(通貨)
~ coactiva 강제력
~ de cosa juzgada 기판력(旣判力)
~ del descuento (복리계산에 있어서의) 선이자(先利子)력
~ del interés (복리계산에 있어서의) 이자(利子)력
~ ejecutiva 집행력
~ jurídica (법적) 공신력
~ legal 법의 힘
~ liberatoria, de 법정 통화
~ mayor 불가항력(caso fortuito)
~ probatoria 증거력, 증명력
~ pública 공권력
~ vinculante 기속력(羈束力)
~ vinculante de los actos administrativos (행정행위의) 구속력

fuerzas 군대, 경찰(~ militares o policiales)
~ aéreas 공군
~ armadas 군대
~ de autodefensa 자위대
~ de ocupación 점령군
~ de seguridad 경찰
~ navales 해군 (la Armada)

Fuerza (한 나라의) 군(軍)
~ Aérea 공군(el Ejército del Aire)
~ Armada 국군
~ de Tierra 육군
~ Naval o de Mar 해군

Fuerzas (한 나라의) 군(軍)
~ Aéreas 공군
~ Armadas 국군
~ de Tierra 육군(el Ejército)
~ Navales o de Mar 해군(la Armada)

fugarse 보석 중에 자취를 감추다; 도주·도망하다

fugitivo 도망자; ㉻ 도망하는, 빨리 지나가는

fulminar la sentencia 판결을 내리다, 선고(宣告)하다

fullería 속임수

fullero 야바위꾼, 사기꾼

fumus boni iuris 정당한 권리의 외관

función pública 공무(公務)

funcionario 관리(官吏), 공무원; 중역(重役)
~ corporativo 중역
~ fiscal (C) 재무 관리
~ público 공무원, 관리

funcionarismo 관료주의

fundabilidad (M) 받아들여질 수 있음, 허용될 수 있음

fundación 창립, 창설, 설립; 재단, 기금(基金)
~ con personalidad jurídica 재단법인
~ sin personalidad jurídica 법인격이 없는 재단

fundado ⓗ (M) 근거가 충분한, 충분한 이유가 있는; (판결 등에) 이유를 명시한

fundador 창립자, 설립자, 창업자

fundamentos 이유(理由), 근거
~ de derecho 법률상의 이유
~ de hecho 사실상의 이유
~ de una demanda 청구의 원인
~ jurídicos de una sentencia 판결이유

fundar 설립하다; 기부하다
~ un agravio 손해를 입히다; 불평·항의하다
~ recurso 항소하다

fundo 토지
~ contiguo 인접지, 인접한 땅
~ maderero 삼림지
~ minero 광산촌
~ potencialemente dominante en servidumbre de paso 대지(垈地)
~ potencialmente sirviente en servidumbre de paso 위요지(圍繞地)

fungibilidad 대체 가능성

fungible ⓗ 대체 가능한; 소비할 수 있는, 소모용의

fungir 대리 (근무)하다

fusión 합병
~ de títulos 소유권의 합병
~ horizontal 수평적 합병
~ vertical 수직적 합병

fusionar 합동·합병·통합·결합하다

fusionista (M) 합동·합병론자, 합동·합병 추진자

G

gabela 세금; (Col) 이익, 상품(賞品)
~ de consumo (A) 특별소비세

gabinete 정부, 내각

gaceta 관보(官報)(boletín oficial)

gajes 임시수입, 부수입
~ del oficio 부수입

gallero (M, Ch) 운송 중인 물품을 훔치는 자

gallo (Ch) 운송 중인 물품의 좀도둑질

ganancia 이익, 이윤
~ bruta 총이익
~ en operaciones 영업이익
~ especulativa (PR) 영업이익
~ esperada 기대이익
~ líquida o neta 순이익
~ según los libros 장부상의 이익

ganancias
~ de capital 자본이득
~ de coyuntura (경제) 불로(不勞)이득; 선수이익
~ excesivas 초과이득(세)
~ extraordinarias (A) 초과이익
~ gravables 과세대상 이익
~ no distribuídas o para repartir o a dividir 미처분이익
~ previstas 기대이익
~ provenientes de la enajenación de bienes (C) 고정자산 처분이익
~ y pérdidas 손익(계산)

gananciales (부부의) 공유재산; (부부의) 공유재산제

ganancioso ㊢ 유리한, 수지맞는, 돈이 벌리는

ganar 벌다, 이문을 벌다; 얻다, 손에 넣다
~ dinero 돈을 벌다
~ interés 이자가 붙다
~ un pleito 승소하다
~ vecindad 주민등록 주소를 정하다

ganga (PR) 갱단

gansterismo (C) 갱 행위

garante 보증인
~ mancomunado 분할(分割)보증인
~ personal 신원(身元)보증인
~ real 물상보증인(物上保證人)
~ solidario 연대보증인

garantía 담보, 보증; 보장
~ afirmativa (보험) 확인적 담보
~ afirmativa solemne 적극적 약속 · 계약
~ colateral 담보 보증
~ colectiva 공동보증
~ con desplazamiento de la posesión 양도담보
~ continua (은행) 지속성 보증; (해운) 확약적 담보
~ contra desviación (해상보험) 이로(離路)담보
~ de petición 청원권
~ de la prueba 증거제출 권리
~ en avería gruesa (해상보험) 공동해손 보증
~ eventual 조건부 보증
~ flotante 부동(浮動)담보
~ hipotecaria 주택저당담보부 증권, 모기지저당 증권
~ incondicional 절대보증
~ inscribible provisionalmente 가등기(假登記)담보
~ mancomunada 분할보증, 분할책임
~ particular 특례담보
~ personal 개인입보(立保), 인(人)보증
~ prendaria 담보
~ procesal (M) 법정비용 보증
~ promisoria (보험) 확약적 담보
~ provisional (보험) 가계약 보험
~ real o formal 물적 담보, 물상담보(物上擔保)
~ solidaria 연대보증
~ subsidiaria 증담보(增擔保)

garantías
~ concurrentes 동시이행 약정
~ constitucionales 헌법이 보장하는 권리
~ escritas (해상보험) 명시적 약정
~ implícitas (해상보험) 묵시적 약정
~ usuales 통상(通常)약정, 소유권 무하자(無瑕疵) 서약

garantir 보증하다

garantizado 피보증인; ㊍ 보증하는

garantizador 보증인

garantizar 보증하다

gasto 비용, 경비, 출비(出費)
~ público 공공지출

G

gastos 지출 (↔ ingresos); 비(費), 비용
~ a repartir 미처분 비용
~ administrativos 관리비용
~ aduanales 통관비
~ bancarios 은행수수료
~ causídicos 소송비용
~ comunes 공익비용(共益費用)
~ , con (상업) 유상(有償)으로
~ contenciosos (Sp) 소송비용
~ de capital 자본적 지출
~ de conservación 보존비, 수선비(修繕費)
~ de constitución 창립비, 창업비(創業費)
~ de dirección 관리비용
~ de escribanía (A) 공증료
~ de establecimiento 개업비(apertura de un negocio)
~ de explotación 영업비
~ de fomento o de desarrollo 개발비
~ de funcionamiento 영업비
~ de iniciación (A) 창업비
~ de justicia (A) 법정비용
~ de mantenimiento 수선비
~ de operación 영업비
~ de organización 창업비
~ de protesto (은행) 거절증서작성 수수료
~ de reconstrucción 수선비
~ de sepelio 장제(葬祭)비, 장례비용
~ de situación (은행) 이체료
~ entre compañías 회사간 비용
~ especulativos (PR) 영업비
~ extraordinarios 특별비
~ fijos o constantes 고정비, 간접비용
~ financieros 재무비용
~ fundacionales 창립비, 창업비
~ generales o indirectos 일반비, 간접비, 유보비용
~ jurídicos o legales 법정비용
~ necesarios 필요비(必要費)
~ ordinarios 일반비
~ preparatorios 개발비
~ , sin (상업) 무료로
~ útiles 유익비(有益費)

generalero (Sp) 세관 관리

generales de la ley 재판에서 증인의 신원확인

genocidio 집단살육, 집단살해죄

genuino ⓗ 진짜의; 정당한

gerencia 지배, 관리, 경영
~ mancomunada 공동지배

gerente 지배인, 경영자, 이사, 지점장, 관리부장, 주임

gestión 행동, 처치, 처리, 교섭, 관리, 수속
~ de negocio ajeno 사무관리
~ , en 처리 중, 협상 중; (은행) 회수 절차 중
~ judicial 사법절차
~ oficiosa 참견하기 좋아함, 주제넘음
~ procesal 소송절차

gestionar 교섭하다, 처리하다, 취급하다
~ un empréstito 대출・차관 협정하다
~ en juicio 제소하다
~ en nombre de ~의 명의로 행하다
~ fondos 자금・재원을 마련하다
~ el pago 지불을 청구하다, 결제를 요청하다
~ una patente 특허를 신청하다

gestor 대리인, 프로모터, 에이전트; 업무집행사원
~ afecto (보험) 한 회사만 전담하는 대리인
~ administrativo 행정서사
~ de negocios 상업대리인; 업무관리자
~ de negocios ajenos 사무관리자; 참견꾼
~ judicial 법정대리인, 변호사
~ jurídico 사법서사
~ oficioso 참견꾼

girada (상업) (Col) 환어음

girar 어음 발행하다; 거래하다; 자금을 회전시키다; 송금하다
~ a cargo de ~의 앞으로 발행하다
~ un cheque 수표를 발행하다
~ dinero 현금을 인출하다
~ en descubierto 당좌차월하다, 어음을 초과발행하다
~ un oficio 공식 통보하다

giro 송금(envío de dinero); 어음 발행; 고지서 (지로); 자금 회전; 사업 분야
~ a plazo 시한부 환어음, 일람후 정기불 어음
~ a la vista 일람불 환어음
~ bancario 은행 환어음, 송금수표; 은행업
~ comercial 상업어음
~ documentario 화환(貨換)어음
~ económico (M) 융통어음, 금융어음
~ en descubierto 당좌차월
~ postal 우편환
~ renovado 상환청구 환어음
~ simple 무화환어음, 무담보어음

glosa 주해(註解), 주석, 어휘; (M) 회계감사

glosador 주해자; 회계감사관

glosar 주석·주기하다, 주해를 달다; 회계감사하다

glose 주해, 주석; 회계감사

gobernabilidad (민·관의 유기적 협력을 지향하는) 거버넌스(*governance*)

gobernación 통치; 정청(政廳); 지사(知事)의 관할

gobernador 지사(知事), 시장, 총재, 장관; 총독

gobernante 통치자

gobernar 통치하다, 다스리다

gobierno 통치; 정부, 통치기구; 정체(政体); 정권(政權)
- ~ constitucional 입헌정부
- ~ del pueblo, por el pueblo y para el pueblo 국민의, 국민에 의한, 국민을 위한 정부
- ~ en coalición 연립정권
- ~ títere 괴뢰정권

goce 향수(享受), 향유(享有); 사용수익(uso y disfrute)
- ~ pacífico 평온한 사용수익

golpe de estado 쿠데타

golpista 쿠데타 주동자

gozar 향유(享有)하다, 누리다
- ~ de un derecho 권리를 가지다
- ~ de una rebaja 할인을 받다
- ~ de una renta 수입(收入)·소득을 얻다
- ~ de un voto 투표권을 가지다
- ~ intereses (A) 이자가 붙다

gracia 은혜; 온정, 호의; 우아(優雅); 신의 선물; 사면(赦免); 유예
- ~ , de 무상(無償)으로, 무료로; 은혜로, 은총으로
- ~ , por 무상(無償)으로, 무료로; 호의로, 덕분으로

graciable ⓗ 은혜의; 무상(無償)의

gracioso ⓗ 은혜의; 무상(無償)의; 익살스러운
- ~ , a título 무상으로

grado 계단, 정도, 도(度); 소송에 있어서의 단계; 범죄의 등급; 촌수
- ~ de parentesco 촌수(寸數), 친등(親等)

graduación 등급 매기기, 평가; 졸업
- ~ de cauciones 담보권 실행의 순위 결정
- ~ del crédito 신용 등급
- ~ de créditos (파산) 채권자의 우선 순서

gran empresa 대기업

gran jurado 대배심(大陪審)

gratificación 사례금; 수당

gratis 공짜로, 거저, 무료로

gratuidad 무료; 근거 없음

gratuito ⓗ 무상(無償)의

gravable ⓗ 과세할 수 있는, 세금을 부과할 수 있는

gravado ⓗ 침해당한; 저당 잡힌

gravamen 부담; 과세, 부과; 담보, 저당
~ agrícola 농업 선취특권
~ bancario 뱅커스 리언
~ continuado 유동담보
~ de aduana (A) 수입관세
~ de constructor 건설업자의 담보권, 메카닉 선취특권
~ de factor 채권매수업자의 유치권
~ de hotelero 여관업자의 유치권·담보권
~ del timbre 인지세
~ de transportador 운송인의 유치권
~ de valorización 개발 부담금
~ de vendedor 매도인의 선취특권
~ en origen 원천과세
~ equitativo 형평법상의 유치권
~ específico 특정물 선취특권
~ estatutario 제정법상의 선취특권, 성문법상의 담보권
~ fiscal 연방세
~ general 일반유치권
~ hipotecario 모기지 리언(채무담보 부동산 선취특권)
~ liquidado o cancelado 변제된 리언
~ marítimo 해상 선취특권
~ por fallo o por juicio 판결 담보권
~ posesorio 점유 담보권
~ precedente o prior 선(先) 유치권
~ real 근저당 설정권, 물석 리언
~ sobre bienes muebles 동산양도 저당
~ sobre una cosecha 농작물 선취특권
~ sucesorio 상속세

gravar 세금을 부과하다; 저당 잡히다, 담보로 넣다

gravoso ⓗ 금품을 강요하는; 값비싼; 불쾌한, 거슬리는

gremializar (Col) 노동조합을 결성하다, 노동조합에 가입하다

gremio 노동조합; 동업자 단체

gruesa, a la 선박저당계약

grupo 단체
　~ de delitos 집합범(delitos de un mismo grupo o familia)
　~ de empresas 기업계열

guarda 보호

guarda y custodia 감호(監護)

guardador 감시인, 보호자, 관리인; 후견인

guardajurado (C) 사설경찰관

guardar decisión 결정을 보류하다

guardia 당직, 당번

guardián 관리인, 수호자, 파수꾼, 수위; 경찰

Guardia Civil 치안경찰

guarentigio, cláusula de 담보조항

guarismos 숫자
　~ y letra, en 숫자와 문자로

gubernamental ⓗ 정부의; 여당의

gubernativo ⓗ 내정의; 행정의

gubernista ⓗ (A) 정부의

guerra 전쟁
　~ defensiva o de autodefensa 자위전쟁
　~ fría 냉전

guerras, rebeliones, insurrecciones, revoluciones, motines, saqueos, movimientos sediciosos (해상보험) 전쟁, 반란, 폭동, 혁명, 소요, 약탈, 혹은 내란으로 인한

guía 안내; 표적; 지표; 편람
　~ aérea 항공운송장
　~ de campaña (철도) 운송장; (A) 가축소유증서
　~ de carga 운송장
　~ de carga aérea 항공운송장, 화물인수증
　~ de consumo (Col) 담배제조허가
　~ de depósito 창고증권
　~ de embarque 본선수취증; (A) 선하증권
　~ de encomienda 특급운송장; 화물운송장
　~ de exportación (Col) 수출허가; (PR) 수출운송장
　~ de extracción (세관) (Col) 관세 환급증서
　~ de internación (Col) 수입허가
　~ de transporte (Col) 담배 국내운송 허가; (A) 항공운송장
　~ limpia del piloto (GB) 무사고 본선수취증
　~ tachada de carga por avión 사고 항공화물운송장

guiar 인도·안내·유도·지도하다; 운전하다

~ un pleito 소송을 수행하다
~ sin licencia 무면허로 운전하다

habeas corpus 인신보호, 출정(出廷)영장, 구속적부심

habeas data 개인정보 보호에 관한 헌법소원

haber 대변(貸邊); 재산
~ hereditario 상속재산, 유산(遺産)
~ jubilatorio 연금
~ lugar 있다, 받아들일 수 있다, 조건・기준에 맞다
~ social 조합재산, 회사재산
~ y deber (PR) 자산과 부채

haberes 자산, 재산; 급료

habiendo prestado juramento 정히 서약하고

hábil ㉠ 솜씨 있는; 능력・권리・자격이 있는; 유효한

habilitación 자격부여, 공인(公認); 수권(授權)

habilitado 자금지원을 받는 상인; (Sp, V) 회계관; 대리인; ㉠ (취업) 이익에 참여하는

habilitador 물주, 사업자금을 대는 사람

habitación 거실, 방; 부동산의 거주권(derecho de habitación)

habitante 주민(住民)

habilitar 능력・자격을 주다; 갖추게 하다; 융자하다; 제공하다
~ los libros (CA) 장부에 수입인지를 붙이다

hacedero ㉠ 할 수 있는, 하기 쉬운

hacendístico (C) 재정의, 경제의

hacer 하다; 만들다
~ acto de presencia 참석하다
~ balance 시산표를 작성하다; 결산하다
~ bancarrota 파산하다
~ capaz 능력・자격을 주다
~ cesión 양도하다
~ constar 증명하다; 기록에 남기다
~ contrabando 밀수하다
~ cumplir 시행하다
~ diligencia 조치하다
~ efectivo 현금으로 바꾸다, 지급을 받다
~ empeño 저당 잡히다
~ un empréstito 융자・차관을 얻다

~ fe 증명하다
~ la guerra 전쟁하다
~ juramento 선서하다
~ una libranza 환어음을 발행하다
~ lugar 정당화하다, 지지하다, 승인하다
~ notificar 알리다, 통지하다
~ protestar 거절증서를 작성하다
~ quiebra 파산하다
~ responsable 책임을 지우다
~ saber 알리다, 통지하다; 공포하다
~ trance 압류하다
~ uso de la palabra 발언하다, 발언권을 얻다
~ valer 실시・시행・집행하다; 권리를 주장하다

hacerse 되다
~ garante de 보증인이 되다
~ rico 부자가 되다

hacienda 재산, 재정; 재무부; 부동산; 농장, 목장; (A) 가축 떼
~ particular 사유재산
~ pública 국고, 국가 재정; 공공재산; 국가 경제
~ social 조합・회사 재산

Hacienda Pública 국고

hágase saber 공포함, 공고함

hampón 불량배

hecho 사실; 행위
~ ajeno 무관한 사실(*res inter alios acta*)
~ contrario a la ley 불법・위법 행위
~ , de 사실상의(*de facto*);실제로(*in fact*)
~ de enemigos 공적(公敵) 행위
~ fortuito 우연한 사고
~ de guerra (선전포고 없는) 전쟁 행위
~ fabricado 가공된・꾸며낸 사실
~ imponible 과세물건(課稅物件)
~ jurídico 법률적 사실
~ operante (M) 주요 사실
~ tangible 물리적 사실

hechos 사실
~ acreditados 인정(認定)사실
~ constitutivos de infracción penalmente relevante 당연히 죄가 되는 사실
~ de la acusación (공소 제기의 대상이 되는 범죄사실인) 공소사실(公訴事實)
~ de la demanda 사실상의 이유, 청구의 원인
~ de nueva noticia 후발(後發)사실
~ encontrados 공식적인 조사 결과, 사실 인정
~ esenciales 근본적인 사실

~ evidenciales (M) 증거 사실, 주요 사실 확정의 기초가 되는 사실
~ indirectos o de referencia (간접적으로 사실을 증명하는) 징빙(徵憑)
~ justificativos 증거 사실, 주요 사실 확정의 기초가 되는 사실
~ litigiosos 계쟁사실(係爭事實)
~ notorios 공지의 사실; 법원이 확실히 알게 된 사실
~ pertinentes 중요한 사실; 불가결한 사실
~ principales o directos 요건(要件)사실, 주요사실
~ probados 인정(認定)사실
~ procesales 재판 과정 중의 부대사실
~ que precisan ser probados 요증(要證)사실, 입증할 필요가 있는 사실
~ sobrevenidos 후발사실

hegemonía 패권
~ de la Ley 법률의 우위

heredable ㉱ 상속할 수 있는

heredad 농장, 농지, 농가, 토지; 유산, 재산, 재산권
~ dominante 분할된 일부 토지
~ materna 어머니가 남긴 유산
~ residual o residuaria 잔여재산
~ sirviente 다른 사람의 토지
~ yacente 미(未)인수 유산

heredero 상속인(相續人), 승계인
~ abintestato 법정 상속인
~ absoluto o libre 절대 상속인
~ adoptivo 양자 상속인
~ aparente 표견(表見) 상속인, 참칭(僭稱) 상속인
~ auténtico 진정(眞正) 상속인
~ beneficiario 한정 상속인
~ colateral 방계혈족 상속인
~ convencional 협정 상속인(배우자)
~ del remanente (Ec) 잔여재산 상속인
~ en expectativa 가독(家督) 상속인
~ en línea recta 직계존비속 상속인
~ fideicomisario 신탁 상속인
~ fiduciario 수탁 상속인
~ forzoso 유류분(遺留分) 권리자
~ instituido 유언 상속인
~ legal 법정 상속인
~ legítimo 진정(眞正) 상속인
~ necesario 유류분(遺留分) 권리자
~ particular 특정 상속인 (↔ ~ universal)
~ por consanguinidad 직계혈족 상속인
~ por estirpe 대습(代襲) 상속인
~ por representación 대습 상속인, 대위(代位) 상속인
~ presunto 추정 상속인
~ pretérito 유언에서 빠진 법정 상속인

~ substituido 대습 상속인
~ supuesto 추정 상속인
~ testamentario 유언 상속인
~ único 단독상속인
~ universal 잔여재산 상속인; (A) 포괄 승계인
~ voluntario (A) 유언상속인

hereditable ⓗ 상속할 수 있는

hereditario ⓗ 상속의, 세습의; 조상 전래의; 유전적인

herencia 상속재산, 유산; 상속(sucesión)
~ conjunta 공동 상속, 상속재산 공유
~ vacante 휴지(休止) 상속재산, 소유주 불명(不明)의 재산
~ yacente 미분할 유산; 미(未)인수 유산; 미해결 유산

herencial (Col) ⓗ 유산의

herida 상처, 부상

hermanos 형제
~ de doble vínculo 친형제

hermenéutica legal 법 해석학

higiene pública 공중보건, 공중위생

hijo 자(子)
~ adoptivo 양자(養子)
~ adulterino 간통에 의한 사생자
~ bastardo o espurio 혼인외 출생자, 비적출자(非嫡出子)
~ biológico 친자, 실자(實子)
~ de bendición 혼인중 출생자, 적자(嫡子)
~ de crianza (PR) 양자(養子)
~ de la cuna 기아(棄兒), 주운 아이
~ de ganancia 혼외자(婚外子), 비적출자
~ de la piedra 기아(棄兒), 주운 아이
~ extramatrimonial o ilegítimo 혼외자
~ legitimado 적출인정 자(子)
~ legítimo 적출자
~ matrimonial 혼인중 출생자
~ natural 사생자
~ natural reconocido 인지(認知)된 사생자
~ póstumo 유복자
~ putativo 오상혼자(誤想婚子), 추정상의 자

hijuela 유산 배당 몫; 유산 배당 문서

hijulear (Ch) 유산을 배당하다

hipomanía 경증(輕症) 조병(躁病), 가벼운 우울증

hipoteca 저당

~ a la gruesa 선박저당 채권
~ cerrada 폐쇄식 저당
~ colectiva 공동 저당
~ convencional 협정 저당
~ de aeronaves 항공기 저당
~ de automóviles 자동차 저당
~ de bienes muebles 동산 저당
~ de buques 선박 저당
~ de empresas 기업 담보
~ de empresas de transporte terrestre 도로교통사업 저당
~ de ferrocarriles 철도 저당
~ de inquilinato 임차지 저당
~ de instalaciones de turismo 관광시설재단 저당
~ de maquinaria para la construcción 건설기계 저당
~ de máximo 근저당, 근저당권
~ de minas 광업 저당
~ en derecho consuetudinario 코먼로 모기지
~ en primer grado 1번 저당
~ en primer lugar (M) 1번 저당
~ en segundo grado 2번 저당
~ equitativa 의제(擬制) 저당
~ fiduciaria 신탁 저당
~ general 포괄 저당
~ indeterminada 개방식 저당
~ industrial 공장재단 저당, 공장 저당
~ legal 법률상의 양도담보
~ maximal 근저당, 근저당권
~ mobiliaria 등록질(登錄質), 동산(動産) 저당
~ moratoria (C) 청산과 이자에 관한 특별법에 따른 모기지
~ naval 선박 저당
~ patrimonial 재단(財團) 저당
~ posterior o secundaria 후순위 저당, 2번 저당
~ prendaria 동산양도 저당
~ refundente o de reintegración 차환 저당
~ superior o precedente 선순위 저당
~ voluntaria 협정 저당

hipotecable ⓗ 저당 잡힐 수 있는

hipotecante 저당권 설정자

hipotecar 저당·담보에 넣다; 저당권을 설정하다

hipotecario 저당권자

hipótesis 가정, 가설

hipotético ⓗ 가정의, 가설의

Historia del Derecho 법제사(法制史), 법사학(法史學)

historial 연혁; 이력, 전과(前科), 자료

hoc loco 이 자리에서

hogar 가정, 집; 택지, 주택
~ seguro (PR) 주택점유권, 가옥보호특권

hoja del padrón municipal de habitantes 주민표

hoja sellada o **timbrada** 인지가 인쇄된 양식

hológrafo 자필 문서·증서; ⓗ 자필의

hombre bueno 조정위원(mediador, conciliador)

homicida 살인자, 살인범; ⓗ 살인의

homicidio 살인(죄)
~ accidental o involuntario (PR) 우발(偶發)살인, 과실치사
~ agravado 가중살인죄
~ culposo 살인죄
~ imperfecto (C) 살인미수
~ impremeditado 고의(故意) 없는 살인
~ imprudente 과실치사죄
~ inculpable 정당하다고 인정할 수 있는 살인
~ involuntario 과실치사죄
~ doloso o intencionado 살인죄, 고살(故殺)
~ por encargo 촉탁(囑託)살인
~ por negligencia 과실치사
~ premeditado 모살(謀殺)
~ preterintencional 불충분한 고의에 의한 살인
~ simple (가중·경감 사유가 없는) 단순살인죄
~ voluntario o por culpa (PR) 살인죄

homologación 인가, 확인; (스포츠 기록의) 공인

homologar 인가·승인·확인하다; (스포츠 기록을) 공인하다

homologatorio ⓗ (U) 인가하는, 확인하는

honestidad 정직, 성실, 정결, 청렴

honesto ⓗ 정직한, 성실한, 청렴한

honorabilidad 명예

honorable ⓗ 명예로운

honorario 사례금, 수수료, 보수; ⓗ 명예로운
~ condicional 성공 사례금
~ definido o fijo 고정 요금
~ facultativo (C) 전문직업인 수수료

honorarios (자유계약관계의) 보수
~ de abogado 변호사의 보수

~ de los directores 임원의 보수

honradez 정직, 성실

honrado ⓗ 정직한, 성실한

honrar (상업) (어음을) 인수하다, 지불하다

honras fúnebres 장제(葬祭), 장례식

horas extra 잔업(殘業), 시간외 근무, 초과근무

hospitalización 입원 (가료)

hostil ⓗ 적대적인

hostilidades 전쟁 행위; 교전 상태

hotis humani generis 인류공통의 적

huelga 파업(罷業)
~ de brazos caídos 비(非)공인 스트라이크; 농성파업
~ de brazos cruzados 농성파업
~ de solidaridad 동정(同情)파업
~ general 총파업
~ ilegal 불법파업
~ intergremial 관할권 파업
~ pasiva o de ocupación (A) 농성파업
~ patronal 공장폐쇄

huelgas, motines, y disturbios civiles 파업, 폭동, 소요

huella dactilar 지문(指紋)(huella digital)

huérfano, huérfana 고아

huída de capitales 자본도피

hurtador 도둑, 절도범

hurtar 훔치다

hurtarse 도망하다, 도망치다

hurto (폭력을 행사하지 않은) 절도, 절취
~ con circunstancias agravantes 복합적 절도죄
~ de uso 사용절도
~ en derecho consuetudinario 코먼로에서의 절도
~ implícito 사용(使用)절도
~ mayor 중(重)절도죄
~ menor 경(輕)절도죄
~ mixto o complicado 가중(加重)절도, 복합적인 절도
~ sencillo 단순절도

I

id est 즉(i.e.) (*that is*)

ídem 같음, 앞서 말한 바와 같음; 같은 저자 · 말 · 책 · 전거(의) (*id.*)

identidad 동일성, 정체성; 신원, 신분, 동일한 사람 · 물건 · 본인인 것의 증명 · 확인
~ del litigio 여러 소송들의 목적의 동일성
~ de las partes 당사자들의 신원 확인

identificación 동일한 사람 · 물건 · 본인인 것의 증명 · 확인

identificar 동일한 사람 · 물건 · 본인인 것을 증명 · 확인하다

idiotez 백치, 백치적 행위

idoneidad 적응성, 적성, 능력; (M) 진짜임

idóneo ⓗ 능력 · 자격이 있는; (M) 진짜의

ignorado ⓗ 알지 못하는, 미지의

ignorancia 무지, 부지(不知)
~ culpable 알지 못한 과실
~ de la Ley 법의 부지(不知)
~ de la Ley no exime de su cumplimiento 법을 모른다고 해서 지키지 않아도 되는 것은 아니다
~ de las leyes no sirve de excusa 법을 모른다는 것은 핑계가 될 수 없다
~ esencial 본질적인 무지, 중요한 사실을 모름
~ involuntaria 본의 아닌 부지(不知)
~ no esencial 비본질적인 무지, 중요하지 않은 사실을 모름
~ no excusa cumplir la ley 법을 모른다고 해서 지키지 않아도 되는 것은 아니다

ignorancia facti excusat 모르는 게 약이다

ignorancia no excusat legem 법을 모른다는 것은 핑계가 될 수 없다

iguala 보수, 사례, 변호사 수임료; 협약; 용역 계약

igualar 같게 하다; 고르게 하다; 협정 · 계약하다

igualdad 평등
~ ante la Ley o frente a la ley 법 앞에 평등
~ de sexos 남녀평등
~ jurídica 동권
~ soberana 주권평등

igualitario (U) 공평한; 형평법상의

ilegal ⓗ 불법의

ilegalidad 반칙, 범칙

ilegalización 불법화

ilegitimidad 비합법; 사생(私生), 서출; 부조리, 불합리; (Ch, Ec) 위법, 불법(행위)

ilegítimo ⓗ 부당한, 불법의, 위법의; 사생의, 서출의

ilícitamente 불법으로, 부정하게

ilícito ⓗ 불법의, 부정한

ilícitud 불법, 부정

iliquidez 미정산(未精算)

ilíquido 결제 · 결산 · 청산되지 않은; (금융) (C, CA) 현금 부족의

imbecilidad 저능; 정신박약

imitación 모조, 모방; 가짜, 위조; 위조품, 유사품

imitado ⓗ 가짜의, 위조의, 모방한

impacto ambiental 환경영향

impagable ⓗ 지불 불능의

impago 지불 거절(impagado)
~ cambiario 부도(不渡)

imparcial ⓗ 공평한, 치우침이 없는

imparcialidad 공평, 공정

impedido ⓗ 불구가 된, 장애를 입은; 자격을 잃은, 실격된

impedimento 장애, 방해; 금반언(*estoppel*);무자격
~ absoluto 절대적 (혼인) 장애
~ de escritura 증서에 의한 금반언(禁反言)
~ de registro público 등기에 의한 금반언
~ dirimente (혼인 원인 무효의) 절대 장애
~ impediente 금지적 (혼인) 장애
~ judicial 사법적 금반언, 상반된 주장에 의한 금반언
~ legal 법적 장애
~ por hechos externos 행위에 의한 금반언
~ por registro público 등기 · 판결에 의한 금반언
~ por tergiversación 대리에 의한 금반언
~ promisorio 약속의 금반언
~ relativo 상대적 (혼인) 장애
~ técnico 기술적 금반언, 법적 금반언

impedir 막다, 방해하다, 저지하다

impeditivo ⓗ 장해 · 방해가 되는, 저지시키는

impensas 비용, 출비(出費), 경비

~ necesarias 필요비(必要費)
~ útiles 유익비(有益費)
~ voluptuarias 사치비(奢侈費)

imperativo legal 법률적 요건, 법적 요구사항

imperdonable ⓗ 용서할 수 없는, 면할 수 없는

imperfecto ⓗ 불완전한, 불비(不備)한

imperialismo 제국주의

imperio de la Ley 법의 지배

imperitia culpae adnumeratur 솜씨가 없는 것은 태만 탓이다

impersonal ⓗ 인격을 갖지 않은; 개인에 관계가 없는, 일반적인

impertinencia 부적절

impertinente ⓗ 부적절한, 관계없는; 버릇없는

impetración 출원, 탄원

impetrar 출원(出願)하다, 간청하다

impignorable ⓗ 저당 잡힐 수 없는

implantar 심다, 들여오다; 설치하다, 수립하다

implicar 함축하다, 내포하다

implicarse 관련되다, 말려들다

implícito ⓗ 묵시적인

imponedor 재산·과세 평가인, 사정관

imponente 투자자; 예금자; 기부자; ⓗ 위압적인

imponer (세금을) 부과하다, 과(課)하다; (벌금을) 부과하다, 과(科)하다
~ contribuciones o impuestos 세금을 부과하다
~ una multa 벌금을 부과하다

imponibilidad 과세 범위

imponible ⓗ 과세할 수 있는, 세금이 붙는, 과세해야 할

importación ilegal 밀수입(密輸入)

importante ⓗ 물적 (증거); 중요한

importunar 귀찮게 조르다; 지불을 요구하다

imposibilidad 불능
~ de cumplimiento 이행불능
~ material 물리적 불가능
~ moral 상대적 불가능
~ originaria de cumplimiento 원시적 불능

~ sobrevenida de cumplimiento　후발적 불능

imposibilitar　불가능하게 하다, 쓸모없게 만들다

imposible　㊞ 불가능한

imposición　(형벌의) 수형(受刑)

imposición　예금(depósito bancario); 과세, 부과(賦課)
~ a plazo　정기예금
~ conjunta de varias penas　병과(倂科)
~ de ahorro　저축예금
~ de costas　(법정) 비용 부과
~ del patrimonio　고정자산세(固定資産稅)
~ de la renta　소득과세
~ fiscal　연방(聯邦)과세
~ progresiva (tributaria)　누진세
~ real　재산세
~ sobre capitales　자본과세

impositivas　(A) 세금

impositivo　㊞ 과세의

impostergable　㊞ 늦출 수 없는, 연기할 수 없는

impostura　중상, 비방, 명예훼손

impotencia　무능, 무기력; 음위(陰痿)

impotentia excusat legem　법은 불가능한 일을 요구하지 않는다

impremeditación　조심성이 없음, 사려가 깊지 못함, 경거망동

impremeditado　㊞ 일부러 한 것이 아닌, 사전 계획이 없는, 사려가 깊지 못한

imprescindible　㊞ 불가결한, 빠져서는 안 될

imprescriptible　㊞ 시효에 걸리지 않는, 기한에 관계없는

impresión digital　지문(指紋)

impreso de declaración　신고서, 신고용지

imprevisible　㊞ 예견·예측할 수 없는; 불확정의, 우발적인

imprevisión　선견지명이 없음

imprevisto　㊞ 예견·예측하지 못한; 우연한, 뜻밖의

imprevistos　임시비, 예비비

imprimátur　(교회로부터의) 인쇄·발행 허가

improbación　불허(不許), 거부, 기각

improbar　기각하다, 불허하다

improbidad 불성실, 부도덕, 부정직(不正直)

ímprobo ⓗ 정직하지 못한, 부도덕한

improcedencia (시기・장소・정황상) 적절하지 못함; 근거 없음

improcedente ⓗ 적절하지 못한; 근거가 없는

imprudencia 과실(過失)
~ concurrente 기여(寄與)과실
~ criminal 형사상의 과실
~ culpable 태만죄
~ grave 중과실
~ leve 경과실
~ profesional 업무상 과실
~ simple 경과실
~ temeraria 중과실

imprudente ⓗ 부주의한, 경솔한, 신중하지 못한

impúber 사춘기 이전의 아이; ⓗ 사춘기 이전의

impuesto 세, 조세, 세금
~ a los beneficios extraordinarios 초과이윤세
~ a la estiba 하역(荷役)세
~ a las ganancias eventuales (A) 일시(一時)소득세
~ a las herencias 상속세
~ a la renta o a los réditos o a las utilidades 소득세
~ a las transacciones (A) 간접세
~ a la venta 매출세, 물품세
~ a los beneficios obtenidos en las tranferencias de inmuebles 부동산 양도소득세
~ adicional 부가세, 누진부가세
~ aduanal 관세
~ al consumo 소비세, 간접세
~ alcabalatorio 간접세
~ arancelario (C) 관세
~ básico (A) 본세(本稅)
~ complementario 부가세
~ de ausentismo 부재지주(不在地主)세
~ de capitación 인두세
~ de derechos reales (C) 부동산양도세
~ de donaciones 증여세
~ de estampillado o de timbres o de sellos 인지세
~ de explotación 개발세
~ de herencias 상속세
~ de inmuebles 부동산세
~ de internación 수입세
~ de justicia (A) 소송인지세
~ de legado 상속세
~ de lujo 사치세

~ de mejora 개량세
~ de patente o de privilegio 특별사업세, 특권세, 면허세
~ de patrimonio 자본세; 상속세
~ de plusvalía 부동산가격상승 세
~ de radicación 사업소세(事業所稅)
~ de ruedo (CA) 자동차세
~ de salida 출국세
~ de soltería 독신세
~ de sucesiones 상속세, 유산세
~ de superposición (Col) 부가세, 누진부가세
~ de testamentaría o de sucesión 상속세
~ de tonelaje 톤세
~ de transferencia 양도세
~ de valorización (Col) 개발부담세
~ de viajeros o pasajeros 통행세
~ electoral 인두세
~ estatal (US) 주(州)세
~ fiscal 국세(國稅)
~ general sobre el consumo 일반소비세
~ hereditario (M) 상속세
~ hipotecario 모기지 세
~ indirecto 간접세
~ individual sobre la renta 개인소득세
~ inmobiliario 부동산세
~ local 지방세
~ municipal 시(市)세
~ normal 본세(本稅)
~ para obras de planificación (M) 도시계획세
~ para previsión social 사회보장세
~ patrimonial 재산세
~ por cabeza 인두세, 주민세
~ portuario 항구세, 입항세
~ predial 부동산세
~ principal o base 본세(本稅) (↔ recargo)
~ pro defensa nacional 국방세
~ progresivo 누진세
~ real 재산세
~ sobre actividades económicas 사업세, 영업세
~ sobre beneficios 이익세
~ sobre beneficio extraordinario 초과이윤세
~ sobre bienes 재산세
~ sobre bienes inmuebles 지가(地價)세
~ sobre capital declarado (US) 자본세, 주식세
~ sobre compraventa 매출세
~ sobre concesiones 특별사업세, 면허세, 특권세
~ sobre diversiones 오락세
~ sobre donaciones (US) 증여세

~ sobre el ingreso 소득세
~ sobre el lujo 사치세
~ sobre el patrimonio 고정자산세(固定資産稅)
~ sobre el peso de los automóviles 자동차 중량(重量)세
~ sobre el timbre 인지세(印紙稅)
~ sobre el valor añadido (IVA) 부가가치세
~ sobre el valor agregado (IVA) 부가가치세
~ sobre elaboración 가공(加功)세
~ sobre entradas o sobre espectáculos 입장세
~ sobre exceso de ganancias 초과이윤세
~ sobre explotaciones mineras 광구세(鑛區稅)
~ sobre extracción 퇴직세
~ sobre franquicias 특별사업세, 면허세, 특권세
~ sobre ganancias por negocios de capital (US) 자본이득세
~ sobre hidrocarburos 탄화수소(炭化水素)세, 휘발유세
~ sobre incremento de valor 재산증식세
~ sobre ingresos de sociedades 법인소득세
~ sobre ingresos individuales 개인소득세
~ sobre la adquisición de automóviles 자동차 취득세
~ sobre la producción minera 광산세
~ sobre la renta corporativa 법인소득세
~ sobre la renta de las personas físicas (IRPF) 소득세
~ sobre la tenencia de automóviles 자동차세
~ sobre las bebidas alcohólicas 주세(酒稅)
~ sobre las labores del tabaco 연초(煙草)세
~ sobre las sociedades 법인세
~ sobre las transmisiones de títulos valores 유가증권 거래세
~ sobre las ventas 판매세
~ sobre los edificios 건물세
~ sobre los precios de transferencia 이전(移轉)가격세
~ sobre los sueldos elevados 고액급여세
~ sobre planillas de pago 급여관련세금
~ sobre producción 생산세
~ sobre publicidad 광고세
~ sobre riqueza mueble 개인재산세, 동산세
~ sobre superprovecho (M) 초과이윤세
~ sobre transferencias 양도세
~ sobre transmisiones patrimoniales 양도세
~ sobre utilidades excedentes 초과이윤세
~ sobre ventas 매출세, 간접세
~ sucedáneo 보완세
~ sucesorio o de sucesión 상속세
~ suntuario 사치세
~ territorial o terrestre 토지세
~ único 단일세

impuestos

~ a la exportación 수출세
~ a la importación 수입세
~ a tipo fijo 정률세(定率稅)
~ *ad valorem* 종가세
~ al consumo 소비세
~ anuales 연세(年稅)
~ cedidos 양여세
~ cedidos a las entidades locales 지방양여세
~ de rentas internas 국내 수입(收入)세
~ directos 직접세
~ estatales 국세
~ indirectos 간접세
~ locales 지방세
~ locales por razón de residencia 주민세
~ municipales 시세(市稅)
~ nacionales (US) 연방(聯邦)세
~ ordinarios 상세(常稅)
~ para la protección del medio ambiente 환경세
~ personales 인세(人稅)
~ progresivos 누진세
~ proporcionales 비례세
~ provinciales 도세(道稅)
~ reales 물세(物稅)
~ regionales 지방세
~ regresivos 역진세(逆進稅), 누감세(累減稅)
~ retenidos 원천징수세
~ sobre actos jurídicos o económicos 행위세(行爲稅)
~ sobre el patrimonio en general 재산세
~ sobre el tráfico de mercaderías 통과세
~ sobre las rentas o ingresos 소득세
~ sobre los beneficios o rendimientos 수익세

impugnabilidad 이의를 제기할 수 있음

impugnable ⓗ 반론할 수 있는, 이의를 제기할 만한

impugnación 항변; 상소; 부인(否認)
~ adhesiva de una resolución 부대(附帶)상소
~ de la paternidad 친생부인(親生否認), 적출(嫡出)의 부인(否認)
~ de medios probatorios 증거항변(證據抗辯)

impugnador, impugnante 반대자, 항의자; ⓗ 반대하는, 항의하는

impugnar 항소·상고하다, 불복신청하다
~ por nulidad 영구적 항변권을 주장하다
~ un testamento 유언장에 이의를 제기하다

impugnativo ⓗ 반론적인

impugnatorio ⓗ (M) 반론적인, 반박하는

impulso 밀치기; 충동, 자극; 충격, 추진력
~ de parte 당사자 일방의 소송 신청
~ procesal 소송의 촉진

impune ⓗ 처벌받지 않는

impunidad (죄나 과실이 있는데) 처벌받지 않음

imputabilidad (형사책임을 질 수 있는) 책임능력; 유책성(有責性)
~ limitada 한정책임능력(semi-imputabilidad)
~ plena 완전책임능력

imputable ⓗ 책임능력이 있는; ~의 탓으로 돌릴 수 있는

imputación 소추(訴追); 충당; 귀책(歸責)
~ de pagos 변제의 충당

imputado 피의자

imputar (죄・책임을) ~의 탓이라고 하다

in
~ *absentia* 궐석(闕席)으로; 부재 중에
~ *articulo mortis* 죽음의 순간에, 임종에
~ *capita* 1인당(*per capita*)
~ *diem* 하루 동안
~ *dubio pro operario* 의심스러우면, 노동자에게 유리하게
~ *dubio pro reo* 의심스러우면, 피고인에게 유리하게(무죄 추정의 원칙)
~ *dubio pro societate* 의심스러우면, 사회에 유리하게
~ *extenso* 상세하게, 빠짐없이
~ *extremis* 임종 시에, 최후의 순간에
~ *fraganti* 현행범으로
~ *jure* 법에 따라
~ *pari causa* 똑같은 이유로
~ *personam* 대인(對人)적
~ *rem* 대물(對物)적
~ *solidum* 연대하여
~ *statu quo* 현상 그대로, 원상태로
~ *stirpes* 대물림의, 대습(代襲)의
~ *terminis* 명문(明文)으로, 분명하게

inabrogable ⓗ 폐기할 수 없는

inacción 부작위

inaceptable ⓗ 수락・승낙할 수 없는

inaceptado ⓗ 거절된 (어음)

inactividad 부작위

inactuable ⓗ 기소할 수 없는

inacumulable ⓗ 비(非)누적의 (우선주 배당)

inadecuación de la pena 양형부당(量刑不當)

inadmisible ⓗ 승인할 수 없는

inadmisión 각하(却下)
~ de la demanda 소송의 각하
~ de las pruebas 증거신청의 각하

inafectable ⓗ (M) 저당 잡힐 수 없는

inajenable ⓗ 처분 · 양도 · 이전할 수 없는

inalienable ⓗ 처분 · 양도 · 이전할 수 없는

inamovible ⓗ 움직일 수 없는; 해임할 수 없는

inapelable ⓗ 항소할 수 없는

inaplazable ⓗ 연기할 수 없는

inaplicable ⓗ 관련성이 없는, 부적절한

inaplicación de la analogía (유추해석의 상대개념인) 반대해석

inasistencia 불출석, 결석

inasistente ⓗ 출석하지 않은

inatacable ⓗ 반박할 수 없는, 나무랄 데 없는

incaducable ⓗ 몰수할 수 없는

incapacidad 무능력, 무자격; 장애, 장해
~ absoluta permanente 영구적이고 전면적인 취로(就勞)불능; 영구 전신 장해
~ absoluta temporal 일시적인 전면적 취로불능; 일시적 전신 장해
~ física 신체장애
~ jurídica o legal 법적 무능력
~ laborativa 취로(就勞)불능
~ mental 정신적 무능력
~ parcial 부분적 무능력; 부분적 장해
~ particular 속인(屬人)적 결격
~ perpetua 영구(永久)적 결격
~ relativa 부분적 무능력; 부분적 장해
~ total 전면적 장해
~ transitoria 일시적 장해

incapacitación 금치산(禁治産)

incapacitado 금치산자

incapacitarse 불구가 되다, 무능력하게 되다

incapaz 의사(意思)무능력자, 무능력자

incautación [행] 몰취(沒取); [형] 몰수(沒收)

incautar 압수 · 몰수하다

incendiar 방화(放火)하다, 불을 지르다

incendiario 방화자; ⓗ 방화하는; 선동적인

incendiarismo 방화(죄)

incendio 화재, 불
~ malicioso o doloso o intencional o premeditado 방화(放火)죄

incesto 근친상간

incestuoso 근친상간자; ⓗ 근친상간의

incidencia 사건, 문제, 사건의 발생; 부담, 세금; (M) 심리(審理) 사건
~ del impuesto 세금 귀착(歸着)

incidental ⓗ 우연히 발생하는, 부수적인

incidente 사건, 문제, 다툼; 중간확인의 소(cuestión incidental), 추가소송
~ de nulidad 소(訴)각하 신청
~ de oposición 항변

incidentes de previo (M) 사전에 해결해야 심리할 수 있는 문제

incipiente ⓗ 막 시작한, 시초의; 미(未)확정의

inciso 문단(文段), 조목, 조항

incitador 교사(敎唆)자, 선동자

incitar 교사(敎唆)하다, 선동하다

incitativa (상급법원의 재판) 지휘서, 명령서

incluir 포함하다; 합병하다; [서신] 동봉하다

incluso unius exclusio alterius 하나가 포함되면 다른 것이 배제된다

inclusión 포함, 함유
~ por referencia 참조에 의한 결합

incoacción 절차 개시

incoado ⓗ 막 시작된; (소송이) 제기된

incoar (소송, 법적 수속 등을) 개시하다
~ pleito 소(訴)를 제기하다

incobrable ⓗ 받아낼 수 없는, 회수 불능의

incomparecencia 불출두(不出頭)
~ en sede judicial 불출정(不出廷)

incompatibilidad 양립되지 않는 일, 상반성, 모순; 겸직 불능

incompatible ⓗ 양립할 수 없는, 서로 맞지 않는, 상충된

incompetencia 관할위반(falta de jurisdicción)

I

incompetente ⓗ 무능력의, 무자격의, 부적격의; 관할 밖의

incomunicación 소통이 되지 않음, 통신·교통 두절, 격리

incomunicado ⓗ 격리·감금된; 면회를 금지 당한

inconcluso ⓗ 결론에 이르지 못하는, 확정이 되지 않은

inconcluyente ⓗ 결론에 이르지 못하는, 확정이 되지 않은

inconcuso ⓗ 명백한, 논의의 여지가 없는

incondicionado, incondicional ⓗ 무조건의, 절대적인

inconducivo ⓗ 부적절한, 관련이 없는; 실체가 없는

inconexo ⓗ 부적절한, 관련이 없는

inconfirmado ⓗ 확인되지 않은

inconforme ⓗ 의견을 달리하는, 반대하는; 반체제적인

inconformidad 불만, 불복; 반체제

incongruencia 이유가 어긋남, 이유가 맞지 않음
~ omisiva 판결의 누락

inconmutable ⓗ 불변의, 바꿀 수 없는

inconsecuente ⓗ 일치하지 않는, 앞뒤가 맞지 않는, 일관성이 없는

inconstitucional ⓗ 위헌의, 헌법에 위배되는

inconstitucionalidad 위헌성

incontestabilidad 다툴 여지가 없음, 분명함

incontestable ⓗ (보험) 다툴 여지가 없는, 분명한; (법률) 부인·항변할 수 없는

incontestación (Sp) 무응답

incontrovertible ⓗ 논쟁의 여지가 없는, 명백한

incorporación 합병, 편입; 회사 설립
~ al procedimiento de ejecución de acreedores distintos del ejecutante que reclaman el pago de sus créditos 배당 요구
~ del marido a la casa regida por la esposa con ocasión del matrimonio entre ambos 입부(入夫)
~ por referencia 참조에 의한 결합

incorporador 결합자; 회사설립자

incorporal ⓗ 형체가 없는, 무형의

incorporar 합치다, 합병·통합·편입하다; 회사를 설립하다

incorpóreo ⓗ 형체가 없는, 무형의

incorruptible ⓗ 청렴한, 매수하기 어려운

incosteable ㉻ 비용을 댈 수 없는; 수지가 맞지 않는

incoterms 인코텀스(무역 용어의 해석에 관한 국제 규칙)

incriminar 죄를 씌우다, 고소·고발하다

inculpabilidad 잘못·죄가 없음

inculpable ㉻ 죄가 없는, 나무랄 데 없는

inculpado 피의자, 피고인

inculpar 고소·고발하다, 죄를 씌우다

inculpatorio ㉻ 죄를 씌우는; 고소의

incumbencia 의무, 책임

incumbir a 의무·책임에 속하다

incumplido ㉻ 불이행의

incumplimiento 불이행
~ con anticipación 이행기일 전의 계약 위반
~ contractual 위약(違約)
~ de condición 조건의 불이행
~ de contrato 계약의 불이행
~ de promesa matrimonial 약혼 불이행
~ de representación 대리의 불이행
~ implícito 이행기일 전의 계약 위반
~ obligacional 채무불이행

incuria 태만; 해태(懈怠)

incurrir (과오·죄 등에) 빠지다, 저지르다, 범하다; 당하다
~ en una deuda 빚을 지다
~ en mora 채무 지체가 되다
~ en una multa 과료를 내게 되다
~ en responsabilidad 책임을 지게 되다

incurso ㉻ 책임이 있는

indagación 조사, 심리(審理), 조회; (C) 입찰 요구서

indagador 조사자, 연구자

indagar 조사하다

indagatoria 조사, 심문
~ de pesquisidor 부검(剖檢), 검시(檢屍)

indagatoriar (Col) 신문하다, 심리하다

indagatorio ㉻ 조사의

indebido ㉻ 부당한, 불법의, 위법의

indecencia 추잡한 행위 · 말, 외설

indecente ⓗ 추잡한, 음란한; 교양이 없는, 형편없는

indeciso ⓗ 결정을 내리지 못한, 우물쭈물하는

indeclinable ⓗ 거절 · 철회할 수 없는

indefendible, indefensible, indefensable ⓗ 지킬 수 없는, 변호할 여지가 없는

indefensión 무방비, 무원(無援)

indefenso ⓗ 무방비의; 의지할 곳 없는

indelegable ⓗ 대리할 수 없는

indemnidad 보호, 보장; 면책; 배상

indemnizable ⓗ 보상할 수 있는, 보상의 대상이 되는

indemnización 배상, 보상, 변상; 금전배상, 보상금
~ compensatoria 보상적 손해배상
~ de daños y perjuicios 손해배상
~ de preaviso (취업) (A) 사전통지하지 않은 해고에 대한 배상
~ de separación (M) 해고 보상금
~ derivada de error de la justicia penal 형사보상
~ doble 이중 배상
~ insignificante 명목상의 배상
~ justa o razonable 적절한 배상
~ obrera 노동자 재해보상, 산업재해보상
~ por accidente 사고보상
~ por daños causados por un Estado a otro [국] 배상
~ por daños morales o psicológicos 정신적 피해에 대한 위자료
~ por daños punitivos 징벌로 인한 손해 배상
~ por daños y perjuicios derivados de acto ilícito 손해배상
~ por daños y perjuicios derivados de acto lícito 손실보상
~ por desahucio 명도(明渡) 보상
~ por desalojo 퇴거료
~ por despido o por cesantía 해고(解雇)보상
~ por enfermedad 질병보상
~ por fallecimiento o por muerte 사망(死亡)보상
~ por incumplimiento 전보(塡補)배상
~ por mora 지연(遲延)배상

indemnizado ⓗ 피보장자, 피배상자

indemnizador 보장자, 배상자

indemnizar 배상하다, 보상하다

indemnizatorio ⓗ 배상 · 보상하는

independiente ⓗ 독립의, 독자적인

inderogable ⓗ 취소·철회·폐지할 수 없는

indeterminado ⓗ 결정되지 않은, 결단을 내리지 못한

indicatorio (M) (어음의) 예비지급인, 교대(交代) 인수인

índice 률(率)
- ~ de criminalidad 범죄율
- ~ de endeudamiento 부채비율
- ~ de precios al consumo (IPC) 소비자 물가 지수(消費者物價指數)

indiciar 밀고하다, 고발하다; 결론을 내리다; (M) (책의) 참조 표시를 하다

indicio 징후; 흔적, 증적(證迹); 추정(推定)
- ~ claro o grave o indudable 절대적 추정
- ~ de delito 범적(犯跡), 범죄의 형적
- ~ de prueba 미약한 증거; 증거의 편린
- ~ dudodo u oscuro o remoto 진위가 의심스러운 증거; 반박 가능한 증거; 반증 추정
- ~ leve 경솔한 추정, 미미한 증거
- ~ mediano 개연성 있는 추정, 개연 증거
- ~ próximo 관련성이 있는 추정, 관련성이 있는 증거
- ~ violento o vehemente 상황 증거

indiferente ⓗ 무관심한, 냉담한; 사욕이 없는, 공평한

indignidad 모욕, 경멸, 무례; 냉대

indigno de confianza 신용할 수 없는

indiligencia 태만, 부주의

indirecto ⓗ 간접의

indispensable ⓗ 없어서는 안 될, 필요 불가결한

indisputable ⓗ 논란할 여지없는, 명백한

indisponibilidad 처분(處分)불능

individual ⓗ 개개의, 개별적인; 개인적인; 개인용의

individuo [국] 개인

indivisibilidad 불가분성
- ~ de derechos (주된 권리에 수반되는 권리의 불가분성으로서의) 권리의 수반성

indivisible ⓗ 분할할 수 없는, 불가분의

indivisión 불분할, 전체

indiviso ⓗ 분할되지 않은

indocumentado ⓗ 신분증명서·필요한 서류를 갖지 않은

indubitable ⓗ 의심할 여지없는, 분명한

inducción 교사(敎唆)

~ al falso testimonio 위증교사
~ al suicidio 자살교사죄

inductor 교사자, 교사범

indulgencia 관대, 관용; 용서, 사면

indultar 사면하다; 면제하다

indulto 특사(特赦), 특별사면 (참고: amnistía 일반사면)
~ especial 특사, 개별사면
~ parcial 감형

industria 산업; 공업
~ naciente o en ciernes 유치(幼稚) 산업, 신생 산업

industrial ⓗ 공업의, 산업의

ineficacia 무효(無效), 효력이 없음
~ jurídica 법적 무효

ineficaz ⓗ 효과 · 효력이 없는

ineficiente ⓗ 무능한; 능률적이지 못한

inejecución 불이행

inejecutivo ⓗ (Ec) 법적으로 회수할 수 없는

inembargabilidad 차압금지

inembargable ⓗ 압류할 수 없는

inenajenable ⓗ 양도할 수 없는, 매각할 수 없는

inepcia (A) 무능력; 무자격, 금치산

ineptitud 무능력; 무자격, 금치산

inepto ⓗ 무능한, 쓸모없는; 자격 없는

inequitativo ⓗ 공정치 못한; 공평하지 않은

inequívoco ⓗ 의심할 바 없는, 명백한

inescrupuloso ⓗ 부도덕한, 파렴치한, 무절조한

inestimado ⓗ 경시된; 미(未)평가의, 미감정의

inevacuable ⓗ 제출할 수 없는 (증거)

inevitable ⓗ 불가피한, 필연적인

inexcusable ⓗ 핑계를 댈 수 없는, 불가피한; 용서할 수 없는

inexigible ⓗ 요구할 수 없는

inexistencia 부존재(不存在), 존재하지 않음; 무효
~ de hecho (U) 실체적 무효

~ jurídica (U) 법적 무효

inexistente ⓗ 존재하지 않는; (U, M) 무효의

inexpugnable ⓗ 무효로 할 수 없는; 취소·파기할 수 없는

infalsificable ⓗ 위조할 수 없는, 위조 방지된

infamación 명예훼손, 중상, 비방

infamador 중상·비방하는 자

infamante ⓗ 수치스러운, 파렴치한; 중상·비방하는

infamatorio ⓗ 중상·비방하는

infame ⓗ 수치스러운, 파렴치한

infamia 오명, 불명예; 파렴치한 행위

infanticida 영아(嬰兒)살해자

infanticidio 영아(嬰兒)살해

inferencia 추리, 추론
~ legal 법적 추론
~ lógica 논리적 추론

inferior ⓗ 아래의; 하급의, 열등한

inferiorizar (Sp) 편견을 갖게 하다; 불리하게 하다; 손상하다

inferir daños y perjuicios 손해를 끼치다

infidelidad conyugal 간통, 부정(不貞)

infidencia 불성실, 부정(不貞)

infidente ⓗ 불성실한, 부정한

infiel ⓗ 불성실한, 부정(不貞)한; 부정확한

infirmante ⓗ 약하게 하는; 무효화하는

infirmar 무효로 돌리다, 취소하다

infligir una multa 벌금·과료를 부과하다

influencia 영향(력)
~ indebida 부당한 영향력 행사

influenciar 영향을 미치다(influir)

influyente ⓗ 영향을 미치는, 세력 있는

información 소식, 보도, 보고, 정보; 조사, 심문; (소송사건의) 적요(摘要)서
~ *ad perpetuam* 영구화된 증언
~ de crédito 신용 보고서
~ de dominio 본권(本權)의 소송(권리의 확인 및 집행을 구함)

~ posesoria 점유 소송
~ sumaria 약식 수속
~ testimonial 증인들의 인증 선서

informador 보고자, 리포터

informal ⑱ 비공식의, 사무적이 아닌; 신용할 수 없는; (법률) 약식의

informante 보고자; 신용조사업자

informar 알리다, 통지하다; 보고·보도하다; 요약하다; 변론하다

informarse (조사하여) 발견하다, 찾아내다

informativo (Col) 조사

informe 보고, 보고서; 변론
~ al jurado 배심원단에게 하는 변론
~ contable 회계보고
~ crediticio o de crédito 신용 보고서
~ de auditoría 감사보고서
~ en estrados (M) 항소 답변
~ final de la defensa en la vista oral penal 최종변론
~ oral 구두변론(alegato oral), 변론
~ pericial 감정서
~ sobre accidente 사고 보고서
~s finales de las partes en el juicio oral penal 최종진술(最終陳述)

infortunio 불운, 불행한 일, 재난

infortunios del trabajo 산업재해(産業災害)

infra 아래, 하위

infracción 위반; 사범(事犯)
~ administrativa 법정범, 행정범
~ de derecho 법령위반
~ de jurisprudencia 판례위반
~ de la Constitución 헌법위반, 위헌
~ de normas procesales 소송절차의 법령위반
~ penal 형사범, 자연범; 중죄(重罪)

infractor 위반자, 침해자, 범법자

infractorio ⑱ (Pe) 위반하는, 법을 어기는

infrapetición (M) 청구액보다 적은 판결

infrascrito, infrascripto ⑱ 하기(下記) 서명자

infraseguro 일부 보험

infringir 위반하다, 범하다, 어기다

infungible ⑱ 대체할 수 없는

ingerencia 간섭, 참견, 저촉(抵觸)

ingerencismo 간섭

ingreso 입회, 입학, 입국, 가입; 수입, 소득
~ bruto 총소득
~ disponible 가처분 소득
~ imponible 과세 소득
~ neto 순소득
~ per capita 1인당 국민소득
~ rental (C) 투자소득
~ tributable 과세 소득

ingresos
~ de explotación 영업 소득
~ devengados 근로 소득
~ financieros 금융 소득
~ interiores 내국세 수입
~ tributarios 조세 수입

ingreso en establecimiento penitenciario 입감(入監)

inhábil ⓗ 숙련되지 않은, 미숙한; 자격이 없는; 근무외의 (시간·날)

inhabilidad 무능력, 무자격

inhabilitación 자격박탈
~ absoluta 완전자격박탈
~ especial para el desempeño de empleo o cargo público 공직박탈
~ especial para el ejercicio de una profesión específica 전문자격박탈

inhabilitado ⓗ 무능력하게 된; 자격을 빼앗긴, 실격된

inherente ⓗ 고유의, 천성적인

inhibición (관할 문제로서 담당판사에 대한 소송 진행의) 금지(inhibitoria)

inhibirse (판사가) 스스로 제척하다

inhibitoria 금지 영장; 제척 명령

inhibitorio ⓗ 금지의, 금제의

inhumanidad 잔인, 야만성

iniciar 시작하다
~ una acción 소를 제기하다
~ el juicio 심리를 개시하다
~ la sesión 개정(開廷)하다

iniciativa de ley 법안

inicio de actividad 창업(comienzo de un negocio)

inicuo ⓗ 불공평한, 부당한, 옳지 못한

inimpugnable ⓗ 항변할 수 없는, 이의를 제기할 수 없는

inimputabilidad 책임무능력

inimputable 책임무능력자

ininteligible ⓗ 난해한, 이해할 수 없는

injerencia 간섭

injurias 모욕(죄)

injuriador 모욕하는 자, 불법행위자, 위반자, 남의 감정을 해치는 자

injuriar 모욕하다, 해치다, 욕지거리를 하다

injurídico (Ec) 불법의, 비합법적인

injurioso ⓗ 모욕의, 중상하는, 비방하는

injusticia 부정(不正), 불의, 불공평, 부당

injustificable ⓗ 조리에 맞지 않는, 정당하다고 할 수 없는, 변명할 수 없는

injustificado ⓗ 정당하지 않은

injusto ⓗ 옳지 못한, 부당한, 불의한

inmaterial ⓗ (PR) 비물질적인, 무형의

inmatriculación 등록

inmemorial ⓗ 기억에 남지 않은 옛적에, 오래 전에

inmigración 이민
~ ilegal 불법이민

inmisiones 근린방해, 생활방해

inmobiliario ⓗ 부동산의

inmoderado ⓗ 과도한, 절제가 없는

inmoral ⓗ 부도덕한

inmovilaciones 부동산, 물적 재산; (은행) 고정투자자산

inmovilizado 고정자산

inmuebles 부동산

inmune ⓗ 면역성의; 면제된

inmunidad 면제, 면책
~ de ejecución 집행면제
~ de jurisdicción 재판권면제
~ diplomática 외교관의 면책특권
~ parlamentaria 의원의 면책특권
~ penal 형사면책, 소추면제

~ soberana 주권면제
~ de los Estados 국가면제

innegociable ㉻ 거래할 수 없는

innominado 무기명(無記名)

innovación 혁신, 쇄신

inobservancia 불이행, 준수하지 않음
~ justificable 합당한 과실

inocencia 무죄, 결백; 천진스러움

inocente ㉻ 무죄의, 결백한; 천진난만한

inoficioso ㉻ 유류분(遺留分)을 침해하는

inoponible ㉻ 반대·대항할 수 없는

inquilinato 셋집, 차용, 임차, 차용권

inquilino 임차인, 차주(借主)

inquisición 종교재판, 이단(異端)심문; 규문주의(糾問主義)

inquisitivo (원님재판식의) 규문주의적인 (↔ acusatorio 탄핵주의적인)

insaculación 추첨

insanable ㉻ 불치(不治)의

insania 광기, 정신 이상, 정신병; 심신 상실
~ congénita 선천성 정신 이상
~ idiopática 특유한 정신 이상
~ pelagrosa 니코틴산 결핍 증후군에 의한 정신 이상
~ puerperal 산욕(産褥)으로 인한 정신 이상
~ sifilítica 매독성 정신 이상
~ traumática 트라우마에 의한 정신 이상
~ volitiva 자발적 정신 이상

insano ㉻ 미친, 정신 이상의; 건강치 못한

insatisfecho ㉻ 만족스럽지 못한

inscribible ㉻ 등기·등록할 수 없는

inscribir 등기하다, 등록하다

inscribirse 등록하다

inscripción 등기
~ accesoria 부기등기(附記登記)
~ creadora o constitutiva (PR) 새로운 모기지의 등기
~ de cancelación registral 말소등기(抹消登記)
~ de dominio (PR) 완전소유권등기
~ de modificación 변경등기

~ de nacimiento 출생등기
~ de posesión 소유권등기
~ de reconstrucción 회복등기
~ de reconstrucción de asiento registral físicamente destruido o deteriorado 멸실(滅失)회복등기
~ de reconstrucción de asiento registral indebida o erróneamente cancelado 말소(抹消)회복등기
~ de rectificación 경정등기(更正登記)
~ declarativa o rectificadora (PR) 새로운 저당권자 등기
~ definitiva 종국(終局)등기
~ por mandato judicial o administrativo 촉탁(囑託)등기
~ preparatoria 예비등기
~ previa 선(先)등기(모기지 법)
~ principal 주등기(主登記), 독립등기
~ provisional 가등기(假登記)
~ rectificativa 경정등기(更正登記)
~ traslativa 이전등기
~ traslativa del dominio 소유권 이전등기

inscrita o inscripta como correspondencia de segunda clase 제2종 우편물로 등록된

inscrito ⓗ 등록 · 등기된

insecuestrable ⓗ 압류 · 차압할 수 없는

inseparable ⓗ 분리할 수 없는, 불가분의

insinuación 넌지시 비침, 시사(示唆); 제안

ínsito ⓗ 고유의, 선천적인

insobornable ⓗ 매수하기 어려운, 청렴한

insoluto ⓗ 지불하지 않은, 미결제의

insolvencia 지불불능, 무자력(無資力); 파산
~ culpable 부실경영으로 인한 파산
~ menor 소(小)파산
~ notoria 주지(周知)된 파산
~ punible 허위(虛僞) 무자력, 허위(虛僞) 지불불능
~ sobrevenida 후발적(後發的) 무자력, 후발적(後發的) 지불불능

insolvente 지불할 능력이 없는 사람, 파산자; ⓗ 지불할 능력이 없는

insostenible ⓗ 지킬 수 없는, 유지할 수 없는

inspección 검사, 심사, 수색
~ corporal 신체검사(exploración corporal)
~ de pertenencias personales 소지품검사
~ judicial 검증, 육안검사
~ ocular 검증, 육안검사
~ voluntaria (이해당사자의 동의하에 영장 없이 실시하는) 실황조사

inspector 검사관, 심사관

instancia 신청; 심급(審級); 소송, 소송절차
~ de arbitraje 중재절차
~ de nulidad 소송 각하 항변
~ de oficio 기소(起訴)
~ de parte, a 당사자 일방의 신청에 의해
~ dilatoria 방소(妨訴)항변, 연기(延期)항변
~ escrita 신청서
~ inferior 하급심
~ perentoria 결정적 답변
~ superior 상급심
~ única 항소 없는 단심제

instar 간청하다; 소추(訴追)하다

instigación 부추김, 선동, 교사(教唆)

instigador 교사자, 교사범(教唆犯)

institor 재산관리인; (상업) (Sp) 대리인, 도매상

institución 기관, 시설, 단체
~ capitalizador 자본화은행
~ constitucional 헌법상의 기관
~ de crédito 신용기관
~ de derecho privado 개인회사, 비공개기업
~ de fianzas 보증회사
~ del Estado 국가기관
~ diplomática 외교기관
~ fiduciaria o de fideicomiso 신탁회사
~ financiera 금융기관
~ financiera gubernamental 정부금융기관
~ hipotecaria 주택저당대출 은행, 모기지 은행, 모기지 회사
~ penal 교도소, 교정시설
~ penitenciaria 교도소, 교정시설
~ sobre seguro (Col) 보험회사

instituciones nacionales de crédito 국영 대출금융 기관

institucional ㉻ 제도상의; 기관의

institucionalidad (정권이나 제도의) 정통성

instituir 설립하다

instituta 법률 원론

instituto 기관, 협회, 학회, 학원, 연구소
~ de emisión 발권은행(중앙은행)
~ financiero 금융기관

Instituto de Contratación Pública (INCOP) (Ec) 조달청

Instituto Internacional para la Unificación del Derecho Privado (UNIDROIT) 사법(私法)통일국제협회

instituyente ⓗ 설립자, 발기인

instrucción 지시, 통첩; 수사, 조사; 소송절차, 변론
 ~ al jurado (판사의) 배심원에 대한 설시(說示)
 ~ criminal 형사소송절차
 ~ de causa 사건 심리(審理)
 ~ del proceso 심문(審問), 공판
 ~ sumaria 약식절차

instructivo 법원 명령; 훈령, 규정; ⓗ 교육적인; (Col) 고소·고발·기소의

instructor 조사관
 ~ de expedientes administrativos 행정조사관
 ~ del juzgado de familia 가정법원 조사관
 ~ judicial 법원조사관

instruir 가르치다; 알리다, 통지하다; 심리하다, 조서를 꾸미다
 ~ de cargos (법정에서 피고에게) 죄상의 진위여부를 묻다
 ~ un expediente (M) 사건 기록을 작성하다
 ~ sumario 기소장·고발장을 작성하다

instrumental (A, M) 기기, 기구(器具); ⓗ 증서의, 문서에 의한

instrumentar 정식화하다, 적법화하다

instrumento 도구, 기구; 문서, 증서
 ~ al portador 지참인불식 증권, 무기명 채권
 ~ constitutivo 회사 설립강령서
 ~ de deber 채무증서
 ~ de ratificación 비준서(批准書)
 ~ de título 권원(權原)증권
 ~ de venta 매도증
 ~ negociable 유통성이 있는 유가증권, 유통증권, 교부성 증서
 ~ privado 사문서(私文書)
 ~ público (A) 공증문서

instrumentos
 ~ de crédito 신용증권
 ~ liberatorios (M) 통화(通貨)(수단)
 ~ negociables 기업어음, 상업증권, 교부성 증서

insubsanable ⓗ 바로 잡을 수 없는, 극복할 수 없는

insubsistente ⓗ 근거 없는, 정당성이 없는

insuficiencia 부족, 불비(不備)
 ~ de fundamentación jurídica 이유(理由)불비(不備)
 ~ evidente 전반적 불비(不備), 총체적 부실
 ~ probatoria o de la prueba 증거부족

insuficiente ⓗ 불충분한, 부적당한

insumo 소모성 자재; 기자재

intachable ⓗ 흠잡을 데 없는

intangible ⓗ 만져볼 수 없는, 무형의

intangibles (회계) 무형자산, 무형재산

integración 통합; 상환, 반제(返濟)
~ voluntaria de la litis 소송 고지(告知)

integrantes 구성원; 조합원

integrar 통합하다; 완성하다; 상환하다, 지불하다

intempestivamente 정당한 통지 없이, 부적당한 시기에

intención 의사(意思), 목적
~ criminal 범죄 의사, 범의(犯意)
~ legislativa 입법 의도

intencional ⓗ 의도적인, 고의의

intencionalidad 고의(dolo)

intencionalmente 고의로, 의도적으로

intendencia 본부, 지휘부; 행정관청, 지방행정구
~ de policía 경찰청
~ de la provincia 도청, 군청
~ municipal 시청

intendente 장(長), 지사(知事), 감독관
~ de liquidación (Ec) 파산관재인
~ de policía 경찰청장

intentar 꾀하다, 시도하다
~ contrademanda 반소(反訴)를 제기하다
~ demanda 소송을 제기하다

intento 의사(意思), 목적
~ , de 일부러, 고의로

inter virum et uxorem 부부(夫婦) 간에(entre hombre y mujer, entre esposos)

inter vivos 생존자 사이에[의]

intercorporativo ⓗ 회사 간에

interdecir 금하다

interdicción 금지

interdictal ⓗ (V) 금지의, 금지명령의

interdicto 금지, 금지명령, 금지 소송; 금치산자

~ cautelar o de proteger 점유보전의 소
~ de despojo 점유이전명령
~ de obra nueva 신축공사 중지명령
~ de obra vieja o de obra ruinosa 노후건물 철거명령
~ de recobrar 점유회수의 소
~ de retener 점유보유의 소; 접근 금지명령; 정지조치
~ definitivo 종국적 금지명령
~ exhibitorio 제시명령
~ mandatario 작위의무 부과명령
~ permanente 영구적 금지명령
~ posesorio 점유이전명령
~ preventivo 예방적 금지명령
~ prohibitorio 금지명령
~ provisorio 가처분명령

interdictum 특시(特示)명령

interés 이익; 이자, 이율, 이식(利息); 이해관계
~ abusivo 폭리
~ adverso 엇갈린 이해관계
~ asegurable 피보험이익
~ autónomo (M) 직접적이고 개인적인 이해관계
~ beneficioso 수익적 지분권
~ compuesto 복리(複利)
~ común 공동이익
~ convencional 약정이자
~ de, en, ~을 위하여
~ de demora 연체이자
~ de gracia o de demora (M) 연체이자
~ de plaza 현행 이자율
~ diario 일보(日步), 일변(日邊), 일리(日利), 날변
~ directo 직접적 이해관계
~ dominante 지배적 이해관계
~ fijo 정률(定率)
~ inmediato 직접적 이해관계
~ instrumental (M) 도구적 이해관계
~ legal (civil) 법정이자, 법정이율
~ legal (mercantil) 상사(商事) 법정이율
~ legítimo 정당한 이익, 정당한 이해관계
~ leonino 폭리, 고리(高利)
~ mayoritario (회사) 다수 주주 지분
~ moratorio 연체이자
~ nacional 국익
~ neto o puro 순(純)이자
~ oneroso 고리(高利)
~ pactado 약정(約定)이율
~ penal o punitorio 징벌적 이자
~ procesal (M) 소송에서의 이해관계

~ público 공공의 이익; 공익(公益)
~ usurario 폭리

interés-dividendo 이자배당 (상호저축은행의)

intereses
~ accionarios 자본주에 대한 이자, 자본주에 대한 이익배당금
~ atrasados 연체이자
~ creados 확정적 권리, 기득(旣得)권익
~ de mora 지연(遲延)이자
~ demorados 연체이자
~ legales 법정이자
~ retrasados 연체이자

interesado (legítimo o directo) 이해관계인, 이해당사자

interesarse 흥미·관심을 갖다

interestatal, interestadal, interestadual ㊢ 주(州) 간의

interfecto 살해된 사람; ㊢ 살해된

interlocutor válido (격지자(隔地者)의 상대개념인) 대화자

intermediación 중개업
~ inmobiliaria 부동산중개업

internacionalismo 국제주의, 인터내셔널리즘

internamiento 수용(收容)
~ forzoso en hospital para examen pericial de la persona del imputado 감정유치(鑑定留置)

internidad, en 대리로, 임시로, 대행으로(*ad interim*)

interino ㊢ 대리의, 임시의, 대행의

interior 내부의; 국내의

interlinear 행간에 기입하다

interlocución (M) 중간(中間)판결

interlocutoria 중간(中間)판결

interlocutorio ㊢ 중간판결의

intérlope ㊢ (M) 사기의, 부정한, 속이는

intermediario 중개업자, 알선업자; ㊢ 중개의

intermedio 사이, 중간; ㊢ 가운데의, 중간의

interpelación 심문, 질문

interpelación judicial 제소(提訴)

interpelado (상업) (M) 어음지불을 요구 받는 사람

interpelar 질의 · 질문하다; 소환하다

interponer 개입 · 간섭하다; 조정 · 중재하다; 제출하다; 고소하다
~ demanda contenciosa (A) 소송을 제기하다
~ excepción 이의를 제기하다
~ juicio 소를 제기하다
~ recurso de apelación 항소하다

interposición de pleito 제소, 출소(出訴)

interpósita persona 중개인, 대리인

interpretación 해석
~ administrativa 행정해석
~ analógica 유추해석
~ arbitraria 월권해석
~ auténtica 유권해석
~ autorizada 유권해석
~ contraria a la analogía 반대해석
~ correctiva 보정(補正)해석
~ declarativa 한정(限定)해석
~ doctrinal 학리(學理)해석
~ extensiva 확대해석
~ gramatical 문리(文理)해석
~ histórica 역사적 해석
~ indiscutida 무론(無論)해석
~ judicial 사법(司法)해석
~ legislativa 입법해석
~ literal 문리해석
~ lógica 논리해석
~ modificativa 변경해석
~ oficial 공권해석
~ privada (M) 학리(學理)해석
~ razonable 합리적 해석
~ restrictiva 축소해석, 제한해석
~ restringida 한정해석
~ técnica 기술적 해석
~ teleológica 목적론적 해석
~ usual 관습적 해석

interpretativo ⓗ 해석상의, 해설적인; 통역의

intérprete 통역
~ judicial 법정(法廷)통역

interrogador 질문자, 심문자

interrogante 질문자, 심문자; ⓗ 질문하는

interrogar 질문 · 심문하다

interrogativo ⓗ 질문하는; 의문을 나타내는

interrogatorio 심문(審問), 신문(訊問)
- ~ a las generales de la Ley 인정(人定)심문
- ~ a puerta cerrada 비공개심문
- ~ alternativo 교차심문
- ~ capcioso 유도심문
- ~ cruzado 교차심문
- ~ de las partes 당사자심문
- ~ de preguntas o de la parte proponente 직접심문
- ~ de testigos 증인심문
- ~ del acusado 피고인심문
- ~ directo 직접심문
- ~ *in situ* 임상(臨床)심문, 현장심문
- ~ policial 불심검문(不審檢問)

interrupción 중단
- ~ de la prescripción 시효중단
- ~ de la relación de causalidad 인과관계의 중단
- ~ del proceso civil (불가항력에 의한) 소송절차의 중단

interruptivo ⓗ 가로막는; 머무르는

intervención 회계감사; 간섭, 개입; 소송참가
- ~ adhesiva 보조참가
- ~ administrativa 행정개입
- ~ bajo protesto (어음의) 참가 인수(引受)
- ~ de las comunicaciones 통신 방수(傍受)
- ~ de tercero en el proceso 제3자의 소송담당
- ~ forzosa o necesaria (M) 강제개입
- ~ legal de tercero en el proceso 법정(法定)소송담당
- ~ principal 독립당사자 참가
- ~ telefónica 전화 감청, 전화 방수(傍受)
- ~ voluntaria de tercero en el proceso 임의적 소송담당

intervenir 회계감사하다; 조정하다, 감독하다; 중재하다; 참가하다
- ~ el pago 지불정지하다
- ~ en juicio 소송에 참가하다
- ~ judicialmente 압류하다, 세금을 부과하다
- ~ teléfono (전화를) 감청하다, 도청하다

interventor 감사(監事); 관리인; 검열관, 감독관; 중재인, 조정관; 소송참가자
- ~ de averías (해상보험) 해손(海損) 사정인
- ~ de concurso (파산) 채권자집회에서 선임한 관리인
- ~ por honor (어음의) 참가 인수인

interventoría 감독관 사무실

interviniente 당사자, 소송의 참가자

intestado 유언 없는 사망자; ⓗ (적법한) 유언을 남기지 않은

intimación 통고, 통지

~ a la persona 대인(對人) 청구
~ de pago 지급기일 한도 통지문

intimar 통고·통지하다
~ el pago 지급기일 한도를 통지하다

intimatorio ⓗ 통고·통지하는

intimidación 강박(强迫), 위협, 협박

intimidar 위협·협박·강박하다

intoxicación 중독(envenenamiento)

intoxicar 중독시키다(envenenar)

intraestatal ⓗ 주내(州內)의

intrajudicial ⓗ 재판상(裁判上)의

intransferible ⓗ 보낼 수 없는; 양도할 수 없는

intransmisible ⓗ 보낼 수 없는; 양도할 수 없는

intraspasable ⓗ 보낼 수 없는; 양도할 수 없는

intrusarse (남의 재산·권리 등을) 침해하다

intrusión 침해; 불법 점유

intrusismo profesional 무자격 영업죄

intruso 침입자, 난입자

inutilidad 무용(無用), 무익, 쓸모없는 물건
~ física 신체장애

invalidación 무효, 실효(失效); 무익

invalidar 무효로 하다

invalidarse 불구가 되다

invalidez 장애; 무효
~ absoluta o total 완전 장애; 전면적 취로불능(就勞不能)
~ definitiva 영구 장애
~ relativa o parcial 상대적 장애, 부분 장애
~ transitoria o provisoria 일시적 장애

inválido ⓗ 장애가 있는; 무효가 된

invariabilidad de las resoluciones judiciales 기속력(羈束力)

invasión 침범, 침해
~ de derechos 권리 침해

invención 발명, 창작, 창안; 발명품, 신안(新案)

inventariar 재산 목록을 만들다; 재고를 정리하다

inventario 재산목록
- ~ constante (M) 계속 재고조사
- ~ de la masa hereditaria 상속재산의 목록
- ~ en libros 장부 재고법, 계속 기록법
- ~ extracontable 실지재고
- ~ físico 실지재고
- ~ general (A, M) 대차대조표
- ~ instantáneo (A) 계속 재고조사
- ~ intracontable 장부 재고법, 계속 기록법
- ~ perpetuo o continuo 계속 재고조사
- ~ real 실지재고
- ~ simple (M) 적법한 절차를 밟지 않은 사망자의 재산목록
- ~ solemne (M) 공증된 재산목록

inventario-balance (Sp) 자산 및 부채 명세서

invento 발명(품)

inventor 발명자, 창안자

inversión 투자; 전환
- ~ colectiva 공동출자
- ~ de la carga de la prueba 거증책임의 전환
- ~ dominante 지배적 이해관계
- ~ extranjera 외국인투자
- ~ legal 적법투자, 신탁자금
- ~ neta 순투자(액)
- ~ pública 공공투자
- ~ reproductiva 생산투자

inversionista, inversor 투자자, 출자자

invertir 투자하다; 비용을 들이다

investigación 수사, 조사
- ~ criminal 범죄수사
- ~ de título 소유권 조사

investir 주다, 부여하다, 서임(敍任)하다

inviolabilidad 불가침
- ~ de la correspondencia 서신의 비밀의 불가침
- ~ del domicilio 주거불가침
- ~ diplomática 불가침권

inviolable ㊍ 침범할 수 없는, 불가침의

invocación 원용(援用)

invocar 원용(援用)하다, (법률을) 인용하다

involuntario ㊍ 무심결의; 본의 아닌

ipso
 ~ *facto* 곧장, 바로 그 사실 때문에
 ~ *jure* 법률상 당연히, 법률 그것에 의거하여

ir a la quiebra 파산하다

iriai 입회권(入會權)

irrazonable ㊎ 불합리한

irrecuperable ㊎ 돌이킬 수 없는, 회복할 수 없는

irrecurrible ㊎ 항소할 수 없는

irrecusable ㊎ 거부할 수 없는; 탄핵할 수 없는

irredimible ㊎ 되찾을 수 없는

irrefragable ㊎ 반박할 수 없는

irrefutable ㊎ 반박할 수 없는

irregular ㊎ 불규칙한, 변칙의, 비정상의; 불법의, 부정한

irregularidad 변칙; 부정행위

irreivindicable ㊎ 회복할 수 없는

irreivindicación 회복할 수 없음

irrelevante (PR) ㊎ 부적절한, 관계가 없는

irremediable ㊎ 어찌할 수 없는, 구원할 수 없는

irremisible ㊎ 면할 수 없는; 용서할 수 없는

irrenovable ㊎ 갱신할 수 없는

irrentable ㊎ (Pe) 비생산적인, 수익이 없는

irrenunciable ㊎ 포기할 수 없는

irreparable ㊎ 돌이킬 수 없는, 회복할 수 없는

irresponsabilidad 무책임

irresponsable ㊎ 무책임한

irretroactividad 불소급

irrevocabilidad 철회불능, 취소불능

irrevocable ㊎ 철회·취소할 수 없는

irritable ㊎ 화를 잘 내는; 취소·무효로 할 수 있는

irritar 화나게 만들다; 취소하다, 무효로 하다

írrito ㊎ 무효의, 효력이 없는

irrogar (해를) 입히다, 가하다
- ~ gastos 비용이 들게 하다
- ~ perjuicio 손해를 입히다

ítem 항목; 조목, 조항; 마찬가지로, 또 (항목을 차례로 열거할 때)

iura novit curia 판사는 법을 알고 있다, 법원은 법을 알고 있다

iurisdictio 재판권

ius 법, 권(權)
- ~ *angariae* 비상징용권(非常徵用權)
- ~ *canonicum* 캐논법
- ~ *civile* 시민법
- ~ *cogens* 강행법, 강행규범
- ~ *commune* 보통법, 일반법
- ~ *connubii* 혼인권
- ~ *disponendi* 처분권
- ~ *distrahendi* 담보물 매각권
- ~ *fruendi* 수익권
- ~ *gentium* 만민법, 국제법
- ~ *germanicum* 게르만법
- ~ *in re aliena* 타물권(他物權)
- ~ *novum* 신법(新法)
- ~ *primae noctis* 초야권
- ~ *prohibendi* 금지하는 권리
- ~ *proprium* 고유법
- ~ *puniendi* 형벌권
- ~ *sanguini* 속인주의
- ~ *soli* 속지주의
- ~ *utendi* 사용권

iusnaturalismo 자연법론

iuspositivismo 법실증주의

J

jactancia 허세; 사칭

jefatura 본부; 수장(首長)
~ de policía 경찰청
~ de rentas 내국세과(內國稅課)

jefe 수장, 우두머리, 수령; 과장, 부장
~ de familia 가장(家長)
~ de la casa 가주(家主), 호주(戶主)
~ de rentas (Col) 내국세 징수공무원
~ ejecutivo 최고경영자
~ político (CA) 경찰간부

jerarquía normativa 법의 우선순위, 법의 단계

joint venture 조인트벤처, 공동기업체

jornada laboral 하루 노동시간

jornalero 일급(日給) 노동자

juanillo (Pe, Ch) 뇌물, 삥땅, 상납(上納)

jubilación 퇴직, 은퇴; 연금
~ anticipada 조기 퇴직
~ de vejez o por ancianidad 노령연금
~ por invalidez 장애 퇴직

jubilado, jubilada 연금 수령자, 은퇴자
~ por antigüedad 근속 연금
~ por vejez 노령연금 수령자

jubilar 퇴직시키다

jubilarse 퇴직하다; 연금을 받다

judicatura 사법권, 재판권; 법관의 직; 법원
~ de trabajo 노동법원

judicial ⓗ 재판상(裁判上) (↔ extrajudicial)

judiciario ⓗ 사법의; 법원의; 재판관의

juego 놀이, 게임; 도박

juez 판사, 법관, 재판관
~ *a quo* 원심(原審)판사
~ *ad quem* 항소판사

~ administrativo (Col) 행정법원 판사
~ apartado (M) 특정사건 담당 판사
~ arbitrador 중재인
~ asociado 연방대법원 판사
~ auxiliar o de apoyo 보조판사
~ avenidor o de avenencia (M) 중재인
~ cantonal (Ec) 지방법원 판사
~ civil 민사법원 판사
~ comisionado 수명(受命)법관
~ competente 관할권 있는 판사
~ compromisario 중재인
~ correccional 교정법원 판사
~ de aduanas 연방관세법원 판사
~ de alzadas 항소법원 판사
~ de apelación 항소심 판사
~ de circuito 순회재판 판사
~ de comercio (A) 상법사건 담당 판사
~ de comisión 특정사건 담당 판사
~ de competencia (M) 권한쟁의 판사
~ de derecho (배심 재판의) 법률적용 판사
~ de distrito 지방법원 판사
~ de fondo (DR) 수사판사, 예심판사
~ de hecho 일반인 판사(*lay judge*);(A) 배심원
~ de instrucción (C) 수사판사, 예심판사
~ de instancia 원심판사
~ de la causa 수사판사, 예심판사
~ de lo civil 민사법원 판사
~ de lo criminal 형사법원 판사
~ de paz 치안판사
~ de policía 치안판사
~ de primera instancia e instrucción 1심 예심판사
~ de quiebra 파산심리인
~ de turno 당직(當直) 판사
~ del conocimiento 재판장, 주심판사
~ del trabajo 노동법원 판사
~ en propiedad 정(正) 판사
~ especial o extraordinario (A) 특임 판사
~ exhortado 수탁(受託)법관
~ exhortante 촉탁법관
~ inferior 하급심 판사
~ lego 일반인 판사
~ letrado o de letras 변호사 판사
~ menor (M) 치안판사
~ mixto (M) 민·형사 겸임 판사
~ municipal 시(市)소재 지방법원 판사
~ natural 법정(法定)재판관, 법률이 정한 법관
~ nocturno 야간법정 판사

~ ordinario 일반 판사; (유언) 검인 판사
~ parroquial 교구법원 판사
~ penal 형사법원 판사
~ ponente 법원공보 판사
~ popular 일반인 판사; 치안판사
~ presidente 재판장, 주심판사
~ primero (Pan) 주심판사
~ privativo (A) 특임 판사
~ promiscuo (Col) 민·형사 겸임 판사
~ provincial 지방법원 판사
~ sustituto 보충법관
~ togado 군사법관
~ superior 상급심 판사; 대법원 판사
~ tercero 중재인

jueces
~ de conciencia (Col) 배심원
~ de hecho 배심
~ populares o del pueblo (Col) 배심(보통 3명으로 구성)

juicio 재판, 심판, 소송
~ administrativo (재판이 아닌 행정절차로서의) 행정심판
~ abreviado 약식소송
~ adversario 이의 있는 소송; 대심적(對審的) 소송
~ ante jurado 배심 재판
~ arbitral o de árbitros o de tercería 중재판정
~ atractivo (M) 파산절차
~ cambiario 어음·수표 소송
~ cautelar 임시구제 소송
~ civil 민사재판
~ coactivo 피고의 중요 증인 강제소환 청구
~ colectivo 공동소송
~ concluso 결심(結審)
~ concursal 파산소송
~ constitutivo 형성(形成)소송, 형성적 재판
~ contencioso 소송, 이의 있는 소송
~ contencioso administrativo 행정재판, 항고소송
~ contradictorio 이의 있는 소송; (M) 경합재판관할 소송
~ convenido 우호적 소송
~ criminal 형사재판
~ de alimentos 별거부양비 소송
~ de amparo (M) 인신구속적부심
~ de apelación 항소재판
~ de apremio 채무변제 소송
~ de avenencia (M) 중재판정
~ de cognición 확인소송
~ de conciliación 화해절차
~ de concordato (A) 파산재산 처리계획

~ de concurso o de quiebra o de insolvencia 파산절차
~ de condena 기소, 소추(訴追)
~ de consignación (M) 공탁 소송
~ de constitucionalidad 헌법재판, 헌법소송
~ de convocatoria (A) 채권자집회소집 소송
~ de desahucio o de desalojo 퇴거소송
~ de Dios 신판(神判)
~ de divorcio 이혼소송
~ de embargo 압류소송
~ de enajenación forzosa 공용수용(公用收用) 소송
~ de estimación (M) 감정(鑑定) 소송
~ de exequátur (M) 외국재판승인 소송
~ de faltas (A) 경범재판
~ de familia 가정재판
~ de garantías (M) 인신구속적부심
~ de inquisición 심리(審理), 사문(査問); 검시(檢屍)
~ de jactancia 사칭(詐稱) 소송
~ de lanzamiento 명도청구 소송
~ de mayor cuantía 일정한도액 이상 소송
~ de menor cuantía 소액 소송
~ de mensura, deslinde, y amojonamiento (A) 경계선획정 소송
~ de novo 재심(再審)
~ de nulidad 무효소송
~ de quiebra 파산소송
~ de rehabilitación (파산) 채무면제 소송
~ de remoción de alto cargo 탄핵재판
~ de residencia 탄핵재판
~ de responsabilidad 손해배상 소송
~ de retracto 저당물권 회복 소송
~ de testamentaría 상속인확정소송
~ de trabajo 노동법관련 소송
~ de tribunal administrativo (재판이 아닌 행정절차로서의) 행정심판
~ declarativo o declaratorio 확인소송
~ del pueblo 인민재판
~ dispositivo 형성소송
~ divisorio 재산분할 소송
~ doble (M) 우호적 소송
~ ejecutivo o de ejecución 강제집행소송
~ ejecutivo cambiario 수표소송
~ en los méritos 사실심리(事實審理)
~ en rebeldía 결석재판, 궐석재판(闕席裁判)
~ escrito 서면심리
~ extraordinario (M) 약식 소송; 재판외 절차
~ general 모든 채권자를 위한 소송, 모든 상속인을 위한 소송
~ hipotecario 담보물매각처분 소송
~ intestado 유언장 없는 재산에 관한 소송
~ laboral 노동소송

J

~ monitorio 독촉절차
~ mortuario 사망자 재산에 관한 소송
~ nulo 오심(誤審), 무효재판
~ oral 구두심리
~ ordinario 일반 민사소송, 채권부존재 확인소송 (↔ juicio ejecutivo 강제집행소송)
~ penal 형사재판
~ pericial 전문가 의견
~ petitorio (권리의 확인 및 집행을 요구하는) 본권(本權)의 소송
~ plenario 정식소송
~ plenario de posesión 점유소송
~ por jurado 배심 재판
~ por tribunal de derecho (PR) 배심 없는 형사재판
~ posesorio 점유소송
~ preservativo (M) 임시구제 소송
~ rápido 즉결심판(con sentencia *in voce*)
~ rápido en materia de tráfico 교통사건 즉결심판절차
~ reivindicatorio 압류동산 회복 소송
~ secundario 부대(附帶)소송
~ singular 단독상속인 소송
~ sucesorio o de sucesión 상속재산 소송
~ sumario 약식(略式)소송; 즉결심판
~ sumarísimo (M) 즉결심판
~ testamentario 유언검인 재판
~ tramitado directamente por el interesado (변호사의 조력 없이 하는) 본인(本人) 소송
~ universal (A, M) 모든 채권자를 위한 소송, 모든 상속인을 위한 소송
~ verbal (일정 금액 이하의) 소액소송절차

juicios acumulados 공동소송, 집단소송

junta 집회, 회의; 위원회
~ arbitral o de arbitraje 중재위원회
~ asesora o consultiva 자문위원회
~ de accionistas 주주총회
~ de acreedores 채권자집회(債權者集會)
~ de amillaramiento 조세사정위원회
~ de amnistías 사면위원회
~ de apelación de impuestos 국세심판위원회
~ de conciliación 조정위원회
~ de control de cambios 외환관리위원회
~ de dirección 운영위원회
~ de directores 이사회
~ de gobierno 군사평의회
~ de igualamiento (PR) 조세형평위원회
~ de jueces 판사회의
~ de libertad bajo palabra 가석방심의위원회
~ de patronos 신탁이사회; 이사회
~ de retiro 연금위원회

~ de revisión 감사위원회; 감사원
~ de síndicos 관재인회의
~ de vigilancia 주주의 이익관리위원회; 채권단의 감시위원회
~ directiva 이사회
~ electoral o de elecciones 선거관리위원회(junta de vigilancia electoral)
~ escrutidora 선거관리위원회
~ extraordinaria 특별회의, 임시회의
~ general 총회
~ general de accionistas 주주총회
~ general de accionistas de clase 종류주주총회
~ general de socios 사원총회
~ general extraordinaria 임시총회
~ general ordinaria 정기총회
~ marítima 해운동맹
~ planificadora o de planificación 기획위원회
~ revisadora de avalúos 감사원; 조세형평위원회
~ sindical 운영위원회; 관리인회의
~ universal 전원출석총회

Junta
~ Americana de Aceptaciones 미국어음인수위원회
~ de Estabilización de Salarios o de Jornales 임금안정위원회
~ de Estabilización de Sueldos 급여안정위원회
~ de la Reserva Federal 미연방준비위원회
~ de Salario Mínimo 최저임금위원회
~ Nacional de Relaciones del Trabajo 전국노동관계위원회

jura 선서(宣誓)

jurada 여자배심원

jurado 배심원; 배심제도
~ de acusación 대배심(大陪審)
~ de conciencia (Col) 형사재판 배심
~ de juicio 심리(審理) 배심; 소배심
~ de pesquisidor 검시(檢屍) 배심
~ de votación 선거관리 위원회; 계표(計票) 위원회
~ escabinado 참심(參審) (↔ ~ puro)
~ especial 특별 배심
~ , gran 대배심(大陪審)
~ mixto 참심(參審)
~ ordinario 보통 배심
~ popular 심리 배심
~ procesal 소배심
~ provincial de expropiación 도(道) 수용(收用)위원회
~ puro 배심 (↔ ~ escabinado)
~ subrogante 교체 배심원
~ suplente 보결 배심원, 교체 배심원

juraduría 배심의 직무

juramentar 선서를 시키다・받다

juramentarse 선서하다

juramento o promesa 선서, 서약
- ~ afirmativo (A) 단언적(斷言的) 선서
- ~ asertórico (M) 단언적(斷言的) 선서
- ~ asertorio 단언적(斷言的) 선서
- ~ , bajo 선서 하에
- ~ condicional 조건부 선서
- ~ de cargo 취임 선서
- ~ de decir verdad (증인・감정인・통역 등이 하는) 선서
- ~ de fidelidad 충성 서약; 취임 선서
- ~ de la mancuadra (M) 비방을 하지 않는다는 선서
- ~ decisorio 결정적(決定的) 선서
- ~ estimatorio 평가 선서
- ~ extrajudicial 법정 밖의 선서
- ~ falso 거짓 맹세; 위증죄
- ~ indecisorio o indeferido (M) 유리한 것만 선서함
- ~ judicial o legal 법정 선서
- ~ necesario (M) 보충 선서
- ~ político 취임 선서, 공식 선서
- ~ promisorio 약속 선서
- ~ purgatorio 결백 선서
- ~ voluntario 임의 선서

jurar 선서하다, 서약하다, 맹세하다
- ~ el cargo 취임선서를 하다
- ~ en falso 위증하다

juratorio ⓗ 선서의

jure et facto 법적으로 및 사실상

jurídicamente 법적으로, 법률상

juridicidad (U) 적법, 합법

jurídico ⓗ 법률상의

jurídico-laboral ⓗ 노동법과 관련한

juris et de jure «법의, 법으로부터»

jurisconsulto 법률고문, 법률가, 법조인, 변호사

jurisdicción 재판권, 관할(권)
- ~ acumulativa (M) 경합 재판관할
- ~ administrativa 행정재판권
- ~ civil 민사재판권
- ~ coactiva (Ec, Col) 약식재판권

~ común 보통관할권
~ concurrente 경합관할권
~ contenciosa 소송 관할권 (↔ ~ voluntaria)
~ contencioso administrativa 행정재판권
~ coordinada 경합관할권
~ correccional 경범죄 재판권
~ criminal 형사재판권
~ de la equidad 형평법 재판권
~ de primera instancia 제1심 재판권
~ del trabajo 노동재판권
~ delegada (M) 관할권 위임
~ disciplinaria (A) 징계처분 관할권
~ en apelación 항소재판권
~ en equidad 형평법 관할권
~ en primer grado 제1심 재판권
~ especial 특별관할
~ extraordinaria (M) 특별관할
~ forzosa (M) 약식재판권
~ general 일반관할
~ judicial 법원 관할
~ laboral 노동재판권
~ mandada 관할권 위임
~ marítima 해사(海事)재판권
~ mercantil 상사(商事)재판권
~ militar 군사(軍事)재판권
~ natural (M) 약식재판권
~ ordinaria 보통관할
~ original 제1심 재판권
~ penal 형사재판권
~ plenaria 완전한 관할권
~ preventiva (M) 관할권 선택
~ privativa 독점관할권
~ privilegiada (M) 특별관할
~ propia 보통관할
~ prorrogada (M) 임의관할
~ sobre el espacio aéreo 제공권
~ sobre el mar 제해권, 해상권
~ social 노동재판권
~ sumaria 약식재판권
~ territorial de un Estado 법권
~ voluntaria 비송(非訟)사건

jurisdiccional ⓗ 재판권·관할권의

jurispericia 법학; 판례

jurisperito 법학자, 법률고문

jurisprudencia 판례; 법학; 법

~ administrativa 행정법
~ como fuente del Derecho 판례법
~ consuetudinaria 코먼로
~ de la equidad 형평법
~ del derecho-equidad (M) 형평법
~ del Tribunal Supremo 대법원판례
~ interpretativa (M) 분석(分析)법학; 민사소송 규칙으로서 자구적 해석의 판례를 따름
~ judicial 판례법, 판사의 법
~ mayor 대법원판례
~ mercantil 상법
~ menor 하급법원판례
~ procesal 절차법
~ sentada 확립된 판례
~ substantiva 실체법

jurisprudencial ⓗ (A) 법률상의

jurista 법학자; 법률가; 법률고문
~ en prácticas 사법연수원생

jury (A) 배심(陪審)

jus
~ *gentium* 만민법, 국제법
~ *sanguinis* 혈통법, 혈통주의
~ *soli* 속지법(屬地法), 출생지주의

justa causa 정당한 사유

justicia 정의; 사법(司法); 법정; (M) 재판; 사형(선고·제도)
~ común 코먼로, 보통법, 보편법, 관습법
~ conmutativa 교환적 정의
~ criminal (Col) 형사재판
~ de paz 치안재판(소규모 민사사건의)
~ del trabajo 노동법정
~ distributiva 배분적 정의
~ federal (A) 연방법원
~ gratuita (무료로) 법률부조를 받을 수 있는 권리
~ ordinaria (A) 지방법원
~ punitiva 인과응보
~ retributiva 응보적 정의
~ substancial 실질적 정의
~ vindicativa 응보적 정의

justicia 법관, 판사
~ asociado 배석판사; 연방대법원 판사
~ de paz 치안판사
~ mayor 주심판사, 재판장
~ ordinario 유언 검인 판사

justificabilidad 정당성

justiciable ⓗ 재판에 회부해야 할; 처벌해야 할

justicial ⓗ (M) 정의의, 법의

justiciar 처형하다; 사형을 집행하다

justiciazgo 법관의 직(무)

justiciero ⓗ 공평한, 옳은

justificable ⓗ 정당화할 수 있는, 지당한

justificación 정당화(正當化), 인증

justificador 정당화하는 사람; 보증서, 영장

justificante 증거서류; ⓗ 입증하는

justificantes 증명서

justificar 정당화하다; 증명・변명하다; (셈을) 맞추다

justificativo 증거서류; ⓗ 증거가 되는

justipreciador 감정인, 사정인

justipreciar 감정・사정・평가하다

justiprecio 정당한 보상

justo título 권원(權原)

juvenil ⓗ 청춘의, 젊은; 연소한

juzgado 법원(法院); 단독법원
~ administrativo 행정법원
~ civil 민사법원
~ civil ejecutivo 민사집행법원
~ consular 영사 재판소
~ correccional 교정 법원; 즉결재판소; 치안판사 법원
~ criminal 형사법원
~ de aduanas 관세 재판소
~ de circuito 순회 재판소
~ de circulación (교통법규를 다루는) 즉결재판소
~ de conciencia 형평법 법원
~ de distrito 간이법원
~ de familia 가정법원
~ de guardia 휴일야간당직법원
~ de instrucción 수사법원
~ de jurisdicción original 제1심 법원; 원심 법원
~ de letras (CA) 제1심 법원
~ de lo civil 민사법원
~ de lo contencioso administrativo 행정법원

J

~ de lo mercantil 상사법원
~ de lo penal 형사소송법원
~ de lo social 노동법원
~ de noche 야간 법정
~ de paz 치안법원
~ de policía 즉결재판소
~ de primera instancia 일심법원
~ de relaciones familiares 가정법원
~ de sustantación (V) 사실심(事實審) 법정
~ de vigilancia penitenciaria 갱생보호법원
~ del trabajo 노동법원
~ en lo criminal 형사법정
~ federal 연방법원
~ instructor 사실심(事實審) 법정
~ mayor 상급법원
~ menor 하급법원
~ municipal 시 재판소, 즉결재판소
~ penal 형사법원
~ promiscuo (Col) 민·형사 법원
~ togado 군사법원
~ unipersonal 단독법원

juzgador 판사; 사실심 판사

juzgamiento 재판, 공판, 심리; 판결

juzgar 재판하다

kártell (Sp) 카르텔, 기업연합

L

LAB 본선인도(가격) (*FOB*)

labor 노동, 근로, 일, 수고, 업무

laboral ㊔ 노동의

laboratorio forense 법(法)화학(化學) 실험실

labrar una acta 증서・각서를 작성하다

lacrar 밀랍으로 봉하다

lacre 밀랍으로 봉하기

lacrear (CA) 밀랍으로 봉하다

ladrón 도둑

ladrona 도둑(여)

ladronerío (A) 도둑질 행각; 절도단

ladronicio 도둑질, 절도죄, 강도죄

laguna 호수, 늪; 빈틈, 공백; 중요한 유루(遺漏)
~ legal (olvido del legislador) 법의 흠결

lagunas de derecho o **de la ley** 성문법상의 공백

laicismo 정교분리

lámina de deuda (C) 채무증서, 채무행위의 증거

lanza (Col) 사기꾼; 고리대금업자

lanzamiento 내쫓음, 퇴거시킴

lanzar 내쫓다, 퇴거시키다

lapso 경과; 기간
~ para terminación 계약 기간

lastimado ㊔ 부상당한, 상처 입은

lastimadura 상처, 부상

lasto 상환권(*voucher*)

latifundio 대농장, 라티푼디움

latifundismo 대농장소유제

lato sensu 광의(廣義)

latrocinante ⓗ 도벽이 있는

latrocinio 절도; 도벽(盜癖); 조직적인 협박꾼

laudar 판정하다, 재정(裁定)하다

laudo arbitral 중재(仲裁)재판, 중재판단서

laudo arbitral internacional 국제중재재판

leal saber y entender, a mi 내가 알고 이해하기로는 틀림없이

lealtad 충성, 충실
~ natural o por nacimiento 태생적 충성
~ por naturalización 귀화에 의한 충성
~ por residencia 거주에 의한 충성

lectura de acusación (피고를 법정에 소환하여) 죄상의 진위여부를 물음

legación 사절의 파견・임무

legado 유증(遺贈); 대표, 대리인
~ a título universal 포괄 유증
~ condicional 조건부 유증
~ de bienes raíces 부동산의 유증
~ de cosa cierta o determinada 특정물의 유증
~ de cosa genérica o indeterminada 불특정물의 유증
~ de cosas alternativas 대체물의 유증
~ de crédito 채권의 유증
~ de renta vitalicia 종신(終身)정기금(定期金)의 유증
~ demostrativo (M) 확정적 유증
~ específico 특정물의 유증
~ incondicional 무조건 유증
~ modal o con carga modal 부담부(負擔附) 유증
~ particular o a título particular 특정 유증
~ remanente 잔여재산 유증
~ universal o a título universal 포괄 유증

legajo 종이 다발, 묶음
~ de sentencia (PR) 재판기록

legal ⓗ 합법의; 법정(法定)의

legalidad 합법성

legalista ⓗ 법률을 존중하는, 형식에 구애되는

legalístico ⓗ 법률을 존중하는, 형식에 구애되는

legalización 합법화; 인증(reconocimiento oficial)

legalizar 증명・사증・인증・공인하다

L

legalmente 법적으로, 합법적으로, 정식으로

legar 남기다, 유증하다; 대리자로 하다

legatario 수유자(受遺者), 유산 수취인
~ de alimentos 생계비 수유자
~ de bienes raíces 부동산 수유자
~ residual 잔여재산 수유자
~ universal o a título universal 포괄 수유자(受遺者)

legislación 입법, 제정; 법제, 법령
~ administrativa 행정입법
~ de fondo (A) 근본법, 기본법, 헌법
~ delegada 위임입법
~ judicial 판례
~ obrera o de trabajo 노동입법

legislador 입법자

legislar 제정하다, 입법하다

legislativo ㊗ 입법의, 입법권이 있는

legislatura 입법 의회; 의회 개회중, 회기
~ extraordinaria 임시의회 (회기)

legisperito 법학자, 법률가

legista 법학자, 법률가

legítimo ㊗ 정당한

legítima defensa 정당방위

legítima defensa putativa 오상(誤想)방위, 추정상의 정당방위

legítima hereditaria 유류분(遺留分)

legitimación 당사자적격(當事者適格), 적법화, 합법화, 공인
~ activa 원고(原告)적격
~ colectiva 단체의 원고적격
~ pasiva 피고(被告)적격
~ procesal o para obrar 소송 당사자 또는 변호사로서의 적격

legitimar 합법적으로 인정하다, 합법화하다

legitimario 유류분(遺留分) 권리자

legitimidad 정당성, 합법성; 정통성

legítimo ㊗ 합법의, 적법의; 적출의; 진짜의

lego 평민, 일반인, 비법조인 (↔ letrado)

leguleyo 악덕변호사, 엉터리변호사

lengua oficial 공용어

leonino ㉻ 치우친, (계약이) 편무(片務)의

lesión 상처, 부상; 손상, 손상 배상
- ~ corporal 신체상의 손상; 대인(對人)배상
- ~ de trabajo 직무 상해(傷害)
- ~ enorme (A, Ec) 중대 손상(매매 가액의 5할 이상)
- ~ enormísima (A) 매우 중대한 손상
- ~ jurídica 손상, 배상의무가 발생하는 손상
- ~ mortal 치명적 손상
- ~ no mortal 치명적이지 않은 손상

lesionado 부상자

lesionar 손상을 입히다

lesiones 상해, 상해죄

lesivo ㉻ 해가 되는; 상처 입히는

letal 치명적인, 치사(致死)의

letra (de cambio) 어음, 환어음
- ~ a la orden 지시식 어음
- ~ a plazo o a día fijo 정기(定期)지불 환어음
- ~ a presentación 일람불 어음
- ~ a término 정기(定期)지불 환어음
- ~ a la vista 일람불 어음
- ~ aceptada 인수 어음
- ~ bancaria o de banco 은행 어음, 은행 환어음
- ~ cambiaria 환어음
- ~ con prohibición de endoso 금전(禁轉) 어음
- ~ con prohibición de presentación a la aceptación 인수제시(引受提示)금지 어음
- ~ contra aceptación 인수제시명령 어음
- ~ de acomodación 융통 어음
- ~ de cambio domiciliada 지급장소지정 환어음
- ~ de cambio extranjera 외국 환어음
- ~ de crédito (M) 신용장; (Ch) 신용증권
- ~ de favor 공어음, 융통 어음, 호의 어음
- ~ de largo plazo 장기(長期)어음
- ~ de recambio 역(逆) 어음
- ~ de resaca 역(逆) 어음
- ~ devuelta o impagada 부도 어음
- ~ documentada o documentaria 환어음
- ~ en blanco 백지 어음
- ~ financiera 융통어음, 금융어음
- ~ limpia 환어음
- ~ manuscrita 육필(肉筆), 필기
- ~ mercantil 상업어음, 상품어음
- ~ no atendida 부도어음
- ~ nominativa 기명식 어음

L

~ pagadera a un plazo desde la fecha 일부후(日付後) 정기불 어음
~ pagadera a un plazo desde la vista 일람후(一覽後) 정기불 어음
~ patente (A) 특허증서
~ perjudicada 만기일에 제시되지 않은 어음
~ protestada 지불거절 어음
~ rechazada 부도어음

letrado 변호사, 법조인 (↔ lego)
~ consultor o asesor 법률 고문
~ criminalista 형사(법) 전문 변호사
~ de libre designación 사선(私選)변호인
~ de oficio 국선변호사, 당직변호사
~ defensor 변호인
~ extranjero habilitado 외국법 사무변호사

levantamiento de cadáver 검시(檢屍, 檢視)

levantamiento del velo 법인격 부인의 법리

levantar 올리다; 다루다, 처리하다
~ acta 의사록·합의각서를 작성하다; 인증서를 발행하다
~ capital 자본금을 조달하다
~ el embargo 압류를 풀다
~ la garantía 담보를 풀다
~ la letra 어음을 결제하다
~ un pagaré 약속어음을 결제하다
~ un protesto 거절증서를 작성하다
~ la sesión 폐정·폐회하다

lex 법
~ *causae* [국] 효과법, 준거법
~ *fori* [국] 소송지법(訴訟地法), 법정지법(法廷地法)
~ *loci contractus* [국] 체결지법(締結地法)
~ *loci delicti commissi* [국] 불법행위지법(不法行爲地法)
~ *non scripta* 불문법(不文法)
~ *patriae* [국] 본국법
~ *rei sitae* [국] 소재지법(所在地法)

ley 법, 법칙, 규칙, 계율
~ abolida 구법
~ adjetiva 부속법, 절차법
~ aplicable [국] 준거법
~ cambiaria 유통어음법
~ civil 민법
~ común 보통법, 코먼로
~ constitucional (Sp) 회사설립인가서; 헌법
~ del caso 판례법
~ del congreso 의회법
~ de edificación 건축법
~ de enunciamiento civil 민사소송법

~ del foro o del tribunal 법정지법(法廷地法)
~ de fraudes 사기(詐欺)방지법
~ de hogar seguro 자영(自營)농지법
~ de indemnidad (공무상의 위법 행위에 대한) 면책법
~ de la legislatura 주(州)의회법
~ del lugar 행위지법(行爲地法)
~ del lugar del contrato 체결지법(締結地法)
~ del lugar de la cosa 소재지법(所在地法)
~ de póliza valuada (보험) 평가제(評價制) 보험법
~ del precedente (M) 코먼로
~ de prescripción 시효(時效)법
~ de procedimientos (M) 절차법
~ de quiebras 파산법
~ de sociedades (M) 회사법, 법인법
~ del talión 탈리오의 법칙, 동해보복(同害報復)법
~ del timbre 인지세법
~ del trabajo 노동법
~ declaratoria 선언적(宣言的) 제정법
~ escrita 성문법(成文法)
~ explicativa 설명적(說明的) 제정법
~ fiscal 세법(稅法)
~ formal (M) 제정(制定)법
~ fundamental 기본법, 헌법
~ hipotecaria 저당권법
~ marcial 계엄령
~ natural 자연법
~ negativa 금지령
~ no escrita 불문법
~ orgánica 기본법; (회사) 정관, 설립강령서
~ penal 형법
~ permanente 영속적(永續的) 제정법
~ positiva 실정법(實定法)
~ real 물권법
~ reparadora 구제적(救濟的) 제정법
~ retroactiva 소급법
~ seca 금주령, 금주법
~ substantiva 실체법(實體法)
~ suntuaria 사치규제법

leyes 법
~ civiles 민사법
~ clasistas 계급입법
~ contributivas 세법(稅法), 세입(稅入)법
~ de protección de datos de carácter personal 개인정보 보호법
~ de sanidad 위생법
~ del país 국내법
~ de previsión 사회보장법

~ de trabajo 노동법
~ estatales 국법(國法)
~ impositivas 세법(稅法)
~ laborales fundamentales (la de sindicatos, la de condiciones de trabajo y la reguladora de las relaciones laborales) 노동3법(노동조합법, 근로기준법, 노동쟁의조정법)
~ medioambientales 환경법
~ obreras (A) 노동법
~ penales especiales 특별형법
~ procesales 사법(司法)법, 소송법
~ puritánicas 청교도(清教徒)법
~ revisadas o refundidas 수정법률, 개정법률
~ y reglamentos 법령과 조례
~ tributarias 세법
~ y usos de la guerra 교전법규

Ley 법, 법률, 법령, 법규
~ antimonopolio 독점금지법
~ autonómica 지방자치법
~ básica de Cortes 국회법
~ básica de tribunales 법원(法院)법
~ contra la usura 이자제한법
~ de aguas 수법(水法)
~ de aranceles 관세법
~ de cajas de ahorros 저축은행법
~ de carreteras 도로법
~ de casinos 카지노법
~ de comercio exterior y cambio de divisas 외환(外換) 및 무역법
~ de competencia desleal 부정경쟁방지법
~ de conflictos de familia 가사(家事)심판법
~ de contrato de seguro 보험계약법
~ de cooperación en las operaciones de mantenimiento de la paz de las Naciones Unidas 국제연합 평화유지활동(PKO) 참여에 관한 법
~ de crédito mobiliario agrícola 농업(農業)동산(動産) 신용법
~ de derechos de autor 저작권법
~ de enjuiciamiento civil 민사소송법
~ de enjuiciamiento criminal 형사소송법
~ de estabilidad laboral, Ley de estabilidad en el empleo 직업안정법
~ de exportaciones e importaciones 수출입거래법
~ de extranjería 외국인법
~ de *habeas corpus* 인신보호법
~ de impuestos al consumo 소비세법
~ de impuestos regionales 지방세법
~ de indemnizaciones a cargo del Estado en beneficio de las víctimas de delitos graves 범죄피해자 보상법
~ de indemnizaciones por errores de la justicia penal 형사보상법
~ de la oferta y la demanda 수요공급의 법칙

~ de marcas 상표법
~ de medidas especiales 특별조치법
~ de medidas para la resinserción social de los presos 갱생보호사업법
~ de minas 광업법
~ de ordenación de los seguros privados 보험업법
~ de partidos políticos 정당법
~ de patentes 특허법
~ de patrimonio del Estado 국유재산법
~ de planeamiento urbanístico 도시계획법
~ de planta judicial 재판소구성법
~ de procedimiento administrativo 행정절차법
~ de prohibición de la prostitución y la pornografía infantiles 아동 성매매 및 아동포르노 금지법
~ de propiedad horizontal 구분소유(區分所有)법
~ de propiedad industrial 산업재산권법, 공업소유권법
~ de propiedad intelectual 저작권법
~ de quiebras 도산법, 파산법
~ de recaudación forzosa de tributos estatales 국세징수법
~ de reestructuraciones empresariales 회사갱생법
~ de reforma (ley que reforma a otra) 개정법
~ de reforma del sistema impositivo 세제개혁법
~ de represión del delito medioambiental 공해범죄 처벌법
~ de ríos 하천법
~ de sindicatos 노동조합법
~ de sociedades 회사법
~ de sociedades anónimas 주식회사법
~ de sociedades de responsabilidad limitada 유한회사법
~ de sucesiones 상속법
~ de tráfico 교통법, 도로교통법
~ de ventas a domicilio 방문판매 등에 관한 법률
~ de ventas a plazos 할부판매법
~ del domicilio o lugar de residencia oficial 주소지법
~ del impuesto sobre la renta de las personas físicas 소득세법
~ del impuesto sobre sociedades 법인세법
~ del impuesto sobre sucesiones y donaciones 상속증여세법
~ del lugar de celebración del contrato [국] 계약체결지법
~ del lugar de celebración del matrimonio [국] 혼인거행지(婚姻擧行地)법
~ del lugar de destino de las mercancías [국] 도착지법
~ del lugar de los hechos [국] 행위지법
~ del lugar de residencia habitual 상(常)거소지(居所地)법
~ del lugar de residencia temporal o eventual [국] 거소지(居所地)법
~ del menor 소년법
~ del mercado de valores 증권거래법
~ del pabellón 기국(旗國)법
~ del país de procedencia 본국법
~ del procedimiento contencioso administrativo 행정사건 소송법
~ del registro civil 가족관계법, 구(舊)호적법

~ del suelo agrícola 농지법
~ del Talión 탈리오의 법칙
~ especial 특별법
~ específica 단행법(單行法)
~ estatal 국가법 (↔ ~ autonómico); 국내법
~ estatal del suelo 국토이용계획법(Ley sobre planeamiento y usos del suelo nacional)
~ estatuida o escrita 제정법
~ extranjera 외국법
~ fundamental 기본법
~ general 일반법
~ general de arrendamientos 임대차 기본법
~ general de contabilidad 회계 기본법
~ general de educación 교육 기본법
~ general de la energía atómica 원자력 기본법
~ general de medidas para prevenir la contaminación 공해대책 기본법
~ general de pensiones 국민연금법
~ general de policía 경찰법
~ general para la integración social de los discapacitados 장애인 기본법
~ general para la protección de los consumidores y usuarios 소비자보호 기본법
~ general para la protección del medio ambiente 환경 기본법
~ general penitenciaria 행형(行刑)법, (구) 감옥법
~ general reguladora de las condiciones laborales 근로기준법
~ general sobre el suelo 토지 기본법
~ hipotecaria 저당법
~ internacional 국제법
~ limitativa de los tipos de interés 이자제한법
~ marcial 계엄령
~ militar 군법, 군율(軍律)
~ nacional 국내법
~ natural 자연법칙
~ nueva (nueva norma) 신법
~ orgánica 기본법, 헌법부속법
~ originaria 모법(母法)
~ para la igualdad de oportunidades en la contratación de hombres y mujeres 남녀고용평등법
~ para la prevención de la prostitución 성매매방지법
~ penal 형사법, 형법
~ penal en blanco 백지(白地)형법, 백지형벌법규
~ personal [국] 속인법(屬人法)
~ procesal 형식법, 소송법
~ reguladora de la adquisición y pérdida de la nacionalidad 국적법
~ reguladora de la banca 은행법
~ reguladora de la ejecución administrativa subsidiaria 행정 대집행(代執行)법
~ reguladora de la responsabilidad civil dericada de accidentes de vehículos a motor 자동차 손해배상 보장법, (약) 자배법
~ reguladora de las especificidades del proceso civil para los asuntos contencioso adminitrativos 행정사건소송특례법

~ reguladora de las medidas cautelares en el proceso civil 민사보전법
~ reguladora de las pruebas de ADN 디옥시리보핵산 감정법
~ reguladora de las relaciones laborales 노동쟁의조정법
~ reguladora de los actos de conciliación en el ámbito civil 민사조정법
~ reguladora de los deberes profesionales del agente de policía 경찰관직무집행법
~ reguladora de los modelos de utilidad 실용신안법
~ reguladora de los procedimientos civiles en materia de derechos de la persona 인사(人事)소송법
~ reguladora de los recursos administrativos 행정불복(不服) 심사법
~ reguladora del mercado de futuros y opciones 금융선물(先物) 거래법
~ reguladora del procedimiento de ejecución forzosa en el ámbito civil 민사집행법
~ reguladora del procedimiento de jurisdicción voluntaria 비송사건절차법
~ Sálica (여자의 토지상속권 · 왕위계승권을 인정하지 않는) 살리카법
~ sectorial 개별법
~ sobre expropiación forzosa de terrenos 토지수용법
~ sobre procesamiento de jueces y magistrados 법관탄핵법
~ territorial 속지법

libelar 명예훼손으로 고소하다

libelista 중상적 문서의 필자

libelo 중상(中傷) 문서

liberación 석방, 해방; 출소, 출옥; 저당 해제(rescate)
~ aduanera 세관 반출 승인
~ de la esclavitud 노예해방
~ de obligaciones 채무 면제

liberalidad 증여

liberalismo 자유주의

liberalización 자유화, 개방
~ del mercado 시장개방

liberar 해제하다, 면제하다; (M) 발행하다
~ acciones (A) 주식을 발행하다
~ de derechos 의무를 면제하다
~ de responsabilidad 책임을 면하게 하다

liberatorio ⓗ 면제의, 해제의

libertad 자유; 석방, 출소
~ a prueba 집행유예, 보호관찰
~ bajo fianza 보석(保釋)
~ bajo palabra 보호관찰
~ caucional 보석(保釋)
~ condicional 가석방; (장기형의 경우) 가출옥
~ contractual o de contratar 계약의 자유
~ de asociación 결사의 자유
~ de cátedra 학문의 자유

~ de circulación y residencia 거주이전의 자유
~ de conciencia 양심의 자유
~ de credo 신앙의 자유, 종교의 자유
~ de culto 신앙의 자유, 종교의 자유
~ de elección de puesto de trabajo 직업선택의 자유
~ de empresa 기업의 자유
~ de expresión 표현의 자유
~ de fe 신앙의 자유, 종교의 자유
~ de imprenta 출판의 자유
~ de los mares 공해(公海)자유의 원칙
~ de matrimonio 혼인의 자유
~ de opinión 언론의 자유
~ de pactar 계약의 자유
~ de palabra 언론의 자유
~ de prensa 출판의 자유
~ de reunión 집회의 자유
~ de testar 유언의 자유
~ de trabajo 노동의 자유
~ de tránsito 통행의 자유
~ ideológica o de pensamiento 사상의 자유
~ personal o de la persona 인신의 자유, 신체의 자유
~ provisional sin fianza (보석금 없는) 구속 집행정지, 가석방
~ religiosa 종교의 자유
~ sexual 성적 자유
~ vigilada 보호관찰
~ vigilada de menores 가퇴원(假退院)

libertades públicas 공적 자유

libertar 해방·석방하다; 면제·해제하다; 포기·양도하다

librado 지불인
~ subsidiario 예비지불인

librador, librante (어음·수표의) 발행인

libramiento (어음·수표의) 발행

librancista 어음소지인

libranza 어음; (Col) 재무성 공채

librar 발행하다; (법률) 석방하다; 면제하다
~ sentencia 판결하다

libre ⓗ 자유로운
~ a bordo 본선인도(*FOB*)
~ absolución 무죄판결
~ al costado vapor 선측인도(*FAS*)
~ cambio 자유무역(comercio internacional libre)
~ de contribución 면세(免稅)의

~ de derechos 관세 면제의; 면세의
~ de gastos 무료로
~ de gravamen 저당 잡히지 않은, 부채가 없는
~ de impuesto 면세의, 비과세의

libreta de ahorros 예금통장

libro (글의 단락) 편(編); 명부, 장부, 원장(元帳)
~ de actas o de minutas 기록부, 의사록
~ de asiento original o de primera entrada 원시 기입장부, 제1차 기입장부
~ de contabilidad 회계장부
~ de derecho 법률서, 법률관계서적
~ de inventario 재고조사 장부
~ de inventarios y balances (M, C) 재고조사 장부 및 대차대조표
~ de los comerciantes 상업장부, 상업부기
~ de presentación (PR) 부동산 저당 기록부
~ de registro 등기부
~ de socios 사원명부
~ diario 분개장, 일기장
~ mayor 원부, 원장, 대장(臺帳)

libros
~ de a bordo 선박서류(선박국적증서, 선원명부, 항해일지, 선구목록 등)
~ facultativos 임의비치 장부
~ obligatorios 의무비치 장부

licencia 면허, 허가, 허가증; (주무관청의) 인가; 휴가
~ de alijo (세관) 양륙(揚陸) 허가
~ de cambio (외환) 외환사용허가
~ de conducción 자동차운전면허
~ de conductor 자동차운전면허
~ de construcción 건축허가
~ de edificación 건축허가
~ de fabricación 제조허가; (C) 건축허가
~ de guiar 자동차운전면허
~ de importación 수입허가
~ de patente 특허실시권
~ marital (A) 부인(婦人)의 독립적 법률행위에 대한 남편의 승인
~ maternal 출산휴가
~ matrimonial 결혼허가증
~ para casarse 결혼허가증
~ para edificar 건축허가
~ profesional 직업 면허

licenciado 변호사; 전문직업인; 학사
~ en comercio (Col) 공인회계사
~ en derecho 변호사

licenciar 허가하다; 휴가를 주다; 제대시키다

licitación 입찰

licitador, licitante 입찰자, 응찰자

licitar 입찰하다, 응찰하다

lícito ⑱ 정당한, 합법적인

licitud (M) 적법, 합법성

líder 지도자, 리더

limitado ⑱ 한정된, 제한된

limitar 한정하다, 제한하다

linaje 가계, 혈통

linchar 사형(私刑)·런치를 가하다

linde, lindero 경계, 경계선

línea de parentesco 계(系)
~ colateral de parentesco 방계
~ de consanguinidad, relación directa de consanguinidad 직계혈통
~ directa ascendente, relación directa ascendente 직계존속
~ directa de afinidad, relación directa de afinidad 직계인척
~ directa de parentesco 직계
~ directa descendente, relación directa descendente 직계비속

lipemanía 우울증

liquidación 결제; 계산, 정산; 청산
~ de averías 해손(海損)정산
~ de intereses 이자산(利子算)
~ de sentencia 판결 집행
~ de sociedad 조합 청산
~ intervenida o forzosa 강제 청산
~ ordinaria 통상(通常) 청산(淸算)

liquidador 청산인(淸算人), 정산인(精算人)
~ de averías (해상보험) 해손 정산인
~ judicial (A) 관재인(管財人)

liquidar 청산하다, 결산하다; 파산 정리하다; (회사를) 해산하다
~ una cuenta 대금을 지불하다
~ un giro 어음을 인수하다
~ un negocio 사업을 정리하다

liquidatario (M) 청산인(淸算人)

liquidez (금융) 유동성

líquido (상업) 청산 잔고; ⑱ (상업) 순(純); (금융) 유동성의, 쉽게 현금화할 수 있는; (A) 청산된, 결산된

~ imponible (M) 과세 소득

lista 명부, 표, 목록, 리스트
~ de jurados 배심원단
~ de litigios 재판 목록
~ de pleitos 법정(法廷) 일정

lite 소송
~ pendente 심리 중

literal ㉭ 문자상의, 자구(字句)상의; 축어적(逐語的)인

literalidad 문자 그대로의 해석

litigación 소송, 제소

litigador (CA) 소송 당사자, 소송 제기자

litigante 소송 당사자, 소송 제기자
~ vencedor 승소자
~ vencido 패소자

litigar 다투다; 소송을 제기하다

litigio 소송; 계쟁
~ colectivo 집단소송
~ trilateral 삼면소송

litigioso ㉭ 소송의, 소송 중인; 소송의 원인이 되는; 소송·논쟁하기 좋아하는

litis 소송
~ *contestatio* 쟁점결정
~ *denunciatio* 소송고지(告知)
~ *expensas* 소송비용

litisconsorcio 공동소송
~ activo 원고 측의 공동소송
~ necesario 필요적 공동소송
~ necesario asimilado 유사필요적 공동소송
~ necesario propio 고유필요적 공동소송
~ pasivo 피고 측의 공동소송
~ pasivo necesario 피고 측의 필요적 공동소송
~ voluntario 통상 공동소송

litisconsorte 공동소송인

litiscontestación 항변, 이의신청

litispendencia 소송계속(繫屬)

litoral 해안지방, 해변; ㉭ 해변의

llamada 호출; 소집
~ a licitación o a propuestas 입찰 모집

llamado a la herencia 추정상속인(heredero supuesto)

llamado en garantía (M) 피고가 제3자 소환을 신청함

llamamiento 호출
~ a juicio 소환; 기소
~ a licitación 입찰 모집
~ al pleito a los terceros potencialmente interesados en él 소송고지

llamar 부르다; 소집하다; 소환하다
~ a concurso 입찰을 모집하다
~ a juicio 재판에 부치다 · 회부하다
~ a junta 회의를 소집하다
~ al orden 질서를 지키도록 하다; 개회하다
~ autos 소송기록을 소환하다
~ el caso 사건 심리를 시작하다
~ para redención (증권) 상환을 청구하다

llave (회계) (A) (회사의) 성가(聲價), 영업권

llegar a un arreglo 합의에 이르다

llevar 가져가다; 생기게 하다, 산출하다
~ a efecto 실행 · 수행하다
~ a protesto (상업) 거절증서를 작성하다
~ a remate 경매에 붙이다
~ fecha de (날짜가) … 부로 되어 있다
~ intereses 이자가 붙다
~ una memoria 일지 · 보고서를 쓰다
~ un pleito 소송을 제기하다
~ un registro 기록해두다

llevanza de libros 부기(簿記)

locación 임대차; 보석(保釋); (A) 고용
~ concurrente 병존 임대차
~ de servicios 고용
~ implícita 추정 위탁
~ informal 구두 임대차 계약

locador 임대인
~ de servicios 고용주, 사용자

local 장소; 점포; ⓗ 장소의; 지방의
~ de negocio 점포

locatario 임차인; 수탁자(受託者)

locativo ⓗ 임대차의

loco 미친 사람; ⓗ 미친

locura 광기, 실성, 정신 착란

~ congénita 선천성 정신이상

locus
~ *delicti* 범행 장소
~ *regit actum* 장소는 행위를 지배한다, 행위지법(行爲地法)

lograr 고리대금업을 하다

logrería 고리대금

logrero 고리대금업자

lote 집합물

luces y vistas 일조권 및 조망권(derecho a disfrutar de luces y vistas)

lucrativo ⓗ 영리적

lucro 영리, 이익
~ cesante 미실현 이익, 잠재적 이익, 기회손실
~ esperado 기대이익
~ naciente (A) 빌린 돈으로 벌어들인 이익

lucros y daños 이익과 손실

lugar 곳, 장소, 지(地)
~ , con 용인된, 허용된
~ de cumplimiento 이행장소
~ de pago 지불장소
~ de producción del daño 손해발생지
~ de residencia temporal o eventual 거소(居所)
~ del acto dañoso 가해행위 장소
~ del acto ilícito 불법행위 장소
~ del delito 범행 장소
~ del sello 날인 장소
~ determinante de la competencia en el ámbito civil 재판적(裁判籍)(foro)
~ , hacer 정당화하다, 지지하다, 승인하다
~ , no ha 부결, 이유 없음
~ , sin 거부된, 거절된

lunático 정신 이상자

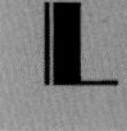

macero (PR) (의회·법원의) 수위관, 경위(警衛)

machote (M, CA) 기입 용지; 합의 각서

madre 어머니, 모(母)
~ biológica o natural 생모, 실모(實母), 친모

magisterial, magistral ⓗ 무게·권위 있는; 치안판사의

magistrado 법관, 재판관; 치안판사
~ del Tribunal Supremo 대법관(大法官)
~ ponente 수명(受命)법관
~ revisor (M) 수명법관
~ semanero o de semana (M, Ec) 주간(週間) 재판장
~ sustanciador 사실심 재판관

magistratura, magistradura 법관의 직·자리; 판사 일동
~ de pie (M) 공무원
~ del trabajo 노동법원
~ sentada (M) 재판관, 사법관

magnicida (국가원수) 살인자

magnicidio (국가원수) 살해

mala 우편물, 우편행낭; ⓗ 나쁜(malo의 여성형)
~ conducta 부정행위, 직권남용; 방만한 관리; 간통
~ declaración (세관) 허위 신고
~ fe 악의(惡意)
~ inteligencia 오해, 잘못 생각함

maléfico ⓗ 악의 있는; 부당한

malentendido 오해

malhecho 못된 짓, 악행, 비행, 범죄

malhechor 악당, 범죄인

malicia 악의(惡意), 범의(犯意)
~ expresa o de hecho 현실적 악의
~ implícita 법률상 악의
~ particular 특정인에 대한 악의
~ premeditada 예모(豫謀)

malicioso, maligno ⓗ 악의가 있는, 악의에 찬

malignidad 악의; 악성

malo ⓗ 나쁜; 교활한; 어려운
 ~ entendido 오해

malos tratos 학대

malparir 유산하다; 조산(早産)하다

malum 악
 ~ *in se* 그 자체가 악
 ~ *per accidens* 우발적인 악
 ~ *prohibitum* 금지된 악

maltrato de obra (부상에는 이르지 않은) 폭행죄

malversación 횡령죄
 ~ de caudales públicos 공금횡령죄

malversador 횡령자, 배임자; ⓗ 횡령하는

malversar 횡령하다

manceba 첩, 정부(情婦)

mancebía 매음굴; 외도

mancomún, de 공동으로, 연대로

mancomunada y solidariamente 연대 및 개별적으로

mancomunadamente 공동으로, 연대로

mancomunar (채무의 전체 혹은 할당 몫을) 공동 계산으로 하다

mancomunidad 공동소유; 분할책임; 자치단체공동체
 ~ a porrata 분할책임
 ~ simple 분할책임
 ~ solidaria o total 연대 및 분할 책임

manda 유증; 신청, 제안

mandamiento 명령, 지시서
 ~ afirmativo 명령적 중지명령
 ~ de anotación provisional 가등기(假登記) 가처분명령
 ~ de arresto 체포영장
 ~ de desalojo 명도집행영장; 퇴거명령
 ~ de ejecución 집행영장
 ~ de embargo 압류영장
 ~ de entrega 화물인도의뢰서, 출하지시서
 ~ de prisión 구속영장
 ~ de registro 수색영장
 ~ final 최종적 중지명령
 ~ judicial 사법명령
 ~ perpetuo 영구적 중지명령

~ preceptivo 명령적 중지명령
~ provisional 잠정적 금지명령

mandamus 직무집행명령

mandante 위임자(poderdante)

mandar 보내다; 명령하다; (동산을) 유증하다
~ pagar 지불 명령을 내리다
~ protestar 거절증서를 작성하다

mandatario 수임자(apoderado); 단순한 대리인; 통치자(대통령의 별칭)
~ general 총대리인
~ judicial 법정(法定)대리인; 변호사
~ real y verdadero 실질적이고 적법한 수임자(受任者)
~ singular 특정대리인

mandato 명령; 위임(장)
~ de cobro 징수 위임
~ de pago (C) 변제(辨濟) 명령
~ de representación procesal 소송 위임
~ en blanco 백지 위임
~ especial 특정 위임장
~ general 전권 위임장, 포괄 위임장
~ interlocutorio 잠정적 중지명령
~ judicial 소송 위임장
~ jurídico 법원 명령, 금지 · 강제 명령
~ postal 우편환, 송금환

mandatorio 수임자(受任者)

mando empresarial 경영권

mando militar 병권(兵權), 병력지휘권

mangoneada (M, C) 독직(瀆職), 수회(收賄), 부정이득

mangoneador 수회자, 부정이득 공무원; 사기꾼

mangoneo 야바위; 독직, 수회

manía 조병(躁病); 광(狂)

manifestación 표명, 표시, 발표; 시위(示威)운동, 데모
~ de impuesto 소득 신고서
~ de quiebra 파산 선고
~ de voluntad 의사표시
~ de voluntad falsaria 허위의사표시
~ de voluntad tácita 묵시적 의사표시

manifestante 시위 참가자; (C) 선서 증인

manifestar 나타내다; 표명 · 언명하다; (운송) 적하 목록에 기재하다

manifiesto 성명서, 선언서; (운송) 적하 목록; ⑱ 명백한, 분명한
~ de embarque 적하 명세서
~ de emisión (증권) 주식 공모 안내서

manipulación 조종, 조작
~ de precios del mercado de valores 시세조종, 시세조작

mano 손
~ de obra 인적 자원, 노동력
~ muerta 영구적으로 양도가 불가능한 소유권

manoteo (M) 공금·위탁금 횡령, 수회(收賄)

mansesor (M) 유언 집행인

mantenidos 부양가족

mantenimiento 지지; 유지; 부양(扶養)

manumisión 노예해방(*manumissio*)

manuscribir 손으로 쓰다

manuscrito 원고; 수기(手記); 필사본

manutención 부양; 유지; 지지
~ aparte 별거 수당

mapa catastral 지적도(地籍圖)

maquinación 음모(陰謀), 책략

mar 바다, 해
~ interior 내해
~ territorial 영해

marca 표식; 상표(marca comercial)
~ colectiva (Sp) 상공(商工)단체의 표식
~ comercial o de comercio 상표
~ de calidad (Sp) 품질보증 상표
~ de fábrica 제조업자의 상표
~ de timbre 관인(官印)
~ derivada (Sp) 보충 상표
~ figurativa (Sp) 상표 기호·심벌
~ industrial (M) 상표
~ nominal (Sp) 상표명, 상표 이름
~ registrada 등록상표

marcario ⑱ 상표의

marchante 상인; ⑱ 상업의

margen 차(差)
~ de beneficios 차익
~ de pérdidas 차손

marido 남편

marital ⓗ 남편의; 결혼의

márshal (PR) (연방재판소의) 집행관

martillador (Ec), **martillero** (A) 경매인

martillar 망치로 때리다; 경매하다

martillo 망치; 경매실, 경매점

marxismo 마르크스주의

más adelante 아래에, 이하에

masa 덩어리; 대중; 재산(~ patrimonial)
~ acreedora de la avería común (해상보험) 공동해손비용 총액
~ contribuyente (해상보험) 공동해손 분담총액
~ de averías (해상보험) 공동해손
~ de la quiebra 파산(破産)재산
~ deudora en la avería común (해상보험) 공동해손 분담가액 총액
~ fallida o de la quiebra 파산 재산
~ hereditaria 상속재산, 유산
~ imponible (해상보험) 총 분담가액
~ social 법인 재산, 조합 재산

materia 물질, 재료; 일, 문제; 학과목
~ de registro o de autos 기록 사항, 기록된 사실
~ impositiva 세금 문제
~ monetaria 돈 문제

material 재료; 자재; 기구, 용품; ⓗ 물질의; 실질적인
~ procesal 소송 원인

materno ⓗ 모(母)의, 모계(母系)의

matricida 모친 살해자

matricidio 모친 살해(죄)

matrícula 등록, 원부; 학적, 입학

matricular 등록·등기하다

matrimonial ⓗ 결혼의; 부부의

matrimonio 부부, 혼인
~ canónico 교회결혼
~ civil 법률혼, 민사결혼
~ consensual o de hecho (PR) 관습법 혼인, 사실혼
~ consumado 동침한 부부사이
~ de hecho 사실혼
~ de uso 내연관계
~ eclesiástico 교회결혼

~ en el que el esposo se incorporaba a la casa regida por la esposa 입부(入夫) 혼인
~ entre parientes 친족결혼, 근친혼
~ entre personas de razas distintas 다른 인종과의 결혼; 외국인과의 결혼
~ internacional 국제결혼
~ morganático 귀천(貴賤)상혼(相婚)
~ natural 관습법 혼인
~ no consumado 동침이 이루어지지 않은 결혼
~ polígamo 일부다처(一夫多妻)
~ por poder (전쟁·투옥·종교적 이유로 인한) 대리인 결혼
~ putativo 오상(誤想)혼인
~ rato 동침이 이루어지지 않은 결혼
~ religioso 종교결혼
~ solemne 형식혼

matute 밀수입, 밀수품

matutear 밀수하다

matutero 밀수꾼

máxima jurídica 법언(法諺)

mayor
~ cuantía, de 일정량 이상의
~ de edad ⓗ 성년의; 성인
~ edad 성년
~ valía (재산·토지의) 자연적 가치 증가; 성가(聲價), 영업권

mayorazgo 장남; 장자 상속권; 장자 상속재산

mayoría 과반수
~ absoluta 절대다수 (재적회원의 과반수)
~ relativa 상대다수 (출석회원의 과반수)

mayoría de edad 성년
~ penal 형사책임연령

mayoridad 성년

mayoritario ⓗ 다수파의

meaja (Sp) (옛날의) 판결 집행 수수료

media firma (Ec) 성(姓)만 서명하기

mediación 알선, 중매, 중개

mediador 조정위원; 중개인(intermediario)

mediana empresa 중견기업

medicina legal o forense 법의학

medianero 중개인, 중개상, 중재자

medianería 공동, 협력, 제휴; 격벽, 사이벽

medianía (Col) 공동, 협력, 제휴

mediante 통하여, 의해
~ entrega 배달 시에, 인도와 동시에
~ escritura 증서에 의해
~ el pago de 지불이 되면

mediar 조정·중재·중개하다

medible ⓗ 측량·평가할 수 있는

medicina forensa 법의학(法醫學)

medicina legal 법의학(法醫學)

médico 의사
~ autopsiante 부검의
~ forense 법의학자, 공의(公醫); 경찰의(警察醫)
~ legista 법의학 전문가

medida 측량; 처분, 조치
~ cautelar 보전(保全)처분
~ cautelar del proceso civil 민사사건의 보전처분
~ cautelar y urgente de carácter administrativo 즉시 강제처분
~ correctora 교정조치
~ correctora para menores 보호처분
~ de aseguramiento de la prueba 증거보전
~ de interés público 공공정책
~ de los daños 손해배상액 산정기준
~ de prevención 예방조치, 보전처분
~ de seguridad 안전조치, 보전처분
~ extraordinaria 임시조치
~ precautoria 보전처분
~ precautoria prejudicial 소송 전 보전처분
~ preventiva 예방조치, 보전처분
~ provisional 가처분, 임시조치

medidas 조치
~ de previsión 예방조치
~ legales o jurídicas 법적 조치
~ preventivas 예방조치

mediería 조합(계약); 분익(分益) 소작

medio hermano 이복형제, 이부동모(異父同母) 형제

mediocracia 미디어크라시, 언론정치, 대중매체에 의한 정치

medios 방법
~ compulsorios (PR) 피고의 중요 증인 강제소환 청구권
~ de ataque y defensa 공격방어 방법

~ de comunicación o difusión 보도기관
~ de derecho 법적 조치
~ de prueba 증거방법
~ económicos 재원(財源)
~ extrarregistrales de publicidad 명인방법(明認方法)
~ fraudulentos 사기죄, 사취죄
~ legales 법적 절차, 법적 조치
~ monetarios 통화(通貨)수단
~ pérfidos 배신행위
~ probatorios 증거방법
~ y arbitrios 수단과 방법

megalomanía 과대망상증

mejor 더 좋은; 가장 좋은
~ postor, el, 최저가・최고가 입찰자

mejora 개량, 개선
~ patrimonial (A) 수익 개선
~ permanente o útil (부동산) 수익 개선

mejorador, mejorante 개량자

mejorar 개량・개선하다; 보다 비싼 값을 부르다; 법정외 유산으로 남기다
~ el embargo 추가로 압류를 확대하다

mejorero (Ch) 임차한 토지에 건물을 짓는 사람

melancolía 우울증

membrete 레터헤드지 양식(회사나 개인의 주소, 연락처 등이 상단에 인쇄된 양식)

memorándum 메모, 비망록; 각서; (Ch) 예금통장
~ de costas 법정비용 청구서

memoria 기억; 보고(서)
~ de accidente 사고 보고서

memorial 각서, 비망록; 진정서; 소송사건 적요서

menor 미성년자(menor de edad); (형법상의) 소년
~ cuantía, de 일정량 이하의
~ de edad 미성년의
~ edad 미성년
~ en riesgo de delinquir 우범소년
~ inimputable (14세 미만의) 형사미성년자, 촉법(觸法)소년, 법령위반소년(12세 이상 14세 미만)
~ semi-imputable (14세 이상 20세 미만의) 형사책임능력이 있는 미성년자

menoría 미성년

menoscabar 손해를 입히다, 손상시키다

menoscabo 손해, 손실, 품질 저하, 훼손; 불명예

menospreciar 과소평가하다, 싸게 견적을 매기다

menosprecio 과소평가; 경멸
~ de mercancías 상품의 과소평가

mens rea 범의(犯意)(*criminal intent*)

mental ⓗ 마음의; 지력의; 암산의

mente sana, de 건강한 정신의

mentir 거짓말을 하다, 속이다

mentira 거짓말, 허위

mercader 상인(商人), 딜러

mercadería 화물, 상품

mercaderías y servicios 재화 및 용역, 상품 및 서비스

mercado 시장
~ común 공동시장
~ de capitales 자본시장
~ de divisas 외환시장
~ de valores 유가증권시장
~ extrabursátil 점두시장, 장외시장
~ mayorista 도매시장
~ OTC (*over-the-counter*) 점두시장, 장외시장

mercancía 화물

mercante 상인; ⓗ 상업의

mercantil ⓗ 상사(商事)의, 상업의

mercantilismo 중상주의(重商主義); 영리주의

mercar 사다, 매입하다; 거래하다

merced 은혜, 덕분; 선물; 양도, 양여
~ de tierras (정부의) 무상 토지 불하

mercedatario 피수여자, 양수인

mercenario 용병; ⓗ 돈으로 얻을 수 있는, 임금에 의한

mérito 효용, 가치; 공로, 공적; 공과(功過)
~ ejecutivo 집행권
~ probatorio 증거 가치
~ procesal 소송 근거, 사건의 논리

méritos de la causa 사건의 공과(功過)

meritorio ⓗ 공적 있는, 가치 있는, 칭찬할 만한

mero ⓗ 단순한; 바로 그

mesa 탁자; 경영진; 위원회
~ de entradas 문서수발과(文書受發課)
~ de jurados 배심원단
~ de votación (Col) 투표소; 선거관리위원회
~ directiva 이사회
~ ejecutiva 이사회
~ electoral o escrutidora 선거관리위원회
~ receptora (CA) 투표소
~ redonda (C, M) 원탁회의

mestización, mestizaje 혼혈

metálico 정화(正貨); 주화, 경화; 현금

metedor 밀수입자

meteduría 밀수입

métodos extrajudiciales de resolución de conflictos 재판외 분쟁해결수단

metrópoli 종주국 (↔ colonia)

microempresa 소기업, 영세기업

miembro 회원, 구성원
~ constituyente 창립회원
~ de la firma 회사의 구성원
~ de pleno derecho 정회원(socio)
~ de un jurado 배심원
~ de una junta, asamblea o asociación 회원
~ del congreso 국회의원
~ en propiedad (Ch) 정회원(正會員)
~ nato 당연직 회원
~ no permanente del Consejo de Seguridad de las Naciones Unidas 국제연합 비상임이사국
~ originario o fundador 창립회원
~ permanente del Consejo de Seguridad de las Naciones Unidas 국제연합 상임이사국
~ suplente o subrogante 대리(代理)위원
~ titular o propietario o principal 정회원
~ vitalicio 종신회원

militar 군인; ㊞ 군의, 군대의, 군인의

militarismo 군국주의

ministerial ㊞ 장관의; 내각의; 정부 측의, 여당의

ministerio 정부 부처, 부(部), 성(省); 기관, 청(廳), 처(處)
~ de la ley, por 법률 운용에 의해서
~ de ultramar 해외영토관리성
~ público 검찰청

Ministerio 부(部)
~ de Administración Pública y Seguridad 행정안전부(한국)
~ de Agricultural, Silvicultura, Pesca y Alimentos 농림수산식품부(한국)
~ de Asuntos Exteriores y Comercio 외교통상부(한국)
~ de Información y Economía 지식경제부(한국)
~ de Cultura, Deporte y Turismo 문화체육관광부(한국)
~ de Defensa 국방부(한국)
~ de Educación, Ciencia y Tecnología 교육과학기술부(한국)
~ de Empleo y Trabajo 고용노동부(한국)
~ de Estrategia y Finanzas 기획재정부(한국)
~ de Igualdad de Género y Familia 여성가족부(한국)
~ de Justicia 법무부(한국)
~ de Medio Ambiente 환경부(한국)
~ de Salud y Bienestar 보건복지부(한국)
~ del Suelo, Transportes y Asuntos Marítimos 국토해양부(한국)
~ de Unificación 통일부(한국)
~ de Asuntos Exteriores y Cooperación 외교협력부(스페인)
~ de Ciencia e Innovación 과학혁신부(스페인)
~ de Cultura 문화부(스페인)
~ de Defensa 국방부(스페인)
~ de Economía y Hacienda 경제재무부(스페인)
~ de Educación 교육부(스페인)
~ de Fomento 진흥부(스페인)
~ de Igualdad 평등부(스페인)
~ de Industria, Turismo y Comercio 산업관광통상부(스페인)
~ del Interior 내무부(스페인)
~ de Justicia 법무부(스페인)
~ de la Presidencia 총리부(스페인)
~ de Medio Ambiente, Medio Rural y Marino 환경농촌해양부(스페인)
~ de Política Territorial 국토정책부(스페인)
~ de Sanidad y Política Social 보건사회정책부(스페인)
~ de Trabajo e Inmigración 노동이민부(스페인)
~ de Vivienda 주택부(스페인)
~ Fiscal 대검찰청
~ Público 검찰

ministril 법정 경위; (연방재판소의) 집행관

ministro 장관
~ competente 주무(主務)장관
~ del despacho 장관, 각료
~ de sustanciación (Ec) 사실심 판사
~ delegado 차관(次官)
~ ejecutor (M) (연방재판소의) 집행관, 보안관, 치안관
~ exterior 외무부 장관, 외상(外相)
~ revisor (M) 법원공보 판사
~ secretario (A) 각료, 장관
~ semanero o de semana (M, Ec) 주간(週刊) 재판장

~ sin cartera 무임소장관(無任所長官), 특임장관, 정무장관(政務長官)

ministros del poder ejecutivo 행정부 각료들, 국무위원들

minoría 소수; 소수파; 미성년
~ de edad 미성년

minoridad 미성년

minoritario ⓗ 소수파의, 소수당의; 소수민족파의

minusválido 장애인

minuta 초고, 초안; 각서, 메모; 보수청구서(de honorarios)

minutas 회의록, 의사록

minutar 초안·초고를 작성하다

minutario 의사록, 기록부

mitigación 완화; 경감(輕減)

mitigador 완화하는 사람; 유산 불법 점유자; 유산 불법점유 배제자

mitigar 완화하다, (형벌 따위를) 가볍게 하다

mitin 회합; 군중집회; 토론회

mobiliario 가구, 가재; 동산; ⓗ 동산의
~ y equipo o y útiles 가구 및 비품

mobiliarios 동산, 가재(家財); 개인소유물

moblaje 가구 및 비품

moción 동의(動議), 발의
~ de censura 불신임안
~ de dejar sin efecto (PR) 판결제거 신청
~ de nuevo juicio (PR) 재심 신청
~ de urgencia 긴급동의
~ para levantar la sesión 휴회 발의

mocionante 발의자, 동의안 제출자

mocionar 동의안을 내다

modalidades 정식 절차

modelo 양식, 서식
~ de bono 지급보증서 양식
~ de contrato 계약서 양식
~ de demanda 소장(訴狀) 서식
~ de la firma 서명감(署名鑑)
~ de proposición 입찰 서식
~ impreso 기입 용지

modelo de utilidad 실용신안

modificación de la demanda 소(訴)의 변경

modificación estatutaria 정관 변경

modificar 일부 변경하다, 수정하다, 개정하다

modificativo ⓗ 변경·수정의

modo 부관(附款) (↔ condición y término)

modus operandi 범행방법, 실행방법

mojadera (DR) 독직, 수회, 부정이득

mojón 계표(界標)

molestia pública 공적(公的) 불법방해

momento de entrada en vigor 발효(發效)시기

monarquía 왕정, 군주제
~ absoluta 절대왕정
~ constitucional 입헌군주제

moneda 통화(通貨)
~ bloqueada 봉쇄 통화
~ controlada 관리 통화
~ de curso legal 법정 통화, 본위 화폐
~ de fuerza liberatoria 법정 통화
~ de poder liberatorio 법정 통화
~ dirigida 관리 통화
~ extranjera 외화
~ falsa 위조 화폐
~ floja 불안정한 통화
~ legal 법화, 본위 화폐
~ metálica o sonante 경화(硬貨)
~ nacional (A) 통화, 지폐
~ sana (A) 견실한 통화

monedaje (옛날의) 화폐발행세

monedería (화폐의) 주조, 조폐

monedero falso 위조지폐범

monetaje (옛날의) 화폐발행세

monición 독촉(apremio judicial)

monitorio 독촉

monomanía 편집광(偏執狂)

monopólico (M) 독점적인, 전매의; 독점주의의

monopolio 독점
~ fiscal 정부의 독점사업, 전매품

monopolista 전매 사업인·사업체; 독점 판매자; ⑱ 독점의

monopolístico ⑱ 독점의

monopolizador 전매 사업인·사업체; 독점 판매자; ⑱ 독점의

montante 금액, 합계, 총액
~ cierto 일정한 금액(*sum certain*)

montepío (주로 과부와 고아를 위한) 연금기금·연금; (CA) 전당포

mora 체납, 연체, 지연, 지체, 이행 지체
~ *accipiendi* 수령 지체
~ *creditoris* 채권자 지체
~ *debitoris* 채무자 지체
~ del acreedor 채권자 지체, 수령 지체
~ del deudor 채무자 지체
~ *solvendi* 이행 지체

moratoria 지불유예

moratoriar (C) 지불유예를 당하다

moratorio 지불유예의

mordelón (M) 수회(收賄)자, 뇌물을 받는 자

mordida (M) 독직, 수회, 부정이득

morganático ⑱ 귀천상혼(貴賤相婚)의

morosidad 지연, 지체

moroso 연체자, 신용불량자; ⑱ 지연의, 지체의

mortis causa 사인(死因)

mostrar causa (PR) 이유를 입증하다

mostrenco ⑱ 소유주 불명(不明)의

motín 반란, 폭동

motines y perturbaciones civiles 폭동 및 소요(騷擾)

motivación de la acusación 소인(訴因)

motivo 동기(動機)
~ fundado 충분한 이유
~ indirecto 원인(遠因)

motivos 이유, 동기(fundamentos o causas)
~ absolutos de apelación 절대적 상소이유
~ absolutos de casación 절대적 상고(上告)이유

~ de apelación 상소이유
~ de casación 상고이유

motu propio 자발적으로

móvil 연유, 동기(motivo)

movimiento 운동
~ sindical 노조운동

muebles 가구; 동산; 개인소유물
~ corporales (A) 개인소유물
~ y útiles o y enseres 가구 및 비품

muellaje 출입항세(出入港稅)

muerte 사망
~ accidental 사고사(事故死)
~ cerebral 뇌사
~ civil 법률상의 사망; 시민권 상실
~ natural 자연사
~ por exceso de trabajo 과로사
~ presunta 추정 사망
~ violenta 변사(變死), 횡사(橫死)

mujer 여자
~ casada 기혼녀
~ soltera 미혼녀

multa 벌금, 과료(科料)
~ administrativa 과태료
~ de tráfico 교통범칙금
~ penal grave 벌금
~ penal leve 과료(科料)
~ y bonificación (A) 보너스 및 벌금

multable ㉻ 과료·벌금에 처할 수 있는

multar 과료 처분하다, 벌금을 과하다

multilateralismo 다자(多者)주의, 다국간주의

multiplicidad de acciones 소송의 중다(衆多), 다수의 소송, 빈번한 소송

mundo del Derecho 법조계(círculos jurídicos)

municipal 순경; (Ch) 시의회 의원; ㉻ 시·읍의

municipalidad 시청; 시당국

municipalizar 시 자치제로 하다, 시영으로 하다

munícipe (CA) 시의회 의원

municipio 시, 시의회; 구, 구의회; 읍, 면, 동

municipios y entidades locales en general 시읍면

muro medianero 공유 장벽

mutatis mutandis 준용하여, 필요한 변경을 가하여

mutilación 불구(로 만드는 일); 훼손
~ criminal 신체 상해, 중상해(重傷害)

mutilar (수족을) 자르다, 불구로 만들다; 손상시키다, 훼손하다

mutua 상호회사, 상호보험회사(aseguradora mutua)

mutua petito (M) 맞고소, 반소(反訴)

mutual ⓗ 상호의

mutualidad 상호성; 공제조합
~ de funcionarios del Estado 국가공무원공제조합

mutualismo 상호부조주의

mutualista 공제조합원

mutualizar 상호적으로 하다

mutuante 임대인, 빌려주는 사람

mutuario, mutuatario 임차인, 빌리는 사람

mutuo 소비대차(消費貸借); ⓗ 상호의
~ , a 차용하여, 대부하여
~ consentimiento 상호합의; 담합행위

nacido fuera de matrimonio 서출(庶出)의

nacimiento 출생

nación 나라, 국, 국가
~ más favorecida 최혜국(最惠國)

nacional ⓗ 국가의 (↔ autonómico, regional o local); 국내의

nacionalidad 국적
~ de un buque 선적(船籍)

nacionalismo 민족주의

nacionalizar 국유화하다; 귀화하다

nada jurídica (U) 무효(無效)

nasciturus 태아(胎兒)

natalidad 출생률

nativo ⓗ 태어난; 선천적인; 천연의

nato ⓗ 천성의, 타고난; 직무상 당연한(*ex officio*)

natural ⓗ 자연의; 당연한; 태생의

naturaleza 자연; 본성; 기질, 체질; 본적(本籍)

naturaleza jurídica 법적 성질

naturalis obligatio 자연채무

naturalis ratio 조리(條理)

naturalización 귀화(adquisición de nacionalidad no de origen)

naufragio 해난, 조난, 난파

naviero 선주(船主)

necesidad 필요; 필연(성)
~ de prueba 요증(要證), 입증할 필요가 있음
~ natural o física 물리적 필연성
~ pública 공중의 편의; 공중화장실

necropsia 시체 해부, 검시(檢屍)

negable ⓗ 거부·부인할 수 있는

negación 거부, 거절; 부정, 부인
~ de derecho (M) 법률문제에 대한 부인・반박
~ de hecho (M) 사실문제에 대한 부인・반박

negador 거부・거절・부정・부인하는 사람(의)

negante 거부・거절・부정・부인하는 사람(의)

negar 거부・거절・부정・부인하다

negarse a pagar 지급을 거절하다

negativa 거부, 거절; 부정, 부인

negativo ㊗ 거부・거절・부정・부인의

negatorio ㊗ 부정적인, 반대하는

negligencia 태만, 과태(過怠), 해태(懈怠)
~ comparativa 비교 과실, 보통 과실, 과실 상쇄
~ concurrente 경합 과실
~ conjunta 공동 과실
~ contribuyente 기여 과실
~ crasa 중과실
~ criminal 형사 과실
~ culpable o inexcusable 태만죄, 적극적 과실
~ derivada 귀책 과실
~ evidente o según criterio común 법적 과실
~ grave 중과실
~ incidental o subordinada 종속적 과실
~ procesable 소송할 수 있는 과실
~ sobreviniente 병발(併發)적 과실
~ subsecuente 후속 과실
~ temeraria 중과실, 인식 있는 과실

negligente ㊗ 태만한, 부주의한

negociabilidad 시장성, 거래・양도・할인할 수 있는 것

negociable ㊗ 거래할 수 있는, 유통성이 있는

negociación 교섭
~ colectiva 단체교섭
~ , en 교섭 중에 있는
~ en giro 영업 중인・이익을 내는 회사; 착착 진전 중인 사업

negociado (관청・사무소 등의) 국, 과
~ de aduanas 관세청, 세관
~ de patentes 특허국
~ de viviendas 주택공사

Negociado de Investigación Federal (US) 연방수사국

negociador 교섭자, 협상자, 거래인, 어음 양도인

negocial ⓗ (M) 교섭의

negociar 거래하다; 교섭·협상하다; 흥정하다
~ documentos 어음을 할인하다
~ un empréstito 차관 협정하다
~ un giro 환어음을 유통시켜 환금하다, 환어음을 네고하다

negocio 일, 업무; 사업, 영업, 거래; 교섭, 협상; 상점
~ ajeno 남의 일
~ andando o en marcha 영업 중인·이익을 내는 회사; 착착 진전 중인 사업
~ con el extranjero 외국 무역, 해외 교역
~ jurídico 법률행위
~ jurídico causal 유인(有因)행위
~ jurídico en fraude de acreedores 사해(詐害)행위
~ jurídico en fraude de Ley 탈법행위
~ jurídico gratuito 무상(無償)행위
~ jurídico no causal 무인(無因)행위
~ jurídico oneroso 유상(有償)행위
~ jurídico patrimonial 재산행위
~ jurídico personal 신분행위
~ jurídico real 물권(物權)행위
~ jurídico simulado 가장(假裝)행위
~ jurídico solemne o formal 요식(要式)행위

negocios
~ discrecionales (판사의) 재량업무
~ procesales (M) 절차상의 결정
~ vinculados (판사의) 기속(羈束)업무

negotiorum gestio 사무관리

nema (편지의) 봉함

nemine discrepante 만장일치의

nemo dat quod non habet 누구도 자신이 가지고 있지 않은 것을 줄 수 없다

nemo plus iuris ad alium transferre potest quam ipse haberet 누구도 자기가 가진 것 이상의 권리를 남에게 줄 수 없다(nadie puede transmitir más de lo que tiene)

nepotismo 친인척 중용, 동족 등용

nesciente → testigo nesciente

neutralidad 중립

neutralización 중립화; 상계(相計)

ninfomanía (여자의) 음란증

niñez 유년기, 유년 시절

niño 어린이
~ cuasipóstumo 준(準)유복자

~ expósito 기아(棄兒), 버린·주운 아이
~ espurio 사생아
~ ilegítimo 사생아, 서자
~ natural 사생아
~ póstumo 유복자

no
~ culpable 죄가 없는, 무죄
~ incluído en otra parte 다른 곳에 포함되지 않은
~ provisto en otra forma en este 여기에 규정된 것 말고는 없는

no-caducidad (보험) 실효되지 않음, 불실효(不失效) 특권

no-lucrativo (C) 비영리의, 영리 목적이 아닌

no residente 비거주자(非居住者)

no-ser jurídico (U) 무효

no sujeción a gravamen 비과세(非課稅)

nocturnidad 야간 가중범죄

nolens volens 싫든 좋든, 어쩔 수 없이

nombrado 피임명자, 피지정인

nombramiento 임명
~ forzoso de abogado 변호사강제(≒변호사소송)

nombrar 임명·지명하다
~ nuevamente 재임명·재지명하다

nombre 기명(記名) (↔ firma); 명의(名義)
~ comercial o de comercio 상호
~ de, en ~의 이름으로, ~를 대표·대신하여,
~ de bautismo 세례명
~ de fábrica o de marca 상표명 (商標名)
~ de negocio 상호(商號)
~ de propiedad 상표명(商標名)
~ de pila 세례명
~ falso 사칭
~ ficticio o supuesto 가명(假名)
~ social 상호(商號)

nombre y sello 기명날인(記名捺印)

nómina 급여명세서

nominación 지명(指名), 추선(推選)

nominador 지명자, 임명자

nominal ⑱ 명의·명목상의; 액면·권면의
sueldo ~ 명목임금

N

valor ~ 액면가격, 권면액

nominar 임명 · 지명하다

nominatario (금융) 명의인(名義人), 수취(受取)명의인

nominativo ㊎ 기명식(記名式)의 (예: título ~ 기명증권)

nómino 지명된 사람, 명의인

non bis in idem [영미] 이중의 위험(*double jeopardy*); [대륙] 일사부재리(一事不再理)

non compos mentis 건강한 정신이 아닌, 심신 상실 상태에 있는

non liquet (증거 불충분이나 법의 모호로 인한) 재판 연기(延期)의 배심 평결

non sub rege, sed sub lege 왕의 지배가 아니고 법의 지배를

norma 규정, 규범
~ arcaizada 구법(舊法)
~ autonómica 자주법(自主法)
~ coercitiva 강행규정
~ corriente 현행 규정, 현행 기준
~ de conflicto [국] 저촉규정
~ de *ius cogens* 강행규정
~ de régimen interior 내규, 내칙(內則)
~ de valor 가치 척도
~ derivada o importada 자법(子法)
~ dispositiva o voluntaria 임의규정
~ en vigor 현행법
~ escrita 성문법
~ excepcional 예외법
~ imperativa 처분명령
~ interna 내규
~ interpretativa 해석규정
~ ISO ISO기준
~ material [국] 실질법
~ necesaria 강행규정 (↔ ~ dispositiva)
~ no escrita 불문법
~ obligatoria 법규
~ ordinaria 원칙법 (↔ ~ excepcional)
~ penal 형사법, 형법
~ penal aplicable 벌조(罰條)
~ penal en blanco 백지(白地)형법
~ permisiva 허용법규 (↔ ~ prohibitiva)
~ procesal 절차법
~ supletoria 보충규정
~ transitoria 경과규정
~ vinculante 효력규정, 법규

normar 규정하다

normas 규칙
- ~ administrativas vinculantes 법규명령
- ~ complementarias 보칙
- ~ contables 회계기준
- ~ contractuales (M) 시방서, 설계명세서
- ~ de contenido patrimonial 재산법
- ~ de Derecho necesario o de *ius cogens* 강행규범
- ~ de detalle 세칙
- ~ de integración (M) 보완규칙
- ~ de régimen interior 내부규약, 내칙
- ~ del procedimiento 절차규칙
- ~ generales 통칙
- ~ instrumentales (M) 절차규칙
- ~ procesales 절차법 (↔ ~ sustantivas)
- ~ programáticas 프로그램 규정
- ~ sustantivas 실체법 (↔ ~ procesales)

normativa vigente 현행법

normativo ⓗ 표준의, 표준적인

nota 메모, 기장, 주(注)
- ~ al margen 부기등기(附記登記)
- ~ de consignación (철도) (GB) 하물(荷物)수령증, 화물(貨物)운송장
- ~ de conversión (PR) → nota marginal; expediente de conversión
- ~ de crédito (회계) 대변표
- ~ de débito (회계) 차변표
- ~ de entrega 납품서
- ~ de excepciones 항고서(抗告書)
- ~ de pago (M) 차용증서
- ~ de recepción 영수증
- ~ liquidatoria 명세서
- ~ marginal 부기등기(附記登記)
- ~ simple 초본(copia parcial de un documento)

notaría 공증사무소

notariado 공증인의 직; ⓗ 공증된, 공증문서의

notarial ⓗ 공증의, 공증인의

notario 공증인
- ~ autorizante 입증 공증인
- ~ fedante (C) 입증 공증인
- ~ público 공증인
- ~ que suscribe 하기(下記) 서명 공증인

notas para la vista 준비서면

noticia 알림, 소식
- ~ de rechazo 지불거절 통지

N

noticiar 알리다, 통지·통보하다

notificación 고지, 통고, 통지
~ de apelación 상소(上訴)통지서
~ de despido 해고통지
~ de la demanda 소송통지
~ edictal 공시송달
~ en estrados 법정(法廷)송달
~ en persona (~ en mano) 교부송달
~ implícita 추정 인식(認識), 의제(擬制)송달
~ personal 교부송달, 직접송달
~ por cédula (A) 보충송달
~ por correo 우편 송달
~ por correo certificado 등기우편에 의한 송달
~ por edicto 공시송달
~ por expediente o por nota 우편송달
~ presunta 추정 인식, 추정적 통지
~ preventiva 의향서 송달
~ previa 사전 통지
~ sobrentendida 추정적 통지, 의제 송달

notificador 영장 송달리(送達吏), 집달리

notificar 통지·통고·송달·최고(催告)하다
~ un auto 영장을 송달하다
~ una citación 소환장을 송달하다

notoriedad 주지(周知), 유명; 명성, 평판; 악평

notorio ㉬ 공지(公知)의, 다 알고 있는; 분명한

novación 경개(更改), 다시 고침
~ por cambio de acreedor 채권자의 교체로 인한 경개(更改)
~ por cambio de deudor 채무자의 교체로 인한 경개(更改)

novar 개서(改書)하다

novatorio ㉬ 새로운, 혁신적인

nube sobre un título 소유권에 하자(瑕疵)

núbil ㉬ 혼기에 이른, 적령기의

nuda propiedad 허유권(虛有權)

nuda propiedad condicional 불확정 잔여권

nuda propiedad intrínseca 확정 잔여권

nudo pacto 나약인(裸約因)(*nudum pactum*)

nudo propietario 허유권자(虛有權者)

nueva audiencia 재심(再審)

nuevas acciones 신주(新株)

nuevo 새로운, 신(新)
~ juicio 재심
~ otorgamiento 무효가 된 문서에 재서명함

nulidad 무효
~ *ab initio* 원천(源泉) 무효
~ absoluta 절대 무효
~ autónoma (U) 본질 무효
~ consecuencial (U) 결과 무효
~ de actuaciones 절차 무효
~ de actuaciones instructoras 심사 무효
~ de fondo 근본 무효
~ de forma 형식 무효
~ de interés privado 상대 무효
~ de matrimonio 혼인무효 (↔ divorcio)
~ de orden público 절대 무효
~ de pleno derecho 절대 무효
~ de los procedimientos 절차 무효
~ derivada 파생적 무효
~ implícita 묵시적 무효
~ intrínseco 내재적 무효
~ legal 법적 무효
~ manifiesta 절대 무효
~ original 근원적 무효
~ originaria (U) 결과 무효
~ procesal 절차 무효
~ radical 절대 무효
~ relativa 상대 무효
~ sustantiva 본질 무효
~ virtual (U) 묵시적 무효

nulificar 무효로 하다
~ un testamento (고소에 의해) 유언을 무효로 하다

nulla poena sine lege 법률 없이는 형벌 없다, 죄형법정주의

nullius 무주(無主)(de nadie, sin dueño)

nulo ㊔ 무효의
~ de derecho 법적 효력이 없는
~ y de ningún efecto 무효의
~ y sin valor 무효의

numerata pecunia 맞돈(으로), 현금(으로)

número de finca o parcela registral 지번(地番)

número de identificación fiscal (NIF) 납세자번호

números y en letras, en 숫자와 말로

nuncupativo ㊔ 구두의, 구술에 의한

obediencia 복종, 순종; 준수

óbice 장애물, 장벽

obiter dictum 방론(傍論), (판결 시의 판사의) 부수적 의견

óbito 죽음, 사망

objeción 이의; 기피
~ a todo el jurado 배심원 전원 기피
~ de conciencia 양심적 병역거부
~ por parcialidad 편파적 배심원 기피

objetable ⓗ 반대할 만한, 이의가 있는

objetante 반대자, 이의신청자

objetar 반대하다, 이의를 신청・제기하다

objetivismo 객관주의

objetivo 목적(물)

objeto 물(物), 대상; 목적물
~ de la acción 소송물
~ de la ejecución 집행목적물
~ del litigio 계쟁물, 소송물
~ del reconocimiento 검증물(檢證物)
~ patrimonial del delito 장물(贓物), 도품(盜品), 장품(贓品)
~ perdido 유실물

objetos sociales 회사의 목적

oblación 봉헌(奉獻)

oblar (A, U) 빚을 모두 갚다, 변제하다

oblea [문서] 오블라토 종이

obligación 의무; 채무; 채무증서; 채권
~ a plazo o a día (A) 기한부 의무・채무
~ accesoria 부수적 의무
~ alternativa 선택적 의무
~ ambulatoria 이동적 채무
~ bajo condición resolutoria 해소조건부 의무
~ bajo condición suspensiva 중지조건부 의무
~ cambiaria 어음채권

~ cartular (M) 신용증권
~ civil 민사적 의무
~ colectiva 공동 의무; 개별 의무
~ con cláusula penal 벌칙이 있는 의무
~ condicional 조건부 의무
~ contributiva 납세 의무
~ convencional 계약상의 의무
~ copulativa 연결된 의무
~ de alimentos 부양의 의무
~ de asistencia mutua entre parientes 친척간의 상조의무
~ de custodia 감호(監護)의무
~ de dar 제공 의무; 인도(引渡)채무
~ de dar cosa cierta 특정물 인도 의무
~ de dar cosa incierta 불특정물 인도 의무
~ de fideicomiso 신탁증권
~ de fidelidad conyugal 정조(貞操)의무
~ de garantía 보증채무
~ de guardar silencio por razón del cargo u oficio 비밀 준수 의무, 묵비(默秘)의무
~ de hacer 작위(作爲)의무
~ de mantenimiento o conservación de la cosa arrendada que pesa sobre el arrendador 수선(修繕)의무
~ de neutralidad 중립의무
~ de no competencia 경업피지의무(競業避止義務), 경업금지(競業禁止)
~ de no hacer 부작위(不作爲)의무
~ de pago de cantidad 금액채무
~ de pago de intereses 이자(利子)채무
~ de probar 증거의 책임
~ de regreso 배서인의 책임
~ de saneamiento 담보(擔保)책임
~ de saneamiento por evicción 추탈(追奪)담보책임
~ de saneamiento por vicios ocultos 하자담보(瑕疵擔保)책임
~ de secreto 비밀 준수의 의무, 묵비의무
~ de sindicatura (파산) 관재인의 증서
~ de tracto sucesivo 정기금채권(定期金債權)
~ dineraia 금전채무
~ divisible 가분급부(可分給付)
~ económica 금전채무
~ ética 도덕적 의무
~ eventual 우발적 의무
~ expresa 명시적 채무
~ facultativa 임의채권
~ garantizada 담보부 채권
~ genérica o de género 종류채무
~ hereditable 상속 가능한 채무
~ hipotecaria 담보부 채무; 부동산 채무
~ hipotecaria previa a un proceso de reestructuración empresarial 회생(回生)담보권
~ implícita 묵시적 채무

~ incondicional 절대적 의무
~ indivisible 불가분(不可分)채무
~ legal 법적 의무
~ mancomunada 공동채무
~ natural 자연채무
~ no personalísima (de hacer) 대체적 작위의무
~ obedencial 복종의 의무
~ originaria o primitiva 구(舊)채무
~ patrimonial (de contenido económico) 금전채무(金錢債務)
~ pecuniaria 금전채무(金錢債務)
~ penal 벌칙
~ personal 인적 의무
~ personalísima (de hacer) 비(非)대체적 작위의무
~ preferente 우선담보권 사채
~ primitiva 일차적 의무
~ principal 주(主)채무
~ pura (no condicional) 무조건(無條件)채무
~ real 물적 채무
~ registrada 기명식 채권
~ simple 단순 채무
~ sin garantía 무담보 사채; 무담보 공채
~ solidaria 연대채무
~ subsidiaria 종(從)채무
~ tributaria 납세의무
~ tributaria solidaria 연대(連帶) 납세의무

obligaciones 채권(bonos); 부채; (M) 무담보사채; (회계) (M) 지분
~ a corto plazo 단기 사채
~ a dos firmas 복명(復名) 수표
~ a plazo fijo 만기일지정 채권
~ al portador 지참인불 채권
~ a la vista 일람불 채권
~ beneficiarias (A) 공로주식
~ cambiarias de favor 융통어음
~ contingentes 우발채무
~ convertibles 전환사채(轉換社債)
~ de capital 자산금융 부채
~ de renta (Ch) 확정이자부 증권
~ del Estado 국채증권(國債證券)
~ fuera del balance 장부외 부채
~ inmediatas (A) 초단기 채무(30일 이내)
~ matrimoniales 부부간의 의무
~ mercantiles o comerciales 기업어음, 상업증권
~ nominativas 기명식 채권
~ o bonos de una sociedad anónima 사채(社債)
~ o bonos nominativos de una sociedad anónima 기명(記名)사채(社債)
~ pasivas (Col) 사채발행 차입금

~ seriadas 연속상환 사채

obligacional ⓗ (U) 의무적인

obligacionista 사채권 소지자, 공채증서 소지자

obligado 채무자; 계약 이행자; ⓗ 채무·의무를 진; 부득이한
~ a prestar alimentos 부양의무자
~ mancomunado 연대채무자
~ principal 주(主)채무자
~ solidario 연대채무자
~ subsidiario 종(從)채무자
~ tributario 납세의무자

obligados de regreso 어음 배서인들

obligante (A) 채권자

obligar 어쩔 수 없이 하게 하다, 강제하다

obligarse ~할 의무를 지다, 어쩔 수 없이 하다

obligatorio ⓗ 의무의, 의무적인

obra 공사(工事); 건조물; 수리, 보수; 창작물
~ de caridad 자선 사업
~ de ensanche 확장 공사
~ de fábrica 교량·수도 토목 공사
~ pública 공공물; 토목 공사
~ social 자선 사업
~s portuarias 항만 시설
~s públicas 공공건설, 토목공사, 인프라공사

obrar en juicio 소송의 당사자가 되다

obscendidad 외설, 난잡한 일

obsceno ⓗ 외설적인, 난잡한

obtención de lucro mediante engaño 사취(詐取)

obvenciones 수당, 상여금, 보너스

occiso ⓗ 살해된

ocultación 은닉

ocupación 점령, 점거; 선점; 일, 업무; 직, 직업
~ de cosa de nadie 무주물(無主物) 선점
~ de un inmueble 부동산 점거
~ militar 군사점령(軍事占領)
~ no coercitiva de piezas de convicción 영치(領置)
~ remunerada o lucrativa 영리적 직업
~ temporal de inmuebles para la realización de obras públicas 점용(占用)

ocupar 차지하다, 소유하다; 점거·점령하다; 고용하다

ocurrencia de acreedores 채권자 집회

ocurrir (일이) 발생하다, 일어나다; (생각이) 떠오르다; 향하다; (V) 출두하다
~ a 신청하다

ocurso 탄원, 청구

ofendedor 공격자, 위반자, 무례한 자

ofender 어기다, 위반하다, 침해하다; 모욕하다

ofendido 피해자, 모욕당한 사람

ofensa 위반, 위법; 공격; 무례, 모욕
~ premeditada 범죄; 공공연한 행위

ofensor 공격자, 위반자, 무례한 자

oferente 신청인, 제공자, 청약자

oferta 청약, 오퍼, 매매제의; 제시, 제공; 공급
~ a pliego cerrado 봉서 입찰
~ de acuerdo con la solicitud 조회에 의한 오퍼
~ de mano de obra 노동력의 공급
~ de precios 견적 가격
~ detallada 상세한 오퍼
~ en firme 확정 청약
~ especial 특별 오퍼, 특가 제공품
~ excesiva de mano de obra 노동력의 공급 과다
~ no solictada 자발적 오퍼
~ por escrito 서면에 의한 오퍼
~ privada 사모(私募), 비공모발행(非公募發行)
~ pública 공모발행(公募發行)
~ pública de adquisición de acciones (OPA) 주식(株式)공개매수
~ sellada 봉서 입찰
~ sin compromiso o sujeta a confirmación 불확정 오퍼
~ solicitada 견적 가격
~ ventajosa 유리한 오퍼
~ verbal 구두 청약
~ y aceptación 청약과 승낙
~ y demanda 수요와 공급, 수급(需給)

ofertante 값을 부르는 사람, 입찰자, 경매자

ofertar 제공하다, 신청하다, 입찰하다

oficial 장교, 고급선원, 공무원, 관리; 법원 직원; ㊖ 공적인, 공식의; 관의; 사무적인
~ a cargo 담당자, 담당관
~ de custodia o de plica 에스크로우(*escrow*)담당자
~ del juzgado 법원 직원
~ de posesiones (Col) 공무원 서약 담당관

~ probatoria 보호관찰관

oficialismo (A) 관료주의

oficialista ⓗ 관료주의적인

oficializar (A) 공식화하다; (C) 국유화·국영화하다

oficialmente 공식적으로, 정식으로

oficiar 직무를 집행하다, 사회를 맡다; 정식으로 통고하다
~ de 역할을 하다

oficina 사무소, 관청
~ central 본사, 본점
~ de compensaciones 어음교환소
~ de control de cambios 외환관리처
~ de entradas → mesa de entradas
~ de marcas 상표청
~ de patentes 특허청
~ de una administración pública 관공서
~ matriz 본사, 본점
~ pública 관청
~ pública de empleo 국가직업안정사무소(oficina del INEM)

Oficina
~ de Derechos Aduaneros 관세청
~ Interamericana de Marcas 미주 상표청

oficio 직업, 직무, 직능; 공문서; 관청
~ , de 공식으로; 정부 주도로
~ de hipoteca 저당 등기(소)
~ de remisión 개요서

oficioso ⓗ 참견하기 좋아하는; 공식적인, 정식의; 부지런한

ofrecedor 제공자, 신청자

ofrecer 제공하다; 값을 부르다

ofrecido 제공·제시 받은 자

ofrecimiento 제시, 제공
~ de pago 변제의 제공
~ público de recompensa 현상광고(懸賞廣告)

oligopolio 과점(寡占)

ológrafo 자필

omisión 부작위

omitir 생략하다, 빠뜨리다, 누락시키다
~ el dividendo 배당금을 지급하지 않다

onerosidad 부담이 걸려 있음

oneroso ⓗ 유상(有償)의 (↔ gratuito)

onerosidad 유상(有償) (↔ gratis)

onomástico ⓗ 이름의, 인명(人名)의

onus probandi 거증책임, 입증책임, 증명책임(carga de la prueba)

OPA (oferta pública de adquisición de acciones) 주식(株式)공개매수

OPA amistosa 우호적 매수

OPA hostil 적대적 매수

opción 선택권
 ~ de compra 매입 선택권

opcional ⓗ 선택의

operación 업무; 운영; 거래(negocio, transacción)
 ~ fiscal 국정 운영, 정부 사업

operaciones
 ~ activas (은행) 자금 투자
 ~ de crédito 신용거래
 ~ pasivas (은행) 수신 예금 및 부채

Operaciones de mantenimiento de la paz de las Naciones Unidas 국제연합 평화유지 활동 *Peace-Keeping Operations (PKO)*

operar 수술을 하다; 경영하다; 투기 거래를 하다, 주식 매매를 하다
 ~ en los libros 장부에 기록하다

opinio iuris 법적 확신

opinión 의견
 ~ consultiva o asesora 자문의견
 ~ de acuerdo con la mayoría (법정의견의) 동조(同調)의견
 ~ en disconforme (법정의견의) 반대의견
 ~ jurídica 법정의견
 ~ mayoritaria 통설

opinión minoritaria 소수설

oponente 반대자

oponer, oponerse 반대하다, 반론하다
 ~ excepción 이의신청을 하다

oponibilidad (권리의 변동에 있어 제3자에 대한) 대항력

oponible ⓗ 반대·대항할 수 있는

oposición 대항; 공무원 채용시험, 국가시험
 ~ a la ejecución por motivos procesales 집행이의(異議), 집행에 관한 이의신청

~ a la ejecución por razones de fondo 집행항고(抗告)
~ de Justicia, examen común para el cuerpo de justicia 사법시험(司法試驗)

oposicionista 반대자; ⓗ 반대하는

opositor 반대자, 항의자; 경쟁자

optativo ⓗ 선택적인

orador 연사(演士)

oral ⓗ 구두(口頭)의

oralidad 구두(口頭)

orden 명령, 지시; 영장; 부령(部令); 질서; 순위
~ común (M) 관습법
~ de allanamiento 수색영장; 수사명령
~ de arresto 체포영장
~ de auxilio (부당한 노동조건에 대한) 구제명령
~ de busca y captura 지명수배
~ de citación 소환장, 출두명령
~ de comparecer 출두명령
~ de conducción ante el juez por la fuerza pública 구인장(拘引狀)
~ de desalojo de la sala 퇴정명령
~ de detención 체포영장
~ de ejecución 사형집행 명령서
~ de embargo 차압명령
~ de entrega de un inmueble 부동산 인도명령
~ de estafeta 우편환
~ de expropiación 수용(收用)재결(裁決)
~ de ingreso en prisión provisional 구속영장
~ de pago 지불명령
~ de policía 경찰처분
~ de protección (배우자로부터의 폭력에 대한) 보호명령
~ de registro 수색영장
~ de servicio (경찰의 구두) 훈령
~ del día 식순(式順), 의사일정, 심리예정표
~ judicial (기택수색, 체포, 재산 문제 개입 등에 필요한) 강제처분, 영장
~ judicial de disolución de una sociedad mercantil 회사해산명령
~ judicial de disolución de una sociedad o asociación 해산명령
~ judicial de efectuar trabajos en beneficio de la comunidad (자유형의 대체수단으로서의) 사회봉사명령
~ judicial de entrega de la cosa embargada o subastada en el proceso ejecutivo civil 민사집행절차에서 담보물이나 경매물의 인도명령
~ jurídico 법체계, 법제(法制)
~ profesional 직무명령
~ público 공공질서
~ público y buenas costumbres 공공질서와 미풍양속
~ sucesorio 상속순위

ordenación del proceso 소송지휘(dirección del proceso)

ordenación del territorio 도시계획

ordenador 컴퓨터; 정리자, 명령자; 회계 부장

ordenamiento 정리; 규정, 준칙; 명령, 훈령, 포고
~ de gravámenes 선취특권의 순위결정
~ de leyes 법전 편찬
~ judicial 직무집행영장
~ tributario (M) 세법(稅法)

ordenante 지시인

ordenanza (지자체의) 조례, 법령, 규칙, 명령
~ de edificación 건축법
~ municipal 시의회의 조례

ordenanzas
~ de aduana (C) 관세법
~ de circulación de tráfico 교통법
~ de construcción 건축법규

ordenar 정리・정돈하다; 명령・지시하다
~ bienes 재산의 순위를 결정하다
~ leyes 법전을 편찬하다

órdenes administrativas (내부적 성격의 행정조치로서 시민과는 직접적 관련이 없는) 행정 규칙, 행정명령, 행정규정

ordinario 유언 검인 판사; ㊫ 보통의

organismo 기관(institución)
~ administrativo 행정부
~ autónomo 자치기관
~ crediticio 신용기관, 은행
~ cuasijudicial 준(準)사법기관
~ financiero 금융기관
~ obrero 노동조합
~ oficial 정부기관
~ patronal 경영자연합
~ rector 운영위원회
~s de comunicaciones 통신기관

organización 조직
~ administrativa 행정조직

Organización 기구(institución)
~ de Estados Americanos (OEA) 미주기구(美洲機構)(*OAS*)
~ de la Conferencia Islámica 이슬람회의기구
~ de la Policía Criminal Internacional 국제형사경찰기구, 인터폴(*INTERPOL*)
~ de las Naciones Unidas (ONU) 국제연합, 유엔(*UN*)
~ de las Naciones Unidas para la Agricultura y la Alimentación 국제연합 식량

농업기구(*FAO*)
- ~ de las Naciones Unidas para la Educación, la Ciencia y la Cultura 국제연합 교육과학문화기구(*UNESCO*)
- ~ de Países Exportadores de Petróleo (OPEP) 석유수출국기구(*OPEC*)
- ~ del Pacto de Varsovia 바르샤바조약기구
- ~ del Tratado del Atlántico Norte (OTAN) 북대서양조약기구(*NATO*)
- ~ Gubernamental de derecho público 정부관계기관
- ~ Intergubernamental 정부간국제조직
- ~ Internacional 국제기구
- ~ Internacional de Aviación Civil (OACI) 국제민간항공기구
- ~ Internacional del Trabajo (OIT) 국제노동기구(*ILO*)
- ~ Internacional para la Estandarización 국제표준화기구(*ISO*)
- ~ Internacional Regional 지역간 국제조직
- ~ Marítima Internacional (OMI) 국제해사기구
- ~ Meteorológica Mundial (OMM) 세계기상기구
- ~ Mundial de la Propiedad Intelectual (OMPI) 세계 지적 소유권 기구
- ~ Mundial de la Salud (OMS) 세계보건기구(*WHO*)
- ~ No Gubernamental (ONG) 비정부기구(*NGO*)
- ~ para la Cooperación y el Desarrollo Económicos (OCDE) 경제협력개발기구 (*OECD*)
- ~ para la Liberación de Palestina (OLP) 팔레스타인해방기구(*PLO*)
- ~ para la Unidad Africana (OUA) 아프리카통일기구

organizador 조직자, 발기인, 창설자, 주최자; ㉠ 조직·편성·창설하는

organizar 조직·편성·주최·개최·창설하다

órgano 기관(institución)
- ~ administrativo 행정기관
- ~ administrativo regional 지방행정기관
- ~ auditor o inspector 감사기관
- ~ autonómico 자치단체
- ~ auxiliar 보조기관
- ~ central 중앙기관
- ~ colegiado 합의기관
- ~ de decisión 의결기관
- ~ de fiscalización o tutela 감독기관
- ~ de vigilancia (회사) 이익관리위원회(→ comisario, síndico)
- ~ decisorio 의결기관
- ~ directivo o rector o de alta dirección 집행위원회
- ~ ejecutivo 집행기관
- ~ instructor 수사기관
- ~ legal 법정대리인
- ~ para la resolución de quejas y conflictos laborales 고충처리기관
- ~ supervisor 감독기관
- ~ unipersonal 단독기관

órganos
- ~ autonómicos regionales 지방자치단체
- ~ constitucionales 헌법상의 기관

~ de administración 행정기관
~ de dirección o de gestión 관리기관
~ de gobierno 통치기관
~ del Estado 국가기관
~ diplomáticos 외교기관
~ independientes 독립기관
~ judiciales o jurisdiccionales 사법기관, 사법관청
~ legislativos 입법기관
~ sociales 회사기관

origen, en el (조세) 원천에서

original 원본(documento ~), 정본

originario ㊖ 원산의, 출신의; 근원이 되는

ostensible ㊖ 표면상의

ostracismo 추방, 공동절교, 유형(流刑)

otorgadero ㊖ 허가될 수 있는, 양도할 수 있는, 수여해야 하는

otorgador 허가자; 양도자

otorgante 허가자; 양도자; 증서 발행인; 대리권 위임자; ㊖ 허가・양도하는

otorgar 수여・부여・양도・허가・약정・조인하다
~ ante notario 공증인 앞에서 서류를 작성하다
~ un contrato 계약을 맺다, 계약서를 작성하다
~ crédito 외상을 주다
~ fianza 보석금을 내다
~ garantía 담보를 제공하다
~ una patente 특허를 인가하다
~ un préstamo 대출을 해주다

otrosí 추가청원, 추가청구

P

p. p. (por poder) 권한·재량으로, 위임장에 의한 대리인에 의해

pabellón de complacencia 편의치적((便宜置籍)

pacta sunt servanda 약속은 지켜져야 한다 (계약 구속의 원칙)

pactado ㊞ 약정한, 협정을 맺은

pactante 계약 당사자, 피계약자

pactar 협정하다, 계약하다

pacto 협약, 약정; (국제) 규약
- ~ colectivo (노사간의) 단체 협약
- ~ comisorio hipotecario 저당직류(抵當直流), 유저당(流抵當)
- ~ comisorio pignoraticio 유질특약(流質特約), 유질(流質)
- ~ constitutivo (회사) 설립 규약
- ~ de adición (A) → pacto de mejor comprador
- ~ de aplazamiento o suspensión 유예(猶豫)계약
- ~ de arbitraje 중재계약(仲裁契約)
- ~ de caballeros 신사협정
- ~ de cada uno por sí 개별 협정
- ~ de comercio 통상조약(通商條約)
- ~ de cuota litis 성공보수(成功報酬)의 약정
- ~ de estabilidad 안정화협정
- ~ de intereses 이자(利子)약정
- ~ de mejor comprador (A) 더 나은 청약이 있을 경우 환매권을 행사하는 조건하의 매각
- ~ de no hacer algo 부작위 특약
- ~ de preferencia (A) 우선적 환매권부 매각
- ~ de resolución contractual 해제(解除)계약
- ~ de retroventa o de reventa 환매(還買)계약
- ~ de trabajo 고용계약
- ~ en beneficio de tercero 제삼자를 위한 계약
- ~ en contrario 반(反)하는 계약
- ~ entre caballeros 신사(紳士)협정
- ~ especial o específico 특약
- ~ mancomunado 연대 및 개별 계약
- ~ o promesa de no pedir 불기소(不起訴)의 합의
- ~ restrictivo (토지 사용) 제한 조약
- ~ social 조합계약

pactos usuales 통상(通常) 조항

Pacto Internacional de Derechos Civiles y Políticos 시민적 및 정치적 권리에 관한 국제규약

Pacto Internacional de Derechos Económicos, Sociales y Culturales 경제적, 사회적 및 문화적 권리에 관한 국제규약

padre 아버지, 부(父)
~ biológico o natural 생부, 실부(實父), 친부(親父)
~ de crianza 양부(養父)
~ de familia 호주(戶主)
~ putativo 추정상의 아버지

padres 부모
~ e hijos 부모와 자식
~ naturales o biológicos 실부모

padrón municipal de habitantes 주민대장(臺帳)

paga 급료, 연금
~ de retiro 퇴직금

pagable ⓗ 지불해야 할

pagadero ⓗ 지불해야 할
~ a la orden 지시인 지급, 기명 배서식
~ al portador 지참인 지급
~ a la vista o a presentación 일람 지급

pagado ⓗ 지불을 끝낸
~ integralmente o totalmente 전액 납입

pagador 지급인, 지불인; 회계 주임; 지출계원
~ de impuestos 납세자
~ por honor 참가(參加) 지불인

pagar 지불하다, 값을 치르다, 갚다
~ a cuenta 분할납부하다
~ a plazos o por cuotas 할부로 지불하다
~ bajo protesta 이의유보(異意留保)하에 지불하다
~ una condena 복역(服役)하다
~ daños 손해를 배상하다

pagaré 어음, 약속어음, 증권
~ a la orden 지시인 지급 어음, 유통어음
~ al portador 지참인 지급 어음
~ a la vista 요구불 어음
~ con resguardo o con garantía prendaria 담보부 어음
~ domiciliado 지급장소 지정 어음
~ fiscal 재무성 단기 증권, 국채
~ hipotecario 담보부 장기 어음
~ mancomunado 채무자 연대 약속어음
~ nominativo (M) 기명 어음, 유통어음

~ prendario 담보부 어음
~ quirografario 무담보 어음
~ solidario 공동 및 개별 어음

pago 지불; 급부(給付), 이행
~ a la vista 일람불(一覽拂)
~ a plazos 할부
~ a un plazo desde la vista 일람후(一覽後) 정기불(定期拂)
~ anticipado 선불(先拂)
~ bajo protesta 이의유보(異意留保) 지불
~ completo 완제(完濟), 완불(完拂)
~ con causa ilícita 불법원인급여(不法原因給與)
~ de lo indebido 비채변제(非債辨濟)
~ detenido o suspendido 지불정지 (수표)
~ directo (hipotecario) 대가(代價)변제(extinción de la hipoteca mediante el pago directo del tercer adquirente al acreedor hipotecario)
~ en efectivo 현금지불
~ en especie 현물지급, 물납(物納)
~ en metálico 현금납(現金納)
~ fraccionado 할부
~ íntegro 완제(完濟), 완불(完拂)
~ judicial 법적 수단에 의해 강제된 지불
~ parcial 일부(一部) 지불
~ por consignación 법원 공탁
~ por entrega de bienes 물납(物納)
~ por honor 참가(參加)지불
~ por subrogación 대위변제(代位辨濟)
~ por tercero 제삼자의 변제
~ sustitutivo 대물변제(dación en pago)
~ total 전불(全拂)
~ único o en un solo plazo 일시불

páguese a la orden de ~의 지시에 따라 지불하시오

país 나라, 국가
~ de origen 출신국
~ desarrollado 선진국
~ en vías de desarrollo 개발도상국
~ neutral 중립국
~ satélite 위성국가, 종속국
~ semisoberano 반(半)주권국(protectorado)

palabra 말
~ , de 구두로
~ de matrimonio 결혼 약속

palabras
~ , en 말로
~ valederas 효력발생 문언(文言), 효과적인 말

palacio 궁전; 대(大)건축물
~ del congreso 국회의사당
~ de justicia o de los tribunales 법원
~ municipal 시청

pandectas 로마법 대전; 법전

pandilla (악한들) 일당(一黨), 도당(徒黨)

pandillero 협박꾼, 갱

panel (PR) 배심원단, 패널

papel 종이
~ bancario 은행권(銀行券)
~ comercial o de comercio 상업증권
~ corriente 일반 종이
~ del estado (M) 국채
~ de garantía (M) 보안지(保安紙)
~ de renta (Sp) 투자증권
~ de seguridad 보안지(保安紙)
~ eligible 적격어음
~ ministro 풀스캡; 대판양지(大判洋紙)
~ mojado 무가치한 종이, 가치 없는 문서
~ moneda 지폐
~ moneda representativo (A) 태환지폐
~ oficio 풀스캡 양지
~ sellado o timbrado 인지가 첨부된 종이
~ simple 인지가 첨부되지 않은 종이
~ valorado (Ch) 인지가 첨부된 종이

papeles 서류; 유가증권
~ bursátiles 상장(上場) 유가증권

papeleo 지나친 서류 챙기기; 관료적 형식주의

papeleta de conciliación 조정신청

papeleta de voto 투표용지

paquero (M) 사기꾼, 악당

par 액면 동가(同價)

parafernales → bienes parafernales

paraíso fiscal 조세피난처

paralización del procedimiento 소송절차의 정지

paranoia 편집증, 편집광

parcela 분양지

parcelación urbanística 토지분양

parcelero 소작인; (PR) 분양지 소유자

parcial ⓗ 일부분의; 분할의; 편파적인

parcialidad 불공정, 편파

parcionero 한동아리, 자기편; 조합원

pared medianera 공유 장벽

pareja de hecho 내연(內緣)

parens patriae (국가가 문제적 미성년자를 보호하는) 국친(國親)

parentesco 친족관계; 촌수(寸數)
~ materno o por parte de madre 모계 친족관계
~ paterno o por parte de padre 부계 친족관계

paridad 평가; 평준적 가치
~ cambiaria 환(換)의 법정평가

pariente 친족
~ afín 인척
~ afín colateral 방계인척
~ cercano 근친
~ colateral 방계친족
~ consanguíneo 혈족친
~ consanguíneo colateral 방계혈족, 방계친
~ directo o en línea directa 직계친족

parientes más próximos 근친

paritario ⓗ 노사 동수(同數)의

parlamentario (국회 혹은 상원의) 의원, 국회의원

parlamentarismo 의회주의; 의회제, 내각책임제

parlamento 국회
~ regional 지방의회

Parlamento Europeo 유럽의회

paro 실업(desempleo)
~ forzoso 실업(失業); 직장폐쇄
~ obrero 파업(huelga)
~ patronal 직장폐쇄

párrafo 단락, 문단

parrágrafo (Ec) 단락, 문단

parricida 부모 살해자

parricidio 존속살인

parte (계약이나 소송의) 당사자

~ acompañada (상업) 융통어음 인수인
~ actora 원고측
~ apelada 피(被)항소인, 피상소인
~ apelante 항소인, 상소인
~ beneficiada (Sp) 융통어음 인수인
~ contendiente 상대방 당사자
~ , de 소송 당사자 일방에 의해
~ de interés adverso 상대방 당사자
~ demandada 피고측
~ demandante 원고측
~ dispositiva (판결의) 주문(主文)
~ en un contrato 계약 당사자
~ en un proceso 소송 당사자
~ inculpable 무책(無責) 당사자
~ interesada 이해 당사자
~ legitimada 정당한 당사자
~ perjudicada 권리를 침해당한 당사자
~ por acomodación 융통 당사자
~ por acomodamiento (Col) 융통어음 배서인 혹은 인수인
~ procesal 소송 당사자
~ querellada 피고
~ reconvenida 반소(反訴) 피고
~ reconveniente 반소(反訴) 원고
~ recurrente 항소인, 상소인
~ social 조합원의 지분

partes
~ contratantes 계약 당사자들
~ de fundador → acciones de fundador
~ titulares de la acción 소송 당사자들

parte 보고, 통지
~ del accidente 사고 보고서
~ policíaco 경찰 보고서(분실증명 · 도난사실 확인 등의)

partible ⓗ 나눌 수 있는, 분할할 수 있는

partición 분할
~ de comunidad 공유지 분할
~ de herencia 상속재산 분할

particional ⓗ (C) 분할의

particionero 참여자, 공동소유자

participación 관여, 참가; 지분(cuota)
~ de control (M) 지배(支配) 지분
~ de utilidades o de los beneficios 이윤 분배
~ en el proceso 소송 참가
~ en el proceso como coadyuvante 종참가(從參加), 보조 참가

~ en el proceso como parte 당사자 참가
~ individual en el proceso 독립당사자 참가
~ litisconsorcial en el proceso 공동 소송 참가
~ residual 잔여이익 분배
~ social (회사의 참여) 지분

participante 참여자, 관계자

participar 참여・참가・관여・관계하다; 통지・통고・보고하다

partícipe 참여자, 관계자

particular ㊍ 특수한; 독특한; 사적인, 개인의; 상세한

particularizar 자세히 말하다; 명시하다; 조목을 열거하다

partida 출발; 항목; 목록; 적송품, 위탁판매품; (회계) 기입, 기장; 증명서, 등본
~ arancelaria 관세 항목
~ de defunción 사망증명서
~ de nacimiento 출생증명서

partido 정당(~ político); 관할구역
~ judicial 관할구역(demarcación judicial)

Partido Comunista 공산당

Partido Socialista 사회당

partidor 분배자, 분할자

partija 분할, 구획

partitorio ㊍ (재산・토지의) 분할의

parvifundio (토지를 분할한) 작은 필지

pasador 밀수꾼; 도선업자

pasante 견습생, 실습생, 조수

pasantía 견습생 신분

pasaporte 여권(旅券)
~ del buque 중립국 선박 증명서

pasar 지나가다, 통과하다; 옮기다, 이동시키다; (회계) 분개(分介)하다
~ al mayor 원장에 기입하다
~ a orden 수표로 지불하다
~ ante el notario 공증인 앞에서 작성하다
~ la factura 청구서를 교부하다
~ un inventario 목록을 만들다
~ la lista 출석을 부르다
~ una multa 벌금을 물다

pasavante 항행 허가증

pase 허가(증); (철도) 정기 승차권
~ de lista 출석 부르기

pasividad 부채, 채무

pasividades (A) 연금 및 퇴직 수당

pasivo 부채, 채무; ⓗ 수동의, 소극적인; (연금) 수급의
~ a largo plazo 장기 부채
~ consolidado 고정 부채
~ corriente o circulante o exigible 유동 부채
~ de capital 자본 부채
~ de contingencia (M) 임시 부채
~ del impuesto 세금이 부과되는
~ de valuación (PR) 우발 채무
~ diferido 연불(延拂) 채무
~ estricto (Sp) 채무
~ eventual o contingente 우발 채무
~ exigible a la vista (은행) 요구불 예금
~ exigible a plazo (은행) 정기예금
~ fijo 고정 부채; 자본 부채
~ lato (Sp) 자본 및 부채
~ patrimonial (Col) 자본 부채
~ transitorio 미지급 부채

paso 통행권(derecho de ~)
~ en tránsito 통과통항권(通過通航權)
~ inocente 무해통항(無害通航)
~ judicial 법적 조치

patentable ⓗ 특허를 얻을 수 있는

patentado (A) 특허권 소유자; ⓗ 특허의, 특허를 받은

patentar 특허를 주다 · 받다

patentario ⓗ 특허의

patente 특허, 전매특허, 발명특허; 특별 허가서; 증명서
~ acordada o concedida 특허 허가
~ básica 기본 특허(*basic patent*)
~ de ejercicio profesional (전문)직업 면허
~ de mejora 실용신안 특허
~ de nacimiento 출생증명서
~ de navegación 중립국 선박 증명서
~ de operador (자동차) 운전면허
~ de privilegio o de invención 전매특허증; 발명특허증
~ de rodado o de vehículo 운전면허
~ de sanidad (선원의) 건강증명서
~ municipal (PR) 시 사업면허
~ original o primitiva 기본 특허

~ pendiente o solicitada o en tramitación 특허 출원 중
~ precaucional (A) 임시 특허증
~ registrada 특허등록

patentes y marcas 특허 및 상표

patentizar 명백하게 하다; (PR) 특허를 주다 · 받다

pater familias 가부(家父)

paternidad y filiación 친자관계

paterno ⓗ 아버지의; 부계의

patria potestad 친권
~ ostentada por el padre 부권
~ ostentada por la madre 모권

patriarca 족장, 가부장(家父長)

patrimonial ⓗ 세습재산의; 소유자의

patrimonio 재산, 자산
~ afecto al cumplimiento 책임재산
~ común (공동소유의) 공유재산
~ común de la humanidad 인류의 공동재산
~ cultural del Estado 국가문화재, 국보
~ de la explotación (A) 운전자본
~ del Estado 국보(國寶), 국가문화재; 국유재산
~ del quebrado 파산재단(破産財團)
~ económico (M) 순가치, 순자산
~ empresarial 공장재단(工場財團)
~ fideicomisario 신탁재산
~ jurídico (M) 총자산
~ líquido (Col) 순가치, 순자산
~ nacional 국보(國寶), 국가문화재; 국유재산
~ neto (M) 순가치, 순자산
~ sindical 노동조합재산
~ social 조합재산, 회사재산

patrocinado 본인(representado)

patrón 사용자, 고용주(empleador); 지주

patronato 평의원회

patrono 사용자, 고용주; 지주

paz y salvo, en (세금을) 다 납부한

peculado 공금횡령, 편취, 착복, 유용

peculio 사유재산, 자산
~ castrense 군사(軍事) 특유재산(特有財産)

~ estatal 국가 경제

pedáneo ⓐ 하급의 (판사 혹은 재판소)

pederastia 남색(男色), 계간(鷄姦)

pedida (Col) 탄원서

pedido 의뢰, 부탁, 요청; (상업) 주문, 주문서; (법률) 청원서, 진정서, 탄원서
~ de anulación o de invalidación 취소 청원

pedimento 청구
~ de aduana (Ec) 세관 신고서
~ de avocación 이송영장청구(移送令狀請求) 소장(訴狀)
~ de importación (M) 통관 신고서
~ de prevención de litigios 소송남용방지(訴訟濫用防止) 소장
~ de restablecimiento 소송계속(訴訟繼續) 소장
~ de revisión 재심(再審) 신청서
~ de tercero 경합권리자확정 소송

pedir 요구・요청・부탁・청구하다; 주문하다
~ licitaciones o propuestas 입찰에 부치다
~ prestado o en préstamo 빌리다

pegujal, pegujar 소(小)자산, 작은 전답

peligro 위험

peligrosidad 위험성
~ social 사회적 위험성

pelotera 싸움, 다툼

pena 형, 형벌, 제재(制裁)
~ accesoria 부가(附加)벌
~ administrativa 행정형벌, 행정벌
~ arbitraria 임의적 형벌, 독단적 형벌
~ capital 극형
~ convencional 계약불이행에 대한 재산형
~ corporal 신체형(身體刑)
~ cruel y desusada 잔혹하고 정도가 지나친 형벌
~ de ahorcamiento 교수형(絞首刑)
~ de arresto sustitutorio (재산형의 미납에 대한 대체 벌로서의) 노역장 유치(留置)
~ de azotes 태죄(笞罪)
~ de decapitación 참죄(斬罪)
~ de muerte 사형(死刑)
~ de presidio 자유형(自由刑)
~ de prisión 자유형(pena privativa de libertad)
~ de prisión de duración indeterminada 무기금고(無期禁錮)
~ de reclusión con trabajo forzado 징역
~ de reclusión de duración indeterminada con trabajo forzado 무기징역
~ de restricción de la ración alimenticia 감식(減食)

~ de trabajos en beneficio de la comunidad (징역형의 대체수단으로서의) 사회봉사
~ de trabajos forzados o forzosos 강제노동
~ grave 중형(重刑)
~ infamante 수치형(羞恥刑)
~ leve 경형(輕刑)
~ máxima 극형(極刑)
~ pecuniaria 재산형, 벌금, 과료
~ principal 주형(主刑), 본형(本刑)
~ privativa de libertad 자유형
~s privativas de libertad de duración determinada 유기형(有期刑)
~s privativas de libertad de duración indeterminada 무기형(無期刑)

penado 수형자(受刑者)

penal 형무소(establecimiento penitenciario); ㊒ 형사(刑事)의; 형벌의; 형법의

penalidad 형벌, 처벌; 벌금, 과료(科料); 고통, 노고

penalista (Col) 형사 전문 변호사

penalizador ㊒ 처벌하는

penalizar, penar 처벌하다

pendencia 소송계속(訴訟繫屬); 조건의 성부(成否)미정

pendente lite 소송 중에

pendiente ㊒ 미결의, 미해결된; 계류 중인
~ de pago 미납의, 미지급된
~ de resolución 미결의

penitenciario ㊒ 교도소의

penología 형벌학

pensado ㊒ 미리 생각한, 계획적인

pensión 연금(年金); 하숙집, 기숙사
~ alimenticia 부양(扶養)료
~ alimenticia provisional 이혼소송 중의 부양료
~ conductiva (Ec) 임대료
~ de arrendamiento 임대료
~ de clases pasivas del Estado 국민연금
~ de incapacidad 장해연금
~ de invalidez 장해연금
~ de jubilación 퇴직연금
~ de montepío 공무원 유가족으로서의 과부 및 고아 연금
~ de orfandad 고아(孤兒)연금
~ de retiro 퇴직연금
~ de vejez 노령연금
~ de viudedad 과부(寡婦)연금
~ dotal 양로보험 연금

~ privada 사적(私的)연금
~ pública 공적(公的)연금
~ que trae causa de un fallecimiento 유족(遺族)연금
~ vitalicia 종신(終身)연금

pensionado 연금수령자, 은퇴자

pensionar 연금을 주다

pequeña empresa 소기업(microempresa)

pequeña y mediana empresa 중소기업

pequeño jurado 소(小)배심

per se 그 자체가, 본질적으로

perdedor 패자, 실패자, 패배자; 분실자

perder 잃다, 분실하다

pérdida 유실(遺失); 실권(失權), 상실; 손실
~ consiguiente (보험) 파생적 손실, 결과적 손실
~ convenida o constructiva (보험) 추정 손실
~ de la condición de heredero 상속결격(相續缺格)
~ de la condición de socio 퇴사(退社)
~ de la nacionalidad 국적의 상실
~ de la patria potestad 친권의 상실
~ efectiva (보험) 실제손실
~ marginal 차손(差損)
~ parcial (해상보험) 단독해손
~ total absoluta (해상보험) 절대전손
~ total concertada o arreglada (해상보험) 협정전손, 타협전손

pérdidas e intereses (A) 직・간접적인 손해

perdido o no perdido (해상보험) 소급약관

perdimiento 유실(遺失); 실권(失權), 상실; 손실

perdón 용서, 사면(赦免)

perdonar 용서하다, 사면하다
~ una deuda 채무를 면제하다

perención 시효(時效)
~ de instancia 소송의 시효 소멸

perentorio ㊔ 최종적인, 확정적인

perfección 완성; 성립
~ de un contrato 계약 성립, 계약 완결, 성약(成約)

perfeccionar 개선하다, 완전하게 하다; 정식의 것으로 하다

perfecto ㊔ 완전한; 성립된, 유효한

perfidia 부실, 불충, 배신행위

pergamino 양피지(羊皮紙)

pericia 숙련, 노련; 전문가의 서비스
~ caligráfica 필적감정가의 의견

pericial (C) 전문가; ㊌ 전문가의

periculum 위험
~ *inmora* 지체의 위험

perimir (A) 시효가 지나다

período 기간
~ de capitalización 전환기간
~ de carencia (보험의) 대기기간
~ de gracia 거치기간
~ de la renta 임대기간
~ de las sesiones 법원의 개정기(開廷期)
~ de pleitos o de juicios 재판 기간
~ de privación de libertad 형기(刑期)
~ de prueba (신입사원의) 수습기간; (소송단계의) 증거조사
~ de reflexión o de enfriamiento 냉각기간
~ de servicios 임기(任期), 재임 기간
~ dotal (보험) 양로보험 기간
~ económico o contable 회계기간, 회계연도
~ extraordinario (tribunal) 특별 개정기(開廷期)
~ fiscal (A) 회계기간, 회계연도
~ presidencial 대통령의 임기·재임기간
~ probatorio (소송단계의) 증거조사

peritación 감정(鑑定)
~ caligráfica 필적감정

peritaje 감정(鑑定)
~ aduanal 수입품 감정
~ censal (M) 부동산 감정사의 증언
~ forense 법의학 감정

perital ㊌ 전문가의

peritar (Sp) 전문가로서 업무를 보다

peritazgo (Ch, Ec) 전문가의 업무

peritear (CA) 전문가로서 업무를 보다

perito 감정인, 감정관
~ calígrafo 필적 감정인
~ catastral 부동산 감정사
~ comercial (Ec) 회계사
~ contador o de contabilidad 회계사

~ de averías 공동해손 정산인
~ mercantil (A, M) 회계사
~ tasador o valuador 평가감정인
~ testigo 감정인

perjudicado 피해자

perjudicar 손해를 끼치다

perjudicial ⓗ 해로운, 유해한

perjuicio 손실, 손해
~ de capital 자본 잠식
~ de hecho 사실상의 불법방해
~ de propiedad 재산상의 손해, 물적 손해
~ económico 금전상의 손실
~ efectivamente irrogado 실해(實害)
~ en sí mismo 법률상의 불법방해, 본질적 불법방해
~ patrimonial 재산 손실, 금전상의 손실

perjuicioso ⓗ 손해를 끼치는

perjurar, perjurarse 거짓 선서하다, 위증하다

perjurio 거짓 선서, 위증(죄)

perjuro 거짓 선서자, 위증자

permanencia 체류, 체재; 계속 점유・소유

permisible ⓗ 허가할 수 있는

permisión 허가, 인가

permisionario 허가증 소지자

permisivo ⓗ 허용하는

permiso 면허, 허가, 허가증(licencia, autorización)
~ de cambio 외환 교환허가
~ de circulación o de conducción (자동차) 운전면허
~ de conducir 운전면허
~ de construcción (PR) 건축허가
~ de declaración (세관) 입국허가
~ de edificación 건축허가
~ de estancia 체재허가
~ de exportación 수출허가
~ de importación 수입허가
~ de operación (자동차) (PR) 운전면허
~ de paso (V) 통행권
~ de reimportación (세관) (GB) 선박용품 허가서
~ de residencia 거주허가
~ de trabajo 노동허가

~ laboral 휴업

permitir 허락·허가하다

permuta 교환
~ de fincas 환지(換地)

perpetrador 범죄자, 가해자

perpetrar un delito 범죄를 저지르다

perpetuación de una prueba testimonial 증언 영속화

perpetuidad 영속성

perpetuo ⓗ 영속적인

persecución 소추(訴追)

perseguir 기소하다; 처벌하다

persona 인(人)
~ a cargo (Col) 부양가족
~ con antecedentes penales 전과자
~ con derecho al voto 유권자
~ de existencia ideal 법인
~ de existencia visible 자연인
~ , en 몸소, 직접
~ física o natural 자연인
~ interpuesta 중개인
~ jurídica o moral 법인
~ jurídica con ánimo de lucro 영리법인
~ jurídica de Derecho privado 사법인(私法人)
~ jurídica de Derecho público 공법인(公法人)
~ jurídica extranjera 외국법인(外國法人)
~ jurídica intermedia 중간법인(中間法人)
~ jurídica nacional 내국법인(內國法人)
~ jurídica sin ánimo de lucro 비영리법인
~ privada 개인, 사인(私人)

personas distintas del imputado a las que se toma declaración en un asunto penal (testigos, peritos, etc.) 참고인

persona non grata 기피 인물

persona que ostenta la patria potestad 친권자

personación 출두, 재정(在廷)
~ voluntaria 임의출두

personal a jornal 인부, 노동자

personalidad
~ jurídica 법인격

~ procesal 당사자적격(當事者適格)

personarse 출두하다

personería 대리인의 직; (Col) 변리인 사무소; 개성, 성격; 법적 능력
~ gremial (A) 노동조합의 지위
~ jurídica 법적 능력

personero 대리인; 시 변리공무원

personeros del estado (V) 정부 관리들

pertenencia 소유, 소속
~ metalífera 광산 소유지
~ salitrera (Ch) 초석(硝石)광산 소유권

pertenencias 소유물, 종속물; 종물(從物)

pertinencia 적절

pertinente ⓗ 적절한

perturbación 소란; 교란; 착란
~ del orden público 소란죄, 소요죄
~ mental 심신(心神)박약

perturbador 선동자, 교란자

pesar sobre 부담이 되다

peso de la prueba 입증책임, 거증책임

pesquisa 조사, 수사, 수색

pesquisante ⓗ 조사・수사・수색하는

pesquisidor 조사관, 심문관; 검시관(檢屍官)

petardista 사기꾼, 협잡배

petente (CA) 탄원자, 신청인

petición 청원, 청구
~ concluyente (M) 피고의 최종진술
~ de cesación 금지의 청구(acción interdictal)
~ de concordato (파산) 동의 탄원서
~ de herencia (M) 상속권 청구
~ de patente 특허 신청
~ de propuestas 입찰 모집
~ de quiebra 파산 신청
~ de sobreseimiento y archivo por parte del Ministerio Fiscal 기소유예(dejación de la acción penal por parte del Ministerio Fiscal)
~ por nueva audiencia 재심리 신청
~ por nuevo juicio 재심 신청
~ voluntaria (파산) (채무자의 도산절차) 개시신청

peticionante 청원인, 신청인; ⓗ 청원·탄원하는

peticionar 청원하다, 탄원하다

peticionario 청원인, 신청인; ⓗ 청원·탄원하는

petitorio 청원하는, 탄원하는

petitum 청구, 청구의 취지

picapleitos 소송을 부추기는 변호사, 악덕 변호사

picardía 교활함, 야비한 짓

pícaro (Col) 사기꾼, 야바위꾼, 좀도둑

pie 발; (Ch) 계약금
~ de la letra, al 글자 그대로

pieza 조각, 부분, 부품; 방
~ contable 재무제표
~ de autos 소송기록
~ de convicción 증거물, 증거물건
~ justicativa 증서, 영수증, 상환권

pignorable ⓗ 저당 잡힐 수 있는

pignoración 질권(質權) 설정(constitución de prenda)

pignoración 질입(質入)(entrega en prenda)
~ crediticia 채권질(債權質)
~ de derechos 권리질(權利質)

pignorar 저당 잡히다

pignoraticio ⓗ 근저당의, 담보의, 저당의

pillaje 약탈, 강탈

pillar 약탈·강탈하다

piratear 표절하다, 저작권·특허권을 침해하다

piratería 해적행위; 표절행위, 저작권 침해행위
~ aérea 항공기의 불법탈취, 항공기 납치, 하이재킹

piromanía 방화광(放火狂), 방화벽(放火癖)

pista (법률) 단서, 실마리; (공항) 활주로

pistolero 총잡이, 건맨, 갱

placa de policía 경찰 배지, 경찰 휘장

plagiar 표절하다

plagiario 표절자

plagio 표절

planeamiento urbanístico 도시계획(planificación urbanística)

planificación administrativa 행정계획

planilla de costas (변호사의) 비용 청구서

plano catastral 지적도

plantear 세우다, 설정하다; 제기하다
~ una apelación 항소·상고하다
~ un caso 고소하다
~ demanda 소송하다
~ excepción 이의신청을 하다
~ una huelga 파업을 일으키다·선언하다
~ una moción 동의안을 내다

plataforma continental 대륙붕

plausible ⑱ 칭찬할 만한; (법률) 그럴 듯한, 겉보기의

plaza 광장, 시장; 직장, 일자리
~ bancable o bancaria 금융단지; (Sp) Bank of Spain의 지점이 있는 상업단지
~ bursátil 증권시장
~ de cambios 외환시장
~ semibancable (Sp) Bank of Spain이 아닌 은행의 지점이 있는 상업단지

plazo 기한, 기간
~ , a 할부로, 신용대부로
~ adicional 부가(附加)기한
~ breve, de 단기간
~ convencional (M) 당사자 간에 합의한 소송기간
~ de actuación 행위기간
~ de caducidad 제척(除斥)기간, 권리의 법정존속기간
~ de gracia 거치기간, 유예기간
~ de patente 특허기간
~ de preaviso 예고기간
~ de prescripción 시효기간
~ de presentación a la aceptación 인수제시기간(引受提示期間)
~ de presentación al pago 지불제시기간(支拂提示期間)
~ de prohibición de nuevas nupcias 재혼금지기간, 대혼기간(待婚期間)
~ de reflexión (환어음 인수의) 숙려기간, 고려기간
~ de revocación (신용·원거리 판매의) 숙려기간, 고려기간
~ de suspensión 유예기간
~ de validez 유효기간
~ de vencimiento 유효기간 만료일
~ del contrato 계약기간
~ es de esencia 기한이 가장 중요하다
~ fatal 최종기한; 마감시한
~ fijo o determinado 지정기한
~ final o límite 최종기한
~ judicial 재정(裁定)기간

~ legal 법정(法定)기간
~ medio 평균 만기일
~ para la interposición del recurso contencioso administrativo 항고소송의 출소(出訴)기간
~ para recurrir en apelación 상소기간, 항소기간
~ perentorio 연장불가 기한
~ procesal 소송상의 기간
~ prudencial 상당한 기간

plebiscito 국민투표

pleiteador 소송 제기자, 소송 당사자

pleiteante 소송 당사자

pleitear 소송하다, 고소하다

pleito 소송, 고소, 쟁송
~ civil 민사소송
~ criminal 형사소송
~ de acreedores 파산절차
~ ejecutivo 강제집행소송
~ ordinario 정식소송
~ posesorio 점유소송
~ viciado 오심(誤審), 무효재판

plena vigencia, en 완전히 유효한

plenaria 총회; 합동위원회

plenario 정식소송절차; ⓗ 전부의, 전원의; 완전한

plenipotenciario 전권대사, 전권공사; ⓗ 전권을 위임받은

pleno 대법정 (↔ sala)

pleno ⓗ 완전한(completo)
~ cumplimiento 완제(完濟)
~ de la comisión 전체 위원회
~ del tribunal 대법정(大法廷)
~ derecho, de 법률적 차원에서
~ dominio 완전 소유권
~ interés concedido (해상보험) 피보험이익의 전부가 인정된
~ poder 전권(全權)
~ tribunal, en 법정에서

plenos
~ derechos del señor feudal 영주(領主)권
~ poderes 전권위임(plenas facultades)

plica 밀봉서(密封書), 에스크로, 조건부 날인증서, 제3자 기탁금

pliego 폴더, 파일; 서류; 종이

~ de aduana 통관신고서
~ de condiciones 명세서; 시방서, 설계명세서; 입찰조건
~ de costas (변호사의) 비용청구서
~ de excepciones 항고서
~ de licitación 입찰 서식; 입찰 안내서
~ de petición 탄원서
~ de posiciones 질문서
~ de propuestas 제안서; 입찰 서식

plural ㉻ 복수의

pluralidad 복수성, 다수
~ absoluta 절대 다수
~ relativa 상대 다수

plus 특별 수당, 보너스
~ petición 초과손실 배상요구
~ salarial 할증임금(割增賃金)

plusvalía (회계) 성가(聲價), 영업권; (경제) (가치의) 자연증가, 불로(不勞)증가
~ adquirida 취득영업권
~ de consolidación 연결영업권

plusvalor (가치의) 자연증가, 불로(不勞)증가

plutocracia 금권정치

pobre 가난한 사람; ㉻ 가난한, 빈곤한

pobreza 가난, 빈곤

poder 권력, 권; 위임장; 대리권
~ a bordo 선장의 지휘권
~ aparente 표현적 대리권, 외관상의 권한
~ bastante 유권대리
~ beneficioso 실질적 권한
~ cancelatorio (Pe) 법정통화
~ constituyente 제헌권, 헌법제정권력
~ de representación 대표권, 대리권
~ de substituir 교체권
~ ejecutivo 행정권, 행정부
~ , en el 정권을 잡은, 권한이 있는
~ especial 특별위임; 특별위임장
~ general 전권위임장, 포괄위임장
~ impositivo o de imposición 조세권
~ judicial 사법권, 사법부
~ legislativo 입법권, 입법부
~ liberatorio, de 법정통화
~ para pleitos 소송위임장
~ para pleitos 소송위임, 소송대리권
~ , por 대리인에 의한; 권한으로

~ unilateral (이해관계가 없는) 단순 권한

poderante 본인, 위임인

poder-deber (M) 법적 의무

poder-derecho (M) 법적 권리

poderhabiente 대리인, 수탁자

poderes accesorios o concomitantes (회사) 부수적 권능

poderes del Estado 삼권(~ ejecutivo, legislativo y judicial)

poderío 세력, 권력; 부귀; 재판권, 관할권

poliandria 일처다부(一妻多夫)

policía 경찰
~ administrativa 행정경찰
~ criminal 형사경찰
~ de aduanas 세관경찰
~ de estrados 법정(法廷)경찰
~ de tráfico o de circulación 교통경찰
~ estatal 국가경찰; 주(州)경찰
~ judicial 사법경찰
~ secreta 비밀경찰
~ vial 이동(移動)경찰

Policía Nacional 국가경찰

policía 경찰관
~ cívico (Col) 민간경찰
~ de tránsito 교통경찰

policíaco ⓗ 경찰의; 탐정의

policial (AC, Col) 경찰관

policiano (Ec, Ch) 경찰관

policitación 편약(片約), 신청단계에 있는 계약

poligamia 일부다처(一夫多妻)

polígamo 일부다처자; ⓗ 일부다처의

polineurítica ⓗ 다발성 신경염의

política 정치; 정책
~ arancelaria o aduanera o aduanal 관세정책
~ criminal 형사정책, 형정(刑政)
~ económica 경제정책; 실전(實戰)경제학
~ estatal 국정(國政)
~ exterior 외교정책
~ impositiva 조세정책

~ pública 공공정책

politicastro 정상배(政商輩), 사이비 정치가

político 정치가; ⑱ 정치의; 의로 맺어진

politiqueo 정치 공작, 정치적 흥정

politiquería 책략, 정치적 흥정

politiquero 책사(策士), 정치꾼, 정상배(政商輩)

politiquismo 정치; 책략

póliza 보험증권; 증명서, 허가증, 신고서, 증권, 계약서, 상환권
~ abierta 선명(船名) 미상 보험증권, 포괄 보험증권 · 증권 · 계약서
~ avaluada o de valor declarado o preferido 확정보험증권, 기(旣)평가보험
~ de aduana 세관 허가
~ de anticipo (M) 창고화물 담보 대출계약서
~ de carga (Sp) 선하증권; (보험) 적하보험증권
~ de compra (Sp) 매도증; (M) 지출결의서, 출금전표
~ de consumo (세관) 국내소비용 통관허가
~ de contrato 계약서 양식
~ de crédito en cuenta corriente (은행) (Sp) 당좌대월 승인
~ de crédito sobre valores (은행) (Sp) 담보대출 승인
~ de embarque (C) 수출허가; (Sp) 선하증권
~ de fianza 보증서
~ de fidelidad 신용보험; 신원보증; 충실증서
~ de fletamento 용선계약서
~ de prenda (M) 담보계약서
~ de reembarque (세관) 재(再)선적 인가서
~ de seguro 보험증권
~ limpia de fletamento (해운) 하자 없는 용선

polizonte (경멸적) 경찰

ponderación 참작

ponencia 결정, 판결, 재정(裁定); 중재, 중재 위원회; 진술, 의견; 제안, 발표(문), 동의안; 위원장의 직

ponente 중재인; 발표자, 동의안 제출자; 위원장; 수명법관(受命法官)(magistrado ~)
~ de la quiebra 파산 관리인

poner 놓다, 제출하다
~ una demanda 청구권을 내세우다; 요구하다
~ en conocimiento 알리다
~ la firma 서명하다
~ una objeción 이의를 제기하다, 반대하다
~ pleito 고소하다, 소송하다
~ por escrito 글로 쓰다, 서면으로 하다, 문서화하다

ponerse de acuerdo 합의하다

populismo 포퓰리즘, 대중영합주의

por
- ~ avalúo 가격에 따른, 종가(從價)
- ~ cabeza 1인당
- ~ ciento 퍼센트, 백분율
- ~ cuanto ~인 까닭에
- ~ encargo 대리로; 권한으로
- ~ estirpe 대습(代襲)의, 분주(分株)에 의한
- ~ pagar 지불해야 할
- ~ poder 대리로, 권한으로
- ~ procuración 대리로, 권한으로
- ~ sí mismo 그 자체가, 본질적으로
- ~ tanto 따라서

porción 분량, 몫
- ~ hereditaria 상속분(相續分)
- ~ legítima 유류분(遺留分)

porcionero 참가자

pormenorizar 조목별・세목별로 쓰다

portadocumentos 서류가방

portador 소지인, 지참인
- ~ , al 지참인에게
- ~ de seguros (M) 보험자
- ~ inocente o legítimo o de buena fe 선량한 소지인

portafolio 서류가방, 포트폴리오

portapliegos 서류가방; (Pe, Ch) 배달인, 송달리(送達吏)

portar armas 총기를 소지하다

portavoz 대변인; 메가폰

porte 운송; 운임
- ~ pagado 운임 선불; 우편요금 선급

porteador público 일반 운수업자, 공중 통신업자

posdatar 날짜를 실제보다 늦추어 달다; 선일부(先日付)로 하다

poseedor 소유자, 점유자
- ~ de acciones 주주(株主)
- ~ de buena fe 정당한 소지인; 선의의 점유자
- ~ de mala fe 불성실한・악의의 점유자
- ~ de obligaciones 사채권 소지자, 공채증서 소지자
- ~ de patente 특허권 소유자
- ~ originario 본래점유

poseer 소유・점유하다

posesión 점유(占有)

la posesión de los bienes muebles equivale al título 동산의 점유는 권리 효력이 있다

~ actual (A) 실제적 점유(*actual possession*)

~ civil (en concepto de dueño) 자주점유(自主占有)

~ de buena fe 선의점유(善意占有)

~ de mala fe 악의점유(惡意占有)

~ derivada 파생적 점유

~ efectiva 실제적 점유

~ efectiva de la herencia (Ch) 상속절차

~ en concepto de dueño 자주점유

~ en precario 권리 없는 점유

~ exclusiva 배타적 점유

~ extensible 연장가능 부동산권

~ hostil 자주점유(*hostil possession*)

~ ilegítima 불법점유

~ imaginaria o artificiosa (A) 의제적 점유

~ indirecta o por medio de representante 대리점유(代理占有)

~ inmemorial 먼 옛날부터의 점유

~ legal o *de jure* 의제점유

~ limitada o contingente 한정 부동산권

~ manifiesta o patente 공개점유

~ material o corporal 물질점유

~ natural 본래점유

~ no en concepto de dueño 타주점유(他主占有)(mera tenencia o detentación)

~ notoria 주지(周知)의 점유

~ nuda 단순점유

~ originaria o física 물질점유

~ pacífica 평온한 향유(享有)

~ por años determinados 정기(定期)부동산권

~ por tolerancia 점유묵인 부동산권

~ precaria 권리 없는 점유

~ real 실제적 점유

~ simbólica 의제점유

~ viciosa 권리 없는 점유

~ violenta 과격한 점유

posesiones 재산, 부유(富裕)

posesionarse 점유하다, 강점(强占)하다

posesor 소유자, 점유자, 임자

~ de buena fe 선의의 소유자, 권리상 하자를 인식하지 못한 소유자

~ de mala fe 악의의 소유자, 권리상 하자를 인식한 소유자

posesorio ⓗ 소유의, 점유의

posfechado ⓗ 날짜를 실제보다 늦추어 단

posibilidad 가능성

posición 위치; 입장, 견해, 주장; 지위; 품목
~ legal 법적 지위; 법적 주장

posiciones de la tarifa 관세 품목

positivo ⓗ 긍정적인; 적극적인

posliminio, postliminio 귀국권(歸國權)

post data 나중 날짜, 사후 일자

postdatación 선일부(先日付)

postdatar 날짜를 실제보다 늦추어 달다; 선일부(先日付)로 하다

postefectivo ⓗ 효력 발생 후의

posteridad 자손; 후세

posterioridad 뒤에 오는 것; 후시성(後時性); 후천성

postliminio [국] 전후(戰後) 복권, 전후 원상회복권

post mortem 사후(死後)

postor 경매 참가자, 입찰자
~ favorecido 낙찰자
~ menor 최저 입찰자
~ mayor o mejor 최고 입찰자

postulación 청구, 청원(petición)

postular 요구하다, 청원하다; 지명 추천하다

postumidad 사후(死後)의 일

póstumo ⓗ 사후(死後)의; 유복자로 태어난

postura 자세, 포즈; 입찰, 입찰가; 계약, 협정

potestad 권한, 권(權)
~ constitucional 법령심사권, 위헌입법심사권
~ disciplinaria (부모・후견인・기업가 등의) 징계권
~ discrecional 재량권
~ instructora (형사소송의 수사) 지휘권
~ libre 절대권; 임의적 권한
~ obligada 수임(受任) 권한
~ reglamentaria (대통령・행정부의) 법규・고시 제정권
~ regulada 통제된 권한
~ sancionadora 징계권

potestades
~ administrativas 행정권한
~ o facultades de la iglesia 교권(敎權)
~ o facultades del cabeza de familia, derechos del *pater familias* 호주권
~ o facultades públicas 공권(公權)

potestativo ⓗ 임의의

práctica 실행; 실습, 연습; 습관; 경험
~ comercial 상관습
~ , en 실제로
~ forense 절차 규약, 처리 규칙
~ jurídica 사법연수
~ parlamentaria 국회법
~s de las pruebas 증거조사

practicable ⓗ 실행할 수 있는

practicar 행하다, 실행하다; 연습하다
~ un balance 대차대조표를 작성하다
~ una decretada (Col) 법령을 공포하다
~ inventario 재고조사를 하다
~ una liquidación 청산 · 결산 · 변제하다
~ una necropsia 검시 · 부검하다
~ una pedida (Col) 탄원서를 제출하다
~ el protesto (상업) 어음 지급을 거절하다; 거절 증서를 작성하다
~ prueba 증거를 제출하다
~ una tasación 평가 · 감정하다

pragmática 칙령, 포고령, 긴급명령

preámbulo 전문(前文)

preaviso 예고
~ de despido 해고 예고

prebenda 특권, 특전(privilegio)

prebenda real 왕권(王權)

precario 부동산 사용대차(使用貸借), 무상이용계약, 무상대차; ⓗ 불안정한; 권리 없이 사용 · 점유하는

precarista 권리 없는 점유자

precaucional ⓗ (A) 예방의

precautorio ⓗ 예방의; 주의하는

precedencia 앞임, 먼저임, 선행(先行); 우선권

precedente 재판례, 선례; ⓗ 앞의, 선례의

preceptivo ⓗ 규정의; 준수해야 하는

precepto 규정, 조문(條文)
~ constitucional 헌법 규정
~ de ley 법의 규칙, 법률 규정
~ sancionador 처벌 규정

preceptuar 규칙을 정하다, 규정하다

preciador 감정인

preciar 감정하다, 평가하다

precio 값, 가격, 대금
- ~ acordado 협정가격
- ~ agrícola 농산물가격
- ~ al consumidor 소비자가격
- ~ al contado 현금가격
- ~ al por mayor 도매가격
- ~ al por menor 소매가격
- ~ al productor 생산자가격
- ~ alzado o global 일시불; 일괄지급, 총액지급
- ~ apropiado 적정가격
- ~ base o básico 기준가격
- ~ cierto 소정의 가격
- ~ competitivo o de competencia 경쟁가격
- ~ con descuento 할인가격
- ~ corriente o de plaza o de mercado 시장가격(市場價格)
- ~ cotizado 호가(呼價)
- ~ de avalúo 감정가(鑑定價)
- ~ de demanda 입찰가; 매수호가(買受呼價)
- ~ de dinero 이자율
- ~ de fábrica 공장도가격
- ~ de oferta 판매신청가격, 매도호가(賣渡呼價)
- ~ de paridad (US) 패리티 가격, 평형가격
- ~ de transferencia 이전(移轉)가격
- ~ de venta al público 소비자가격(消費者價格)
- ~ definitivo 확약가격
- ~ en vigor 현행가격
- ~ facturado o de factura 송장가격
- ~ fijado 정가(定價)
- ~ justo 정당한 보상가격(補償價格)(justiprecio de una expropiación)
- ~ medio 평균가격
- ~ mínimo fijado (경매시) 최저가격
- ~ nominal 명목가격
- ~ para venta a crédito 외상거래가격
- ~ para venta interior 국내판매가격
- ~ por pieza o unidad 단가, 단위가격
- ~ prefijado 지정(指定)가격(precio límite o máximo preestablecido)
- ~ público 공정가격(公定價格)
- ~ razonable 합리적 가격
- ~ real 실제가격
- ~ rebajado o reducido 할인가격
- ~ regulado 통제가격
- ~ regulador o regular 표준가격
- ~ reservado 유보가격, 최대지불의사
- ~ sostenido 지지가격(*support price*)

~ techo o tope 최고가격, 한계가격
~ último 최종가격
~ variable 변동가격
~ vigente 현행가격

precios dirigidos o intervenidos 가격통제

preclusión 소송 단계상의 마감, 소송상의 기간만료

precontractual ⓗ 예약의

precontrato 예약

predecesor 선인, 선조; 전임자

predeterminación del fallo 예단(豫斷)

predial ⓗ 토지의, 부동산의

predio 토지
~ dominante 요역지(要役地)
~ edificado 개량부동산
~ rural o rústico 농업용지, 농지(農地)
~ sirviente 승역지(承役地)
~ urbano 택지, 부지(敷地)

predisponer 불리하게 하다

predisposición 불리; 체질, 성벽(性癖)

preefectivo ⓗ 선(先)효과의

prefecto (프랑스의) 지사, 파리 시 경찰국장; 의장, 총재

prefectura 도, 군(郡); 도청, 지사 관저; 감독 직
~ de policía 경찰본부
~ de puerto 항무(港務)부장, 항만장

preferencia 더 좋아하는 것; 우선권; 특혜

preferente ⓗ 우선의, 우선적인

pregón 큰 소리로 알림; 외치며 팔기

pregonero 경매인; (공판정의) 정리(廷吏), 고지인

pregunta 질문, 신문(訊問)
~ capciosa 유도신문
~ categórica 범주적 질문
~ hipotética 가정적 질문
~ impertinente 부적절한 질문
~ pertinente 적절한 질문
~ que insinúa la respuesta 유도 신문
~ sugestiva 유도 신문
~s añadidas (Sp) 이차 질문서

~s generales de la ley 인정신문

preguntar 묻다, 질문하다, 심문하다

preindicado ⓗ 앞에서 언급한, 전술(前述)한

prejudicial ⓗ 선결(先決)의

prejuicio, prejudicio 편견, 선입관; 억측

prejuzgar 미리 판단하다; 충분히 심리하지 않고 판결하다

prelación 순위
~ hipotecaria 저당권의 순위

prelativo ⓗ 우선권의; 차별적인; 특혜인

preliminar ⓗ 예비의, 예비적인

premeditación 예모(豫謀), 예비모의

premeditado ⓗ 미리 생각한, 계획적인

premisas 전술한 사항; 증서의 두서(頭書)

premio 상금

premoriencia 상속 전(前) 사망

premorir 앞서 죽다

premuerto ⓗ 앞서 죽은

premura 긴급; 독촉함

prenda 저당, 담보물; (M) 동산저당
~ agraria (A) 농업담보대출
~ con desplazamiento 양도(讓渡)담보
~ flotante 유동(流動)담보
~ inmobiliaria 부동산질(不動産質)
~ inscrita 등록질(登錄質)
~ mobiliaria 동산질(動産質)
~ sobre derechos 권리질(權利質)

prendador 저당주, 저당 잡힌 사람

prendar 담보・저당으로 잡다・잡히다

prendario ⓗ 담보의

prenombrado ⓗ 전술한, 앞서 적은

prepago 선불

preparación de la apelación 항소 신청(solicitud de apelación)

preparación de la casación 상고 신청(solicitud de casación)

preparado ⓗ 준비가 된

preparar, prepararse 준비하다

prerrogativa 특권
~ imperial 대권(大權)
~ imperial de concesión de condecoraciones y distinciones honoríficas 영전수여대권
~ imperial de declarar el estado de emergencia 비상대권
~ real 왕권
~s divinas del emperador 신성왕권

prescribir 규정하다; 시효(時效)에 걸리다; 실효(失效)하다

prescripción 규정; 시효; 실효
~ adquisitiva 취득시효; 불법점유
~ de la acción 소권의 시효
~ de la acción penal 공소시효
~ de delito o de la pena 형의 시효
~ extintiva 소멸시효
~ extintiva de corto plazo 단기시효
~ liberatoria (A) 시효가 지나 소멸된 채무
~ negativa 해태(懈怠)

prescriptible ㉠ 시효에 의한; 실효되는

prescriptivo ㉠ 규정하는; 시효에 의해 얻은

prescrito ㉠ 제한 규정에 묶인

presencia 출석, 입회
~ de, en ~의 면전에서

presenciar una reunión 회의에 참석하다

presentación 제시(提示)
~ a la aceptación 인수제시(引受提示)

presentante 제시·제출하는 사람

presentar 제시·제출하다; 소개하다; 선사하다
~ al pago 지급해달라고 제시하다
~ una moción 동의안을 내다
~ prueba 증거를 내놓다
~ reclamación 클레임을 제기하다
~ un recurso 항소를 제기하다
~ la renuncia 사직서를 제출하다
~ una solicitud 신청서를 제출하다

presente ㉠ 현재의
~ , por la 현재로

preservativo ㉠ 예방의, 예방하는

presidario 죄수, 기결수

presidencia 대통령·사장·총재·의장의 직; 통할, 주재(主宰)

~ municipal (M) 시장실(市長室)

Presidencia del Gobierno 대통령궁; 수상부(首相府)

presidenta 여 대통령 · 사장 · 총재 · 의장

presidente 대통령, 사장, 의장, ~장
~ actuante (C) 의장 대리, 대통령 서리
~ de una compañía 사장(社長)
~ del consejo o de la junta o de la mesa 위원회 의장
~ del consejo de administración 이사회장(理事會長)
~ del jurado 배심장(陪審長)
~ electo 대통령 당선자
~ en ejercicio 의장 대리, 대통령 서리; 현직 대통령 · 의장
~ interino 의장 대리, 대통령 서리
~ municipal 시장

Presidente del Gobierno 수상(首相); (Sp) 총리
~ de la Cámara 하원의장
~ del tribunal 재판장
~ del Tribunal Supremo 대법원장

presidio 감옥, 교도소; 자유형(自由刑)
~ menor en su grado mínimo (Ch) 최저 61일~최고 540일의 금고형
~ menor en su grado medio (Ch) 최저 541일~최고 3년의 금고형
~ menor en su grado máximo (Ch) 최저 3년 1일~최고 5년의 금고형
~ mayor en su grado mínimo (Ch) 최저 5년 1일 ~최고 10년의 금고형
~ mayor en su grado medio (Ch) 최저 10년 1일 ~최고 15년의 금고형
~ mayor en su grado máximo (Ch) 최저 15년 1일 ~최고 20년의 금고형
~ perpetuo 종신형

presidir 주재하다, 통할하다; 사회를 보다

preso 죄수

prestación 제공; 급부(給付)
~ básica por cuidado de hijo 육아(育兒)휴직 기본급여
~ de servicios 용역공급(用役供給)
~ específica 특정 이행
~ pecuniaria 대부(貸付)
~ periódica o de pago periódico 정기급여
~ por cuidado de hijo 육아휴직급여
~ por desempleo 실업급부
~ por maternidad 출산휴가급부
~ por retorno al trabajo tras cuidado de hijo 육아휴직자 직장복귀급여
~ social 사회복지사업, 사회봉사

prestaciones
~ asistenciales 사회복지사업
~ económicas 복지 급부금(연금)

prestador 빌려주는 사람, 대주(貸主)

~ a la gruesa 선박모험대차의 대주

prestamista 대주(貸主)

préstamo 대차(貸借); 대부; 대부금; 차금
~ a cambio marítimo 선박저당 대차
~ a descubierto 무담보 대출
~ a la gruesa o a riesgo marítimo 선박저당 대차, 적하모험 대차
~ a sola firme 무담보 대출
~ a vista 요구불 채무, 당좌대월, 단기 융자
~ de anticipo 선불금(성매매 여성이나 유흥업소 종업원의)
~ de consumo 소비대차
~ de uso gratuito 사용대차
~ diario 데이론(*day loan*),당일 (상환) 대출
~ dinerario 금전대부
~ hipotecario 저당질(抵當質)
~ leonino 폭리대부
~ quirografario 무담보 대출
~ solidario 연대보증인이 있는 금전대차
~ usuario 폭리대부
~ y arriendo (동맹국에의) 무기(武器) 대여

prestar 제공하다; 빌려주다; (Col, CA) 빌리다; 돕다
~ caución 담보를 제공하다
~ fianza 보증하다; 보석금을 내다
~ garantía 보증인을 세우다
~ juramento 선서하다
~ un servicio 용역을 제공하다
~ sobre hipoteca 담보 대출하다

prestatario 차주(借主)

presumir 추정하다(~ de hecho), 간주하다 (~ de derecho)

presunción 추정(*iuris tantum*)
~ absoluta 확실한 추정
~ concluyente 확실한 추정
~ de buena fe 선의(善意)의 추정
~ de conmoriencia 동시사망의 추정
~ de derecho 간주, 의제 (반증이 불가능함)
~ de desistimiento de la demanda 소 취하의 의제(擬制)
~ de fallecimiento 사망의 추정
~ de hecho 추정(반증이 가능함)
~ de inculpabilidad 무죄의 추정
~ de inocencia 무죄의 추정
~ de supervivencia 생존의 추정
~ dudosa 확실치 않은 추정
~ humana (M) 사실상의 추정
~ *juris et de jure* 법률 및 권리상의 추정
~ *juris tantum* 반증을 허용하는 법률상의 추정

~ legal o de derecho 법률상의 추정
~ razonable 논리상 당연한 추정
~ rebatible o refutable 반증을 허용하는 추정
~ relativa 반증을 허용하는 추정
~ simple 사실상의 추정
~ violenta 억지스런 추정

presuncional ⓗ (M) 추정의, 추정적인

presuntivo ⓗ 추정의, 추정적인

presunto heredero 추정 상속인

presupuesto 예산
~ nacional o del Estado 국가예산

presupuestos procesales 소송의 선행조건, 소송의 규칙

pretender 바라다; 구하다; 시도하다; 주장하다

pretendiente 지망자, 희망자; ⓗ 바라는, 지망하는

pretensión 청구; 소송의 목적
~ adicional 추가청구
~ litigiosa 소송의 목적
~ principal 본소(本訴)청구
~ reconvencional 반소(反訴)청구
~ subsidiaria 부수적 청구
~es acumuladas 병합청구
~es procesales 소송상의 청구

preterición 상속인의 누락

preterintencional 미리 생각하지 않은

preterintencionalidad 고의(故意) 불충분, 고의의 범위를 초과하여 예상보다 중대한 결과가 발생한 것(형의 경감사유)

preterir (A) 빼다, 빠뜨리다, 생략하다

pretexto 구실, 핑계, 변명

pretor (M) 하급법원의 판사

pretorio (C) 재판정(裁判廷)

pre-tratado 가(假)조약

prevalencia de la Ley 법률의 우위

prevalencia de los precedentes jurisprudenciales [영미] 판례불변경

prevaricación 배신; 배임, 독직(瀆職); 직권남용

prevaricar 배임·독직하다

prevaricato 배임, 독직(瀆職)

prevención 예방; 예견; 주의; 경고
~ de accidentes 사고예방, 사고방지
~ social 사회보장

prevenir 예방 · 예견 · 주의 · 경고하다

prevenirse 대비하다

preventivo ㉻ 예방의

preventorio (Col) 소년원

previo, previa ㉻ 앞선, 사전의
~ a resolución 결의에 따른
~ acuerdo 합의를 조건으로
~ aviso 예고
~ informe 보고서를 받은 후
~ pago 먼저 지급을 하면
~ requerimiento 소환장을 받은 후

previsibilidad (해로운 결과의) 예견가능성, 기대가능성

prima 보험료

primer
~ delito 초범(初犯)
~ gravamen 선순위 담보권
~ magistrado 최고 행정관

Primer Ministro 국무총리, 수상

primera
~ de cambio 제1어음, 환어음 제1권
~ delincuencia 초범
~ hipoteca 제1순위 저당
~ instancia 제1심; 첫 공판
~ parte 제1당사자

primogénito 장자, 장남

primogenitura 장자권

primordial ㉻ 본래의; 주요한; 근원적인

principal 본인; 원금, 원본(元本)(↔ intereses)

principal ㉻ 주요한

príncipe heredero 황태자(皇太子)

principio 원칙
~ acusatorio (고소 없는 재판을 금하는) 불고불리(不告不理)의 원칙 (↔ ~ de oficialidad)
~ acusatorio (기소기관과 재판기관이 분리된) 탄핵주의 (↔ ~ inquisitorio)
~ "ante la duda, la pena más leve" 의심스러운 경우에는 가장 가벼운 형을 적용한다는 원칙

~ *clean hands* 결백의 원칙
~ *clean slate* [국] 깨끗한 경력 원칙
~ contable de gestión continuada 계속성의 원칙
~ culpabilista 과실책임주의
~ de aconfesionalidad del Estado 정교분리의 원칙(~ de separación entre religión y Estado)
~ de acusación forzosa o imperativa 기소법정주의
~ de adaptación del proceso 소송 원인과 형식 일치의 원칙
~ de adquisición procesal 증거 공유의 원칙
~ de agotamiento previo de la vía interna 내부 구제절차 우선 충족의 원칙, 국내적 구제의 원칙
~ de aportación de parte 변론주의
~ de aportación permanente de medios probatorios 증거의 수시제출주의
~ de audiencia bilateral 쌍방심문주의
~ de audiencia unilateral 일방심문주의
~ de autonomía de la voluntad de las partes 사적자치(私的自治)의 원칙
~ de autonomía privada 사적자치의 원칙
~ de autonomía regional 지방자치의 원칙
~ de averiguación de la verdad material 증거재판주의
~ de bilateralidad 양당사자대립주의
~ de capacidad económica o contributiva (재정) 공평부담의 원칙
~ de claridad de los registros y anotaciones contables 등기사항 명료성의 원칙
~ de concentración 심리집중의 원칙
~ de continuidad [국] 계속원칙
~ de controversia 변론권 부여의 원칙
~ de consumación procesal 절차 완성-소송 소멸의 원칙
~ de convalidación 반론이 없으면 무효원인이 상쇄될 수 있다는 확인의 원칙
~ de derecho 법률 원칙
~ de economía procesal 소송경제의 원칙
~ de eficacia procesal 효과적 재판의 원칙
~ de ejercicio discrecional de las potestades administrativas 행정 재량주의
~ de equilibrio de prestaciones en la contratación laboral 노동계약의 대등결정의 원칙
~ de escritura 서면심리주의(↔ ~ de oralidad)
~ de evitación máxima del juicio de constitucionalidad (법원의) 헌법판단회피의 원칙
~ de favor *testamenti* 유언(遺言)보호의 원칙
~ de hegemonía de la Ley 법률의 우위 원칙
~ de hegemonía del Estado de Derecho 법치주의
~ de igualdad de los accionistas 주주(株主)평등의 원칙
~ de igualdad de medios de ataque y defensa 당사자 대등의 원칙
~ de igualdad entre nacionales y extranjeros 내외국인 평등의 원칙
~ de igualdad procesal de las partes 당사자 대등의 원칙
~ de imposición efectiva 실질과세의 원칙
~ de impulsión procesal 쌍방 추진의 원칙
~ de impulso procesal de parte 당사자(진행)주의
~ de independencia de los colitigantes o litisconsortes 공동소송인 독립의 원칙

~ de indivisibilidad de las acciones y participaciones sociales 주식불가분의 원칙
~ de indivisibilidad de las causas penales 공소불가분의 원칙
~ de iniciativa de las partes 당사자진행주의
~ de inmediación 직접주의, 직접심리주의(直接審理主義)
~ de insuficiencia de la declaración autoinculpatoria como único medio probatorio (자백이 유일한 증거일 때의) 보강법칙
~ de irretroactividad de las disposiciones sancionadoras 형벌불소급의 원칙
~ de irretroactividad de las leyes 법률불소급의 원칙
~ de justicia rogada 당사자주의, 당사자진행주의
~ de la apariencia de derecho (권리외관을 갖춘 자와 선의의 계약을 한 자를 보호하는) 법률공신(公信)의 원칙
~ de la emisión 발신주의(發信主義)
~ de la ley del domicilio o lugar de residencia oficial [국]주소지법(住所地法)주의
~ de la ley personal [국] 속인법주의
~ de la ley territorial [국] 속지법주의
~ de la libertad de las formas 소송 형식선택권의 원칙
~ de la no disminución de capital 자본 불변의 원칙
~ de la no extradición de los nacionales 자국민 불인도(不引渡)의 원칙
~ de la no extradición de personas acusadas de delitos políticos 정치범 불인도(不引渡)의 원칙
~ de la orden o autorización judicial previa 영장주의
~ de la prescripción 시효 원칙
~ de la primogenitura 장자상속(長子相續)주의
~ de la recepción (의사표시의 효과는 수령을 해야 발생한다는) 도달주의
~ de la responsabilidad derivada de los actos propios 자기책임의 원칙
~ de la *tabula rasa* 자명한 이치의 원칙
~ de la tributación en destino 도착지과세원칙
~ de la varonía 남계(男系)혈통주의
~ de la verdad formal (민사재판에서의) 형식적 진실주의
~ de la verdad material (형사재판에서의) 실체적 진실주의
~ de lealtad y buena fe 신의성실의 원칙
~ de legalidad penal 죄형법정주의
~ de libertad contractual 계약자유의 원칙
~ de libertad de nombre comercial 상호(商號)자유의 원칙
~ de libertad de ofrecimiento y aceptación 인수제시(引受提示)자유의 원칙
~ de libre valoración o apreciación de la prueba 자유심증주의 (↔ ~ de prueba tasada)
~ de mantenimiento del capital 자본충실의 원칙
~ de necesidad de agotamiento previo de la vía administrativa 소원전치(訴願前置)주의, 행정심판전치주의
~ de necesidad de la demanda 소(訴)의 이익
~ de no necesidad de inmediación (증거조사와 구두변론에 입회하지 않은 다른 판사가 판결을 내릴 수 있다는) 간접주의, 간접심리주의(間接審理主義)
~ de no prelación de créditos o de igualdad entre acreedores 채권자 평등의 원칙
~ de norma mínima [노] 유리(有利)원칙
~ de nulidad de las pruebas obtenidas ilícitamente 위법수집증거 배제원칙
~ de *numerus clausus* en los derechos reales 물권(物權)법정(法定)주의

~ de obligatoriedad del acto de conciliación previo 조정(調停)전치주의
~ de oficialidad 직권주의, 직권진행주의(~ de actuación de oficio o impulso de oficio de las actuaciones judiciales)
~ de oportunidad 기소편의주의
~ de oralidad 구두주의, 구두심리주의
~ de persecución de los delitos a instancia exclusiva del Ministerio Fiscal 기소독점주의
~ de persecución de los delitos a instancia exclusiva del ofendido 피해자소추주의
~ de persecución privada o a instancia de parte de los delitos 사인소추주의(私人訴追主義)
~ de persecución pública o de oficio de los delitos 국가소추주의(國家訴追主義)
~ de primera invención 선(先)발명주의
~ de prevalencia de la Ley 법률우위의 원칙
~ de prevalencia de los precedentes jurisprudenciales [영미] 판례 불변경의 원칙(*stare decisis*)
~ de prioridad presupuestaria del Congreso 예산(豫算) 우선 심의권
~ de prioridad temporal 선원주의(先願主義)(*prior tempore potior iure*)
~ de probidad 성실의 원칙
~ de prohibición de la predeterminación del fallo 예단(豫斷)배제의 원칙
~ de proporcionalidad 비례원칙
~ de proporcionalidad de las penas 가감례(加減例)
~ de proporcionalidad en el ejercicio de la autoridad policial 경찰비례의 원칙
~ de prueba tasada 법정증거(法定證據)주의 (↔ ~ de libre apreciación)
~ de publicidad de las actuaciones judiciales 소송의 일반공개주의, 공개주의
~ de publicidad de los derechos reales 공시의 원칙
~ de reciprocidad [국] 상호주의
~ de reserva de Ley 법률유보의 원칙
~ de reserva de Ley tributaria 조세법률주의
~ de separación de poderes 권력분립주의
~ de supremacía civil 문민통제의 원칙, 문민우월제
~ de unidad de actuación del Ministerio Fiscal 검사(檢事)동일체의 원칙
~ de unidad de nombre comercial 상호(商號)단일의 원칙
~ de veracidad contable 진실성의 원칙
~ del desembolso efectivo del capital 자본확정의 원칙
~ del divorcio causal (법에 정한 사유에 의해서만 이혼이 성립되는) 이혼 유책(有責) 주의
~ del divorcio no causal 파탄(破綻)주의
~ del *ius sanguini* 혈통주의, 속인주의
~ del *ius soli* 출생지주의
~ del juez imparcial 공명한 재판의 원칙
~ del pabellón 기국주의(旗國主義)
~ dispositivo 처분권주의(處分權主義)
~ *equality of arms* 당사자대등의 원칙
~ inquisitivo o inquisitorio (기소기관과 재판기관이 분리되지 않은) 규문주의(糾問主義)
~ *iura novit curia* 판사는 법을 알고 있다
~ legal 입법주의

~ "Ley especial prevalece sobre la general" 특별법우위의 원칙
~ "Ley posterior deroga a la anterior" 후법(後法)우위의 원칙, 뒤에 만들어진 법이 앞의 법을 폐지한다(*Lex posterior derogat legi priori*)
~ "manos limpias" [국] 클린 핸드
~ "no hay juicio sin previa demanda" 소(訴)가 없으면 재판하지 않는다
~ *non bis in idem* [영미] 이중(二重)위험; [대륙] 일사부재리(一事不再理)
~ *non bis in idem* 일사부재리(一事不再理)
~ *pacta tertiis* 조약(條約)은 제삼자에게 이익을 주거나 해를 끼칠 수 없다
~ plenario 공판(公判)중심주의
~ *prior tempore potior iure* 선원주의(先願主義)
~ "quien usa paga" 사용자부담원칙
~ *rebus sic stantibus* o de adaptabilidad de los contratos a la variación de las circunstancias 사정변경의 원칙
~ rogatorio 당사자주의, 당사자진행주의
~ "una cosa, un derecho" 일물일권주의(一物一權主義)
~ *uti possidetis* 점령지 보유의 원칙

principios contables 기업회계원칙

principios generales del Derecho 법의 일반원칙

prioridad 우선권

prisión 감옥, 교도소; 자유형(pena privativa de libertad)
~ como pena firme 구치(↔ ~ provisional o preventiva)
~ domiciliaria 가택연금
~ de menores 소년교도소
~ estatal 주립 교도소
~ ilegal 불법감금
~ incomunicada 독방 감금
~ perpetua o vitalicia 종신형
~ preventiva 예비 검속, 예방 구류
~ provisional o preventiva 구속, 미결구류(未決拘留)

prisionero 죄수

privacidad 프라이버시

privación de libertad 금고(禁錮)

privado ⓗ 사유(私有)의, 사적(私的)인, 사립(私立)의

privar 박탈하다
~ de los derechos civiles 공민권을 빼앗다

privatista (U) 사법(私法) 전문가

privatístico ⓗ (M) 사적(私的)인

privativo ⓗ 사유(私有)의

privatización 민영화, 사물화(私物化)

privilegiado 특허권 소유자; ⓗ 특권을 가진

privilegiar 특권·특전을 부여하다

privilegio 특전, 특권; 특허권; 독점판매권
~ absoluto 절대특권, (국회의원의) 면책특권
~ civil (A) 파산 청산의 우선변제권
~ condicional 조건부 특권
~ de extraterritorialidad (외교사절의) 치외법권
~ de inmunidad (국회의원의 회기 중 발언과 표결에 대한) 면책특권
~ de inmunidad penal (국회의원의) 불체포특권
~ de introducción 외국제품 독점판매권
~ de invención 발명특허권
~ de inviolabilidad (외교사절의) 불가침권
~ de mayor antigüedad 선임권(先任權)
~ de no caducidad (보험) (M) 불실효(不失效) 특권
~ marítimo 선박우선특권, 해상우선특권
~ particular (법에 의한) 특권, 특전
~s e inmunidades diplomáticos 외교특권
~s e inmunidades parlamentarios 의원특전
~s y prerrogativas de la administración 행정대권(大權)

pro
~ forma 견적의, 미리 발송된; 추정의; 서식과 관련된, 형식적인
~ indivisión 상속재산의 미분할 상태
~ indiviso 미분할의
~ *tempore* 임시의, 잠정적인

proasistente 보조감독인

probabilidad 가능성; 개연성; 확률

probable ⓗ 가능성이 있는; 개연적인

probanza 증명, 증거
~ en juicio 법적 증명, 법정 증명
~ procesal 법적 증거

probar 증명하다, 증거를 대다, 입증하다
~ de modo indiciario (증거주의에 입각하여) 소명하다

probatio diabolica 악마의 증명

probatoria 증거제출기간; 보호관찰

probatorio 증거제출기간; ⓗ 입증의

probidad 성실, 강직성

probo ⓗ 성실한, 정직한, 곧은

procedencia 출처, 원산지; 출발지; 근거

procedente ⓗ ~에서 나온; 유래한, 근거한

proceder 법적 근거가 있다; 수속을 밟다; 소송을 제기하다(contra)

procedimental ⓗ (Col) 절차의

procedimiento 소송, 절차
- ~ abreviado [형] 간이공판절차
- ~ abreviado para delitos menores 약식절차
- ~ accesorio 부수(附隨)소송, 소송중의 소(訴)
- ~ adjetivo 소송절차
- ~ administrativo 행정절차
- ~ administrativo cuasijudicial (행정사건의) 준사법적 절차
- ~ anómalo 변칙적인 절차
- ~ arbitral 중재절차
- ~ civil 민사소송
- ~ coactivo 피고의 중요 증인 강제소환 청구권
- ~ comercial 상(商)관습
- ~ conexo 별소(別訴)
- ~ contencioso administrativo 행정사건소송, 행정소송
- ~ criminal 형사소송
- ~ de familia 가사심판
- ~ de menores 소년심판, 소년사건
- ~ de oficio (M) 규문(糾問)소송
- ~ de responsabilidad patrimonial de la administración pública 국가배상소송
- ~ de subasta 경매절차
- ~ económico administrativo 조세행정심판
- ~ ejecutivo 민사집행절차
- ~ ejecutivo en relación con buques 선박에 대한 민사집행
- ~ ejecutivo hipotecario 저당권 집행절차
- ~ gubernativo 행정절차
- ~ judicial 사법절차, 재판사태(裁判沙汰)
- ~ judicial de interés público 공공소송
- ~ judicial para la fijación del domicilio 주소결정소송
- ~ ordinario 정상적인 절차
- ~ penal 형사재판
- ~ notarial 공증절차
- ~ penal ordinario 정식재판
- ~ preliminar 예비소송
- ~ principal 본소(本訴)
- ~ social 노동소송
- ~ sumario 약식소송, 약식절차
- ~ sumario ejecutivo 담보물 매각처분을 위한 약식소송
- ~ sumario para asuntos de tráfico 교통사건 즉결재판절차
- ~ tributario 세무절차
- ~ verbal u oral 구두심리

procesable ⓗ 기소・고소・소송할 수 있는

procesado 피고인, 피의자

procesal ⓗ 소송의, 절차의, 소송법의

procesales 소송행위

procesalista (M) 소송법 전문가

procesamiento 공소의 제기, 형사상의 기소
~ de alto cargo público o persona con inmunidad 탄핵
~ por segunda vez 이중 위험(동일 범죄로 피고를 재차 재판에 회부하는 일)

procesar 기소·고소·소송하다

proceso 소송
~ acumulativo 공동소송, 집단소송
~ administrativo 행정소송
~ anormal 변칙적인 절차
~ atractivo 파산절차
~ auxiliar 부대소송
~ caucionable 보석(保釋)절차
~ cautelar 임시구제소송
~ civil 민사소송
~ cognoscitivo o de cognición (M) 법리(法理)소송
~ colectivo 집단소송
~ concursal 파산절차
~ constitutivo 형성소송, 형성적 재판
~ contencioso 소송
~ contradictorio 대립소송(↔ ~ voluntario)
~ corporativo (M) 회사소송; 노동소송
~ criminal 형사소송
~ de cobro, en 세금 징수 중
~ de condena (M) 기소
~ de ejecución 판결집행
~ de ejecución concursal 파산절차
~ de ejecución singular 채권자 1인의 압류 소송
~ de Nüremberg 누렌베르크 전범 재판
~ de residencia 탄핵소송
~ declarativo (권리의 존재 여부나 법률관계의) 확인소송
~ dispositivo 형성소송
~ ejecutivo 강제집행소송
~ hipotecario 담보물 매각처분 소송
~ inicial 초심(初審) 영장
~ judicial 사법절차
~ jurídico 소송절차
~ justo y con todas las garantías 적정절차
~ laboral 노동소송
~ mixto 민·형사 혼합소송
~ monitorio 독촉절차
~ ordinario 일반 민사소송
~ para secuestro 압류소송

P

~ penal 형사소송
~ preventivo 임시구제소송
~ secundario 부대소송
~ simple 일반 민사소송; 단일 사안(事案) 소송
~ simulado 사기(詐欺)소송, 나쁜 신념의 소송
~ singular 단독상속인 소송
~ sumario 약식소송, 약식절차
~ sumario hipotecario 담보물매각처분 약식소송
~ sumarísimo (M) 즉결심판
~ testamentario 유언검인 소송
~ tributario 징세소송
~ verbal 심리, 공판; 조서(調書), 공판기록
~ voluntario 임의소송(↔ ~ contradictorio); 임의관할법정에서의 소송
~s especiales 특별소송절차

proclama 공시(公示)

proclamación (법령의) 공포, 발령

proclamar 선포・공포하다

procomún 공익

procura 대리권, 위임장

procuración 대리・중개・알선; 대리권, 위임장; (M) 위임, 위탁
~ , en o por, 대리로 하여금
~ expresa 명시적 위임
~ implícita 묵시적 위임

procurador 검사, 소송대리인(representante procesal);
보좌(保佐)감독인(supervisor de la curatela)
~ del condado 군(郡) 검사
~ general 검찰총장
~ de instrucción pública (Ec) 검사, 공소검사
~ delegado (Col) 검사보(補)
~ en juicio (M) 법정(法廷) 변호사
~ extrajudicial 법률고문; (위임장에 의한) 대리인; 대리인
~ fiscal 검사
~ general 검찰총장
~ judicial 변호사, 소송대리인
~ público 검사, 지방검사; 변호사, 소송대리인

procuraduría 법률사무소; 대리인・변호사의 직; 대리・중개・알선 행위
~ general 검찰청
~ gestora 책임운영기관

procurar 애쓰다, 노력하다; 얻게 하다; 대리・대행하다

procurar dinero, procurarse efectivo 돈을 마련하다

prodigalidad 방탕

pródigo 방탕한 사람; ㊢ 방탕한; 낭비하는

producción 생산
~ ilegal de grabaciones electromagnéticas 전자적(電磁的) 기록 부정작출(不正作出)

producir 생산하다, 산출하다; (이유·증거 등을) 내세우다, 제출하다
~ un beneficio 이익을 낳다
~ efecto 효력을 나타내다
~ intereses 이자가 붙다
~ prueba 증거를 제출하다

productivo ㊢ 생산적인; 득이 있는

producto 생산물, 제품; 성과, 수익
~ equitativo 적정 수익
~ neto de la operación 영업 수입

producto interior bruto (PIB) 국내총생산

profanación de cadáveres 사체(死體)손괴죄

profanación de lugares de culto (묘소·사원·성전 등의) 예배소불경죄

profano 문외한; ㊢ 불경(不敬)한; 전문성이 없는

profecticio ㊢ 부모로부터 물려받은

proferir una decisión 결정을 발표하다

profesar 영위하다, 업으로 삼다
~ el comercio 장사하다

profesión 직업

profesional 전문가; 프로 선수; ㊢ 직업상의
~ de la contabilidad 회계 전문가
~ en derecho 법률가; 변호사

profesionista 전문가

profesor 교수(教授)

proforma 견적 송장

prófugo 도망범, 탈옥수; ㊢ 도망하는, 기피하는

progenie 자손, 후예

progenitores 부모

progresismo 진보주의

prohibición 금지
~ de ceder, endosar o transmitir 금전(禁轉)
~ de endoso 배서(背書)금지
~ de ir contra los actos propios 금반언(禁反言)(*estoppel*)
~ de la analogía 유추의 금지

P

~ de la división de la continencia de la causa 이중기소의 금지, 이중소송금지의 원칙
~ de la duplicidad de procesos simultáneos 이중기소의 금지, 이중소송금지의 원칙
~ de la predeterminación del fallo 예단(豫斷) 배제(prohibición de prejuzgar)
~ de la *reformatio in peius* 불이익변경의 금지
~ de la retroactividad de las disposiciones sancionadoras 소급처벌의 금지, 사후법(事後法)의 적용금지
~ judicial (법원의) 금지명령, 강제명령

prohibir 금지하다

prohibitivo ㉻ 금지의

prohibitorio ㉻ 금지의

prohijamiento 양자 결연

prohijar 양자로 삼다

proindivisión, proindiviso 공유

prole 자손, 후예

promesa 약속(compromiso); 예약
~ colateral 부수적 약속
~ de cumplimiento 이행의 약속
~ de dote 지참금 약속
~ de matrimonio 혼약
~ de pago 변제의 약속; 약식 차용증서(*IOU*)
~ de venta 옵션; (M) 할부판매계약
~ formal 공식 약속
~ implícita 묵시적 약속
~ o compromiso público 공약(公約)
~ o pacto de no pedir 불기소(不起訴)의 합의
~ pura o simple 단순한 약속
~ sin causa 허튼 약속
~ unilateral de compraventa 매매(賣買)일방의 예약

prometedor 약속하는 사람; ㉻ 유망한

promisorio ㉻ 약속의

promitente 약속하는 사람; (M) 오퍼를 내는 사람

promoción 조장, 진흥, 장려, 촉진; (취업) 승진

promotor 추진자, 주창자, 발기인; (구조물 설치공사 발주자인) 주문주(注文主)
~ fiscal 검사

promovedor 추진자, 주창자, 발기인; ㉻ 추진하는

promovente 원고(原告); 청원자; (C) 추진자

promover 추진하다

~ una acción 소송하다
~ juicio o demanda 소송하다
~ pruebas 증거를 필요로 하다
~ el recurso 항소하다

promoviente 신청인, 제안자; 원고(原告)

promulgación 공포, 발령
~ de una declaración de guerra 선전포고

promulgar 공포·반포·발표하다

pronunciamiento 판결 주문(主文)
~ *in voce* 주문의 낭독(lectura en voz alta del fallo)

pronunciar 발언하다; 선고하다
~ un auto 영장을 발부하다
~ un discurso 연설하다
~ sentencia 판결하다
~ veredicto 평결하다

propiedad 소유, 소유권
la propiedad del suelo se extiende también al vuelo y al subsuelo 토지의 소유권은 상하(上下)의 소유권을 포함한다.
~ absoluta 완전 부동산소유권
~ colectiva 합유(合有)
~ condicional 조건부 부동산소유권
~ contingente 불확정 부동산소유권
~ convencional 협약 부동산소유권
~ de casas por pisos 구분소유(區分所有)
~ de renta 수익성 부동산소유권
~ , en 무조건 소유권의; 정회원의
~ en dominio limitado 한정 소유권
~ en dominio pleno 완전 소유권, 무조건 세습부동산소유권
~ en expectativa 기대 부동산소유권
~ estatal 국유(國有)
~ exclusiva 전유(專有)
~ horizontal 구분소유권(區分所有權)
~ industrial 산업재산권, 공업소유권
~ inmueble o inmobiliaria o raíz 부동산
~ intangible (M) 무형 자산
~ intelectual 지적(知的)재산권, 지적(知的)소유권
~ limítrofe 경계 토지
~ literaria 저작권
~ mancomunada 공유(共有)
~ mueble 개인재산, 개인소유물
~ neta (회계) (M) 순재산
~ privada 사유(私有)
~ raíz sin mejorar 나대지(裸垈地)
~ real 부동산

~ rústica 농지(農地), 시골 토지
~ territorial 부동산
~ urbana 도시 부동산
~ útil 용익권
~ vitalicia 종신 재산권

propietario 소유자; ⓗ 소유의; 정회원의
~ aparente 겉보기의 소유자, 표현적 소유자
~ beneficioso 실질적 소유권자
~ de casa 집주인
~ de inmuebles 땅 임자, 지주
~ en derecho 법적인 소유주
~ equitativo 형평법상의 소유자
~ por prescripción 시효에 의한 소유자
~ registrado 등기부상의 소유자
~ vitalicio 종신 부동산권자

proponente 제안자, 제의자, 발의자

proponer 신청 · 제의 · 제안하다
~ demanda 고소장을 제출하다
~ una moción 동의안을 내다
~ una transacción 거래를 제안하다; 판결 전 화해를 제안하다

proponerse 계획하다, 꾀하다

proposición 안(案), 발의(發議), 동의(動議)
~ contraria 반대동의
~ de compra 매수호가(買收呼價)
~ de enmienda o reforma 개정안
~ de ley 법률안
~ introductiva (M) (민사소송에서 원고의) 최초 진술

propósito 목적; 의도
~ , a 고의로, 일부러; ~할 목적으로
~ criminal 범의(犯意)
~ homicida 살의(*animus necandi*)

propósitos sociales 회사의 목적

propuesta 발의, 안(iniciativa)
~ a precios unitarios 단가 입찰
~ a suma alzada 정액 입찰
~ de Ley 법률안
~ en firme 확정 오퍼
~ y aceptación 오퍼 및 수락

propuestas selladas o cerradas 봉함(封緘) 입찰

pro rata 일정한 비율로, 비례하여

prorratear 배당하다, 배분하다

prorrateo 비례 배분, 비례 할당

prórroga 갱신, 연장
~ automática 자동갱신
~ automática del convenio colectivo expirado hasta la firma de uno nuevo 여후효(餘後效)
~ contractual 계약갱신
~ de la prisión preventiva 구속 연장
~ de jurisdicción o de competencia (M) 판사의 관할 연장
~ de plazo 기한 연장
~ del servicio militar 징병유예
~ forzosa 법정갱신(法定更新)
~ tácita 묵시의 갱신

prorrogable ⓗ 연장·연기할 수 있는

prorrogar 연장·연기하다

prosapia 가계, 가문

proscribir 추방하다, 금지하다, 인권을 박탈하다; (처벌자 이름을) 공개하다

proscripción 추방; 금지; (처벌자 이름의) 공개
~ y confiscación (반역자·중죄 선고에 의한) 권리 박탈

proscriptor ⓗ 인권 박탈의; 추방의; 금지의

prosecretario, prosecretaria 차관보

prosecución 수행, 속행; 기소, 소추, 고소

proseguir 수행·속행하다; 기소·소추·고소하다

prospecto 설립취지서, 내용설명서, (시설·기관의) 안내, (주식공모 때의) 매출안내서; (M) 유망(有望) 고객

prostíbulo 매음굴

prostitución 성매매
~ oficial 공창제도(公娼制度)

prostituta 매춘부, 성매매종사자

protección diplomática 외교적 보호

proteccionismo 보호주의

protectorado 보호국, 반(半)주권국(país semisoberano)

protesorero 재무차관보

protesta 이의(異議); 책문(責問)
~ , bajo 이의를 제기하면서; 마지못해
~ de avería (해상보험) (Sp) 해난(海難)보고서, 해난증명서
~ del capitán o de mar (해상보험) 해난(海難)보고서, 해난증명서

protestable ㉠ 이의를 제기할 수 있는

protestado (A) 거절된 어음의 지급인·수취인·수신인; ㉠ 인수 거절된

protestador 항의자; 인수 거절자

protestar 항의하다; 거절증서를 작성하다, 어음의 인수·지불을 거절하다
~ un giro 환어음의 인수·지불을 거절하다

protesto (cambiario) 거절
~ notarial (documento o acta) 거절증서
~ por falta de aceptación 인수거절증서
~ por falta de pago 지불거절증서

protocolar, protocolario ㉠ 의정서의, 조약문의

protocolar, protocolizar 조약문·의정서를 만들다; 공증서 원부에 적어 넣다

protocolo 의정서(議定書); 증서 원부
~ de adhesión 추가의정서
~ facultativo 선택의정서
~ notarial 공증서 원부

Protocolo de Kioto 교토의정서

Protocolo facultativo del Pacto Internacional de Derechos Civiles y Políticos
시민적, 정치적 권리에 관한 국제규약의 선택의정서

protonotario (법원의) 수석 서기

protutor 후견(後見)감독인(supervisor de la tutela)

provecho 이익; 유용성

provechoso ㉠ 유리한; 유익한, 유용한

proveer 갖추다, 준비하다, 공급하다; (법률) 판결·재정(裁定)을 내리다

proveído 판결, 재정(裁定); (M) 영장(令狀)

proveimiento 판결, 재정(裁定)
~ cautelar (M) 예비 판결
~ ejecutivo 압류, 강제집행
~ instructorio (M) 판사의 소송 지시사항
~ jurisdiccional (M) 최종결정
~ satisfaciente (M) 강제집행영장

provenir de 비롯되다, 유래하다

proveyendo (법에) 규정되어 있는

providencia 명령
~ acordando una citación 소환장
~ adoptando una medida cautelar en el ámbito civil 보전명령(保全命令)
~ de apremio 체납처분
~ de embargo 차압명령

~ de inadmisión a trámite de la demanda 소장(訴狀) 각하(却下)명령
~ de lanzamiento 명도(明渡)영장
~ de reanudación [민] 소송절차의 속행명령, 속행명령
~ de secuestro 압류영장
~ designando bienes objeto de embargo y ordenando su puesta a disposición del juzgado [형] 차압물 제출명령
~ disponiendo el nombramiento forzoso de abogado a una de las partes 변호사의 조력 명령
~ ejecutoria 강제집행영장
~ judicial 법원 명령; 판결, 판례
~ motivada 판사 의견이 첨부된 명령
~ ordenando al poseedor de libros o documentos su exhibición o aportación al proceso como medio probatorio 문서제출명령
~ ordenando la subsanación de defectos de la demanda so pena de inadmisión de la misma 보정(補正)명령
~ precautoria 예방적 금지명령
~ precautoria de arraigo 관할구역이탈 금지명령
~ preventiva 예방명령

providenciar 판결・재정하다

provincia 도(道), 주(州)

provincial ㊔ 지방의, 주・도의

provisión 공급, 지급; (금융) 준비금, 적립금
~ de fondos 자금 조달, 융자; 어음결제자금
~ para cuentas dudosas 대손(貸損)충당금
~ para depreciación 감가상각충당금

provisional, provisorio ㊔ 가(假), 임시의

provocación 사주, 선동; 도발, 자극
~ justificante 적절한 도발

próximo ㊔ 인접한; 다음의

proyecto 계획, 안, 설계, 초안, 의안(議案)
~ dc contrato 계약서 초안
~ de decreto 명령안
~ de ley 법안, 초안
~ de sentencia (Col) 판결문 초안

prudencia razonable 상당한 주의(注意)

prudencial ㊔ 합리적인(*reasonable*)

prueba 증거; 입증, 거증, 증명
~ absoluta 완전한 증거
~ admisible 확실한 증거, 적법한 증거
~ anticipada 증거보전
~ circunstancial 정황증거

~ civil (M) 물증
~ complementaria o de refuerzo 보강증거
~ completa 완전한 증거
~ concluyente 결정적 증거
~ concurrente 확증적 증거, 뒷받침하는 증거
~ confesional (M) 진술 증거
~ conjetural (A) 추정 증거
~ contradictoria de la defensa o parte demandada 반증
~ convencional 합의증거
~ corroborativa 확증적 증거, 뒷받침하는 증거
~ cumulativa 중복증거
~ de ADN 유전자 감식, DNA 감식
~ de análisis de la voz 성문(聲紋) 감식
~ de cargo o de la acusación 본증(本證)
~ de confesión judicial 당사자 신문(訊問)
~ de contabilidad 회계증거
~ de descargo o de la defensa 반증
~ de oficio 판사가 요구하는 증거
~ de oídas 전문(傳聞)증거
~ de reconocimiento judicial (대상, 장소 혹은 인적) 검증
~ de referencia 전문(傳聞)증거
~ de polígrafo 거짓말탐지기(detector de mentiras)
~ decisiva 결정적 증거
~ demostrativa 논증증거
~ derivada 이차(二次)증거
~ directa 직접증거
~ diversa 반증(反證)
~ documental 증거서류, 서증(書證)
~ en substitución 대용(代用)증거
~ epidemiológica 역학적(疫學的) 증명
~ escrita 서증(書證)
~ fortuita o incidental 우발적 증거
~ idónea (M) 결정적 증거
~ impertinente 관련성이 없는 증거
~ indiciaria 소명(疏明) (↔ ~ plena)
~ indirecta 간접증거, 전문(傳聞)증거
~ indisputable 완전한 증거, 결정적 증거
~ ineficaz 결정적이 아닌 증거
~ inmediata 직접증거
~ innomindada (M) 기타 증거
~ instrumental (A, Ch) 서증(書證)
~ intrínseca 내적 증거
~ irregular o ilícita 위법(違法)수집 증거
~ legal o judicial 법적 증거
~ literal (A) 서증
~ material 물적 증거, 물증
~ mediata (M) 간접증거

~ moral 개연적 증거
~ negativa 소극적 증거, 반증
~ nominada (M) 법적 증거
~ obtenida ilícitamente 위법수집 증거
~ oral 구두(口頭)증거
~ original 증언 증거
~ pericial 감정(鑑定)
~ pericial dactiloscópica 지문(指紋) 증거
~ perfecta y concluyente 완전한 증거
~ personal 인적 증거, 인증(人證)
~ pertinente 물적 증거, 물증
~ plena 완전한 증거
~ por constituir (M) 재판 중 형성된 증거
~ por indicios 정황 증거
~ preconstituída (M) 재판 전 형성된 증거
~ presunta o presuncional 추정 증거
~ *prima facie* 우선 채택된 증거
~ primaria 일차(一次)증거
~ privilegiada (M) 중죄(重罪)에만 적용하는 증거
~ procesal 소송 증거
~ real 물증, 물적 증거
~ semiplena 절반(折半)증거
~ testifical 증인 신문(訊問)
~ testimonial 증언 증거, 구두증언
~ verbal o vocal 구두증거

psicología criminal 범죄심리학

psiconeurosis 정신신경병, 노이로제

psiquíatra 정신병 학자, 정신과 의사

pubertad 사춘기

publicación 출판, 발행, 공표, 발표

publicidad de las vistas 공개

publicidad engañosa 부당(不當)표시

publicista 공법(公法) 학자

público ㊖ 공개의; 공공의; 공유의

publíquese 공시함

puerto 항(港)
~ aduanero o de aduana 통관항
~ de arribada forzosa 피난(避難)항
~ de armamento o de matrícula 선적항(船籍港), 모항(母港)
~ de registro de un buque 선적항(船籍港)
~ de salida 출발항

~ final o terminal 화물 인도항
~ franco o libre 자유(무역)항
~ habilitado (V) 통관항, 관세수속항

puesta a disposición de la fiscalía 송치(送致)

puesta en libertad 석방(liberación); 출소, 출옥(excarcelación)

pugna 싸움; 충돌, 모순

puja (경매에서) 경합, 값을 올리기

pujar 값을 다투어 올리다

punibilidad 가벌성(可罰性), 가벌적 위법성

punible ⓗ 가벌적인, 처벌할 수 있는

punición 벌, 처벌

punitivo ⓗ 벌의, 형벌의

punto 점(點); [법률] 쟁점
~ legal 법적 문제, 법적 쟁점

puntualizar 자세히 묘사하다

pupilaje 피(被)후견인의 신분

pupilar ⓗ 피후견인의

pupilo, pupila 피후견인

purgación 정화(淨化); 죄의 소멸, 무죄 증명
~ de hipoteca 척제(滌除)

purgar 깨끗이 하다; 혐의를 풀다
~ de contumacia 모욕죄 혐의를 풀다

purgativo ⓗ속죄의, 정죄(淨罪)의

putativo ⓗ 오상(誤想)의, 추정상의

quanti minoris 대금감액(代金減額) 소권(訴權)

quebrado 파산자

quebrantador (법의) 위반자

quebrantamiento 위반
~ de condena privativa de libertad 도주죄
~ de forma 방식위반, 소송절차의 법령위반
~ de precintos y cordones instalados por la autoridad 봉인 파기죄

quebrantar (신성한 것 · 법을) 어기다, 범하다, 짓밟다
~ el arraigo 보석 조건을 어기다, 보석 중에 자취를 감추다
~ un testamento 유언을 고소에 의해 무효로 하다

quebranto 손실, 손상; (Sp) 비용

quebrar (법을) 어기다, 범하다, 짓밟다; 파산하다

quedan (CA) 차용증; (C) (세관의) 잠정적 반출 허가

queja 항의, 이의, 고충; 이의신청

quejarse 불평하다, 이의를 내세우다

quejoso 원고, 고소인; ⓗ 불평스런

querella 고소, 제소(提訴)
~ criminal 형사고발, 형사소송
~ de nulidad (U) 취소청구
~ penal (Col) 형사고발, 형사소송

querellado (Ec) 피고인

querellante 원고, 고소인

querellarse 소송을 제기하다, 제소하다

qui tacet consentire videtur 침묵은 합의로 간주한다.

quid pro quo 주고받기, 대가, 기회비용

quiebra 파산, 도산
~ aparente 부채를 갚을 유동자산의 부족
~ casual o fortuito 우발적 파산
~ culpable 과태(過怠)파산
~ culposa (Col) 과태파산
~ de derecho 법정파산

~ de hecho 사실상의 파산
~ fraudulenta 사기파산
~ involuntaria 강제파산
~ real 반제(返濟)불능, 채무초과, 파산(상태)
~ voluntaria 자기(自己)파산

quien calla, otorga 침묵은 승낙을 나타낸다

quien corresponda, a, 관계자 제위(諸位)

quien concierna, a 관계자 제위(諸位)

quieta y pacífica posesión 평온 향유·점유

quirografario ㉻ 사문서(私文書)의; 무보증의; 일반채권자의

quirografía 육필(肉筆), 손으로 씀

quirógrafo 사문서(私文書), 차용증, 자필증서; ㉻ 무보증의

quita 일부 면제(remisión o condonación parcial), 채무 감액(disminución de la deuda); (A) 리베이트

quita y espera (파산) 채무의 감액 및 이행기한의 연장

quitación 권리의 포기·양도

quitamiento 면제, 변제; 채무 소멸 (증서)

quitanza 면제; 전액 지불 영수증

quo warranto 권한개시(權限開示)영장·소송, '어떤 권한에 의거하여'를 묻는 영장·소송

quórum 정족수

R

rábula 악덕 변호사, 엉터리 변호사

rabulería 악덕 변호사의 일

racismo 인종차별주의

racista 인종차별주의자; ⓗ 인종차별적인

radicar 세워지게 하다
~ una acusación 고소·고발하다
~ apelación 상소하다
~ una causa 소송하다
~ una moción 동의·발의하다; 재정신청을 하다
~ una propuesta 입찰서를 제출하다, 경매가격을 신고하다
~ una solicitud 신청서를 제출하다

radicarse 정착하다; ~에 존재하다; ~에 본거를 두다

ramera 매춘부

rango 순위
~ hereditario 상속 순위
~ hipotecario 저당권 순위

rapto 유괴

rapiña 강탈, 약탈

raptar 강도질을 하다; 유괴하다

rapto 유괴; 탈취; 성폭행
~ de niño 어린이 유괴

raptor 유괴자; 강도

raqueterismo (M) 공갈, 협박, 갈취

raquetero 협박꾼, 공갈단

ratear 비례 할당하다; 훔치다; 도용하다; (보험) (M) 등급을 매기다

rateo 비례 할당; (보험) (M) 등급 매기기

ratería 좀도둑질
~ de tiendas 가게 물건을 슬쩍하기·후무리기

raterismo (C) 도둑질, 강도질

ratero 좀도둑, 빈집털이, 소매치기

ratificación 비준, 추인
~ parlamentaria 국회의 비준, 의회의 비준

ratificar 비준·추인하다; 재가·인가하다; 승인하다

ratihabición 비준, 추인, 인가, 확인

ratio decidendi 판결이유

rato ㉬ 비준이 된(ratificado)

rato 동침이 완료된 혼인(matrimonio rato)

raza, color o condición previa de esclavitud 인종, 피부색, 혹은 노예 이전의 조건

razón 이유; 말, 문구; 이성, 조리(racionalidad)
~ comercial (C) 상호(商號); (A) 상사(商社)
~ social (A) 상호(商號); 상표명; (A) 회사, 상회, 조합

razonable ㉬ 타당한; 합리적인; 상당한

razonamiento 추론; 이유 붙임

reabrir 다시 열다, 재개하다

reaceptación 다시 받아들임, 재승인

readmisión (laboral) 재입사, 재고용

readquirente 전득자(轉得者)

readquirir 재취득하다

readquisición 전득(轉得)

reafirmar 재확인하다

reajustar 재조정하다

reajuste 재조정, 수정

real ㉬ 물(物)의; (물권과 관련된) 물건의

Real ㉬ 왕의 재가를 득한
~ Decreto (Sp) 국왕령, 왕의 재가를 얻은 정령(政令)(행정입법)
~ Decreto Legislativo (Sp) 법률의 효력을 가지는 위임 명령
~ Decreto-Ley (Sp) 법률의 효력을 가지는 긴급 명령

realizable ㉬ 시장성이 있는; 현금으로 바꾸기 위순

realización de bienes embargados 차압재산의 환가(換價)

realizar 실행하다, 성취하다; 환금하다
~ una asamblea 집회·회의를 개최하다
~ gestiones 조치를 취하다; 협상하다

reanudación del proceso interrumpido o suspendido 소송절차의 수계(受繼)

reanudar los pagos 지급·변제를 재개하다

reargüir 다시 논쟁하다; 반론하다

reaseguro 재보험

reavaluar 재평가하다

reavalúo 재평가, 재사정(再査定)

rebatir 반격하다, 반론하다; 에누리하다

rebelde 결석(缺席)당사자; 반란자

rebeldía 결석, 결석재판, 궐석, 궐석재판; 반란, 모반
~ , en 결석으로

rebelión 반란

rebus sic stantibus 사정 변경

recaída 재범(再犯)

recambiar 다시 교환하다; 재교환어음을 발행하다

recambio 재발행, 재교환어음; (기계의 수리용) 부품

recapacitar 복권시키다

recapitalización 자본 재구성; 자금 재조달

recapitulación 요점의 반복; 개괄, 요약

recapturar (C) (법률) 환매(還買)하다; 환입(換入)하다

recargo 부가세, 추징금
~ de apremio 집행벌(執行罰)
~ de demora 연체금
~ impositivo o tributario 부가세
~ impositivo de demora 부대세(附帶稅)
~ impositivo estatal 국세부가세(國稅附加稅)
~ impositivo sancionador grave 중가산세(重加算稅)
~ impositivo sancionador ordinario 가산세(加算稅)

recaudable ㊒ 징수할 수 있는

recaudación 징수
~ ejecutiva 강제징수
~ en la fuente o en el origen (조세) 원천징수
~ fiscal 징세, 수세(收稅)
~ forzosa 정세(征稅)

recaudaciones 총수입; 기부금, 모금

recaudador 세무 공무원, 세관원
~ de aduana 관세 징수관
~ de impuestos 세금 징수원
~ de rentas internas 내국세 징수원

~ fiscal 세무관
~ de la masa 파산 재산 관리인

recaudar 징세하다, 징수하다; 모금하다

recaudatorio ㉱ 징수의, 수납의

recaudo 징수, 수세(收稅); 보증

recepción 수령(受領)

receptación (훔친 물건을 보유, 보관 혹은 판매한) 장물죄

receptador 종범(從犯), 범죄 은닉자

receptar 범죄를 교사하다, 범죄를 은닉하다

receptor 수취인; (Ch) 집달리, 법원사무관
~ de rentas 세금 징수원
~ pendente lite 소송물(訴訟物) 관리인

receptoría 세무서; 관재인의 직

recesar 휴회·휴정하다

receso 휴회·휴정(休廷)

recetoría (Sp) 세무서, 수납처

rechazable ㉱ 거부할 수 있는

rechazar 거부·거절하다

rechazo 인수거절
~ de la aceptación 인수거절
~ del pago 지불거절

recibí 영수필; 영수증

recibido ㉱ 졸업한; 자격을 딴

recibimiento a prueba 증거조사, 증거 검토개시

recibir 받다, 수취하다, 얻다, 받아들이다
~ a prueba 증거로 채택하다
~ el juramento 선서를 받다

recibirse de abogado 변호사 자격을 따다

recibo 영수증
~ confidencial (M) 수입화물 담보 보관증, 화물 대여 인도
~ de almacén 창고증권
~ de bordo o de embarque 본선 수취증
~ de carga 화물수령증, 화물운송장
~ de finiquito 전액 지불 영수증
~ de muelle 부두 수취증
~ fiduciario o de confianza 수입화물 담보 보관증, 화물 대여 인도

~ por saldo 전액 지불 영수증

recidivista 상습범(常習犯); ⓗ 상습범의

reciprocidad 상호성, 호혜

recíproco ⓗ 상호의, 호혜의

reclamable ⓗ 이의·배상 청구를 제기할 수 있는

reclamación 청구
~ condicional 조건부 청구권
~ de daños y perjuicios por incumplimiento contractual en la compraventa 클레임(*claim*)
~ judicial 재판상의 청구
~ previa a la vía jurisdiccional 사전절차
~ suplementaria 추가 청구
~ tributaria 세금환급 청구

reclamante 이의 제기자, 청구인

reclamar 이의를 제기하다; (권리로서) 청구하다
~ daños y perjuicios 손해배상을 청구하다
~ perjuicios o por daños 손해배상을 청구하다

reclamo 이의, 항의, 클레임
~ por fraude 사기혐의 고소
~ por muerte (보험) 사망보험금 지급 요청서

recluir 감금하다

reclusión (중·장기의) 구금
~ mayor 무기금고, 무기징역
~ perpetua 종신형

recluso 죄수; ⓗ 감금된

reclusorio 감옥, 교도소

recobrable ⓗ 만회·회복할 수 있는

recobrar 회복하다, 되찾다

recobro 회복
~ de liberalidades 증여 회수
~ del apellido anterior o de origen 복성(復姓)

recogedor 수집자; 수금원, 징세원, 세관원

recoger 줍다, 모으다, 채집하다; (어음을) 인수하다
~ fondos 자금을 모으다

recogida 수집, 수확

recomendación 훈시(訓示)규정, 권고안
~ administrativa sin valor vinculante y no susceptible de ejecución forzosa (구

속력이나 강제집행력이 없는) 행정지도

recomendado (Col) 등기(우편)
~ en caso de necesidad (상업) (Col) 어음의 교체 지급인; 유사시의 조정관

recomendar 권하다, 추천하다; 부탁하다

recomendatario (상업) 어음의 교체 수신인; 유사시의 조정관

recompensa 현상(懸賞); 상금; 보수(報酬); (분실물을 찾아준 사람에게 주는) 보상금

recompensable ⑱ 보상할 수 있는

recompensar 보상하다

recompra 되사기, 환매(還買)

recomprar 되사다, 환매하다; 다시 사다

reconducción (임대차 계약의) 갱신(prórroga de un arrendamiento)

reconducción legal 법정갱신(法定更新)(prórroga obligatoria impuesta por la ley)
~ tácita 묵시의 갱신

reconducir (임대차 계약을) 갱신하다; (정책 방향 등을) 바로잡다, 수정하다

reconocer 인정・인지・인식하다
~ una firma 서명이 맞다고 인정하다
~ el gremio 노조를 인정하다
~ un hijo 자식을 인지하다

reconocimiento 승인; 인지
~ aduanal 세관 검사
~ de avería (해상보험) 해손(海損) 정산(定算)
~ de créditos (파산) 채권순위 정리
~ de culpabilidad por parte del acusado 유죄의 답변
~ de Estados 국가승인
~ de firma 서명의 인증
~ de gobiernos 정부승인
~ de hijo natural 사생아의 인지
~ de la deuda 채무 자백
~ de los hechos 자백
~ de paternidad o filiación 친자관계 인지
~ de resoluciones judiciales extranjeras 외국판결의 승인
~ en rueda 면질(面質), 대질
~ judicial 검증(inspección ocular)
~ judicial de un lugar 현장검증
~ tácito 묵시적 인정

reconsiderar 재고(再考)하다

reconstituir (회사) 재조직・재편성하다

reconvención 반소(反訴)

~ subsidiaria (본소청구가 인용될 때를 대비한) 예비적 반소

reconvencional ⓗ 반소의

reconvenir 반소하다

reconvenido 반소(反訴) 피고

reconvenir 반소(反訴)하다

reconversión 전환, 재편(再編)

reconviniente 반소(反訴) 원고

recopilador 편집자, 편찬자, 편저자

recopilar 편집 · 편저하다

récord (PR) 기록
~ delictivo (Col) 범죄 기록

recriminación 항변, 반소(反訴)

recriminador 항변자; ⓗ 항변의, 반소의

recriminar 항변하다, 반소(反訴)하다

recuperable ⓗ 회복할 수 있는, 되찾을 수 있는

recuperación 회복
~ de la nacionalidad 재귀화, 국적의 회복
~ de la patria potestad 친권의 회복

recuperaciones (회계) 상각채권의 추심

recuperar 회복하다, 되찾다

recupero (A) 회복

recurrente 항고인, 상소인
~ en casación 상고인

recurrible ⓗ 상소할 수 있는

recurrido 피상소인

recurrir a 호소하다; 상소하다

recurso 청원(서); 불복(不服)신청; 항소(장), 상고(서)
~ administrativo 소원(訴願), 행정상의 불복신청
~ civil 민사소송
~ contencioso administrativo 행정재판, 항고소송
~ contencioso administrativo contra la inactividad de la administración 부작위의 위법확인의 소(訴)
~ contencioso administrativo de anulación 취소소송
~ contencioso administrativo de nulidad 무효확인소송
~ contencioso administrativo directo 처분취소의 소

~ contencioso administrativo indirecto 재결(裁決)취소의 소
~ de aclaración 세부사항에 대한 소원(訴願)
~ de alzada [행] 심사청구
~ de amparo constitucional 헌법 소원, 기본인권보호청구
~ de anulación 중재판단 취소의 소
~ de apelación 상소
~ de apelación adhesivo (명령·결정에 대한) 부대(附帶)항고
~ de apelación adhesivo (판결에 대한) 부대항소, 부대상고
~ de apelación contra autos y providencias 항고
~ de apelación contra autos y providencias con efecto suspensivo de la resolución recurrida 즉시항고
~ de apelación contra sentencias de primera instancia 항소
~ de apelación en el ámbito deportivo (운동경기의 심판에 대한) 항의, 어필
~ de apelación escrito [형] 항소 취의서
~ de apelación interpuesto por el Ministerio Fiscal 검사의 항소
~ de apelación ordinario contra autos y providencias 통상(通常)항고
~ de audiencia al rebelde 결석 당사자의 변론 신청
~ de casación 상고, 상고심(上告審)
~ de casación en interés de ley [형] 비상상고
~ de *habeas corpus* 인신구속 적부심사
~ de hecho 법리 및 사실 재심 항고
~ de homologación (Col) 중재판정 불복 항고
~ de inconstitucionalidad 위헌상소, 위헌의 소(추상적 심사제)
~ de nulidad 무효확인의 신청
~ de oposición 이의신청 소권
~ de queja [형] 이의 신청
~ de reforma [형] 준항고(準抗告)
~ de reposición [행] 이의신청
~ de reposición [민] 이의신청
~ de rescisión 무효 신청
~ de responsabilidad (M) 판사의 과실책임에 대한 배상 청구
~ de revisión 재심 신청
~ de revisión (contra diligencias de ordenación dictadas por el secretario judicial) 법원 서기관의 처분에 대한 이의신청
~ de revocación 무효 신청; 취소 청구
~ de segunda instancia 항소
~ de súplica alzada ante el Tribunal Supremo (지방법원의 명령·결정에 대해 대법원에 탄원하는) 항고
~ de tercera instancia 상고
~ de tercero 제3자의 소권(訴權)
~ desierto 상소권의 방기(放棄)
~ especial de queja contra la inadmisión a trámites o el archivo de una denuncia o querella interpuesta contra funcionario público por delito de abuso de autoridad 부심판(付審判), 준(準)기소
~ exclusivo 유일한 구제
~ extraordinario de casación penal en interés de ley 비상상고
~ extraordinario de revisión 재심신청

~ extraordinario de súplica alzada ante el Tribunal Supremo 특별항고, 위헌항고
~ gubernativo (PR) 증서 등록계원의 결정에 대한 이의신청
~ interino 잠정 구제
~ judicial 법적 구제, 사법절차
~ justo o pleno 적절한 구제수단
~ ordinario (U, M) 판결 집행 전 상소
~ por causa de error (PR) 오심(誤審)영장 절차
~ preventivo 예방조치
~ subsidiario 예비적 신청

recursos
~ extraordinarios 비상 구제방법
~ financieros 자금, 재원(財源)
~ legales 법적 구제방법
~ naturales 자원

recusable ㉻ 기피할 수 있는

recusación 기피
~ a jurados individualmente 개별 배심원 기피
~ a todo el jurado 배심원단 기피
~ con causa 특정사유에 의한 기피
~ general con causa 일반적 기피
~ perentoria 전단적(專斷的) 기피
~ por causa principal 중요 사유에 의한 기피
~ por parcialidad 편파성으로 인한 기피
~ sin causa 전단적(專斷的) 기피, 이유 불요의 기피

recusante 기피하는 사람

recusar 기피하다, 거부하다
~ al jurado 배심원단을 기피하다

redaccional ㉻ 씌어진, 편집상의

redactar 편집하다, 쓰다, 작성하다
~ el balance 대차대조표를 작성하다
~ un contrato 계약서를 작성하다
~ un pedido 주문서를 삭성하다

redargüir 반론・반박・비난하다

redención
~ de acciones 주식의 소각
~ de la deuda 부채의 변제・상환
~ de la propiedad 재산의 환매(還買)
~ de penas por el trabajo 노동에 의한 감형

redescuento 재할인

redhibición (매물의 결함으로 인한) 매매계약의 취소

redhibitorio ㉻ 하자로 인한 매매계약 취소의

redimible ㉺ 되살 수 있는, 되찾을 수 있는, 상환할 수 있는; 속죄할 수 있는

redimir 되사다, 되찾다, 상환하다; 속죄하다

rédito 이율; 수입, 소득
~ imponible 과세 소득

réditos extraordinarios (A) 초과이익

reducción 감쇄(減殺)
~ al absurdo 귀류법(歸謬法)(*reductio ad absurdum*)
~ de capital 자본감소, 감자(減資)
~ de cuantía 감액(減額)
~ de donaciones 증여의 감쇄(減殺)
~ de legados 유증의 감쇄
~ de liberalidades 증여의 감쇄
~ impositiva o fiscal 감세(減稅)

reducidor (Ch) 장물판매자, 장물아비

redundante ㉺ 사족(蛇足)의, 하나마나한

reeducación social (범죄자의 사회복귀를 위한) 교정교육, 사회적응교육

reembargo 재(再)압류

reembolsable ㉺ 상환할 수 있는, 갚을 수 있는

reembolsar 상환하다, 반제하다

reembolso 상환, 반제(返濟)

reemplazante ㉺ 교환하는, 경질하는

reencarcelar 재(再)구속하다, 재수감하다

reenvío 반송; [국] 반정(反定), 반치(反致)

reestructuración empresarial 회사갱생

reexaminación 재시험

refacción 보존, 수선(修繕); 자금 조달, 융자; (M) 예비품
~ agrícola 농업 대출
~ sobre bienes muebles 동산양도저당

refaccionado (M) 선도거래 채무자

refaccionador 출자자

refaccionar 융자하다, 자금을 조달하다; 수리・수선하다

refaccionario 출자자; ㉺ 융자의
~ , crédito 농업인・사업가에 대한 융자

refaccionista 출자자, 재정 후원자

referéndum 국민투표

refletar (해운) 재(再)용선하다

reforma 개정; 개혁; 교정(矯正), 감화
~ administrativa 행정개혁
~ constitucional 헌법개정; 개헌
~ constitucional interpretativa 해석개헌
~ o derogación de una norma 규정의 개폐

reformatio in peius 불이익(不利益)변경

reformatorio 소년원

reformismo 개량주의

refrenda 사증(査證), 인증, 부서(副署), 확인

refrendar 사증 · 인증 · 부서 · 확인하다

refrendata, refrendo 인증

refugiado 난민

refundido (texto) 개정법

refundir (증권 · 채권) 차환(借換)하다

refutable ⓗ 반증 · 반론 · 반박할 수 있는

refutación 반증, 반론, 반박

refutar 반증 · 반론 · 반박하다

regalía 특권; 특별수당; 수수료; (M, A) 사용료, 로열티; (회계) (C) 영업권
~ y penalidad 특별수당 및 벌칙 조항

regalista (V) 로열티를 내는 사람

regente 행정장관, 치안판사; (Sp) 총지배인, 단장, 국장; (Ch) 공장장, 감독; 배심장(陪審長)

regicida 국왕 암살자

regicidio 국왕 암살, 시역(弑逆)죄

régimen 제도; 정권(政權)
~ abierto (교도소의) 개방 처우
~ autoritario 독재정권
~ de internamiento 시설 처우
~ de sociedad conyugal 부부공동재산 제도
~ de visitas 면접(面接)교섭
~ democrático 민주정권
~ dictatorial 독재정권
~ disciplinario 징계 제도
~ disciplinario laboral 사용자의 제재(制裁)제도
~ económico matrimonial 부부재산제
~ económico matrimonial de gananciales 공유재산제

~ económico matrimonial de separación de bienes 별산제(別産制)
~ económico matrimonial legal 법정재산제
~ económico matrimonial paccionado 계약재산제
~ militar 군사정권
~ penitenciario 처우(處遇)
~ progresivo 누진(累進)처우(clasificación de los presos en grados)

región 지방, 주
~ autónoma 자치(自治)지방

regionalismo 지방분립주의

regionalización 지방분립

regir 시행중이다; 다스리다, 이끌다

registrable ㉫ 등록・기록할 수 있는; 등기로 부칠 수 있는

registración 등기, 등록

registrado ㉫ 등록・기록된
~ como artículo de segunda clase 제2종 우편물로 등록된
~ para curso libre de porte (연방의회 의원의) 무료우송특권으로 허가된
~ únicamente en cuanto al principal 액면금액에 대해서만 등록된

registrador 기록 담당자, 등기관; 등기과
~ de la propiedad 부동산 등기과
~ de testamentos 유언 검증과
~ suplente 등기과 부(副)서기

registraduría 등기소

registral ㉫ (PR) 등기의

registrante 등록자

registrar 등기・등록・기록하다; 검사하다
~ comparecencia 출두하다
~ una hipoteca 저당을 등기하다
~ una sentencia 판결을 등록하다

registro 등록; 등기, 등기부; 등기소; 원장(元帳)
~ civil 호적, 가족관계등록부; 주민등록청 (Registro Civl)
~ civil de origen 본적
~ contable 부기원장
~ de bienes inmuebles 부동산등기소
~ de la propiedad (inmobiliaria) 부동산등기소
~ de marcas de fábrica 상표등록과
~ de la propiedad 부동산등기부
~ de patentes 특허원부
~ de sufragio 선거인 명부
~ demográfico 인구동태통계국
~ mercantil 상업등기소

~ taquigráfico 속기록
~ tributario 세금 대장(臺帳)

registro 수색, 검증, 검사
~ domiciliario 가택 수색
~ e incautación 수색 및 압수
~ forzoso (영장을 통한) 강제수사
~ personal 신체 수색(cacheo)
~ voluntario (영장이 필요 없는) 임의수사
~ y embargo arbitrario 부당한 수색 및 압수

reglamentación (집합) 규정; 규제
~ del trabajo 노동법규
~ de tránsito 교통법규
~ urbanística 도시구역법규

reglamentar 규칙·법규를 정하다; (규칙으로) 단속하다

reglamentario ㉿ 규정의, 법규의

reglamento 규정, 규칙; 시행령, 시행규칙
~ administrativo 명령, 조례
~ aduanero 세관규정
~ de circulación 교통법규
~ de edificación 건축법규, 건축구조기준
~ de ejecución 집행명령, 실시명령
~ de empresa 취업규칙
~ de procedimiento penal del Tribunal Supremo 대법원의 형사소송규칙
~ de régimen penitenciario 행형(行刑) 누진처우규칙
~ del registro mercantil 상업등기법
~ del trabajo 노동법규, 노동법 시행령
~ interno 내규, 규약; 취업규칙
~ notarial 공증인법
~ parlamentario 국회법
~ procesal 의사규칙

reglamentos interiores (지방자치단체·회사 등의) 규칙, 조례; 내규

reglar 규정하다; 통제·단속하다

reglas 법칙; 규칙
~ de evidencia 증거규칙
~ de la experiencia [민] 경험법칙
~ de neutralidad [국] 중립법규
~ procesales 절차법(소송법), 절차규칙, 처리규칙

Reglas de Hamburgo 함부르크 규칙(화물 해상운송에 관한 국제연합 협약)

regreso 귀환, 복귀; (M) 회복
~ anticipado (상업) 만기 전(前) 상환청구
~ cambiario 소구(遡求)

regulación 조정, 조절; 규제

regular 조정하다, 조절하다; 규제하다

regularización 합법화(legalización)

rehabilitación 복권(復權)
~ del fallido 파산인의 채무면제

rehabilitar 복권・복위・복귀시키다; 파산 면책하다

rehén 인질

rehipotecar 재(再)저당잡히다

rehuir 피하다; 거부・거절하다

rehusar 피하다; 거부・거절하다
~ el pago 지불・지급을 거부하다

rei vindicatio 소유권반환청구권

reincidencia 누범; 재범(再犯)

reincidente 재범자; ⓗ 재범의

reincorporar 재편입・재통합・재결합시키다; (취업) 복직시키다

reiniciar 재개(再開)하다

reinserción social 사회복귀

reinstalar una causa 심리를 재개하다

reintegrable ⓗ 상환할 수 있는; 복직・회복시킬 수 있는

reintegrar 상환・반제・변제하다; 회복・복권시키다

reintegro 상환, 반제, 변제; 회복, 복권

reiteración 반복; 누범(累犯)

reiterante 상습범

reivindicable ⓗ 되찾을 수 있는

reivindicación 반환청구; 소유권 회복, (고유권리의) 회복
~ indígena (아메리카) 원주민들의 권리회복
~ sindical 노동조합의 권리회복

reivindicador, reivindicante 반환청구소송의 원고

reivindicar 반환을 청구하다; 소유권을 회복하다

reivindicativo ⓗ (C) 회복의

reivindicatoria 반환청구소송

reivindicatorio ⓗ 반환청구의

R

relación 관계; 보고서
~ causa-efecto 인과관계
~ de causalidad 인과관계
~ de causalidad adecuada 상당(相當)인과관계
~ de confianza 신임(信任)관계
~ de mar 항해일지
~ de reserva (은행) 유보율
~ jurada 서약 진술서
~ jurídica 법률관계
~ obligacional 채무관계
~ pormenorizada 내역 명세서, 내용 명세서
~ sintética (Col) 요약, 개요, 적요(서)

relaciones 관계
~ circulares (회사) 순환관계
~ consulares 영사관계
~ de negocios 거래관계
~ de vecindad 상린관계(相隣關係)
~ diplomáticas 외교관계, 국교관계
~ exteriores 외교
~ iglesia-Estado 정교관계
~ laborales u obreras o del trabajo 노동관계
~ paterno-filiales 친자관계
~ públicas 대(對) 사회관계, 섭외관계, 홍보활동(*PR*)

relacionar 진술하다; 보고하다

relativo ㉭ 관계된; 상대적인

relato 이야기; 신고; 보고
~ de la audiencia o de la actuación 소송기록

relator 보고자; 고발인; 대변인

relevación 면제; 경감; 사면

relevamiento 조사; (A) 보고, 신고

relevancia 중요성

relevante ㉭ 중요한

relevar 면제하다; 교체・경질하다

relictos 유산(遺産)

remanente 잔액
~ patrimonial 잔여재산

rematador (A) 경매인

rematar 결말짓다; 경매하다; 낙찰시키다, 입찰하다

rematario 낙찰자

remate 경락(競落), 낙찰
~ al martillo 경매

remediable ⓗ 고칠 수 있는; 구제할 수 있는

remediar 구제하다; 교정하다; 피하다

remedio 방법, 조치, 수단; 치료, 요법; 교정, 보상
~ en derecho 법적 구제방법
~ equitativo 형평법상의 구제

remesa 발송, 발송상품; 송금
~ de emigrantes 해외교민의 송금

remesar 발송하다, 출하하다; 송금하다

remisión 면제; 이송(移送)
~ condicional de la pena 형의 집행정지, 집행유예
~ de la solidaridad 연대(連帶)의 면제
~ de las actuaciones al órgano que ha de conocer de ellas 이송
~ de las actuaciones al tribunal superior 이심(移審)

remisor 발송자, 하주(荷主)

remisoria 이송서

remisorio ⓗ 이송의

remitente 발송자, 하주(荷主); 발신인; 송금인

remitir 보내다; 면제·경감하다; 이심(移審)·환송(還送)하다
~ una deuda 채무를 경감·면제하다

remoción 해임, 파면; 제거, 회수

remojada, remojo 팁; 뇌물, 수회

remojar 뇌물을 쓰다; 팁을 주다

remunerable ⓗ 보상해야 할

remuneración 수당, 보수(報酬)
~ de falta de preaviso (해고의) 예고수당
~ percibida en concepto de derechos de autor 인세(印稅)
~ razonable 적정한 보수
~ valiosa 금전적 보상, 유가약인(有價約因)

remunerar 보수를 주다; 보상해 주다

remuneratorio, remunerativo, remunerador ⓗ 보수가 있는; 유리한, 수지맞는

rendición 수익, 이문, 성과; 제출
~ de la cuenta 회계 보고

rendimiento 효율; 수익, 이율; 수입, 소득
~ al vencimiento 만기 이율

~ corriente 경상수익률, (투자의) 현행 이율
~ de capital 자본이익률
~ decreciente 수확체감

rendimientos 소득
~ de actividades empresariales y profesionales (IRPF) 사업소득
~ de actividades forestales 산림소득
~ de dividendos 배당소득
~ de incrementos patrimoniales derivados de enajenaciones (IRPF) 배당소득
~ del capital inmobiliario 부동산 소득
~ del capital mobiliario 이자소득
~ del trabajo (IRPF) 근로소득, 급여소득
~ especiales 일시적 소득
~ exentos 면세소득
~ no sujetos a gravamen 비과세소득
~ patrimoniales 재산소득
~ provenientes del retiro o la jubilación 퇴직소득
~ sujetos a gravamen 과세소득

rendir 산출하다, 이익을 가져오다; 제출하다; 넘겨주다; (감사·경의를) 표하다, 바치다
~ confesión 고백·자백하다, 참회하다
~ cuenta 회계보고하다; (잘·잘못에 대하여) 보고하다
~ un fallo 평결을 밝히다; 결정을 내리다
~ indagatoria 심문을 받다
~ un informe 보고서를 제출하다
~ interés 이자가 붙다
~ pruebas 증거를 제시하다
~ utilidad 이익을 얻다
~ veredicto 평결을 밝히다

renegociable ㉾ 재협상할 수 있는

renegociar 재협상하다

reniego 불경(不敬)

renovación de un pagaré 어음의 갱신

renta 수입, 소득; 임차료; 지대(地代); 소작료; 연금
~ , a 소작 계약으로
~ acumulada 미수(未收)수익
~ adelantada 선불비용
~ anticipada 전수(前受) 임대료
~ anual 연수, 연간소득; 연금
~ bruta 총이익, 총소득, 총수입
~ cobrada por adelantado 선수입 소득
~ de bienes raíces 부동산 소득
~ de capitales mobiliarios 동산 자본의 소득
~ de explotación 영업이익, 영업소득
~ de inversiones 불로소득; 투자이익

~ de la tierra 지대(地代)
~ de retiro 퇴직연금
~ de títulos (A) 사채・유가증권 이자
~ del capital 이자(利子)
~ del suelo 지대(地代)
~ del trabajo 근로소득
~ devengada (발생된) 미수(未收) 임대료
~ diferencial 차액 이익
~ diferida 거치 연금, 지연 연금
~ disponible 가처분소득
~ económica 경제적 지대(地代)
~ estancada 전매품의 특별세입
~ ganada 가득(稼得)이익, 노동소득
~ imponible o gravable 과세소득
~ imputada o presunta 귀속(歸屬)소득, 귀속임대료
~ inmediata 즉시지불 연금
~ líquida 순익, 순이익, 순소득
~ nacional 국민소득
~ per cápita 1인당소득
~ perpetua inmediata 영구 즉시지불 연금
~ personal 개인소득
~ personal disponible 개인 가처분소득
~ por habitante 1인당 소득
~ por invalidez 장해급여
~ pública 확정이자부 공채
~ temporal 정한(定限) 연금
~ territorial 지대(地代); 내국세
~ vitalicia 종신(終身) 정기금

rentas 소득; 소득세; 세입(歲入)
~ , hacer (las) 대지(貸地)하다
~ del Estado 국가 세입
~ del trabajo (IRPF) 근로소득, 급여소득
~ exentas 면세소득
~ no sujetas a gravamen 비과세소득
~ públicas 공공단체의 세입
~ sujetas a gravamen 과세소득

rentable ⓗ 수익이 있는

rentado ⓗ 영리적인; 정기적인 수입이 있는

rentar 수익을 올리다; (M) 임대하다

rentista 채권 소지자, 금리 생활자; 연금 수급자

rentístico ⓗ 재정의

rentoso ⓗ 소득이 있는

renuncia 포기; 사직, 사표

~ a la herencia 상속 포기
~ a la nacionalidad 국적 포기
~ a las pretensiones de la demanda 청구의 포기(abandono de la acción)
~ a un cargo 사임
~ al trabajo 사직
~ a un derecho 권리 포기
~ de agravio 불법행위에 대한 권리 포기
~ de aviso de rechazo 거절통지 받을 권리 포기
~ de citación 통지 받을 권리 포기
~ de exención 면제 포기
~ de inmunidad 면책 포기서
~ de legados 유증의 포기
~ implícita o tácita 묵시적 권리포기
~ voluntaria o expresa 임의적 혹은 명시적 권리포기

renunciable ⓗ 포기할 수 있는; 거절할 수 있는

renunciar 사직하다; 포기하다; 양도하다; 거절하다

reo 죄수, 수형자(受刑者)(condenado); 피고, 피고인(acusado)

reorganización 개조(改造), 재조직, 재편성
~ en equidad 형평법상의 회사재건

reorganizar 재조직·재편성하다

repagable ⓗ 돌려줄·반제할 수 있는; 돌려줘야 할

repagar 갚다, 반제하다

reparación 수선, 수리; 보상, 배상; 시정(是正)
~ de agravios 불만사항의 시정

reparador ⓗ 교정하는

reparar 수선하다, 수리하다; 보상하다, 배상하다

reparo 수선, 수리; 방어; 반대

reparcelación urbanística 환지(換地)

repartidor 분배자; 재산 평가인, 과세 평가인
~ de averías (해상보험) 해손(海損) 정산인

repartimiento 분배, 할당; 평가, 평가액

repartir 분배·할당·평가하다
~ un dividendo 배당금을 발표하다

reparto 분배
~ de avería (해상보험) 해손(海損) 청산
~ de beneficios 수익 분배
~ de dividendos 이익 배당
~ de pérdidas y gananciales 손익 분배

~ de utilidades (M) 이익 분배

repertorio 목록, 색인

repatriación forzosa 강제추방, 강제송환, 강제퇴거

repertorio de jurisprudencia 판례집

repetición 반복; 재범, 누범; 구상권(求償權)

repetir 반복하다

repetitivo ⓗ 되풀이하는, 반복성의

réplica (원고의) 재항변(再抗辯)

replicante 응답자; 항변자

replicar 항변하다, 반론하다

replicato (원고의) 재항변(再抗辯)

reponer una causa 심리를 재개하다

reportado (M) 주식 임대인

reportador 주식 차용인

reporte (M, CA) 보고서; (GB) 이월(移越)일변(日邊); (Sp) 주식 대차(貸借)
~ de accidente (M) 사고(事故)보고서

repórter 법원 속기사, 법정 서기

reporto (주식) (M) 증권대차(貸借)
~ activo 증권차용
~ pasivo 증권임대

reportorio 목록, 색인

reposesión (PR) 되찾음, 회복

reposición 복직, 복위; 경질, 보충; 항변

repositorio 안치소, 납골당

repreguntar 반대심문·대심(對審)하다

repreguntas 반대신문

reprender 꾸짖다, 나무라다

reprensión 견책, 계고

represalia 보복
~ , de 보복(관세)의

representación 대리, 대행; (예외적으로) 알림, 경고
~ aparente 표현대리, 표견대리
~ directa 직접대리

~ especial 특별대리
~ exclusiva 독점대리권
~ falsa 허위대리; 성명(姓名)사칭
~ general 총대리권
~ hereditaria 대습(代襲)
~ importante o material 중대한 표시
~ indirecta 간접대리
~ legal 법정대리
~ mancomunada 공동대리
~ procesal 소송대리
~ promisoria (보험) 약속의 표시
~ sin poder o sin poder bastante 무권대리(無權代理)
~ voluntaria 임의대리(任意代理)

representado 본인, 위임인

representante 대리인, 대행자, 수임인
~ autorizado o acreditado 권한을 부여받은 대리인
~ común de los obligacionistas (M) 채권 수탁자
~ de comercio 위탁상, 중개인
~ del interés público en un comité 공익위원(公益委員)
~ especial 특별대리인
~ legal 법정대리인
~ por acumulación (PR) 전주(全州) 선출 의원
~ sindical 노동조합대표
~ voluntario 임의대리인

representar 대표・대리하다; 알리다, 이야기하다; 경고하다

representativo 대표자, 대리인; ⓗ 대표적인; 대리하는; 대의제의

represión 제지, 억압, 단속
~ del comercio 거래 제한

represivo ⓗ 제지・억압하는

reprobar 승인・찬성하지 않다; 비난하다

reprochabilidad 비난 가능성

república 공화제, 공화국

repudiación 포기, 방기
~ de la herencia 상속포기

repudiar 거부하다, 부인하다; 의절(義絶)하다, 이혼하다; (재산을) 포기하다

repudio 절연(絶緣)

repugnancia 혐오, 반감(反感); 모순

repugnante ⓗ 혐오스러운; 모순된

repulsa 거부, 거절

repulsar 거부・거절하다

requerimiento 요구; 최고(催告), 의사통지; 검찰수사 개시신청
- ~ , al 요구가 있는 대로
- ~ de pago 지불 청구
- ~ definitivo o permanente 종국적 중지명령
- ~ edictal 공시최고
- ~ fiscal (검찰이 법원에 요청하는) 검찰수사 개시신청
- ~ imperativo 강제명령, 명령적 중지명령
- ~ interlocutorio 중간 중지명령
- ~ judicial 독촉
- ~ judicial de pago (monitorio) 지불독촉
- ~ permanente 종국적 중지명령
- ~ postal fehaciente 내용증명
- ~ precautorio 예방적 금지명령
- ~ prohibitivo 금지적 금지명령
- ~ provisional o preliminar 잠정적 금지명령

requerir 요구하다, 필요로 하다; 알리다, 시달하다, 최고(催告)하다; 조사하다

requiriente 영장 송달리(送達吏), 통보관(通報官)

requisa 검열, 검사(檢査); 몰수, 압류; 징발, 징용

requisar 검사하다; 징발하다, 징용하다

requisición 검사; 징발; (상업) (M) 구매 요청

requisitar 신청서를 작성하다; (M) 구매를 요청하다

requisito 자격 요건, 필수 사항

requisitoria 청구서; 최고서(催告書); 지명수배

requisitorio ㉿ 청구의, 요구의, 최고(催告)의

requisitos 조건, 요건
- ~ de procedibilidad en el proceso penal 소송조건
- ~ para contraer matrimonio 혼인의 조건
- ~ proceslaes mínimos 소송요건
- ~ *sine qua non* 필수요건

res 물(物), 물건
- ~ *inter alios acta aliis non prodest nec praeiudicat* 당사자 간의 조약은 제 3자에게 이익이나 손해를 끼치지 않는다(los actos realizados entre unos no benefician ni perjudican a terceros)
- ~ *inter alios acta alteri non nocet* 당사자 간의 계약은 타인에게 손해를 입히지 않는다(los actos realizados entre unos no perjudican a otros)
- ~ *iudicata* 기판력(旣判力)
- ~ *nullius* 무주물(無主物)
- ~ *publica* 공공물(公共物), 공공체

resaca 역(逆)환어음, 회수 환어음

resacar 어음을 재발행하다, 회수하다

resarcimiento 보전(補塡)(compensación); 변상(辨償)(reparación del daño causado)

resarcimiento pleno 원상회복(*restitutio in integrum*)

resarcir 변상하다; 보충하다

rescatable ⓗ 회수·회복할 수 있는

rescatar 회수하다; (포로·인질의) 신병을 인수하다, 구하다; 교환하다

rescate 되사기; 회복; 몸값; 신병 인수; 보험 해약
~ pignoraticio 질물(質物) 회수

rescindible ⓗ 취소·해제·해지·파기할 수 있는

rescindir (계약을) 취소·해제·해지·파기하다

rescisión 취소, 해제, 해지
~ en equidad 형평법상의 취소
~ tácita 묵시적 취소

rescisorio ⓗ 취소·해약의

reserva 유보; 준비금
~ de capital 자본준비금
~ de derechos, con 권리를 침해하지 않고, 권리 유보조항을 붙여서
~ de divisa 외화 보유(고)
~ de dominio 소유권 유보
~ de reinversión 재투자적립금
~ en efectivo 현금 준비, 지불준비금
~ estatuaria 법정준비금; 정관상의 준비금
~ facultativa 임의준비금, 적립금
~ mental 심리유보(discrepancia entre la voluntad y la declaración)
~ para amortización 감채기금 적립금
~ para casos imprevistos 우발손실 적립금
~ para cuentas malas o para cobros dudosos 대손충당금
~ para dividendos futuros (A) 배당적립금
~ para eventualidades 우발위험 부담금
~ para la nivelación de dividendos (M) 배당평균 적립금
~ para primas no devengadas 미경과 보험료 준비금
~ para renovación de bienes de uso (A) 고정자산 치환 준비금
~ tácita 묵시적 유보
~ voluntaria 임의적립금

reservas
~ bancarias 은행지불준비금
~ contractuales (C) 대출계약상의 준비금
~ del excedente o de superávit 잉여금
~ de utilidades 미처분 이익잉여금
~ forzosas (C) 강제준비금
~ reglamentarias 법정준비금

reservados todos los derechos 모든 권리 보유, 판권 소유

reservar 보유하다; 미루다, 보류하다; 예약하다; 면제하다
~ decisión 결정을 보류하다

resguardo 보증, 담보; (A, M) 증서, 거래증빙; (GB) 항만창고증권; (Ec) 담보약정서 사본; 영수증; 부본(副本)
~ de acciones 가주권(假株券)
~ de almacén 창고증권
~ de depósito 창고증권, 창하(倉荷)증권
~ de préstamo 차용증
~ de rentas 세무담당국
~ de subscripción (증권) 신주(新株)인수권 증서
~ fronterizo 국경세관
~ provisional (증권) 가주권(假株券); (보험) 가(假)계약서

residencia 거주; 거주지
~ habitual 상시 주소
~ ilegal 불법체재
~ temporal 기류(寄留), 일시적 거주

residenciado en 주소를 둔

residenciamiento (관공리에 대한) 고발, 탄핵

residenciar (관공리를) 탄핵·고발하다; (법정에 소환하여) 죄상의 진위를 묻다
~ en juicio (Col) (법정에 소환하여) 죄상의 진위를 묻다

residente 거주자, 주민
~ ilegal 불법 체재(滯在)자

residir en (권리가) 있다

residual ㉻ 나머지의, 잔여의

resistencia a la autoridad (공무집행방해죄의 일종인) 저항죄

resolución 판결; 재결(裁決); 처분; 결의, 의결; 해제, 해약, 해지
~ administrativa 재결
~ conjunta 합동 결의, 공동 결의
~ constitutiva 형성적 판결
~ de delito nimio 미죄(微罪)처분
~ de nombramiento de administrador judicial 관리명령
~ de tribunal administrativo 행정심판
~ de un contrato de tracto sucesivo 해약(解約)
~ definitiva 종국(終局)재판
~ del contrato 해약(解約)
~ del juez *a quo* 원재판(原裁判)
~ escrita 서면결의
~ firme 확정판결
~ judicial 사법판결, 사법결정
~ paccionada o de mutuo acuerdo de un contrato 합의해약, 합의해제

~ sancionadora 징계처분

resolutivo, resolutorio ㉭ 해소·해제하는

resolver 해결하다; 결정하다; 요약하다; 파기하다
~ sin lugar 각하·기각하다

respaldo 후원, 보호; 보증; 준비금; (금융) 배서
~ de oro 금(金) 준비
~ económico 재정적 후원, 자금 지원

responder 답하다, 대답하다
~ a las especificaciones 명세서·사양과 맞다
~ a una obligación 의무를 다하다
~ de 책임지다, 보증하다
~ del daño 손해에 대해 책임을 지다
~ por 보증을 서다, 책임지다

respondiente ㉭ 대답하는, 응하는

responsabilidad 책임
~ civil 민사책임, (보험) 일반배상책임
~ civil derivada de acto ilícito 불법행위책임
~ civil directa 직접책임
~ civil indirecta 간접책임
~ civil por culpa extracontractual 불법행위책임
~ civil subsidiaria 보충책임
~ criminal o penal 형사책임
~ civil indemnizatoria 손해배상책임
~ contingente 불확정 책임
~ definida 직접책임
~ del almacenero 창고업자의 책임
~ del naviero 선주(船主)의 책임
~ del poseedor de animales 동물소유자의 책임
~ derivada de la fabricación de bienes de consumo 제조물책임
~ económica 재정책임
~ emergente 간접책임, 결과적 책임
~ empresarial 기업책임
~ en lucro 보상책임
~ eventual 불확정 책임
~ hacia terceros 일반배상책임
~ ilimitada 무한책임
~ internacional del Estado 국제책임
~ limitada 유한책임
~ mancomunada 분할책임
~ neta (회계) (M) 순가치, 순재산
~ objetiva 무과실책임
~ patrimonial de la administración pública 국가배상
~ patronal o de patrones 사용자의 책임
~ penal de las personas jurídicas 법인의 형사책임

~ personal 인적(人的)책임
~ por culpa extracontractual 불법행위 책임
~ por daños corporales 신체상해 배상책임
~ por daños materiales 대물 배상책임
~ por incumplimiento obligacional 채무불이행 책임
~ por mora 지체(遲滯) 책임
~ por *periculum* 위험부담
~ por riesgo 위험책임
~ por riesgo objetivo 무과실책임
~ por vicios de construcción o conservación de la cosa construida 공작물책임(工作物責任)
~ por vicios ocultos 하자담보(瑕疵擔保)책임
~ real 물적(物的) 책임
~ sin límite 무한책임
~ solidaria 연대책임
~ subsidiaria 2차적 책임

responsabilidades ante terceros 일반배상책임

responsabilizarse 책임을 지다

responsable 책임 있는 사람·당사자; ⓗ 책임 있는; (Col) 죄가 있는

responsiva (M) 채무; 보증서
~ , dar la 보증하다, 책임지다

respuesta 대답, 답변; (피고의) 제2답변(서)
~ a la trípulca (피고의) 제3답변

resquicio legal 법률의 틈

restablecer 다시 세우다, 본래대로 하다, 회복시키다

restablecimiento de relaciones diplomáticas 국교회복

restante 나머지; ⓗ 남은

restauración de la monarquía 왕정복고

restitución 반환, 환부(還付)
~ *in integrum* (M) 원상회복

restituir 원상회복하다

restitutio in integrum 원상회복

restitutorio ⓗ반환의, 환부(還付)의

restricción 제약, 제한
~ del comercio 거래 제한

restrictivo ⓗ 제한의

resuelve, se 의결·결의하다

resultando 판결이유(considerando)

resumen 요약, 개요, 적요서
~ de título 소유권 요약

resumiendo 요약

resumir 요약·개설(概說)하다

retasa 재평가, 재사정

retención (동산(動産)의) 유치; [국] 억류
~ a cuenta (조세) 공제; 원천징수
~ en el fuente o en el origen (조세) 원천징수
~ policial 검속(檢束)

retener 구류·유치하다; 원천징수하다, (미리 이자를) 공제하다
~ judicialmente 압류하다; 구속하다

retentor (C) 원천징수 의무자

retirable ⓗ (증권) 청구 즉시 지불되는; 기일 전에 상환될 수 있는

retirada 후퇴

retirada de un tratado internacional 조약 탈퇴

retirar 철회하다; 인출하다
~ acusaciones 고소·고발·비난을 철회하다
~ beneficios 이익을 취하다
~ efectivo (은행) 현금으로 인출하다

retirarse 퇴직하다

retiro (laboral) 퇴직

retorción [국] (높은 관세에 의한) 보복

retorno al registro civil de origen 복적(復籍)

retorsiones 복구(復仇); 보복

retractación 취소, 철회

retractar 취소·철회하다

retracto (convencional) 환매권(還買權)
~ de abolorio o de la saca 선조(先祖)재산 환매권, 가족재산 환매권
~ de coherederos 상속분 환매권
~ de comuneros 공동소유자 환매권
~ familiar o de sangre 선조재산 환매권, 가족재산 환매권
~ gentilicio 선조재산 환매권, 가족재산 환매권
~ legal 법정(法定)환매권
~ sobre inmuebles 부동산 환매권
~ y tanteo 동가(同價) 환매권

retraer 다시 사들이다, 환매(還買)하다

retransferir 원(原)임자에게 되돌리다, 재양도하다

retransmisión 재(再)이전; 재양도

retrasado 체불된, 지체된

retrasos 연체금

retrato 반제권(返濟權)

retribución extra (laboral) 할증 임금

retributivo ㊔ (A) 소득 창출의; 보복의

retribuyente ㊔ 보복의, 응보의

retroactividad 소급효

retroactivo ㊔ 소급의

retrocesión 환부(還付), 반환

retrotraer 실제보다 앞당겨 날짜를 적다

retrovender 다시 팔다; 환매 조건부로 팔다

retrovendición 환매(還買)

retroventa 원(原)임자에게 다시 팔기

reunión 모임, 집회, 회의
~ de accionistas 주주총회
~ de acreedores 채권자집회
~ de la directiva 중역회의, 임원회의
~ de instalación 창립총회
~ extraordinaria 특별회의, 임시회의
~ ilegal 불법집회

reunirse 모이다
~ de nuevo 재집합하다

reválida (A) 재확인, 재인정, (증명서의) 갱신; (PR) 사법시험

revalidación 재확인, 재인정, (증명서의) 갱신

revaloración 재평가; 화폐가치의 회복

revalorización 평가절상, 재평가

revalorizar, revaluar 재평가하다

revalúo (A) 재평가

revelación de secretos 비밀누설

reventa 재판매, 소매; (A) 동가(同價) 환매 계약

rever 재검토하다; 재심리하다

reversible ⑱ 뒤집을 수 있는; 복귀할 수 있는

reversión 복귀권; 계승권
~ al estado 복귀(권), 복귀재산

reverso (메달・화폐의) 안쪽, (서류의) 이면(裏面)

revertir 복귀・귀속하다

revisable ⑱ 재조사・재심리할 수 있는

revisador 조사자, 검사관

revisar 검사・심사・교정(校訂)하다
~ la acción 재심리하다
~ cuentas 회계 감사하다

revisión 검사, 심사; 교정(校訂); 불복신청(不服申請)
~ contable 회계 감사
~ de la causa 재심리
~ de título 권원(權原) 조사
~ judicial 위헌법률심사권

revisión 심사, 검사; 재심

revisor 검사관, 감사역; 검표원
~ contable 회계감사관; 감사

revisoría 감사관의 직・사무실

revista 재심, 재심리, 속심(續審); 잡지

Revista Jurídica 법률 저널

revocabilidad 철회 가능성

revocable ⑱ 철회・취소할 수 있는

revocación 철회, 취소
~ avocativa 파기(破棄)자판(自判)
~ de la sentencia de instancia 파기(破棄)
~ de testamento 유언의 취소
~ de un acto administrativo 행정행위의 철회
~ de un poder 위임철회
~ devolutiva 파기(破棄)환송

revocar 철회하다, 취소하다
~ la sentencia 판결을 파기하다

revocatoria 철회

revocatorio ⑱ 철회의, 폐지의

revolución 혁명

revolucionario 혁명가; ㊏ 혁명의

revuelta 소요, 폭동, 반란

rezago de la corte 계쟁(係爭)중의 사건・소송

riberanos, ribereños (호수・강 등) 물가의 토지소유자

riesgo 위험
~ colectivo 공동출자사업; (보험) 공동위험
~ del comprador 매수인 책임
~ del porteador 운송인 책임
~ del vendedor 매도인 책임
~ emergente 간접 책임, 불확정 책임
~ marítimo (보험) 해상위험
~ profesional (CA) 직업재해

riesgo asegurado 보험사고

riesgos del mar 해상위험

riguroso ㊏ 엄격한

rito funerario 제사

ritualidad (U) 형식 절차

ritualismo 형식주의

robacoche (M) 자동차 절도

robar 훔치다, 강탈하다

robo 강취(强取), 강탈
~ con resultado de muerte o lesiones 강도치사상죄
~ con violación 강도강간죄
~ por el procedimiento del tirón 날치기

rogatorio ㊏ 청원하는

rollo 기록(부)

romanista 로마법 학자

romper 깨다, 부수다; 어기다
~ el contrato 계약을 위반하다
~ la huelga 파업을 무산・진정시키다
~ las relaciones 사이가 벌어지다, 관계가 단절되다

rompimiento 파괴; 단절; 위반

rotura 파괴, 파손, 파열
~ del contrato 계약 위반・불이행
~ de huelgas 파업 파괴(행위)

rúbrica 서명

rubricado 서명이 된

rubricar 서명하다, 도장을 찍다

rubro 표제, 건명(件名)

rueda 바퀴; (주식시장의) 입회

rueda de reconocimiento 면질(面質), 대질 확인

ruego 간청, 탄원

rumor 소문, 풍문

ruptura 단절, 중단
~ de relaciones diplomáticas 국교단절
~ del nexo causal 인과관계의 중단
~ matrimonial 파경

S

S. A. (sociedad anónima) 익명회사, 주식회사

S. A. C. V. (sociedad anónima de capital variable) (M) 가변자본(可變資本) 주식회사

S. de R. L. (sociedad de responsabilidad limitada) 유한책임회사

S. en C. (sociedad en comandita) 합자회사

saber y entender 지식과 신념, 알고 있는 한에 있어서는

sabiendas, a 고의로, 알면서도

sabotaje 파괴행위, 생산방해 행위, 사보타주, 태업

saboteador 파괴행위자, 태업자

sabotear 사보타주하다, 파괴활동하다, 태업하다

saca 등본(謄本)

sacadineros 야바위꾼

sacado (은행) (A) 어음 수신인, (수표·약속어음) 수취인, (환어음) 지급인

sacador (은행) (A) 어음 발행인

sacar 꺼내다, 뽑다, 획득하다
- ~ a licitación pública 입찰을 모집하다
- ~ a subasta o a remate 입찰을 모집하다; 경매에 부치다
- ~ a la suerte 제비를 뽑다, 추첨하다
- ~ a la venta 팔려고 내놓다
- ~ beneficio o ganancia 이익을 보다, 이문을 얻다
- ~ dinero (은행) 돈을 인출하다, 현금으로 바꾸다
- ~ patente 특허를 얻다
- ~ el protesto (상업) (Pe) 어음의 지급을 거절하다, 거절증서를 작성하다
- ~ provecho 이익을 얻다
- ~ utilidad 이윤을 내다

sala (de vistas o audiencias) 법정, 공판정; 소(小)법정 (↔ pleno)
- ~ de apelación 항소법원, 항고법원, 상고법원, 상소심법원
- ~ de audiencia 법정(法廷)
- ~ de casación 파기원(破棄院); 상소법원
- ~ de justicia 법정(法廷), 법원
- ~ de lo civil 민사부
- ~ de lo contencioso 사실심 법정
- ~ de lo contencioso administrativo 행정부

~ de lo criminal 형사부
~ de lo penal 형사부
~ de lo social 노동부
~ de sesiones 회의실
~ de tránsito (교통위반을 재판하는) 즉결재판소
~ del tribunal 법정(法廷)
~ de vacaciones (C) 휴가철의 특별 법정
~ penal 법원내 형사부
~ plena, en 공개적으로

salario 임금, 급료, 노임
~ base 기준임금
~ medio 임금수준
~ mínimo 최저임금
~ nominal 명목임금
~ real 실질임금

saldo 잔고
~ acreedor 대월(貸越)잔고; 수취(受取)계정
~ deudor 차월(借越)잔고; 지불계정
~ negativo 적자(赤字)잔고
~ positivo 흑자(黑字)잔고

salir 나가다, 나오다
~ fiador 보증인이 되다
~ garante de 보증인이 되다, 보를 서다

salón de audiencia (Col) 법정(法廷)

salteador 노상강도, 들치기, 권총강도

saltear 들치기하다

salteo 노상강도, 들치기, 권총강도

salvador 해난 구조자・구조선

salvamento (해난) 구조
~ civil 민간구조
~ marítimo 해난(海難)구조

salvar 구출・구조하다; 제외하다; (서류에) 정정사항을 써서 첨부하다

salvo 제외하고
~ aviso 통지가 없으면
~ buen cobro 유보 조건으로, 대금회수 조건으로
~ contraorden o revocación (주문의) 취소가 없는 한
~ los domingos y días de fiesta 일요일 및 공휴일을 제외하고
~ error u omisión (S. E. u O.) 오기(誤記) 및 탈락은 제외하고
~ indicación contraria 달리 언급이 없으면
~ pacto en contrario 다른 특약이 없으면

sanción 형(刑), 형벌, 제재(制裁); 재가(裁可), 인증

~ administrativa 행정 벌, 행정형벌
~ económica 경제제재
~ impuesta a un diputado con arreglo a su régimen disciplinario propio (징계제도에 의한 의원의) 징벌
~ pecuniaria 금전 벌
~ pecuniaria administrativa 과료(過料)
~ pecuniaria penal grave 벌금
~ pecuniaria penal leve 과료(科料)
~ pecuniaria por abuso del derecho de apelación (오직 소를 지연시키기 위한 목적으로 상소를 하는 것에 대한) 벌금 납부명령
~ procesal 소송규칙 위반에 대한 벌
~ punitiva o penal 형벌

sancionable ㊖ 제재할 수 있는; 재가(裁可)할 수 있는

sancionar 형·벌에 처하다; 재가(裁可)하다, 인증하다

sancionatorio (U) 제재의, 처벌의

saneado ㊖ 저당이 잡혀 있지 않은; 깨끗한; 보증된

saneamiento 보상, 배상; 보증; 담보책임
~ de título 소유권의 하자담보(瑕疵擔保)
~ en caso de evicción o por evicción (por gravámenes jurídicos ocultos) 추탈(追奪)담보
~ por vicios ocultos 소유권의 하자담보

sanear 보증하다; 변상하다; 워크아웃 시키다

sanidad pública 공중보건, 공중위생

sano de juicio ㊖ 건강한 정신의

saqueo 약탈, 강탈, 절도

sargento de armas 경위(警衛), 수위관

satisfacción extraprocesal 소외(訴外) 이행

satisfacer 보상하다; 지불하다; 해결하다

satisfecho ㊖ 만족한; 변제가 된

sección (항목으로서의) 관(款); 재판부
~ civil (de un trinunal) 민사부
~ penal (de un trinunal) 형사부

secretaria 여비서

secretaría 비서직, 서기직; 사무국; 부(部), 성(省)
~ del despacho 부(部), 성(省)
~ del juzgado 법원 사무국

Secretaría
~ de Estado (PR) 국무성(國務省)

~ de Hacienda 재무성
~ de Negocios Extranjeros 국무성, 외무부

secretariado 서기 · 비서의 직; 서기국, 사무국

secretarial ⓗ 서기 · 비서의; (국무)장관의

secretario 비서; 서기관, 사무관; 장관
~ actuario (M) 법원 서기
~ del despacho 내각, 국무위원
~ del juzgado 법원 서기
~ interino o provisorio 장관 · 사무관 서리
~ judicial 법원서기(관)

secreto 비밀
~ comercial 영업비밀
~ de correspondencia 서신의 비밀, 사신(私信)의 불가침성
~ de las comunicaciones 통신의 비밀
~ empresarial 기업비밀
~ industrial 노하우
~ profesional 직무상의 비밀

secuela (M) 처리, 조치

secuestrable 차압 · 몰수할 수 있는

secuestración 차압, 몰수, 가압류

secuestrador 가압류자; 유괴자

secuestrar 차압 · 몰수하다; 납치 · 유괴하다

secuestre 보관소

secuestro 유괴; 계쟁물 기탁, 공탁
~ de bienes 차압 물건
~ de dinero (C) 강도짓
~ judicial 압류, 리언, 압수
~ precautorio 가압류

secundario ⓗ 부(副)의, 제2의, 이차적인

secundum tabulas 등기부에 따라

sede 본점, 본부
~ central o general o principal o social 본사, 본점
~ de gobierno 행정부 소재지

sedición 난동, 선동, 치안방해(죄), 폭동교사(행위)

sedicioso ⓗ 선동적인, 폭동교사의

seducción 유혹; (부녀자의) 유괴

seducir 유혹하다; 타락시키다

seductor 유혹자

segregación racial 인종격리정책, 흑인차별정책(*apartheid*)

seguir pleito 소송을 제기하다

según ~에 따라; ~에 의하면
~ convenido 합의에 따라
~ interés 이해관계에 따라
~ mi leal saber y entender 내가 아는 한에 있어서
~ toda consta 모든 것이 명기된 바와 같이

segunda
~ de cambio 제2어음
~ hipoteca 2순위 저당
~ instancia 제2심
~ parte (민사소송의) 피고
~ repregunta 2차 반대신문

segundas nupcias 재혼

segundo ⓗ 두 번째의
~ emplazamiento 재소환
~ interrogatorio directo 2차 직접신문

seguridad 안전, 치안; 안정성; 보증, 담보
~ colateral (금융) 담보물
~ jurídica 법적 안정성
~ pública 치안, 공안
~ social 사회보장

seguridades (C, Col) 유가증권

seguro 보험
~ colectivo 공동보험, 단체보험
~ contra accidentes 상해보험, 재해보험
~ contra casualidades 재해보험, 상해보험
~ contra desempleo 실업보험
~ contra desfalco 횡령(橫領)보험
~ contra falsificación 위조(僞造)보험
~ contra incendio 화재보험
~ contra responsabilidad civil 책임보험
~ contra robo 도난보험
~ de accidentes laborales 산재보험
~ de automóvil 자동차보험
~ de compensación o contra compensación legal 보상보험
~ de cumplimiento 이행보증서
~ de daños 손해보험
~ de desempleo 실업보험
~ de escalo 도난보험
~ de fidelidad 신용보험, 신원보증, 충실증서

~ de incendios 화재보험
~ de indemnización 손해배상보험
~ de manejo (Col) 신용보험, 신원보증, 충실증서
~ de responsabilidad civil 책임보험
~ de responsabilidad patronal 사용자책임보험
~ de supervivencia 생존보험
~ de título 소유권보험
~ hipotecario 저당보험
~ marítimo 해상보험
~ marítimo de buques 선박보험
~ marítimo de flete 운임보험
~ marítimo de mercancías 적하보험(積荷保險), 화물해상보험
~ médico 건강보험
~ mutuo 상호보험
~ obligatorio 강제보험, 의무보험
~ obligatorio de vehículos a motor 자동차 책임보험
~ sanitario o de salud 건강보험
~ social 사회보험
~ voluntario 임의보험

sellado 날인(捺印); ⓐ 날인한; 인지가 붙은; 소인(消印)된
~ de actuación (A) 소송서류에 붙는 인지세
~ y firmado por mí 내가 직접 서명 날인한

sellar 날인하다; 봉인하다; 우표·인지를 붙이다; (A) (화폐를) 주조하다

sello 도장, 인(印); 우표, 인지, 증지
~ corporativo o de incorporación o de la corporación 회사 인(印), 법인 인감
~ de lacrar o de lacre 실링 왁스(*wax seal*)
~ de rentas internas o de timbre o documental o fiscal 수입인지(收入印紙)
~ forense (PR) 법정인지(印紙)
~ notarial 공증 인(印)
~ particular 사인(私印)
~ personal 인감 (estampilla para usar a modo de firma)
~ personal no registrado 막도장
~ personal registrado 실인(實印)
~ social 회사 인(印), 법인 인감

semanero (M) 주간(週間) 판사

semi- 준(準)~
semi-capacidad 준(準)능력
semi-fiscal, empresa 준(準)공영기업
semi-imputabilidad 한정책임능력
semi-incapacidad 준금치산(準禁治産)
semi-incapacitado 준금치산자(準禁治産者)
semi-monopolio 준(準)전매
semi-oficial 반관적(半官的)인
semi-plena prueba 반증(半證)

seminario (CA) (정치・종교・학술 등의) 대회, 총회, 협의회, 회의

semovientes 동물, 가축

Senado 상원

senador 상원의원

sentencia 판결; 판결서
~ *a quo* 원(原)판결, 원심판결
~ abosolutoria [민] 기각판결
~ abosolutoria [형] 무죄판결
~ abosolutoria en la instancia (소송 요건이 부족하여 소(訴)를 각하하는) 소송판결, '문전박대' 판결
~ acordada 동의(同意)판결, 화해판결
~ acumulativa 순차집행의 형의 선고
~ *ad quem* 상소판결
~ alternativa 대체(代替)판결
~ *apud acta* 화해조서(판결)
~ arbitral 중재판정
~ cancelada 형기 만료(sentencia cumplida)
~ cerrada 밀봉된 평결
~ circunstancial (취소소송에서 공공복리를 감안한) 사정판결(事情判決)
~ civil 민사판결
~ civil de condena 급부(給付)판결
~ complementaria (M) 보완판결
~ con reserva 권리유보 판결
~ condenatoria [민] 유책(有責)판결
~ condenatoria [형] 유죄판결
~ condicional 조건부 판결
~ confirmatoria 확인판결
~ constitutiva 형성(形成)판결, 창설(創設)판결, 권리변경판결
~ contra la cosa 대물(對物)판결
~ contra la persona 대인(對人)판결
~ contradictoria 대석(對席)판결 (↔ sentencia en rebeldía)
~ contumacial (M) 법정모욕 판결
~ de absolución en la instancia 소송판결, '문전박대' 판결
~ de aclaración 추가판결, 보충판결
~ de alzada o de segunda instancia 항소심 판결
~ de anulación 취소판결
~ de apelación 상소판결
~ de condena 원고승소 판결; 유죄 평결
~ de confirmación 확인판결
~ de conformidad [형] 약식명령
~ de disolución 회사해산판결
~ de divorcio 이혼판결
~ de exequátur 집행판결
~ de fondo o de mérito 본안(本案)판결
~ de forma 형식판결

~ de inadmisión 각하(却下)판결
~ de instancia 원판결
~ de muerte 사형선고
~ de prisión vitalicia 종신형 선고
~ de rehabilitación 파산면책
~ de segunda instancia 항소심 판결
~ de subsanación de error material 변경판결
~ decisoria (U) 최종판결
~ declarativa 확인판결
~ declarativa de la existencia de una relación jurídica 적극적 확인판결
~ declarativa de la inexistencia de una relación jurídica 소극적 확인판결
~ declarativa de la nulidad de un título valor 제권(除權)판결
~ definitiva 최종판결, 종국(終局)판결
~ del juez *a quo* 원판결, 원심판결
~ del juez *ad quem* 상소판결
~ desestimatoria 기각판결
~ determinativa o dispositiva (M) 전례가 되는 판결
~ devolutiva 환송(還送)판결
~ ejecutiva 집행판결
~ ejecutoriada (M) 상급법원이 아니라 행정부에 이의를 제기할 수 있는 판결
~ en contumacia 결석판결
~ en rebeldía 결석판결
~ escrita 판결서
~ especial 특별평결
~ estimatoria 인용(認容)판결
~ firme 확정판결
~ general 일반평결
~ grave 중형(重刑)선고
~ guardada 결정사항 추후통보
~ *in voce* 낭독판결; 즉결, 즉결심판(dictada en el acto)
~ indeterminada 부정기(不定期)형
~ interlocutoria o incidental 중간판결
~ liquidada 형기 만료
~ motivada 판결이유첨부 판결
~ nula 무효판결
~ objeto de recurso 원심판결
~ ordenatoria o procesal (M) 소송 절차상의 문제 결정
~ parcial 일부무죄 평결
~ parcialmente desestimatoria 일부(一部)패소 판결
~ parcialmente estimatoria 일부(一部)승소 판결
~ penal 형사판결
~ penal absolutoria 무죄판결
~ penal condenatoria 유죄판결
~ penal de fondo 실체판결
~ pendiente de recurso de apelación 상소계속(上訴係屬)중의 판결
~ posesoria 점유권에 대한 판결
~ preservativa (M) 예비소송 승인 판결

~ provisoria 중간판결
~ registrada 판결의 등재
~ resolutiva 하급심 판결의 파기
~ revocatoria 파기(破棄)판결, 역전(逆轉)판결
~ sellada 밀봉된 평결
~ sobre el fondo del asunto 본안(本案)판결
~ sobre excepción previa 방소항변(妨訴抗辯)에 대한 판결
~ sobre las alegaciones (PR) 변론에 대한 판결
~ sumaria (PR) 즉결 심판
~ suspendida 집행유예
~ total 최종판결

sentencias
~ concurrentes 동시집행형의 선고
~ consecutivas 순차집행의 판결

sentenciador 선고 판사

sentenciar 선고 · 판결하다; 형에 처하다; 재정(裁定)하다

sentido 의미; 방향; 감각
~ lato 자유 해석
~ popular 일반적 이해

señal 신호, 표적; 예약금, 계약금, 증거금, 착수금

señalar ~에 표를 하다; 가리키다, 지정하다; 신호하다
~ por la ley 법으로 정하다

señalamiento 기일의 지정

señores del jurado 남성 배심원

señorío feudal 장원(莊園)

señorío sobre vidas y haciendas 영주권(領主權)

separable ㉵ 분리할 수 있는

separación 분리
~ de actuaciones y señalamiento de varias vistas orales 변론의 분리
~ de bienes 별산제(別産制)(régimen económico matrimonial)
~ de patrimonios 재산의 분리
~ de poderes 삼권분립
~ del patrimonio hereditario 재산분리
~ judicial 재판상의 부부 별거
~ matrimonial de derecho 법률상의 별거, 준(準)이혼
~ matrimonial de hecho 별거

separar 나누다; 별거 · 이혼시키다; 해임하다

sépase 공지함
~ por la presente 이 문서를 통해 알리는 바임

sepelio 장례, 장제(葬祭)

serio 진지한; 신뢰할 수 있는

servicio militar 병역
 ~ obligatorio 징병제, 병역의 의무

servicio profesional o de abogado 법률자문, 법률서비스

servicio religioso 제사

servicios prestados 제공된 서비스

servidumbre 지역권(地役權), 통행권; 용역권(用役權); 하인(下人); 예종(隷從)
 ~ accesoria 부속(附屬)지역권
 ~ activa 적극적 지역권
 ~ afirmativa 작위(作爲) 지역권
 ~ aparente 표현(表現) 지역권
 ~ continua 계속(繼續) 지역권
 ~ de abrevadero (가축) 음수(飮水) 권리
 ~ de acceso 통행(通行) 지역권
 ~ de acueducto 인수(引水) 지역권
 ~ de aguas 용수권(用水權), 수리권(水利權)
 ~ de camino 통행권
 ~ de desagüe 배수(排水)권
 ~ de hacer 작위(作爲)지역권
 ~ de luces 일조권(日照權), 채광(採光)권, 일조(日照) 지역권
 ~ de luces y vistas 일조권 및 조망권
 ~ de medianería 호유권(互有權)
 ~ de no hacer 부작위(不作爲) 지역권
 ~ de paso o de tránsito 통행권, 통행(通行) 지역권
 ~ de paso (legal) 위요지(圍繞地) 통행권, 법정(法定) 통행권
 ~ de pastor 공유(共有) 목초지
 ~ de uso de aguas 용수(用水) 지역권
 ~ de utilidad pública 공익(公益) 지역권
 ~ de vía 통행권
 ~ de vistas 조망권, 조망(眺望) 지역권
 ~ discontinua 불계속(不繼續) 지역권
 ~ intermitente 간헐적 지역권
 ~ legal 법정(法定) 지역권
 ~ legal de paso 위요지(圍繞地) 통행권, 법정(法定) 통행권
 ~ negativa 부작위 지역권
 ~ no aparente 불표현 지역권
 ~ pasiva 소극적 지역권
 ~ personal 인역권(人役權)
 ~ por prescripción
 ~ positiva 적극적 지역권
 ~ predial o real 부동산(不動産) 역권(役權)
 ~ real 물적 지역권
 ~ recíproca 상호 지역권

~ rústica 농촌 지역권
~ sobre edificio 도시 지역권
~ sobre terreno 농촌 지역권
~ tácita 묵시적 지역권
~ urbana 도시 지역권
~ urbanística 토지 사용권
~ urbanística de uso permanente de vías públicas 도로점용권

servir el pago 대금을 지불하다

sesión 개회, 개정; 회기; 회의
~ a puerta cerrada 비공개회의
~ conjunta 합동회의
~ constitutiva 창립총회
~ de la directiva 이사회
~ ejecutiva (의회 지도자의) 비밀회의, (비공개) 간부회의
~ extraordinaria 특별회의; 특별법정
~ ministerial 각료회의, 국무회의
~ ordinaria 정기회의
~ plenaria 총회

sesionar 회의를 개최하다

sevicias 학대(虐待)

sicario 자객, 킬러

siglas 머리글자 약어

signatario 서명자, 협정 당사자, 어음발행인; ⓗ 서명하는

signo notarial 공증인 마크

silencio 침묵; 정숙(靜肅)

silla de los testigos 증인석, 증언대

simbólico ⓗ 상징적인; 기호・부호의

simple ⓗ 단순한; 단식(單式)의

simulación 가장(假裝)

simuladamente 꾸며서, 가장하여

simulado ⓗ 꾸민, 가짜의; 가상의, 견적의

simular 가장하다

sin ~ 없이
~ cancelar 지불하지 않고
~ compromiso 의무・책임 없이
~ día fijo 무기한으로
~ dividendo 배당락(配當落)
~ efecto ni valor 무효인

~ fijar fecha 무기한으로
~ interés 이자락(利子落)
~ justa causa 정당성 없이, 정당한 이유 없이
~ lugar, declarar 이유·근거 없다고 선언하다
~ menoscabo 침해하지 않고; 손상하지 않고
~ mi responsabilidad (Ec) 소구(遡求) 배제(배서인의 문구)
~ pagar 미불의, 미지급의
~ perjuicio de 편견 없이; 손상하지 않고; ~과 아울러
~ prole 후사(後嗣)없이
~ protesto 이의·항의 없이
~ recurso 소구(遡求) 배제(배서인의 문구)
~ resolver 미결 상태인(pendiente)
~ salvedades 무조건의, 예외 없이
~ sellar 도장이 찍히지 않은; 날인되지 않은
~ testamento 유언(장)을 남기지 않은
~ valor 가치 없는

sinalagmático ⓗ 쌍무(雙務)의

sinarquismo (M) 파시즘

sinarquista (M) 파시스트

sindicado 기업연합, 신디케이트; 재산관리자회; 조직폭력 연합; 형사피의자

sindicalismo 노동조합주의
~ criminal 조직폭력주의

sindicalizar 신디케이트를 만들다, 신디케이트 조직으로 하다

sindicar 신디케이트를 만들다, 신디케이트 조직으로 하다; 고발하다

sindicato 신디케이트, 기업연합; 동업자 연맹; (사업·채권 등의) 인수조합; 관재인회; 노동조합
~ bancario 은행단
~ de oficio 직능별 노동조합
~ de suscripción 발행증권 인수단, 채권인수 조합
~ industrial o de industria 산업별 노동조합
~ obrero 노동조합
~ patronal o de patronos 사용자연합
~ vertical 산업별 노동조합

sindicatura 파산관재인의 직·사무소
~ amigable 우호적 파산관재인 제도
~ de acciones (Sp) 의결권투자신탁에 맡겨진 주식
~ , en 재산관리를 받고 있는

síndico 평의원, 이사; 감사; (파산) 관재인; (A, U) 주주의 이익관리사원(comisario (M)); (DR) 시장, 군수
~ auxiliar 부(副)관재인
~ de quiebra 파산관재인
~ definitivo o liquidador (파산) 관재인

~ *pendente lite* 소송물(訴訟物)의 관리인
~ provisional (파산) 관재인
~ suplente (A) 부(副)사무원
~ titular (A) 정(正)사무원

sine causa ⓗ 원인이 없는

sine die 무기한의

sine qua non ⓗ 필수적인, 필요불가결한

sinecura 한직(閑職), 편한 일

síngrafa (M) 합의각서

singular ⓗ 각개(各個)의; 단독의, 유일한; 유별난

siniestrado ⓗ 피해를 입은; (U, CA) (사고로) 부상을 당한

siniestralidad (보험) (Sp) 손해

siniestro 손해, 손실; 재해, 해난; (U) 사고(事故)

sinopsis 요약, 개요; 일람표

sinrazón 부당 (행위), 해(害), 권리침해

sirviente 하인; ⓗ 봉사하는

sisa 특별소비세; 할인; 좀도둑질

sisar 좀도둑질하다; 특별소비세를 부과하다

sisero 특별소비세 징수관

sistema 제도
~ colegiado 합의제
~ de adopción 입양제도
~ de adopción plena 특별양자제도
~ de días-multa 일수(日數)벌금제도
~ de la casa 가(家)제도
~ de pensiones 연금(年金)제도
~ de revisión de la constitucionalidad de las normas 위헌심사제
~ fiscal (tributario) 세제(稅制)
~ impositivo 세제(稅制)
~ impositivo simplificado 간이과세제도
~ judicial 재판제도
~ jurídico 법제(法制)
~ jurídico anglosajón 영미법계제도
~ jurídico continental 대륙법계제도
~ de triple instancia 삼심제도
~ monetario europeo 유럽통화제도
~ tributario 세제(稅制)

sitial (의장・주심의) 좌석; (법정의) 긴 의자

situación 위치, 장소; 상태, 상황, 사정, 정세; (은행) 송금, 대체(對替)
~ cablegráfica 전신환 송금
~ financiera 재정 상태
~ legal 법적 지위, (합)법적 신분
~ metálica 현금 보유율

situar 위치를 정하다, 놓다; 송금하다; 할당하다

so pena de (위반 시) 처벌을 받는 조건으로

soberanía 주권, 종주권, 통치권
~ internacional 대외주권
~ latente 잠재주권
~ popular 국민주권
~ territorial 영토권, 영토주권

sobornador 증회자(贈賄者), 매수자

sobornar 매수하다, 뇌물을 주다

soborno 수회(收賄), 수뢰(受賂), 뇌물
~ de jurados 배심원 매수

sobreasegurado ⓗ 초과보험이 된

sobrecapitalizar 자본을 과대평가하다; 자본을 지나치게 투입하다

sobregirar (은행) (어음 · 수표 따위를) 초과 발행하다

sobregiro 초과 발행
~ aparente 외견상의 당좌대월
~ bancario 당좌대월(當座貸越)
~ real 당좌대월(當座貸越)

sobreimposición 부가세; 소득세 특별부과세

sobreimpuesto (AC, M) 부가세; 소득세 특별부과세

sobreinterés (A) 이자율 상승

sobreinversión 과잉투자

sobrelínea 행(行) 위에 적은 수정사항

sobrentendido ⓗ 충분히 양해된, 미리 알고 있는; 암묵(暗默)의

sobreplazo 기간 연장

sobrepuja 더 높은 가격을 부르기

sobrepujar (경매에서) 더 비싼 값을 부르다

sobreseer 단념 · 중지 · 포기 · 취하(取下)하다

sobreseimiento 면소(免訴), 무혐의 결정, 불기소(不起訴) 결정
~ definitivo 불(不)기소 결정
~ involuntario 비자발적(非自發的) 소(訴)취하

~ perentorio 강제적 소(訴)취하
~ provisional o temporal 기소 중지
~ temporal 기소유예결정
~ voluntario 자발적 소(訴)취하

sobresello 이중 봉인

sobresuscripción (Ch) 초과 신청

sobretasa 부가세, 소득세 특별부과세; 추징금
~ progresiva 누진부가세

sobreutilidad (B) 초과이익

sobrevencido ⓗ (지급)기한이 지난

sobreviniente ⓗ 병발(併發)의, 후발(後發)의

sobrevivir (남보다) 오래 살다, 살아남다, 생존하다

socaliñero 사기꾼, 협잡꾼

social-democracia 사회민주주의

socialismo 사회주의

sociedad 사회; 조합, 회사
~ absorbente (합병 후) 존속(存續)회사
~ absorbida (합병 후) 소멸(消滅)회사
~ accidental o en participación 공동출자사업, 합작투자
~ anónima 익명회사, 주식회사
~ anónima de capital variable (M) 가변자본주식회사 (S. A. C. V.)
~ caritativa 자선(慈善)법인
~ cerrada 폐쇄법인
~ civil 조합, 민사회사(民事會社) (↔ ~ mercantil)
~ colectiva 합명회사, 통상(通常)조합
~ comanditaria o en comandita 합자회사, 익명조합
~ comanditaria especial 유한책임조합
~ conyugal 부부공유재산제도
~ colectiva 합명회사
~ cooperativa de edificación y préstamos 주택대부 협동조합
~ de ahorro y préstamo 저축대부 조합, 상호은행
~ de beneficencia 자선(慈善) 법인; 공제조합
~ de capital e industria o de habilitación (A) 출자 및 영업사원 합작회사
~ de capital mixto 합변(合辦)회사
~ de capitalización (M) 자본화 은행
~ de cartera (Sp) 투자신탁회사
~ de control (Sp, M) 지주회사
~ de crédito 신용조합, 금융기관
~ de derrama (보험) 사정(査定)조합
~ de economía mixta (A) 공사(公私)혼합형 회사
~ de gananciales 공유재산 조합(참조: bienes gananciales, sociedad conyugal)

~ de hecho 사실상의 법인 (참조: sociedad accidental)
~ de interés público (M) 공익사업회사
~ de préstamos para edificación 주택건설대부 조합
~ de responsabilidad limitada 유한회사(有限會社)
~ de responsabilidad suplementada (M) 주주책임 회사
~ de seguros mutuos 상호보험회사
~ de servicio personal 개인서비스회사
~ de sustitución de valores (M) 투자신탁
~ doméstica (US) 국내기업
~ durmiente 휴면(休眠)회사
~ económica mixta (C) 민관(民官)합동회사
~ en comandita por acciones 합자회사
~ en comandita simple 합자회사
~ en constitución 설립(設立)중인 회사
~ en liquidación 청산(淸算)중인 회사
~ en nombre colectivo 합명회사
~ familiar 동족조합, 가족회사
~ fiduciaria o de fideicomiso 신탁회사
~ filial 자회사(子會社)
~ financiera 금융회사, 신용회사
~ financiera de cartera (Sp) 투자신탁
~ gremial 동업조합
~ impersonal (M) 주식회사, 법인
~ inversionista o de inversiones 투자신탁
~ irregular (M) 변칙적 회사(참조: sociedad accidental)
~ leonina 불평등조합
~ limitada 유한회사
~ limitada excepcional 특례유한회사
~ matriarcal 모계사회
~ matriz 친(親)회사
~ mercantil 상사회사(商事會社)
~ mercantil en nombre colectivo 상업조합
~ mixta 합동(合同)회사
~ mutua 상호회사
~ mutualista (A) 상호회사
~ no especulativa (PR) 비영리단체
~ obrera 노동조합
~ para fines no pecuniarios 비영리조합
~ particular 유한회사; 주식 비공개 기업, 개인회사
~ personal (M) 조합
~ por acciones 주식회사
~ por participaciones 지분(持分)회사
~ privada 민사(民社)
~ pública 공사(公社)
~ regular colectiva 합명회사
~ unipersonal 일인(一人)회사

Sociedad Americana de Aseguradores de Créditos Exteriores 미국 외채보험 공사(公司)(*American Foreign Credit Underwriters Corporation*)

Sociedad Panamericana 범(汎)미주 협회(*Pan American Society*)

sociedades en cadena (Sp) 기업집단

societario 조합원; ㊟ 조합의

socio 조합원, 출자사원, 회원
~ activo 업무담당사원
~ aparente 외관상의 조합원
~ capital 익명사원
~ capitalista (자본) 출자사원
~ colectivo 무한책임사원
~ comanditado (M) 업무담당사원, 일반사원
~ comanditario 유한책임사원, 익명사원, 출자사원
~ de pleno derecho 정회원
~ de responsabilidad limitada 유한책임사원
~ fundador 발기인
~ general o regular 무한책임사원
~ gerente o gestor o administrador 업무집행사원
~ industrial 집무・노무사원; (A) 업무담당사원
~ liquidador 청산 조합원, 정리 조합원
~ menor 평사원
~ nominal 명목상의 조합원
~ principal 대표사원
~ responsable (M) 업무담당사원
~ secreto u oculto 비밀사원, 익명사원
~ solidario 연대책임사원
~ vitalicio 평생사원

sociología 사회학
~ criminal 범죄사회학

sodomía 남색(男色), 계간(鷄姦)

sola firma, de 무보증의 (대출); 단명(單名)의 (어음)

solar 택지, 부지(敷地); 갱지(更地)

solariego ㊟ 무조건 상속지로 보유한 (토지)

solemne ㊟ 정식(正式)의, 적법한, 완전한

solemnidad 엄숙

solemnidades 정식 절차

solemnizar 엄숙하게・장엄하게 행하다

solicítanse postores 입찰 모집함

solicitante 신청인

solicitar 신청하다, 청구하다
- ~ el cese de una actividad ilegítima 부당행위의 금지를 청구하다

solicitud 신청, 청구
- ~ , a 청구에 의해
- ~ al acusado de conformidad o disconformidad con los hechos que se le imputan 기소인부(起訴認否)절차
- ~ de anulación de una resolución administrativa 재결처분 취소청구의 소
- ~ de apertura del juicio oral 공소(公訴)
- ~ de compra 구입 신청서
- ~ de crédito 신용공여 요청
- ~ de despacho aduanero 통관 신고(서)
- ~ de despacho para el consumo 소비재 수입신고서
- ~ de ejecución forzosa 집행위임
- ~ de exportación 수출 신청서
- ~ de importación 수입 신청서
- ~ de inscripción 등기 신청서
- ~ de mantenimiento cautelar en el puesto 지위(地位)보전의 소(訴)
- ~ de nulidad 무효소송
- ~ de oferta 신청의 유인(誘引)
- ~ de patente 특허 출원
- ~ de pena por la acusación 구형
- ~ de prueba 증거조사 청구(~ de práctica de prueba)
- ~ de reanudación del procedimiento civil interrumpido o suspendido 소송절차의 수계(受繼)
- ~ escrita 신청서

solidariamente 연대로, 공동책임으로

solidaridad (채무나 책임의) 연대
- ~ activa 채권자간의 연대; 연대(連帶)채권
- ~ impropia 부진정(不眞正)연대
- ~ pasiva 채무자간의 연대; 연대채무(連帶債務)

solidario ㉻ 연대의, 공동책임의; 결속된

soltura 석방

solutio indebiti 비채변제(非債辨濟)

solvencia 지급능력, 변제능력, 자력(資力); (Ch, M) 신용상태, 재무상황; 납세의무 해방
- ~ económica 지급능력
- ~ moral 명성, 높은 평판

solventar 해결하다; 지불하다, 결제하다

solventarse de deudas 부채를 변제하다

solvente ㉻ 지급 능력이 있는

someter 판단에 맡기다, 회부하다
- ~ al arbitraje 중재에 회부하다

~ a votación 표결에 부치다

someterse a 따르다

sorteo 추첨
~ de amortización 감채기금용 사채 추첨
~ de jurados 배심원단 선정 추첨

sostener 지지·옹호하다; 유지하다
~ los cargos 혐의를 인정하다
~ la objeción 이의를 인정하다

sostenible ㉠ 지지·유지할 수 있는
~ , estar 성립되다, 인정되다

stare decisis 판례(判例)불변경

status quo 현상(現狀), (변함이 없는) 현재의 상태

stock 재고(품)(existencias)

stricto sensu 협의(俠義)

sub júdice 심리(審理) 중

subagente 부(副)대리인

subalcaide 부(副)교도소장

subalquilar (A) 전대(轉貸)·전차(轉借)하다

subalquiler 전대·전차하다

subarrendador 전대인(轉貸人)

subarrendar 전대·전차하다

subarrendatario 전차인(轉借人)

subarriendo 전대차(轉貸借); 전대; 전차

subarriendo de una concesión minera 조광권(租鑛權)

subasta 경매
~ amañada o falseada o fingida 허위(虛僞)경매
~ forzosa 강제경매
~ voluntaria 임의경매

subastador 경매인

subastar 경매·입찰에 부치다

subcabecera (M) 부(副)표제, 작은 표제

subcapitalización 자본을 충분히 대지 않음

subcomisario 부(副)위원, 부국장

subconcepto 부(副)표제, 작은 표제

subconsejero 부(副)고문

subcontrata 하청(下請)

subcontratar 하청(계약)하다

subcontratista 하청인(下請人)

subcontrato 하청

subdelegado 부(副)대표

subdirectiva (Pe) 자회사의 이사회

subdirector 부(副)국장

súbdito 국민; 피지배자

subempresario (Ch) 도급인, 도급업자

subfiador (C) 부(副)보증인

subfianza 부보증인

subfletamento 재(再)용선 계약

subfletante 재(再)용선 계약자

subfletar 재용선 계약하다

subgobernador 부(副)지사

subhipoteca 전저당(轉抵當)

subinciso (항(項)보다 작은 단위인) 호

subinquilino 전차인(轉借人)

subjetivismo 주관주의

sublevación 반란, 폭동, 불복종

sublicencia 2차 라이선스, 2차 인가(認可), 재(再)실시(권).

sublicenciar 2차 라이선스 계약을 하다

sublocación 전대(轉貸)・전차(轉借)

sublocador 전대인(轉貸人)

sublocatorio 전차인(轉借人)

submárshal (PR) 부(副)집행관

subordinación 종속

subordinado 부하; ⓗ 종속된, 보조의, 부(副)의

subpoena duces tecum 문서 지참 증언하라는 소환 영장

subprenda 전질(轉質)

subprocurador general 검찰차장

subregistrador 부(副)등록관

subrepción 사실 은닉, 허위 주장

subrepresentación 복대리(複代理)

subrepticio ㊖ 사실 은닉의, 허위 주장의

subresponsable ㊖ (A) 2차적으로 책임을 져야 할

subrogación 대위(代位), 대위변제(代位辨濟)
~ convencional 계약상의 대위변제
~ legal 법률상의 대위변제
~ personal 인적 대위
~ real 물상대위(物上代位)

subrogante 대리인, 교체자; ㊖ 대치・대위의

subrogar 대위(代位)하다, 대위변제(代位辨濟)하다

subrogativo, subrogatorio ㊖ 대치・대위하는

subrubro 부제(subtitle)

subsanable ㊖ 보정(補正)할 수 있는

subsanación 추완(追完), 보정(補正)
~ de vicios o defectos 결함의 보정(補正)

subsanar 시정하다, 바로잡다, 고치다; 보상・변상하다

subscribir 신청・예약하다; (서류 아랫자리에) 서명하다

subscriptor 서명자; 예약자, 신청자, 구독자

subsecretario, subsecretaria 서기보; 차관

subsidiariedad 종속
~ administrativa 행정종속

subsidiario ㊖ 이차적인, 부수적인

subsidio 보조, 후원; 보조금, 후원금

substancial → sustancial

substanciar → sustanciar

substantivo → sustantivo

substitución → sustitución

substitutivo → sustitutivo

substituto → sustituto

substracción → sustracción

substraer → sustraer

subterfugio 핑계, 구실

subtesorero 부(副)회계원, 출납차장

subvención 보조금, 장려금
~ para exportación 수출장려금

subvencionar 보조금·장려금을 주다

subversivo ⓗ 전복하는, 파괴적인

sucesión 상속, 계수(繼受), 승계, 계승
~ abintestato 법정상속
~ al trono 왕위계승
~ de empresas 회사의 계속(繼續)
~ de Estados 국가 승계(承繼)
~ de reenvío 재전상속(再轉相續)
~ del benjamín 말자(末子)상속
~ del cabeza de familia 가독(家督)상속
~ del primogénito 장자(長子)상속
~ empresarial 회사의 계속
~ en la presidencia de los ritos funeraios 제사(祭祀)상속
~ hereditaria 세습(世襲)
~ intestada 법정상속
~ legal o legítima 법정상속
~ natural 자연승계; 자연천이
~ particular 특정승계
~ patrimonial 유산상속
~ por alícuotas o cuotas hereditarias idénticas 균분상속
~ por cabeza 균분상속(*inheritance per capita*)
~ por estirpe o por tronco 대습상속(代襲相續)
~ por líneas 직계상속
~ por mayorazgo o primogenitura 장자상속
~ por representación 대습상속
~ por sustitución legal 대습상속
~ procesal 소송승계
~ testamentaria o testada 유언상속
~ universal 포괄승계

sucesor 승계인
~ a título particular 특정승계자
~ al trono 왕위계승자
~ irregular 법정 및 유언 승계자가 없을 경우의 승계자
~ particular o singular 특정승계자
~ universal o a título universal 포괄승계자

sucesores y cesionarios 승계인 및 양수인(讓受人)

sucesorio, sucesoral ⓗ 상속의, 승계의

sucumbir 쓰러지다; 죽다; 지다; 패소(敗訴)하다

sueldo 임금, 급료, 노임, 급여

suelo 토지
~ residencial 택지
~ rústico 농지
~ urbano (edificable) 택지, 부지
~ urbano (sin edificar) 갱지

suero de la verdad 자백유도제(*truth serum*)

sufragio 참정권, 선거권
~ activo 선거권
~ femenino 부인(婦人)참정권, 여성참정권
~ pasivo 피선거권
~ universal 보통선거

sufragista 참정권 확장론자, 여성참정권 주장자

sui generis 특유의

sui juris 자신의 권리로, 법적 책임능력이 있는, 성년에 달한, 독자적인

suicida 자살자

suicidarse 자살하다

suicidio 자살
~ asistido 자살방조

sujeción a gravamen 과세(課稅)

sujetarse a ~에 따르다

sujeto 주체; 인물; 주어; ㊗ ~에 따르는
~ a derechos 세금이 붙는, 관세를 물어야 할
~ a impuesto 세금이 붙는, 과세할 수 있는
~ a recurso 상소(항소・상고)할 수 있는
~ de Derecho internacional 국제법의 주체
~ del derecho (M) 법인
~ pasivo (상업) 납세의무자(obligado tributario)
~ simple 유일한 당사자(원고 혹은 피고)

sujetos
~ compuestos 복수(複數)의 당사자
~ de litigio o de la acción 소송 당사자

suma 금액
~ asegurada 보험금

sumaria 예비심리; 군법회의
~ información 약식수속; 즉결심판

sumarial ㊗ 예비심리의

sumariamente 대략적으로; 약식재판으로

sumariante (Ch) 검사(檢事)

sumariar 예비심리를 하다; 기소하다

sumario 검찰서류, 수사서류; 간이・약식절차(procedimiento rápido y abreviado)
~ del fallo 판결 요약문

sumarísimo ⓗ (M) 즉결의

sumisión 임의관할(determinación de la competencia judicial por voluntad de las partes)
~ expresa 합의관할
~ tácita 응소(應訴)관할
~ voluntaria 임의관할

summa ius summa iniuria 법의 극단적 적용은 최악의 부정의(不正義)다

superávit 잉여금, 초과액, 흑자
~ acumulado 적립 잉여금
~ aportado o pagado 납입 잉여금
~ de caja 현금 초과액
~ de capital 자본 잉여금, 납입 잉여금
~ de las exportaciones 수출 초과액, 무역흑자
~ de libre disposición 자유 잉여금
~ de operación 이익 잉여금
~ disponible 미처분 이익 잉여금, 자유 잉여금
~ ganado 이익 잉여금
~ no repartido 비분할 잉여금
~ pagado 불입 잉여금
~ presupuestario 예산・재정 잉여금
~ reservado (잉여) 준비금

superbeneficios (A) 초과이익

supercapitalismo 초(超)자본주의; 자본집중; 거대 기업, 큰 사업

supercapitalizar (A) 자본을 과대하게 평가하다; 자본을 너무 들이다

superchería 속임수, 사기

superficie 지상권(地上權)

Superintendencia 감독원
~ de Bancos e Instituciones Finacieras (Ch) 금융감독원
~ de Bolsas de Valores 증권감독원
~ de Compañías de Seguro 보험감독원
~ de Compañías (Ec) 기업감독원, 공정거래원

superintendente 감독원장

superioridad 상관; 상부; 상급심

superprovecho 초과이익

superrenta, superrédito 고수익; 초과이익

supérstite 생존배우자

superutilidad 초과이익

superviniente ㉻ 속발(續發)·병발(倂發)하는

supervisor 감독인
~ de la asistencia 보조(補助)감독인
~ de la curatela 보좌(保佐)감독인
~ de la tutela 후견(後見)감독인(protutor)

supervivencia 살아남음, 생존, 잔존

superviviente 생존자; 유족

suplemental, suplementario ㉻ 보충의, 추가의, 증보의

suplente 보결자; ㉻ 대행의, 보결의

supletorio ㉻ 보충의, 보유(補遺)의

súplica 간청, 탄원, 청원, 청구, 요구

suplicable ㉻ 상소할 수 있는

suplicación 탄원; 재심·재심리 청구
~ segunda 항소심

suplicante 탄원자, 청구자; ㉻ 탄원의

suplicar 간청·탄원·청원하다; 상소하다

suplicatoria 상소장(上訴狀)

suplicatorio 상소장; (의회에 대한) 체포(逮捕)허락청구; ㉻ 탄원의; 상소의

suplico 청구 취지

suposición 가정(假定), 가설(假說)

supra 위에, 초(超)

supradicho 전술(前述)한

supralegal 초법규적(超法規的)인, 내국법에 우선하는 법규의 (예: 국제조약, 지역통합체 결정 등)

supraprotesto (어음의) 참가 인수(引受)

suprema ㉻ 최고의; 최후의
~ corte 최고 재판소, 대법원, 대심원
~ instancia 최종심(最終審)

Suprema Corte de la Judicatura (GB) 최고 법원

supremacía 패권, 우세, 우월
~ constitucional 헌법의 최고권위

supresión de barreras arquitectónicas 장벽 철폐

suprimible ⓗ 낮출 수 있는; 배제・폐지할 수 있는

suprimir 없애다, 폐지하다; 빼다, 말소하다

supuesto 가정, 가설; ⓗ 가상의

surtir 제공・공급하다
- ~ efecto 효과를 내다, 효력을 발생하다, 시행되다
- ~ un pedido 주문대로 완수하다

suscribiente 서명자; ⓗ 서명(자)의

suscripción 서명(署名); 체결; 응모, 가입; 구독, 구독료
- ~ privada 사모(私募)
- ~ pública 공모(公募)

suscriptor 신청인, 예약자, 구독자, 응모자, 가입자; 서명자, 기명인

suscrito 서명자, 신청인; ⓗ 예약된, 신립(申立)된; 서명된

suscritor → suscriptor

susodicho ⓗ 전술한, 상기의

suspender 중지・정지・보류하다
- ~ pago (은행) 지불을 정지하다
- ~ la sesión 휴회・휴정하다

suspensión 유예; 정지
- ~ de empleo 일시징계해고(despido temporal como sanción laboral)
- ~ de funciones 직무집행정지
- ~ de la ejecución 집행정지
- ~ de la ejecución de la pena 집행유예, 형의 집행정지
- ~ de la instancia 소송절차중지
- ~ de la prescripción 시효정지
- ~ de la prisión preventiva sin necesidad de prestación de fianza 구속집행정지
- ~ de la publicidad de la vista (재판절차의) 공개정지
- ~ de la sentencia 집행유예
- ~ de la vista 공판절차의 정지, 휴정(休廷)
- ~ de pagos 지불정지
- ~ de rendimientos 기대이익의 상실; 경영방해
- ~ del procedimiento 소송절차의 휴지(休止)
- ~ del proceso civil 소송절차의 중지
- ~ , en 미결의, 보류된
- ~ sin fijar día 무기한 연기
- ~ temporal del contrato de trabajo debida a causas económicas 일시해고, 레이오프(*layoff*)

suspensivo ⓗ 미결정의; 중지・휴지의

sustancial ⓗ 실질적인; 실제상의; 상당한

sustanciar 실증하다; (소송사건을) 심리하다

sustentable ⓗ 지지·변호할 수 있는

sustentar 옹호하다, 지지하다; 부양하다

sustento 지지, 부양

sustitución 대위(代位), 대체
~ legal en la herencia 대습(代襲)
~ procesal 소송승계

sustitutivo 대용품; ⓗ 대리의, 대용의

sustituto 대행자; 대용품

sustracción 빼기, 공제; 도둑질, 사취

sustraer 빼다, 감하다; 훔치다, 사취하다; (의무나 약속을) 이행하지 않다

T

T

tablón de edictos o **de anuncios** 게시판

tabula rasa 백지상태

tacha (감정인 또는 증인의) 결격사유, 제척(除斥)원인

tacha (감정인 또는 증인의) 결격사유의 원용(援用), 기피(忌避)

tachable ⓗ 기피할 수 있는, 이의를 신청할 수 있는

tachar 기피 신청하다; 수정·삭제하다

tachón 줄을 그어 지우기

tácita reconducción 법률상의 임대기간 연장

tácito ⓗ 묵시적인, 묵인하는
~ reconducción 묵시의 갱신

talón 어음, 수표, 쿠폰
~ bancario (Sp) 은행의 자기앞수표
~ de expreso 특급 영수증
~ registrado 은행의 지불보증수표

talón-resguardo 철도 화물증권

tanteo 입찰가 지불; 조사; 어림셈; 선매권(先買權)(참조: derecho de tanteo, retracto y tanteo)

tanto 그 만큼
~ como se ha merecido 그만한 가치가 있으므로, 합리적 비용으로(*quantum meruit*)
~ como valía 그만한 가치가 있었으므로(*quantum valebat*)

taquígrafo repórter (PR) 법정 속기사

tareas profesionales 직무

tarifa 요금; 세율
~ aduanera o arancelaria o de aduana 관세표
~ consular 영사 증명수수료
~ convencional 협정 관세
~ de anuncios 광고료
~ de carga 운임률
~ de compra 매입률
~ de correo 우편요금
~ de ferrocarril 철도요금
~ de flete 화물 운임률

~ de primas 보험료율
~ de tributación 세율
~ discriminatoria 차별세율
~ escalonada 원거리 체감 운임
~ normal 기준 운임
~ preferencial 우대 관세, 특혜 관세
~ proteccionista 보호 관세율
~ según clase (배의) 등급별 운임

tarificación 요율 산정

tarjeta de crédito 신용카드

tarjeta de débito 체크카드

tasa 비율; 시세; 사용료, 공공요금
~ aduanera 관세율
~ bancaria 은행 이자율
~ de amortización 감가상각률
~ de anclaje 정박료
~ de cambio 환율
~ de depreciación 감가상각률
~ de descuento 할인율
~ de impuesto 세율
~ de interés 이자율
~ por acceso a un balneario público de aguas termales 입탕(入湯)세
~ portuaria por tonelaje de un buque 톤(噸)세
~ preferencial 프라임 레이트, 표준 금리
~ sobre ingresos acumulados 누적소득세
~ sobre utilidades excedentes 초과이익세

tasas y tarifas actualmente en vigor 현행 요율

tasable ㊎ 평가할 수 있는, 등급을 매길 수 있는; 과세할 수 있는

tasación 평가, 감정
~ de costas 소송비용액의 확정
~ oficial (부동산) 감정가, 사정액
~ pericial o de perito 감정평가, 감정인의 평가

tasador (perito tasador) 평가감정인
~ de avería (해상보험) 손해사정인, 해손(海損) 정산인

tasar 평가·사정(査定)하다; (보험) (지급액을) 결정하다
~ en exceso 과대평가하다
~ en menos 과소평가하다

taxabilidad (M) 과세할 수 있음

taxativo ㊎ 제한의, 한정적인 (↔ narrativo 열거적인, 예시적인)

técnico contable 회계 전문가

tecnocracia 테크노크라시

tela de juicio, en 심의 중인; 계쟁 중인

teleología 목적론

temario 의제, 의사일정

temerario ⓗ 경솔한, 성급한; 근거 없는; 악의적인, 부당한

temeridad 경솔, 분별없음

temor 두려움
~ reverencial 경외심

temperamento 기질, 체질; 중재, 조정

tenedor 소지인, 지참인
~ de acciones 주주(株主)
~ de bienes 집주인, 부동산 소유자
~ de bonos o de obligaciones 사채권자
~ de buena fe 선의의 유상취득 소지인, 정당한 절차에 의한 소지인
~ de cupón (V) 단주(端株) 소지인
~ de letra 어음 소지인
~ de pagaré 약속어음 소지인
~ de póliza 보험계약자
~ de prenda 질권자, 저당권자; 저당 잡은 사람
~ de reversión 복귀권자, 계승권 소유자
~ en debida forma (Col) 정당한 절차에 의한 소지인
~ en debido curso (Pan) 정당한 절차에 의한 소지인
~ inscrito 명의인(名義人)
~ legítimo o de valor 유상취득 소지인
~ por endoso 배서에 의한 어음의 양수인

tenencia 소지(所持); 보유(권); 점유, 소유; 임기
~ conjunta 부동산 공동 보유, 공동 소유권
~ de un derecho 유권(有權)
~ en común 공동 소유권
~ ilícita de armas 무기의 불법소지
~ vitalicia 생애(生涯)소유지

tener 소지(所持)하다; 점유하다; 소유하다
~ derecho 권리·자격이 있다
~ lugar 허용되다; (소송이) 제기되어 있다, (주장이) 성립하다; (어떤 일이) 일어나다
~ la palabra 발언권을 갖다·얻다
~ vigencia 유효하다, 실시 중이다
~ y poseer 보유하다

tenga cuidado 주의하시압
~ el actor 행위자의 주의의무
~ el vendedor 판매자의 주의의무

tenida 모임, 회합, 집회

T

teniente 부관(副官), 대리인
~ de alcalde 부시장
~ de rentas 내국세 징수관
~ fiscal 검사보(補)

tentativa 미수(未遂); 착수미수
~ inidónea 불능미수, 불능범, 미신범(迷信犯)
~ por desistimiento voluntario de la ejecución del delito 중지미수, 중지범(中止犯)
~ por obstáculo externo o causas ajenas a la voluntad del autor 장해(障害)미수

teocracia 신권(神權)정치

teoría (jurídica) 법리(法理)
~ de la finalidad disuasoria de las penas 위협설
~ de la responsabilidad normativa 규범적 책임론
~ de los actos propios (*estoppel*) 금반언(禁反言)의 원칙
~ del agente provocador 위장잠입 수사요원에 관한 이론
~ del levantamiento del velo de la personalidad jurídica 법인격부인(否認)의 법리
~ del riesgo objetivo o de la responsabilidad objetiva 무과실책임주의
~ interpretativa 해석론

tercero, tercera 제삼자, 제 3의

tercer
~ adquirente 제3취득자
~ Estado 제3국
~ poseedor 제3점유자

tercera
~ de cambio 제3어음
~ instancia 제3심

tercería 중재, 조정; 소송참가, 제3자 이의(異議)의 소(訴)
~ coadyuvante 보조참가(補助參加)
~ de dominio 소유권 참가
~ de mejor derecho 최고권(最高權) 참가
~ excluyente 배제(排除)참가, 독립당사자참가

tercerista 소송참가자

tercero
~ de buena fe 선의의 제3자
~ de mala fe 악의의 제3자
~ legitimado 자격당사자
~ obligado 제3채무자

terciar 중재・조정하다; 참가・관여하다

terminable ㊌ 기한이 있는, 유한의

término 기한
~ cierto 확정기한
~ convencional 합의기한

~ de distancia (법률) (Pe) 이동시간을 감안한 기한
~ de emplazamiento 송달기한
~ de encarcelamiento 형기(刑期)
~ de gracia o de cortesía (상업) (어음 만기 후의) 지불 유예 기간
~ de inicio 시기(始期)
~ de prueba 증거 제출기한
~ fatal 마감 시간; 최종기한
~ hábil (A) 법원의 개정기(開廷期)
~ incierto 불확정기한
~ judicial 판사가 정한 최종기한
~ legal 법정(法定) 최종기한
~ perentorio 기한, 최종기한
~ probatorio 증거 제출기한
~ regular 법원의 정규 개정기(開廷期)
~ resolutorio 종기(終期)
~ supletorio de prueba 증거 제출기한 연장
~ suspensivo 유예기간, 대기(待期)기간

términos de venta 판매 조건

terrateniente 땅 임자, 지주

terreno 토지
~ comunal 공유지(共有地), 공동지
~ lindante 인접지
~ privativo 사유지(私有地)
~ público 공유지(公有地)

territorial ⓗ 토지의, 부동산의; 영토의

territorialdad 속지(주의); 영토권

territorio 영토(領土)

terrorismo 테러행위

tesoro 보물; 국고; 재무관
~ oculto 매장물
~ oculto de interés cultural 매장문화재

Tesoro Público 국고(國庫)

testado ⓗ 유언을 남긴

testador 유언자

testadora 여 유언자

testadura 유언장, 유서; 줄을 그어 지우기

testaferro 괴뢰(傀儡), 명의인(名義人)

testamentaria 여 유언집행인

testamentaría 상속인 확정소송; 고인(故人)의 재산 (관리)

testamento 유언(遺言)
~ abierto o nuncupativo 임종 구두 유언
~ cerrado 비밀증서 유언
~ de cuarentena 격절지(隔絶地) 유언
~ en inminente peligro de muerte 위급시(危急時) 유언
~ en inminente peligro de muerte por naufragio 조난(遭難) 위급시의 유언
~ escrito 유언장
~ hológrafo 자필증서 유언
~ inoficioso 유류분을 침해하는 유언
~ mancomunado 공동 유언
~ marítimo 선박 격절지(隔絶地) 유언
~ militar (Sp) (군인이 전쟁터에서 하는) 구두 유언, 임종 구두 유언
~ místico 비밀 유언
~ mutuo (부부의) 상호 유언
~ ológrafo 자필증서 유언
~ público 유언증서
~ secreto 비밀증서 유언
~ solemne 적법 유언
~ vital 생전(生前) 유서, 사망선택 유언, 존엄사(尊嚴死)할 뜻을 밝힌 문서

testar 말소하다, 줄을 그어 지우다; 유언을 하다

testificador 증인

testifical ㉿ 입증하는, 증언하는

testificante 증언자; ㉿ 입증하는, 증언하는

testificar 입증하다, 증거를 내세우다; 증언하다

testificata 선서서, 선서 진술서

testificativo ㉿ 입증하는, 증언하는

testigo 증인
~ abonado (소송당사자와 편향된 관계가 없어) 흠 없는 증인
~ auricular o de oídas 전문(傳聞) 증인
~ certificador (문서의 진실성을) 증명하는 증인
~ de cargo 원고 측의 증인, 원고증인
~ de descargo 피고 측의 증인, 피고증인
~ de la defensa 피고 측의 증인
~ de la parte actora 원고 측의 증인
~ desfavorable u hostil 반대 증인, 적대 증인
~ falso 허위 증인, 거짓 증언자
~ idóneo 증거능력이 있는 증인
~ instrumental (문서의 진실성을) 증명하는 증인
~ judicial 법정 증인
~ negante 부인하는 증인
~ nesciente 모르는 체하는 증인

~ ocular o de vista 목격 증인
~ perito 전문가 증인, 감정 증인
~ presencial 목격 증인, 목격자
~ privilegiado o exento 직업상 특권이 인정되는 증인
~ subscriptor 서명 증인
~ testamentario 유언입회 증인
~ voluntario (소환할 필요가 없는) 재정(在廷) 증인

testimonial ⓗ 증언의, 증거가 되는

testimoniar 증언하다; 입증하다; (서명·유언서 등을) 인증하다

testimoniero 위증자

testimonio 증언; 증명서; 정본(copia auténtica)
~ de firmeza de una sentencia 판결확정증명서
~ de oídas 전문(傳聞) 증언
~ de referencia (PR) 전문(傳聞) 증언
~ notarial 인증서
~ pericial 전문가의 증언

texto 문서
~ de una sentencia 판결문
~ legal 법전
~ principal de la Ley 본칙(本則)
~ refundido 개정법, 법률의 효력이 있는 개정 정령(위임입법)
~s legales fundamentales 육법전서

tiempo 시간
~ hábil 소송 기한
~ inmemorial 태곳적부터, 아득한 옛날부터

tierra 토지

tierra de nadie 무주지(無主地)

timador 사기꾼

timar 사취하다

timbrar 인지·증지·우표를 붙이다

timbre 우표, 인지(印紙); (Col, C) 인지세
~ de correo 우표
~ de ley 납세증지, 납세필 인지
~ fiscal o de impuesto 수입인지
~ móvil (Sp) 인지(印紙)
~ patriótico (Ec) 국방(國防) 인지

timo 사취, 속임수

tinterillo 엉터리 변호사, 악덕 변호사

tipicidad 전형성(典型性); [형] 구성요건 해당성

T

~ objetiva [형] 객관적 구성요건 해당성
~ subjetiva [형] 주관적 구성요건 해당성

tipo 전형(典刑); [형] 유형(類型); 율(率); 가격
~ básico (조세) 표준세율
~ de cambio 환율, 환시세
~ de flete 운임률
~ de interés 이율
~ de salida 최저경매가격(最低競賣價格)
~ de seguro 보험 요율
~ de subasta 최저경매가격
~ delictivo 범죄유형
~ delictivo agravado 가중유형
~ delictivo atenuado 경감유형
~ fijo 정률(定率)
~ impositivo 세율(稅率)
~ mínimo (subastas) 최저경매가격

tira (Col) 형사(detective)

tirador (A) 환어음 발행인

tiranía 독재정치(dictadura)

titulación 등기 권리증, 등기필증, 집문서; 학위; 제목 붙이기

titulado 학위가 있는, 면허를 얻은; 등록된; 인증된

titular 권리자; 점유자; 증권 소유자; 등록 주주; 사무실·기관의 장(長); (C) 표제, 제목; 제목을 붙이다; ⑱ 제목·표제의
~ de licencia 면허 소지자
~ formal o nominal 명의인
~ registral o inscrito 등기명의인

titularidad 권리자·소유자로서의 지위·상태

título (글의 단락) 장(章); 권원(權原); 유가증권(título-valor)
~ a la orden 기명식 증권, 지시식 증권
~ al portador 무기명 증권·채권
~ absoluto 절대적 권원(權原)
~ colorado 허실(虛實) 등기, 겉보기의 권원
~ constitutivo 설정(設定)행위; [회사] 회사 설립강령서
~ corporativo (Sp) 주권(株券)
~ de, a ~을 구실·이유로, 자격으로, ~으로서
~ de acciones 주권(株券)
~ de adquisición 취득증서; 매도증서
~ de ahorro o de capitalización banco capitalizador가 발행한 증서
~ de constitución de hipoteca 신탁증서, 담보증권
~ de crédito 신용증권
~ de la demanda 소송 이유
~ de deuda 채권, 사채; 국채, 공채

~ de la deuda nacional 국채
~ de dominio 권리증
~ de patente 개봉특허장, 전매특허증
~ de propiedad 권리증
~ de residencia 재류(在留)자격
~ de tradición 인도증권(引渡證券)
~ de transporte (M) 원본 선화증권
~ ejecutivo 채무(債務)명의; 집행권원
~ en equidad 형평법상의 권원·소유권
~ fundacional 기부행위, 설립행위
~ gratuito 무상으로 얻은 권원
~ hipotecario 담보부 채권
~ lucrativo, a 상업적으로, 영리 목적의
~ mobiliario 무기명 채권, 지참인 지급 사채
~ nobiliario 작위(爵位)
~ nominativo 기명식 채권
~ oneroso 유상 취득에 의한 권원
~ pignoraticio 질(質)증권
~ por prescripción 시효취득 권원
~ posesorio 본권(本權)
~ precario 불확실한 권원
~ presunto 추정적 권원
~ propio, a 자신의 권리로
~ remunerativo → título oneroso
~ seguro 정당한 권원, 팔 수 있는 권원
~ singular 단독 권원
~ traslativo de dominio 양도증서, 권리증
~ valor a la orden 지시(指示)증권
~ valor al portador 무기명(無記名)증권
~ valor de crédito 채권증권
~ valor garantizado por el Estado 정부보증증권
~ valor mercantil 상업증권
~ valor negociable 유통증권
~ valor nominativo 기명(記名)증권
~ valor pignoraticio 질입(質入)증권
~ valor rescatable 환매(還買)증권, 인환(引換)증권
~ vicioso 하자있는 권원

títulos 유가증권, 증권
~ a la orden 지참인불 증권
~ bancarios 은행 지폐; 어음
~ bursátiles 상장 유가증권
~ cambiarios (M) 환어음
~ de bolsa 상장 유가증권
~ de goce 소각주식 보상(補償)주(acciones de goce)
~ del estado 국채; 주(州)채
~ provinciales 지방채

~ sorteables 추첨 상각 사채

tobillera electrónica 전자발찌

todos y cada uno 각자 모두, 모두 예외 없이

toga 법복(法服)

togado 군사재판관(juez ~); 군사재판소, 군사법정(juzgado ~)

toma
~ de posesión 취임식; 취임 승낙
~ de razón 기장(記帳); 기록

tomador 어음 수신인, 수표・약속어음의 수취인, 환어음의 지급인; 보험 가입자・계약자
~ a la gruesa 선박저당계약의 차용인
~ de crédito 차용인

tomar
~ en préstamo 빌리다, 차용하다
~ el acuerdo 동의하다, 결정하다
~ el juramento 선서를 받다; 선서하다
~ la palabra (발언하기 위해) 일어서다
~ razón 기장(記帳)하다; 목록에 넣다
~ una resolución 결심하다; 결의를 채택하다

torpeza 추행(醜行), 파렴치 행위

torticero ⓗ 불법의, 위법의; 부당한; 과실・태만에 의한

tortuguismo (노사관계) (M) 태업(怠業), 조직적 생산 방해

tortura 고문

totalmente pagado 전불(全拂), 완납

toxicomanía 독물 중독

traba 차압
~ de ejecución 압류, 동산 압류

trabajador 노동자, 근로자
~ a media jornada 파트타이머
~ asociado 직장 동료
~ autónomo 자영업자
~ del hogar familiar 가사사용인(家事使用人)
~ externo 사외공(社外工)
~ por cuenta ajena 종속노동자
~ por cuenta propia 자영업자

trabajo 노동, 근로
~ a media jornada 파트타임
~ autónomo 자영업
~ dependiente 종속노동

~ esclavo (정치범·포로·노예 등의) 강제노동
~ forzado 중노동, 강제노동
~ organizado (PR) 조직 노동자(노동조합에 가입한 전(全) 노동자); 노동조합
~ por cuenta ajena 종속노동
~ por cuenta propia 자영업
~ temporal 인재(人材)파견업

trabajos en beneficio de la comunidad (형의 대체수단으로서의) 사회봉사

trabajos forzosos o forzados 강제노동

trabar 묶다; 차압하다
~ ejecución 압수·몰수하다, 동산을 압류하다
~ un embargo 압류하다

tracalería 사기, 속임수

tracalero ㊌ 사기의, 부정한

tradente (Col) 양도인

tradición 전통; (재산 등의) 명도(明渡)·인도; (증권) 명의 변경
~ absoluta (증서의) 무조건적 인도
~ condicional 조건부 인도(예: *escrow*)
~ real o efectiva 현실적 인도(예: *FOB*인도)
~ simbólica 상징적 인도(예: *CIF*인도)

tradicional ㊌ 전통의; 전설(傳說)의

tradicionalismo 전통주의

traditio 인도(引渡)
~ *brevi manu* 간이인도(簡易引渡)

traducción 번역, 통역

traducir 번역·통역하다

traductor, traductora 번역인, 통역인
~ público 공식·선서 공인번역인

tráfago 장사, 거래

tráfico 교통; 운송; 거래
~ ilegal 밀수(importación o exportación ilegales)

traición 반역, 배반

traidor 반역자, 배신자; ㊌ 반역의; 불충한

tramitación 수속, 실행, 처리
~ sumaria 약식 수속(예: 퇴거 소송)
~ sumarísima (M) 즉결 심판

tramitar 수속하다, 처리하다, 이행하다
~ un juicio 고소하다, 기소하다

trámite 절차
~ coactivo (Ec) 피고의 중요 증인 소환 청구
~ de audiencia 심문, 청문
~ penal 형사절차

trámites
~ judiciales 소송절차, 사법절차
~ procesales 소송절차
~ preliminares [형] (구두심리 단계의) 모두절차(冒頭節次)

trampa 함정; 사기(詐欺); 대손(貸損), 연체된 빚

trampeador 사기꾼, 협잡꾼

trampear 속여서 빌리다, 사기 치다, 편취하다

trampería 사기, 사취

trampero (M) 사기꾼, 협잡꾼

trampista 사기꾼, 협잡꾼

tramposo (US) 사기꾼, 협잡꾼; ⓗ 속임수에 능한, 부정직한

trance y remate 환가(換價)(conversión en dinero de los bienes embargados)

transacción 거래; 화해
~ comercial desleal 불공정 거래
~ extrabursátil 점두(店頭)거래, 장외거래(場外去來)
~ extrajudicial 재판외 화해, 내제(內濟)
~ extrajudicial civil 화해, 사화(私和)
~ judicial 재판상의 화해
~ matrimonial 화합
~ OTC 점두(店頭)거래(*over-the-counter*)
~ penal (소추인과 변호사간의) 사법거래

transaccional ⓗ 협정상의; 거래상의

transar 양보하다, 타협하다; 거래하다

transcribir 옮겨 쓰다, 전사(轉寫)하다

transcripción 필사(筆寫), 전사; 사본, 등본
~ de los autos 소송서류 사본
~ estenográfica 속기록(速記錄)

transeúnte 통행인; 통과자; ⓗ 통과하는

transferencia 이동, 이전, 양도
~ bancaria 은행 송금, 은행간 대체
~ cablegráfica 전신 송금
~ de tecnología 기술이전

transferibilidad 양도할 수 있음, 옮길 수 있음

transferible ㉠ 양도할 수 있는, 옮길 수 있는

transferidor 양도자, 옮기는 사람·물건

transferir 옮기다; 양도하다

transformación social 조직(組織)변경(cambio del tipo de sociedad mercantil)

transgredir 위반하다, 어기다, 범법하다

transgresión 위반, 침해
- ~ de facultades 월권
- ~ premeditada 계획적인 위반

transgresor 위반자; ㉠ 법을 어기는

transigible ㉠ 타협·화해할 수 있는

transigir 타협·화해하다

transitivo ㉠ 과도적인; 옮길 수 있는

tránsito, en 통과 중; 단기 체재의

transitorio ㉠ 일시적인, 경과의

translimitación (토지·재산·권리 등에 대한) 침해

transmisibilidad 양도 가능; 전달 가능

transmisible ㉠ 양도할 수 있는; 전달할 수 있는

transmisión 이전, 양도
- ~ de la posesión 처분에 의한 점유(占有)이전
- ~ de la posesión por disposición del principal 본인의 처분에 의한 점유이전
- ~ de propiedad 권리 이전
- ~ onerosa 유상(有償)양도

transmitente 발신인; 양도인

transmitir 전하다, 전파하다; 방송하다; 양도하다, 넘겨주다

transporte 운송
- ~ aéreo 항공운송
- ~ combinado 복합운송
- ~ con reexpedición 하청운송, 원청(原請)운송
- ~ cumulativo o sucesivo mancomunado 부분운송
- ~ cumulativo o sucesivo solidario 상차(相次)운송, 연대운송
- ~ ferroviario 철도운송
- ~ intermodal 복합운송
- ~ marítimo 해상운송
- ~ multimodal 복합운송
- ~ terrestre 도로운송

transportista 운송인

transposición de una directiva de la UE al Derecho interno 유럽연합 지령의 국내법화, 유럽연합 지령의 국내법으로의 치환

trapacería 사기, 속임수, 눈속임

trapacero, trapacista 사기꾼

trapalear 기만하다, 속이다, 사취하다

trapalero ㊚ 속이는, 교활한, 비뚤어진

trapazar 사취하다, 속이다, 속여 빼앗다

trapera (Ch) 가게에서 물건을 슬쩍하는 사람

traslación de dominio 소유권 이전

traslado 이전, 이송; (사본의) 전달, 송달
~ de autos 소송서류 사본 송달
~ de jurisdicción 재판지(裁判地)의 변경

traslado previo de copias de escritos y documentos entre las partes en el proceso civil 당사자 조회

traslado temporal de un empleado a una empresa filial 파견근무

traslaticio ㊚ (Col, Ec) 옮기는; 양도하는

traslativo ㊚ 옮기는; 양도하는

traspasar 옮기다; 양도하다; 위반하다
~ de nuevo 재양도하다

traspaso 양도, 이전

trastorno mental 심신모약(心神耗弱)
~ permanente 계속적 심신모약
~ transitorio 일시적 심신모약

trasunto 등본

trata 인신매매(tráfico de seres humanos)
~ de blancas (여성의) 인신매매

tratadista 주석자(註釋者)

tratado (internacional) 조약, 협정
~ de compensación 청산(淸算)협정
~ de libre comercio(TLC) 자유무역협정(*FTA*)
~ de paz 평화조약, 강화조약(講和條約)
~ internacional (국제)조약
~ internacional autoejecutivo o directamente aplicable 자동집행 조약
~ internacional bilateral 양국간 조약
~ internacional contractual 계약조약 (↔ ~ legislativo)
~ internacional en materia tributaria o fiscal 조세(租稅) 조약
~ internacional legislativo 입법조약 (↔ ~ contractual)

~ internacional multilateral　다국간 조약, 다국간 협정
~-contrato　계약조약 (↔ tratado-ley)
~-ley　입법조약 (↔ tratado-contrato)
~ multilátero　다수국간(多數國間) 조약

trato　취급; 대우; 교섭; 상담
~ colectivo　단체교섭
~ discriminatorio del empresario hacia el trabajador　불이익(不利益) 대우·취급

tratos　협상

tregua　휴전, 정전(停戰)

tribuna　지정석(指定席)
~ del jurado　배심원석

tribunal　법원; 합의재판부
~ *a quo*　수소(受訴)법원
~ *ad quem*　상소법원
~ administrativo　행정법원
~ aduanal o de aduanas　관세법원
~ arbitral o de arbitraje　중재법원
~ civil　민사법원
~ colegiado　합의재판부
~ competente　관할법원
~ consuetudinario　(M) 재판소, 법원
~ consular　영사재판소
~ correccional　경범죄 징계재판소
~ de almirantazgo　해사(海事)법원
~ de alzadas　상소법원, 항소법원
~ de apelación　상소법원, 항소법원
~ de apelación en materia aduanal y de patentes　관세·특허 항소법원
~ de autos　기록재판소
~ de casación　상고법원
~ de circuito　순회재판소
~ de circuito de apelación　순회 항소법원
~ de competencia　(M) 재판관할 결정 법원
~ de conciencia　(Col) 배심(陪審)
~ de conciliación　조정(調停)재판소
~ de condado　(US) 군(郡)법원
~ de conflictos de competencia　권한재판소
~ de conocimiento　(M) 심리·판결은 하나 집행은 하지 않는 법원
~ de cuentas　(US) 통화(通貨)감독청; (GB) 재무장관실
~ de derecho　법원(法院)
~ de derecho marítimo　해사(海事)법원
~ de distrito　지방법원
~ de elecciones　(CA) 선거관리위원회
~ de equidad　형평법 재판소
~ de garantías　사회·헌법적 보장 재판소

~ de hacienda (V) 관세법원
~ de jurados 배심(陪審)
~ de jurisdicción original 제1심 법원
~ de justicia 사법재판소, 사법관청
~ de litigios ordinarios (M) 민소(民訴)법원
~ de lo criminal 형사법원
~ de menores 소년법원
~ de origen 제1심 법원
~ de policía 치안판사 법원
~ de presas 전시포획 심판소
~ de primera instancia 제1심 법원
~ de quiebras 파산(破産)법원
~ de reclamaciones (M, US) 청구(請求)법원
~ de registro 기록재판소
~ de segunda instancia 제2심 법원
~ de última instancia 종심(終審)법원
~ de urgencia 임시재판소
~ del pueblo (PR, Col) 배심(陪審)
~ del trabajo 노동법원
~ económico ⓗ (C) → tribunal de cuentas
~ electoral 선거관리위원회
~ en pleno 대법정(大法廷)
~ especial 특별법원
~ estatal (US) 주(州)법원
~ federal de apelaciones (US) 연방 항소법원
~ fiscal ⓗ (C) → tribunal de cuentas
~ inferior 하급법원, 하급심
~ jerárquicamente inferior 하급법원, 하급심
~ jerárquicamente superior 상급법원, 상급심
~ jurisdiccional 사법재판소, 사법관청
~ marítimo 해사(海事)법원
~ militar 군사법원
~ militar especial o *ad hoc* 군법회의
~ municipal 시(市)법원
~ nocturno 야간법정
~ ordinario 통상(通常) 법원
~ penal 형사법원
~ provisorio 임시재판소
~ que conoce del caso 수소(受訴)법원
~ que se ocupa de las causas de procesamiento de altos cargos 탄핵재판소
~ seccional 지방법원
~ superior 상급법원
~ supremo 최고법원, 대법원
~ testamentario 검인(檢認)법원
~ unipersonal 단독법원
~es menores 하급법원

Tribunal 법원, 재판소
~ Constitucional 헌법재판소
~ de Cuentas 회계검사원, 감사원
~ de Defensa de la Competencia 공정거래위원회
~ de Justicia de las Comunidades Europeas 유럽공동체재판소(Tribuanl de Luxemburgo)
~ de Justicia Internacional 국제사법재판소
~ Europeo de Derechos Humanos 유럽인권재판소(Tribunal de Estrasburgo)
~ Militar Internacional 국제군사재판소
~ Penal Internacional 국제형사재판소
~ Permanente de Arbitraje Internacional de La Haya 헤이그 상설중재재판소
~ Regional de Primera Instancia 지방법원
~ Superior de Justicia 주(州) 최고법원
~ Supremo 최고법원, 대법원
~ Tutelar de Menores 소년법원

tribunalicio ⓗ (A) 법원의

tribuno de la plebe 호민관(護民官)

tributable ⓗ 과세할 수 있는, 과세 대상의

tributación 납세(納稅)

tributante 납세자

tributar 납세하다

tributario ⓗ 세(稅)의, 세무의

tributo 조세(租稅)
~ de mejoría 개발(開發) 부담금
~ de la renta 소득세
~ estatal (US) 주(州)세
~ patrimonial 자본 과세(課稅)
~ sobre compraventa 매출세, 매상(賣上)세
~ suntuario 사치세

tribuyente (C) 납세자

tríplica (원고의) 세 번째 답변

triplicar (원고가 피고의 두 번째 답변에 대해) 세 번째 답변을 하다

triunvirato 3인체제의 정권, (육해공군의) 군사평의회

trono 왕위, 왕좌

trueque (특히 원시시대의) 물물교환

trust <영. 신탁회사; 기업합동

trust de votar 의결권 신탁

trustificación (Sp) 트러스트 형성

tuerto 모욕; (피해자에게 배상 청구권이 생기게 되는) 불법행위, 위법행위, 권리의 침해

tuición 방위, 보호

tuitivo ㊍ 방위의, 보호하는

turno 당직, 당번
~ , de 당번의
~ de 24 horas 24시간 당직
~ de día 일직(日直)
~ de noche 숙직(宿直)
~ de oficio 당번 변호사 제도

tutela 후견; 보장, 보호; 감독(supervisión)
~ dativa 법원이 지정한 후견
~ de la ley 법적 보호, 법률의 보호
~ de mayores 성년(成年) 후견
~ de menores 미성년 후견
~ judicial 재판을 받을 권리
~ judicial efectiva 재판을 받을 권리의 실질적 보장
~ jurídica (M) 법의 보호
~ legal 법정(法定) 후견
~ testamentaria 유언(遺言) 후견
~ voluntaria 임의 후견

tutelado 피후견인

tutor 후견인; 보호자
~ *ad litem* (법원이 임명한) 소송 후견인
~ dativo 법원이 임명한 후견인
~ de mayores 성년 후견인
~ de menores 미성년 후견인
~ general 일반적 후견인
~ legal 법정 후견인
~ legítimo 법정 후견인
~ testamentario 지정 후견인

tutoría 후견, 보호

U

ubi societas ibi ius 사회가 있는 곳에 법이 있다(donde hay sociedad hay Derecho)

ujier 수위; 법정 경위, 집행관, 영장 송달리(送達吏)

ulteriores procedmientos 더 이상의 조치

última instancia 종심(終審)

últimas voluntades 유지(遺志)

ultimar (Col) 살해하다, 모살(謀殺)하다

ultra vires 권한을 넘어서, 월권으로, 능력외(外)

ultrajar 모욕하다; 성폭행하다

ultraje 모욕, 폭행; 성폭행

ultranacionalismo 울트라내셔널리즘, 초국가주의

ultrapetición (M) → extrapetición

una voz, a 만장일치로, 이구동성으로

unánime ⓗ 만장일치의, 전원일치의, 이의 없는

unanimidad 만장일치, 전원일치

unanimidad, por 만장일치로

única ⓗ 유일한
- ~ de cambio 단독어음, 단일어음
- ~ instancia 1심 종결 소송

unicameral ⓗ (의회의) 단원제의

unidad de conciliación 조정위원회(comité conciliador)

unidad familiar 세대

unidad nacional 국민통합

unificación legislativa 통일법화

unilateral 일방적인, 편무적(片務的)인

unión 결합, 합병, 합동; 일치, 단결; 조합, 협회; 결혼
- ~ aduanera o arancelaria 관세동맹
- ~ de acciones 소송의 병합
- ~ de crédito 신용협동조합

~ de hecho 내연(內緣)
~ de las partes 공동소송
~ errónea o indebida 잘못된 (소송) 병합
~ gremial u obrera o sindical 노동조합, 노동연맹

unionar (PR) 노동조합을 결성하다; 노동조합에 가입하다

Unión Europea (UE) 유럽연합

Unión Postal Universal (UPU) 만국우편연합

unir 합하다, 병합・합병하다, 연결시키다

universalidad
~ de derecho 개인의 권리와 의무의 총합
~ de hecho 유형물(有形物)의 총합
~ jurídica 유체 및 무체 재산의 총합

urbanismo 도시계획(planificación urbanística)

urbanización 도시화(desarrollo urbanístico); 토지분양; 택지(宅地)조성

usanza 관례, 상관습; 유전스, 기한부 어음, 기한

uso 사용; 관습, 습관
~ beneficioso 수익적 사용, 수익적 향유(享有)
~ conjunto 공동사용
~ contrario 적대적 사용(자)
~ de la firma social 상호 사용 권한
~ exclusivo o en exclusiva 전용(專用)
~ hostil 적대적 사용
~ indebido 위반; 침해
~ pasivo 수동적 사용, 묵인 사용
~ provechoso 수익적 사용
~ secundario 이차적 사용
~ sin derecho 적대적 사용
~ y disfrute 사용 및 수익
~ y ocupación o y tenencia 사용 및 점유

usos 관습
~ de los comerciantes 상관습
~ forenses o de los tribunales 재판 절차규칙
~ negociales 거래상의 관습
~ públicos 공공목적

usual ⓗ 일상의, 통상의, 보통의

usuario 사용자

usucapión, usucapio 사용취득, 취득시효

usucapir 시효에 의해 취득하다

usufructo 용익권(用益權)

~ imperfecto 불완전 용익권
~ perfecto 완전 용익권
~ por disposción legal 법정 용익권
~ universal 전(全)재산의 용익권
~ vidual o viudal 생존 배우자의 용익권

usufructuador 용익권자; ⓗ 용익권의

usufructuar 용익권을 갖다; 향유하다, 소유하다

usufructuario 용익권자

usura 고리대금(高利貸金)

usurar 고리대금을 하다; 폭리를 얻다

usurario ⓗ 고리(高利)의

usurear 고리대금을 하다; 폭리를 얻다

usurero 고리대금업자

usurpación de inmuebles 부동산 침탈죄, 부동산 절도

usurupador 침해자, 찬탈자

usurupar 찬탈・강탈하다; 침해・잠식하다; (부동산 점유권을) 침탈하다

uterino ⓗ 자궁의; 이부동모(異父同母)의

uti possidetis 점유 보호 명령, 점유물 유보의 원칙, "네가 점유하고 있으니까"

uti, frui, habere, possidere 사용, 수익, 점유

utilidad 효용; 이익; 유용성, 사용가치, 편리
~ de explotación 영업 이익・수익・소득・수입
~ decreciente 수확 체감(의 법칙)
~ gravable 과세 소득
~ pública 공익

utilidades
~ a distribuir 미처분 이익
~ de capital 자본 이득
~ esperadas 기대 이익
~ impositivas 과세 소득
~ incorporadas 이익 잉여금, 유보 이익
~ indivisas 미처분 이익

utilización o uso ilegítimo 무단사용

uxoricida 아내 살해범인

uxoricidio 처살(妻殺), 남편이 부인 살해

vacaciones pagadas o **retribuidas** 유급휴가

vacar (법원이) 휴가 중이다

vacatio legis (법의) 시행기간, 주지(周知)기간

vagancia 방랑, 부랑죄

vago, vagabundo 방랑자, 부랑자

vale 인환증, 인수증; 차용증; 약속어음, 지불어음; 증서, 증권
 ~ a la orden 유통어음
 ~ aduanal 관세 환급증서
 ~ de prenda (Ch) 창고증권
 ~ de tesorería (Ch) 재무성 중기(中期)증권

valedero ㊍ 유효한, 효력 있는

valer 가치; 가치가 있다, 값이 얼마다; 이익이 생기다

vale 수정필(교정쇄)

valía 가치, 값

validación 추인(追認)

validar 유효하게 하다; 효력을 인정하다
 ~ un testamento 유언을 검인하다

validez 유효
 ~ de un medio de prueba 증거능력

válido ㊍ 유효한, 효력이 있는

valija diplomática 외교행낭

valioso ㊍ 소중한; 가치 있는; 유효한

valor 가치, 가격; 증권, 유가증권
 ~ , al (A) 가격에 따른, 종가(從價)의
 ~ a la par 환 평가; 액면 가액
 ~ actual 시가(市價), 현행 가격, 실제 가치
 ~ al vencimiento 만기상환가액, 만기일에 있어서의 가치
 ~ añadido 부가가치
 ~ asegurado 보험가액
 ~ catastral (부동산) 과세가액, (과세품의) 사정가격
 ~ de adquisición 기초원가, 제조 직접비
 ~ de balance (Col) 장부가액

~ de costo o costo en plaza 저가(低價)주의(*cost or market*)
~ de emisión 발행가격
~ de empresa en marcha 영업 중인 회사의 가치, 경영가치
~ de mercado 시장가치
~ de paridad 액면금액, 환평가
~ de renovación o de reemplzao o de reposición 대체원가, 재조달 원가
~ de tasación 감정가치, 사정가치
~ ejecutivo (법률) 유효성, 효력
~ en cambio 교환가치
~ en cuenta (환어음 발행인의 가용) 계정잔액
~ en garantía o en prenda 담보가액
~ en plaza 현행 가치, 시장가치
~ en uso 사용가치
~ entendido 합의(合意)가치
~ equitativo de venta 공정시장가치
~ extrínseco (회계) 영업권
~ gravable 과세가격
~ impositivo 과세가격
~ liberatorio, de 법정통화(法定通貨)의
~ liquidable o en liquidación 청산가치
~ líquido de propiedad 자본주·출자자 지분, 형평법상의 권익
~ neto (M) 순가치
~ nominal o nominativo 명목가치; 액면금액
~ probatorio 증거가치
~ razonable 공정가치, 적정가치
~ recibido 대가수령(代價受領)
~ retenido 유보가치
~ según libros 장부가액

valores 유가증권; 채권, 사채; 자산, 재산; 귀중품
~ al portador 무기명 증권, 지참인 지급증권
~ bancarios 은행 지폐; 어음
~ bursátiles o de bolsa 상장 유가증권
~ de especulación (M) 지분 유가증권
~ de renta fija 확정이자부 증권
~ de renta variable 보통주식, 지분 유가증권
~ fiduciarios 공사채, 사채
~ fiscales (Ch) 국채
~ hipotecarios 담보부 사채, 담보부 채권
~ materiales 유형자산, 물적 자산
~ mobiliarios 무기명 증권, 지참인 지급증권
~ nominales (A) 영업권
~ realizables 당좌자산
~ timbrados (A) 인지(印紙)
~ transmisibles 유통 유가증권

valoración 평가, 감정
~ de los elementos probatorios 심증

~ jurídica o legal　법적 평가
~ o apreciación de los hechos　사실심리
~ pericial　감정인의 평가
~ ponderada de los intereses en conflicto　이익 형량(衡量)
~ profesional　직무평가

valorador　감정인

valorar　감정 · 사정 · 평가하다, 값을 매기다
~ en menos　싸게 견적하다, 과소평가하다

valorativo　㊕ 평가하는

valores de inversión　투자증권

valorización　평가; 사정, 감정; 가치 높이기

valorizar　감정하다, 평가하다; 가치를 높이다; 현금으로 바꾸다

valuable　㊕ 귀중한; 유가(有價)의; 평가할 수 있는

valuación　감정, 평가
~ de convención　(보험) 커미셔너 가액(價額), 협정가액
~ fiscal　감정가액, 평가액
~ preventiva　소송에 대비한 전문가 감정

valuador　감정인, 가격 사정인

valuar　값을 매기다, 견적하다; 평가하다
~ en exceso　비싸게 견적하다, 과대평가하다

variación　변동; (주장과 증거와의) 불일치

vecinal　㊕ (특정한) 지방의, 고장의

vecindad civil　합법적 거주지

vecino　이웃, 상린자(相隣者)

veda　금지(권), 금제(禁制)

vedar　금지하다; (의안 등을) 거부하다

vejación　학대

venal　㊕ 뇌물이 통하는, 매수할 수 있는; 팔기에 적당한, 시장성이 높은

venalidad　돈이면 다 됨

vencedero　㊕ (C) 기한이 있는, 만기가 되는

vencedor en juicio　승소자

vencer　만기가 되다; 이기다

vencido en juicio　패소자

vencido y pagadero　㊕ 만기가 되어 지급해야 하는

vencimiento 만기(일), 기간만료; 패소(敗訴)
- ~ aparente 외관상 만기
- ~ común 평균 만기일
- ~ de pago 납부기한

vendedor 파는 사람, 매주(賣主)

vender 팔다
- ~ a consignación 위탁판매하다
- ~ en remate 경매로 팔다

vendí 매도증(서)

vendible ⓗ팔 수 있는, 시장성이 높은

vending <영. 자동판매

venduta 경매, 공매

vendutero 경매인

veneno 독(毒), 독물

venia (법원의) 허가
- ~ del tribunal 법원의 허가

venta 판매, 매각
- ~ a crédito 신용판매
- ~ a distancia 통신판매
- ~ a domicilio 방문판매
- ~ a muy bajo precio 염매(廉賣)
- ~ a plazos 할부판매
- ~ al martillo 경매
- ~ al por mayor 도매
- ~ al por menor 소매
- ~ ambulante 이동판매
- ~ automática (a través de máquinas expendedoras) 자동판매
- ~ bajo pedido 예약판매
- ~ bajo reserva 예약판매
- ~ *CIF* 보험료 운임 포함 가격
- ~ con precio aplazado 외상판매
- ~ desleal a bajo coste 부당염매(*dumping*)
- ~ en almoneda 경매
- ~ en efectivo 즉매, 현찰매매
- ~ extrabursátil 점두(店頭)매매
- ~ *FAS* 선측인도가격
- ~ *FO* 선복인도가격
- ~ *FOB* 본선인도가격
- ~ ficticia 위장매매
- ~ forzosa 강제매매, 경매처분
- ~ fuera de establecimiento mercantil 무점포판매
- ~ hipotecaria 담보물의 매각

~ incondicional 무조건의 매도
~ judicial 담보물의 매각, 사법상 매매
~ mayorista 도매
~ minorista 소매
~ *OTC* 점두매매(*over-the-counter*)
~ pública 경매(subasta)
~ simulada 위장매매

ver 보다; 관찰하다; 진술을 듣다, 심리·신문하다
~ una causa 소송사건을 심리하다

veracidad 진실성; 진상

verbal ⓗ 말의, 구두의

verdad 사실, 진실, 진상; 진리

veredicto (배심원 또는 재판부의) 평결
~ absolutorio 무죄 평결
~ accidental 운에 맡기는 평결
~ cerrado o sellado 밀봉된 평결
~ de culpabilidad 유죄 평결
~ de inocencia 무죄 평결
~ injusto 부당한 평결
~ por acomodación 타협적 평결

verificación 확인, 검증; 실행, 거행

verificar 확인·검증하다; 실행·거행하다
~ comicios 선거를 실시하다
~ una convocatoria 회의를 소집하다
~ el pago 지불하다
~ una pesquisa 조사·수색하다
~ el protesto (상업) (어음의 지급을) 거절하다; 거절증서를 작성하다
~ una reunión 회의를 개최하다

vetar 거부하다, 거부권을 행사하다

veto 거부; 거부권

vía 도(道), 길; 절차
~ administrativa 행정의 사전절차
~ contenciosa 소송
~ de apremio 강제집행
~ de apremio administrativo 행정상의 강제집행
~ de asentamiento (M) 압류절차
~ de desarrollo 개발도상의
~ diplomática 외교수단
~ ejecutiva 강제집행
~ gubernativa 행정의 사전절차
~ judicial 소송
~ jurisdiccional 재판, 재판상의 청구

~ municipal 시도(市道)
~ ordinaria 통상(通常)절차
~ penal 형사절차
~ previa (재판을 청구하기 전에 밟아야할) 사전절차
~ pública 공도(公道)
~ sumaria 약식절차

vicecónsul 부영사(副領事)

vicegobernador 부지사(副知事)

vicesecretario 차관(次官); 서기(관)보

vicetesorero 부재무관, 부(副)경리

viciar 해롭게 하다; (품질을) 나쁘게 하다; 위조하다
~ de nulidad 무효로 하다

vicio 흠결, 하자
~ de forma 형식상의 하자
~ de la declaración de voluntad 의사(意思)의 흠결
~ del consentimiento 동의(同意)의 하자
~ inherente o intrínseco o propio 본질적 하자
~ ocultos 감추어진 하자
~ patente o manifiesto 명백한 하자
~ procesal 절차상의 하자
~ redhibitorio 계약취소사유가 되는 하자

vicioso ⓗ 흠・하자・결함이 있는

víctima de un delito 피해자

victoria en juicio 승소
~ de la parte demandada 피고(被告)승소
~ de la parte demandante 원고(原告)승소

victorioso 승소자; ⓗ 승소한

vigencia 유효성, 효력
~ , en 유효한, 현행의
~ de la garantía 보증기간
~ de la ley 법의 효력
~ de la póliza 보험기간
~ fiscal (Col) 회계기간, 회계연도

vigente ⓗ 유효한, 현행의(en vigencia)

vigor, en 현행의, 시행 중의

vinculado ⓗ (M) 강제적인, 의무적인; 저당 잡힌

vincular (부동산의) 상속인을 한정하다; (빚・의무 등을) 지우다

vínculo 연결, 유대, 굴레; 관계, 연고; 한정 상속

~ del derecho 법률상의 의무
~ familiar 가족관계
~ matrimonial 결혼, 혼인의 굴레

vindicatorio ⓗ 변명·변호의; 징벌의, 제재적인

violación 침해; 강간죄
~ de contrato 계약 위반
~ de garantía (보험) 보증책임 위반
~ de las reglas 규정 위반
~ de patente 특허권 침해
~ de promesa 약속 위반

violador 위반자, 침해자; 성폭행 범인

violar 위반·침해하다; 성폭행하다
~ la ley 법을 위반하다

violatorio (U, M) 위반·침해하는

violencia 폭력
~ carnal 성폭행하려는 의도의 폭력
~ conyugal o de género 부부폭력
~ doméstica 가정폭력
~ física 실제적 폭력

violencia o intimidación 폭행 혹은 강박

violentar 침입·난입하다; 폭력·폭행을 가하다

virtual ⓗ 사실상의, 실질적인; 가상의, 가(假)의

visa 사증(査證), 비자
~ consular 영사 사증
~ de tránsito 통과 비자
~ de turismo 관광 비자

visación 사증, 증명

visado 사증, 비자

visar 사증하다, 증명하다

visitar 방문하다; 시찰·견학하다, 검열하다; (영장을 가지고) 수색하다

vista 시력; 대질 심문; 검시
~ , a la (상업) 보자마자, 즉석에서; 일람 출급의
~ completa 정식 심리(審理)
~ de, a (~의) 면전에서, (~의) 입회하에
~ de, en (~을) 고려하여, (~에) 비추어, (~인) 까닭에
~ oral 대심(對審)
~ del recurso de apelación 항소심
~ preliminar 예비심리
~ pública 공판

vista 세관의 검사관
~ aforador 세관의 감정관(鑑定官)

vistas 심리, 공판; 회견, 회담

visto bueno 승인, 재가; ⓗ 승인된

visto para sentencia 결심(結審)

visto que (~을) 고려하여, (~인) 까닭에

vitae nescisque potestas 생살권(生殺權)

vitalicio ⓗ 종신(終身)의

viuda 과부, 미망인, 홀어머니

viudedad 과부 연금

viudez 과부・홀아비 생활

viudo 홀아비

viva voz, de 구두 (시험・심문・설명 등)

vivac (C) 경찰서

vocal 이사회・위원회의 구성원, 이사
~ suplente 대리・보결 위원
~ titular o principal 정규 위원

vocalía (CA) 위원회의 구성원들

vocero 대변인; 변호사

voluntad 의사(意思)
~ , a 임의의, 선택적인
~ común 의견의 일치・합치
~ libre 자유의사

voluntario ⓗ 자유의사에 의한, 자발적인, 임의의

votación 투표
~ anónima 무기명투표
~ condicional (회사) 조건부 투표
~ cumulativa (회사) 누적 투표
~ nominal 기명투표
~ por lista 찬반투표
~ secreta 비밀투표
~ y fallo 평결(評決)

votador 투표자, 선거인, 유권자

votar 투표하다, 투표로 뽑다
~ una ley 법안을 통과시키다, 법률을 제정하다

voto 투표; 투표용지; 의결 (↔ voz)

~ acumulativo 누적투표
~ anónimo 무기명투표
~ de calidad 캐스팅보트, 결정표
~ de confianza 신임투표
~ diferido 연기된 투표
~ en blanco 백지투표
~ en decisiones colegiadas 의결
~ escrito 서면투표
~ nominal 기명투표
~ nulo 무효투표
~ particular 소수의견
~ secreto 비밀투표

voz 발언(↔ voto)

vuelo 공간(空間)

vulnerabilidad 취약성

vulnerable ⓗ (외부영향, 공격 등에) 취약한

vulneración 침해
~ de los derechos humanos 인권침해

vulnerar 상하게 하다, 손상을 입히다; (C) 어기다, 침해하다

warrant <영. [형] 체포 · 구속 영장; [민] 소환장; [상] 창고증권;

xenofobia　외국인 혐오 · 배척

yerro 과오, 실수, 잘못; 과실, 실책

yugo 굴레, 멍에; 속박, 지배; 압제; 굴종; 법; 신부의 베일; 결혼

yusión 계율, 계명, 명령

Z

zanjar (분쟁 등을) 조정하다, 우호적으로 해결하다

zona 구역, 지역, 지대
~ aduanera 관세구역
~ comercial 상업지구
~ contigua (24 마일의) 접속수역
~ de ensanche 도시확장구역
~ de tolerancia 관용지대
~ desmilitarizada 비무장지대
~ económica exclusiva (200 마일의) 배타적 경제수역
~ fiscal (C) 과세지구
~ franca 면세구역, 자유무역구역
~ franca industrial 보세공단(Maquiladora)
~ industrial 산업지역
~ militar 군사구역
~ residencial 주거지역

zonificar 행정구역을 지정하다

zonificación 행정구역 지정

〈참고도서 및 참고한 인터넷 사전 목록〉

Louis A. Robb(2009), *Diccionario de Términos Legales, Español-Inglés e Inglés-Español*, Editorial Limusa, S.A. de C.V., México, D.F., México.

Francisco Barberán(2007), *Diccionario Jurídico, Japonés-Español, Español-Japonés*, Segunda edición, corregida y aumentada, Editorial Aranzadi, SA., Navarra, Spain.

Guillermo Cabanellas de Torres(2006), *Diccionario Jurídico Elemental*, Edición actualizada, corregida y aumentada, Editorial Hiliasta S.R.L., Bs. As., Argentina.

Miguel Ángel del Arco Torres(2009), *Diccionario Básico Jurídico*, Editorial Comares, S.L., Granada, Spain.

Guillermo Cabanellas de las Cuevas, Eleanor C. Hoague(2008), *Diccionario Jurídico, Inglés-Español,* Editorial Heliasta S.R.L., Bs. As., Argentina.

鴻 常夫(1989), 『英美商事法辭典』, 常事法務硏究會, 대광서림, 서울.

김충식(2007), 『엣센스 스페인어사전』, 민중서림, 서울.

윤명선, 백윤철, 이광진, 윤현석(2001), 『필수 비교법률용어사전』, 청림출판, 서울.

박재완(2008), 『영한 · 한영 회계용어사전』, 도서출판 일빛, 서울.

윤정문(2005), 『금융용어사전(한영.영한)』, 더난출판사, 서울.

『법률용어사전』, 2008개정판, 현암사, 서울.

강영호 외 5인(2009), 『핵심 법률용어사전』,청림출판, 파주.

한컴 사전, 한글오피스 2010.

Vancouver Community College *Multilingual Legal Glossary* http://www.legalglossary.ca/dictionary/

미국법연구소 (Center for American Legal Studies) http://www.lexgate.org/?mid=dictionary

Real Academia Española, *Diccionario de la lengua española,* Vigésima segunda edición, http://www.rae.es/rae.html

Diccionarios.com, http://www.diccionarios.com/

Drleyes.com, http://www.drleyes.com/

Proz.com, http://www.proz.com/
Wikipedia.org, http://www.wikipedia.org
Findlaw.com, http://espanol.findlaw.com/
Uslegal.com, http://definitions.uslegal.com/
Lectlaw.com, http://www.lectlaw.com/d-j.htm
Lawglossary.net, http://www.lawglossary.net/definition/
Yourdictionary.com, http://law.yourdictionary.com/notice
Businessdictionary.com, http://www.businessdictionary.com/definition/
Lawbrain.com, http://lawbrain.com/wiki/Amicable_Action
LegalDictionary, http://www.duhaime.org/LegalDictionary/
http://www.daum.net/
http://www.naver.com/
http://www.google.com/

박종탁

한국외국어대학교 스페인어과 졸업(법학 부전공)
한국외대 통역대학원 영서과 수료
베네수엘라 중앙대학교(UCV) 유학(국비파견)
경희대학교 대학원 석사(스페인문학)
한국외국어대학교 대학원 박사(스페인문학)
멕시코 과달라하라 자치대학교(UAG) 교환교수
현) 부산외국어대학교 스페인어과 교수

「이베로아메리카 법 문화에 대한 소고(小考)」
「베네수엘라 볼리바리안 헌법 개관」
「중남미법 연구실태와 중남미법 번역의 필요성」
「수권법-베네수엘라 헌법의 블랙홀」(스페인어)
외 다수

하상욱

칠레국립대학교 법대 졸업
스페인 마드리드 Complutense 법대 비교법학 석사
칠레 산티아고 · 스페인 마드리드에서 변호사 개업
회명합동법률사무소 내 외국변호사
한국외국어대 통 · 번역대학원 겸임교수(법률 스페인어~영어)
주한유럽연합상공회의소(EUCCK) Auto-Parts Committee Chairman
현) 한국외국어대학교 법학전문대학원 겸임교수
한국외국어대학교 ILEC 법률영어시험 센터장
주한 중남미 대사관 및 스페인 국내기업 법률고문

『무역스페인어』(공저)
『고양이 목에 방울달기(칠레 연금개혁)』
『칠레노동개혁』
『대검찰청 법률용어대역집(스페인어 편)』
『우리의 법원, 세계의 법원』
『자유주의 사상가 12인의 위대한 생각』(공저) 외 다수

전국경제인협회 제15회 시장경제출판문화대상(2004)
대한민국 외무부장관 표창(1988)

스페인어-한국어
법률용어사전
DICCIONARIO JURÍDICO ESPAÑOL-COREANO

초판인쇄 | 2011년 7월 25일
초판발행 | 2011년 7월 25일

편 저 자 | 박종탁
감 수 자 | 하상욱
펴 낸 이 | 채종준
펴 낸 곳 | 한국학술정보㈜
주 소 | 경기도 파주시 문발동 파주출판문화정보산업단지 513-5
전 화 | 031) 908-3181(대표)
팩 스 | 031) 908-3189
홈페이지 | http://ebook.kstudy.com
E-mail | 출판사업부 publish@kstudy.com
등 록 | 제일산-115호(2000. 6. 19)

ISBN 978-89-268-2411-5 93770 (Paper Book)
978-89-268-2412-2 98770 (e-Book)

이담 Books 는 한국학술정보(주)의 지식실용서 브랜드입니다.